U0829545

国家出版基金项目
NATIONAL PUBLICATION FOUNDATION

《三联经典文库》

第二辑

2012 年国家出版基金项目

《三联经典文库》编辑委员会名单

学术顾问：吴敬琏　金冲及

编委会主任：樊希安

编委会副主任：李　昕　潘振平　翟德芳　常绍民　张作珍

编委会成员（按姓氏笔画）：

王忠义　尹昌龙　石晓光
卢　岳　叶　彤　田文生
曲柏龙　朱利国　刘　强
刘　靖　孙　漩　李　昕
李　峰　李永臻　李国庆
李学军　李湛军　吴文胜
张　荷　张作珍　陆　皎
林疆燕　罗　勇　周　斌
郑　勇　郝大超　袁淑芹
唐思东　涂　华　曹永平
彭　云　舒　炜　詹那达
蔡立国　翟德芳
樊希安　潘振平

三联经典文库

159

中国史纲

（第一卷上：史前史　殷周史）

翦伯赞　著

生活·讀書·新知 三联书店

Chinese Copyright © 2014 by SDX Joint Publishing Company.All Right Reserved.
本作品中文版权由生活·读书·新知三联书店所有。未经许可，不得翻印。

图书在版编目(CIP)数据

中国史纲（第一卷上下、第二卷上下）/ 翦伯赞著.
-- 北京 : 生活 · 读书 · 新知三联书店, 2014.1
（三联经典文库第二辑）
ISBN 978-7-108-04672-7

Ⅰ. ①中… Ⅱ. ①翦… Ⅲ. ①中国历史－古代史
Ⅳ. ①K22

中国版本图书馆CIP数据核字(2013)第254448号

《三联经典文库》出版缘起

适逢生活·读书·新知三联书店八十华诞，为弘扬传统，接续文脉，回报读者，服务社会，我们决定策划出版《三联经典文库》。

1932年7月，生活书店在上海创办，此后，读书出版社和新知书店相继成立。本文库第一辑、第二辑所选图书，来自于这三家出版单位及其分支机构，以及1948年生活·读书·新知三联书店成立后的出版物，始于1932年，截至1951年，两辑各一百种。此为第二辑，涉及政治、经济、社会、军事、思想文化诸领域，涵盖专著、文集、散文、小说、诗歌、传记、报道等体裁，既有直面现实、追求真理、讴歌真善美、抨击假恶丑的原创作品，又有引介世界各国先进文化、传播新知、开启民智的迻译之作，真实记录了那一代知识分子的思考与探索、理想与愿景和对中华民族文化传承与创新所做出的努力与贡献。

本文库所辑入各书，多为名家名作，在版本方面，以初版一印本或经著译编者审定、修订、增订过的版本为首选，因此本文库又具有较为珍贵的版本价值和收藏价值。

本文库还将编选续辑，使之成为恢弘文化工程。诚挚希望读者给予批评和指正，帮助我们完善编选工作，再现三联经典作品之风采。殊为遗憾的是，由于年代久远，一些原著译编者及其后人未能取得联系并奉付稿酬，诚盼版权所有者与我们联系。祈愿三联前辈所创造的精神财富能薪火相传，为中华文化的伟大复兴增光添彩。

《三联经典文库》编辑委员会

2013 年 8 月

凡　例

一、本文库为重排本，由繁体字竖排版改为简体字横排版。

一、以忠实于原作、整旧如旧为编辑原则，对当时使用的专有名词、外文译名，以及民国时期的语言和特色予以保留。

一、原书注释如旧，编者所出的注释，均以“编者注”标明，以示与原书注释的区别。

一、对原书残缺或字迹漫漶之处，以□示代。

一、对繁简文本转换时的“如右”、“见左”一类，对应改为“如上（前）”、“见下（后）”。

一、对原书中各种错讹脱衍之处，直接订正，不再以其他符号标示。

一、对数字、标点符号的用法，在不损害原文语义的情况下，做必要的规范。

一、本文库各书均前插原书书影、原书版权页和文库版“本书出版说明”。

一、本书出版说明的撰写，以客观中立为原则，扼要介绍本书的内容、版本流转、著译编者的情况。

本书出版说明

本书系由翦伯赞先生于1940年代身居重庆时所著。在书中，作者以马克思历史唯物主义和辩证法为指导思想，以经、史、子、集等文献资料为主，并佐以当时出土的汉简、石刻画像、碑刻、封泥、文化遗址和墓葬挖掘报告等考古材料，系统梳理了上自神话传说时代的中国史前史、中经殷周王朝的演变、迄于秦汉帝国终结的上千年历史，同时也加入了1930年代关于中国社会性质和中国社会历史问题大论战的思考和总结。值得注意的是，作者以同时期的世界历史环境为参照，在论述中国历史上的某些重大问题时与其进行对比的研究视角和写作手法，独树一帜，实开比较史学之先河；对各少数民族在中华文明孕育、发展过程中所起到的作用和贡献，予以关照，力求客观公允之评说。事实上，本书是作者出版于1938年的《历史哲学教程》一书的延续，是中国马克思主义历史学体系的奠基之作之一。

本书第一卷由重庆五十年代出版社初版于1944年4

月，1946 年上海生活书店据初版本将其列为“新中国大学丛书”之一种两次再版；第二卷由大孚出版公司（成立于重庆，1946 年迁上海）初版于 1946 年。此次出版，即分别以生活书店 1946 年 10 月再版、大孚出版公司 1946 年 7 月渝版为底本。为便于阅读，此次出版将第一、二卷各拆分成两册共计四册。

翦伯赞（1898-1968），维吾尔族，湖南桃源人。1916 年进北京法政专门学校学习，不久即转入国立武昌商业专门学校，于 1919 年毕业。1924 年赴美国加利福尼亚大学攻读经济学专业。回国后致力于历史学研究。1937 年 5 月加入中国共产党。抗战期间，撰写文章批判国民党的亲日独裁政策，积极投身于中国社会性质问题的大论战，初步建立了中国马克思主义历史学体系。1952 年至 1968 年为北京大学副校长、历史系主任。历任第一届全国政协委员，第一、二、三届全国人民代表大会代表，中央民族事务委员会委员，中国科学院哲学社会科学部学部委员。1968 年 12 月，与妻子自杀。1978 年平反。1979 年举办了追悼会。主要著述有《中国史纲》、《先秦史》和《秦汉史》等，主编《中国史纲要》、《中国古代史教学参考资料》和《中国近代史资料丛刊》等。

生活·读书·新知三联书店

2013 年 8 月

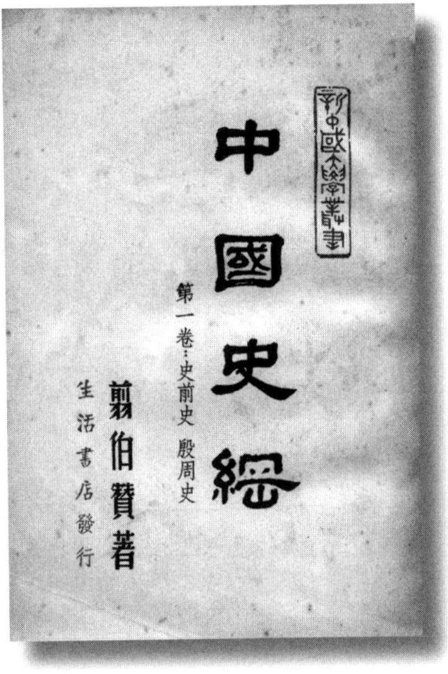

生活书店 1946 年 10 月再版书影

新中國大學叢書

中國史綱

著者 翦伯贊
發行人 徐伯昕
發行者 生活書店 上海·重慶

版權所有★不准翻印

中華民國三十五年七月出版
中華民國三十五年十月再版

〔43〕S. 1001—3000

原书版权页

目次

新中国大学丛书编辑缘起　1

新中国大学丛书特约编撰　3

序　4

一　前氏族社会

第一章　中国人种的起源与历史的序幕　15

第一节　开天辟地的时代　15

第二节　北京猿人的出现　20

第三节　中国的伊甸乐园　28

第四节　新的人种之外来　36

第二章　前氏族社会的经济构造　44

第一节　有巢氏时代——中国的下期旧石器文化与原始采集经济　44

第二节　“燧人氏”时代——中国的中期旧石器文化与采集狩猎经济　50

第三节　“伏羲氏”时代——中国的上期旧石器文化与采集狩猎经济之发展　61
第三章　前氏族社会的生产关系与家族关系　69
第一节　“有巢氏”时代——原始群与血族群婚　69
第二节　“燧人氏”时代——性别年龄别社会与亚血族群婚　76
第三节　“伏羲氏”时代——氏族社会的萌芽与亚血族群婚家族向对偶婚家族之过渡　81
第四章　前氏族社会的意识诸形态　87
第一节　言语的发生及其形成的过程　87
第二节　宗教的发源及其原始的形态——万物有灵　92
第三节　原始的艺术——卵石彩绘鹿角雕刻及原始舞蹈　99

二　氏族社会

第一章　中国人种的分布与氏族社会的形成　113
第一节　世界的新面貌与中国历史的新形势　113
第二节　中国人种的大移动与史前文化的大交流　121
第二章　氏族社会的经济构造　129
第一节　“神农”“黄帝”时代——中国下期新石器文化与畜牧种植的发明　129
第二节　“尧”“舜”“禹”时代——中国中期新石器文化与畜牧种植经济的发展　142

第三节 “夏代”——中国上期新石器文化与田野农业的出现 155
第三章 氏族社会的家族关系与社会组织 169
第一节 对偶婚家族与族外婚 169
第二节 中国的母系氏族社会及其向父系氏族社会之转化 179
第四章 氏族社会的意识诸形态 193
第一节 氏族社会的宗教——图腾主义的信仰·咒术与祖先崇拜 193
第二节 氏族社会的艺术——陶片上的彩画、骨石的雕刻与舞蹈 204

三 古代社会

第一章 殷族的起源与中国古代国家的成立 219
第一节 古代的世界与古代的中国 219
第二节 史前的殷族——其出发点与分布区域 224
第三节 殷族的大征服与夏族的大移动 234
第二章 殷代的社会生产力 243
第一节 殷墟出土的青铜器文化 243
第二节 殷代是青铜器时代还是石器时代？ 251
第三节 殷末有没有铁器的应用？ 260
第三章 殷代的社会经济构造 266
第一节 农业取得了支配地位 266

第二节　畜牧退到次要的地位，渔猎娱乐化　274
第三节　手工业分工的发达　278
第四节　商业交换的繁荣　282
第四章　殷代的社会关系及其发展　289
第一节　殷代社会关系的构成——奴隶所有者与奴隶　289
第二节　殷代社会关系的发展——“盘庚迁都”与殷末的东南征伐　297
第三节　殷代社会关系的决裂——“武王伐纣”、“前徒倒戈”与殷代奴隶国家的灭亡　306
第五章　殷代的家族关系　310
第一节　一夫一妻制家族形态的成立与“多父”“多母”之说　310
第二节　一夫一妻制家族形态的发展与原始杂婚制的遗风　321
第六章　殷代社会的意识诸形态　329
第一节　文字的起源及其最初阶段　329
第二节　科学的萌芽——历数的发明　337
第三节　艺术——铜器上的镂刻、陶器上的花纹、音乐与舞蹈　340
第四节　宗教——上帝的出现、骨卜与龟卜、祖妣同祀　350

插图目次

插图一　冰河时代的世界图　16
插图二　北京猿人的头盖骨　22
插图三　蒙昧时代的中国图　29
插图四　“有巢氏”时代（蒙昧下期）的燧石器，周口店山洞发现之最原始的燧石器　46
插图五　“燧人氏”时代（蒙昧中期）的骨制尖头器或锤击器　53
插图六　“燧人氏”时代骨制的割切器　54
插图七　“燧人氏”时代的古人用作案板的一块兽骨　55
插图八　“燧人氏”时代凿孔的兽骨　58
插图九　“伏羲氏”时代（蒙昧上期）的石器与骨针　66
插图十　“伏羲氏”时代“以佃以渔”的遗迹　67
插图一一　“伏羲氏”时代氏族长老用于宗教之鹿角制的“指挥杖”　82
插图一二　“伏羲氏”时代作为祖先崇拜之象征的“珠灵卡”　83
插图一三　“伏羲氏”时代的古人之装饰品　97
插图一四　冰河退去以后的世界图　114
插图一五　野蛮时代的中国图　118
插图一六　“神农黄帝”时代（齐家期）的陶器及陶片　133

插图一七　“尧舜禹”时代（仰韶期）殉葬陶器上的丧纹　143
插图一八　“尧舜禹”时代的陶器之一（仰韶期的陶公瓮）　144
插图一九　“尧舜禹”时代的陶器之二（马厂期的陶瓮）　145
插图二〇　“尧舜禹”时代的石器之一　146
插图二一　“尧舜禹”时代的石器之二　147
插图二二　“尧舜禹”时代的骨器　148
插图二三　夏代初期（辛店期）的铜器　156
插图二四　夏代初期（辛店期）的陶器　157
插图二五　夏代中期（寺洼期）的陶器　158
插图二六　夏代晚期（沙井期）的陶器　159
插图二七　夏代彩陶上的几何花纹图案之一　210
插图二八　夏代彩陶上的几何花纹图案之二　210
插图二九　夏代彩陶上的植物花纹　211
插图三〇　夏代彩陶上的动物花纹　212
插图三一　夏代的艺术品　213
插图三二　古代世界图　220
插图三三　殷商时代的中国图（盆地误作盘地）　223
插图三四　史前殷族的分布图　227
插图三五　殷墟出土的铜范　244
插图三六　殷墟出土的青铜器　246

插图三七　殷墟出土的青铜武器　247
插图三八　殷墟出土的陶器　279
插图三九　殷商的甲骨文字　330
插图四〇　殷以前类似文字之符号及象形图画　335
插图四一　殷代青铜器上的回纹之渊源　341
插图四二　殷代青铜器上的几何花纹与动物花纹　343
插图四三　殷代白陶片上的蝉纹　345

新中国大学丛书编辑缘起

抗战的胜利结束，民主和平建国的开始，为中国开辟了一个空前伟大的时代，配合着这样一个时代，自然需要一种新的进步学术——适应民主和平建国的要求和指导这一时代顺着历史轨迹向前迈进的新学术。从它的本质上讲，这种新时代的学术，首先应当为实现中国之独立自由幸福而服务。同时，新中国的学术，不只是为中华民族的自由服务，它是民族性的，同时又是世界性的。中国学术界负有与政治经济的建设任务相配合的学术建设的使命。敝店的发行这套大学丛书，就是为想在这一使命上尽我们一分力量。这套丛书的基本立场，只是“学术自由”四个大字，除反民主反科学的或含有法西斯主义和各式各样专制独断主义臭味的东西外，一切在学术上站得住的有价值的作品，可以作为大学课本或参考书的，敝店都极端欢迎列入本丛书内。

陆续出版各书

新政治学大纲	邓初民　著
新经济学大纲（十版）	沈志远　著
政治学概论	张东荪　著
中国政治思想史	吕振羽　著
新财政学大纲	千家驹　著
世界经济史纲	彭迪先　著
近代经济学说史纲	沈志远　著
中国经济地理	陈　原　著
比较宪法（上册）	章友江　著
民法总论	周新民　著
自然哲学概论	罗克汀　著
中国史纲（第一册）	翦伯赞　著
近代西洋哲学史纲	王剑秋　译

新中国大学丛书特约编撰

千家驹　周新民　马哲民　彭迪先　王寅生　吴　晗

马寅初　叶圣陶　王亚南　吴清友　章友江　闻一多故

戈宝权　林汉达　郭沫若　潘　菽　沈志远　林砺儒

曹靖华　潘大逵　何思敬　茅　盾　陶行知故　潘光旦

吕振羽　施复亮　张志让　邓初民　李紫翔　胡　绳

张东荪　郑振铎　周予同　范文澜　张明养　翦伯赞

周谷城　侯外庐　曾昭抡　卢于道　周建人　马叙伦

费孝通　顾颉刚

（以姓氏笔划多寡为序）

序

这本书，上起开天辟地，下迄殷周之世，其所论述的范围，是秦以前的中国古史。

秦以前的古史资料，早已随着时代之悠迈而消逝。在春秋时代，孔子欲研究夏殷制度，已感文献之不足征。西汉初，司马迁著《史记》，亦谓“自殷以前，诸侯不可得而谱；周以来乃可论著”。所以司马氏于“三代”，于“五帝”，于“神农以前”，皆曰“尚矣”，曰“吾不知已”，曰“靡得而记云”。

几千年来，秦以前的古史，只不过是飘浮于神话与传说中之一些扑朔迷离的阴影而已。历代学者，对于这一段古史的论著，也只是传神书怪，捕风捉影，因误正误，以讹传讹，浸至荒诞不经，极离奇诡谲之大观。

秦以前的古史之走向科学的阶段，不过是最近二十年左右之事，其所以能致此者，一方面，固然是新的科学，如地质学、古生物学、人类学、考古学、民俗学等之发展；另一方面，则又是中国的史学自身发展之必然的归结。所谓中国史学自身的发展，即由盲目的信古而进到疑古，更由消极的疑古而进到积极的考古。前者就是所谓辨伪学，而后者便是所谓金石学。

中国的辨伪之学，自汉唐以来，即已肇始其端绪，迄于两宋而流风益煽，降至清乾嘉以后，则此种学问，大为昌明。其间学者辈出，如汉之郑玄、何休，唐之刘知几、柳宗元，宋之欧阳修、郑樵，明之宋濂、胡应麟，清之顾亭林、姚际恒、阎若璩、万斯同、崔述以至康有为等，他们都感到“经既苟且，史又荒唐”，于是不仅对于百家不雅驯之言，加以批判，即对于圣经贤传，亦予以辨正。穷其幽隐，发其讹误，分其瑕瑜，定其真伪。“一分真伪而古书去其半，一分瑕瑜而列朝书又去其八九。”（张之洞《輶轩语》）自此以后，中国文献上的古史资料，始获得严密之订正。

中国的金石之学，几乎与辨伪之学是平行的发展。自汉唐以来，中国古代器物，即间有发现。《说文·序》

云："郡国往往于山川得鼎彝，其铭即前代之古文是也。"不过在当时因罕见古物，偶有所得，辄引为神瑞之象征。若有能辨其文者世惊为奇。古代的器物之开始当作学问而研究，始于北宋。当时高原古冢，颇有发现，古代器物，出土渐多，始不以古器为神瑞而或以玩赏加之。在当时虽不必如阮元所云"士大夫家有其器，人识其文"，但据《籀史》所载，宋代著录金文之书，多至三十余家，而南渡以后诸家之书，尚不在内，是知宋代金石学的发展，亦可谓盛极一时。当时学者如欧阳修、吕大临、赵明诚、黄伯思、董逌、王俅、薛尚功、张纶、李诚之辈，或搜罗古器，征求墨本；或摹写形制，考订名物；或训释铭文，辩证经史，其用力甚大，创获亦多。至于文字训释方面，虽亦有穿凿纰缪可讥之处，但宋人对于金石学，实有凿空之功。

金石学在宋代，虽涂术已启，而流派未宏，其辉煌之发展，则亦在清乾嘉以后。在清代古物之出土者，已数十倍于宋代，而学者如阮元、翁方纲、王昶、孙星衍、钱大昕、瞿中客、李宗瀚、吴荣光、陈介祺、吴式芬、刘心源、吴大澄、端方、刘喜海、毕沅等接踵辈出，其所著述，不下四百种之多。于是金石学遂蔚为大观。降至清末，古物出土者更多，如洹阴之甲骨，齐燕之陶器，敦煌之简牍，巴蜀齐鲁之封泥，皆发现于近数十年间，于是金石学的范围，遂日益扩大，同时王国维氏对于金石学则已开始科学的研究。近来郭沫若氏又继王氏之后，发挥而辨正之，于是向之以为神瑞象征之古器，遂一变而为科学的瑰宝，向之不为人所注意的铭文，遂一变而为古史之珍贵的资料。自金石学发展以后，中国的古史，始得上溯于两周之世。

中国古史之能更进一步的发展，乃是由于近年以来考古学之不断的发现。由于考古学之不断的发现，于是埋藏于地下的远古遗物，到处出土，此种远古器物之出土，因而提供了中国古史研究以新而又新真而又真的资料。这些新的真实资料，不但可以考验文献上的史料之真伪，而且还可以补充文献上的史料之缺失。

首先是殷墟的发现，大批殷商古器物及甲骨文字，先后出土。考甲骨文片之出现，早在殷墟发掘之前，而且学者如孙诒让、罗振玉、王国维诸氏，并已开始搜集、拓印、考释的工作。惟甲骨文字之进入科学研究的阶段，则是在殷墟发掘以后，因为在殷墟发掘以后，甲骨文字的研究始得与出土实物相互印证而愈益有所发明。自是以后，甲骨文及殷代的青铜器之研究，风靡一时，学者如王国维、罗振玉、郭沫若、董作宾、马衡、李济等，或分析殷墟地层，或拓印殷墟器物，或研究殷墟文字，或考释殷商制度，于是中国的古史，始得上溯于殷商之世。

其次是甘肃河南的新石器文化之发现，大批彩陶及研磨石器，相继出土。若干外国学者如安特生、阿恩、加尔格林、巴尔姆格诸氏，对于这些彩陶之陶质及其制作技术形式花纹之演变，曾作详细之研究。以后李济氏又于山东发现黑陶及卜骨文化，英人芬神父等又于海丰香港一带发现刻纹陶及爪形石斧文化，于是中国的古史，始得上溯于传说中之“夏代”乃至“尧舜禹”及“神农黄帝”之世。

最后，则为中国旧石器文化之发现，许多原始的燧石器，骨角器物及其同时代的古生物化石，不断出土。同时并发现了中国最原始的人类化石，北京猿人的头盖骨。自此种旧石器文化出土以后，学者如步日耶、李生特、步达生、裴文中诸氏，或研究石器及骨角器物的制作技术，或研究北京猿人头盖骨构造，于是在中国蒙昧时代之历史的黑暗面，给与了一线的光明，因而中国古史遂有上溯至传说中之“伏羲氏”“燧人氏”“有巢氏”时代，乃至有上溯至中国历史之出发点的可能。

我们生于今日，得睹古人未见之古史资料，孔子所不能征之夏礼与殷礼，吾人已能征之，司马迁“靡得而记”之太古时代，吾人已能记之。然而直至今日，中国还有不少的历史家，对于近千年来固有文化的成果并不接受；对于科学的发现，亦视若无睹，而仍然昏迷于神话与传说之中，以至近来许多历史的巨著，不是把史前的社会避而不论，便仍然以神话的汇编，当作真实的古史。

我并不是否定神话与传说，反之，我以为神话与传说，决非好事者之凭空谎造，而皆有其一定的历史根据，换言之他们都是历史上之一个突出的片断之记录，不过传之既久，由于言语异音，文字异形，便难免讹讹百出，诚如韩非子所云：“孔子墨子俱道尧舜而取舍不同。”又如司马迁所云：“崆峒涿鹿淮海一带之长老皆道黄帝尧舜，而风教固殊。”总而言之，神话传说，流传愈久，则其所内含之历史的原素，亦即渐被歪曲、被夸大而趋于稀薄模糊了。所以以信而好古之孔子，而曰：“君子于其所不知，盖阙如也。”孟子亦曰：“尽信书，则不如无书。”是知中国的古圣先贤，对于神话与传说，亦在将信将疑之间也。但是即使如此，神话仍能保留一部分原始的内容。所以把神话人物当作一定历史时代的特征看，则仍不失为古史的资料之一，若把神话人物当作一个古帝先王看，则无异是白昼见鬼。

自从郭沫若氏的《中国古代社会研究》问世以后，中国的古史，才第一次用科学的方法由秦汉上溯于殷周之世。以后吕振羽氏的《殷周时代的中国社会》，又对殷周的历史，提出了许多新的见解。不管郭吕两氏的见解如何，要之，他们都有其自己的创见，各成一家之言。至于根据考古学的资料研究殷以前的古史，则吕振羽氏的《史前期中国社会》，实为首创之作。此书虽论而不详，但要言不繁，条理分明，已能指出中国史前社会之大概的轮廓。最近吴泽氏所著《中国原始社会史》，对于中国史前的历史，亦能有所发挥，惟吕吴二氏之书，对于中国东南沿海之史前文物的发现，皆未提及，实为缺陷。

此外邓初民氏于其所著《中国社会史教程》之首章，亦曾根据出土宝物，论述殷以前的古史，惟多着重于人类进化史上之一般方面的叙述。以是之故，我们不必讳言，中国史前的古史，直至今日，尚处于极幼稚的阶段。

我以为殷以前的古史，虽属于极遥远之太古时代，但是总是中国史上的一个历史时代，而且这一时代的历史，还是后来的中国历史发展之最原始的基础。因此，我在这本书上，大胆地把中国历史推到它的出发点。

为了给读者以具体的概念，这本书对于各时代的古器物，均附有图片。为了给读者以空间的概念，这本书对于各时代的历史活动范围，都附地图。为了给读者以时间的概念，这本书对于各时代的历史发展，都附有大事年表。而这些插图、地图及年表之绘制，就占了本书写作时间的三分之一。因此，这本书，我虽不敢说它已经把殷周及其以前的古史，从神话的霉锈中洗刷出来，但至少它已使这一段古史，显出了它本来的面目。一言以蔽之，从神的历史还原为人的历史。

翦伯赞　一九四三年六月廿三日于巴县歇马场

一　前氏族社会

第一章　中国人种的起源与历史的序幕

第一节　开天辟地的时代

大约在地质学第四纪之初，亦即今日以前之五十万年的时代，地球上便到了一个冰河时期，而这在中国历史上，就正是传说中所谓"九头十纪"[1]开天辟地的时代。

当此之时，鸿濛未辟，宇宙洪荒，整个的地球，都在混沌之中。皑皑的冰河，[2]正以清洁的冰雪，替人类

[1] 易纬乾凿度，春秋纬，元命苞皆谓自天地开辟至获麟为二百七十六万岁。分为十纪：九头纪，五龙纪，摄提纪，合雒纪，连通纪，序命纪，循蜚纪，因提纪，禅通纪，疏仡纪，每纪二十七万六千岁。这种"九头十纪"之说，虽系一种神话，由此可以窥知古人也认为开天辟地的时代是在遥远的太古。惟二百七十六万岁的数字，则完全是任意的假设，不足以为训。

[2] 据地质学考察，在地质学第四纪之初，曾有四次冰河期袭来。在冰河期与冰河期之间，皆有一个间冰河期。第四冰河期之后的时代，则称为后冰河期。地质学家把欧洲的四次冰河期命名为茎慈（Günz），门德尔（Minde），利士（Riss），威尔蒙（Würm）；而总称之曰冰河时代之更新世（Pleistocene）或洪积世（Diluvium），以与地质学现代之全新世（Holocan）相区别。

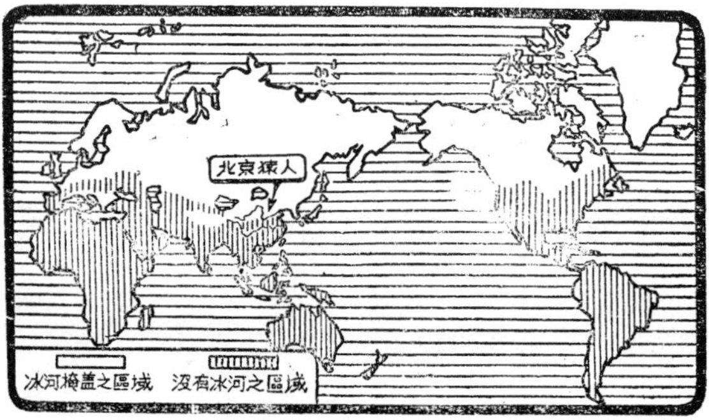

插图一　冰河时代的世界图

洗刷这个原始的世界。

当时的冰河，不但掩盖了地球的两极，而且越过极地，向地球的中部扩展。其由北极出发的冰河则掩盖了亚洲和欧洲的北部乃至中部，以及北美的若干地方。[1]其由南极出发者，也掩盖了南美的若干地方。只有赤道附近一带的地方不受冰河的袭击，丛生着莽莽苍苍的森林。这种苍翠的森林，就好像给这镀了银的地球，加上一个碧绿的玉环（插图一）。

当时地球的面貌，与我们今日完全不同。在今日许

[1] 一直到现在，地球的两极，还是永久为冰块所掩盖。此外在阿尔卑斯山、比勒尼山、天山、昆仑山、喜马拉雅山、帕米尔高原等处，都还有太古的冰河之存在。

多不相联络的大陆或岛屿，如西班牙，意大利之与非洲大陆，英格兰之与欧洲大陆，爪哇，苏门答腊之与亚洲大陆，都是以地峡相联络的。地球表面之不断的隆起与陷落，正是这一时代的地质之特征。[1]

在当时除了爪哇，[2]西欧[3]及南非[4]已经有了最原始的猿人以外，其余的世界，都还是哺乳的兽类之天下。[5]

---

[1] 冰河袭来及退去时代之地质学的条件，亦与现在不同，在间冰河期以陆地之隆起为特征，在冰河期则以陆地之陷落为特征。

[2] 在九十年代，荷兰军医杜波亚（Eugene Dubois）从爪哇岛的淳尼尔（Trinil）附近之第四纪的地层中，发现头盖骨的覆盖，大腿骨和两个大臼齿，从其构造上看来，与猿类的不同，与人类的近似，并且从腿骨的构造，测定这种遗骨之所有者，已能直立行走，因而名之曰“立行猿人”（Pithecanthropus Erectus）。由此而知在第四纪之初，爪哇一带，已有最初的人类。

[3] 一九〇七年，德国海德堡大学教授 Oftoschotensack 在海德堡附近之 Ir Mauel 砂层中发现一个人的下颚骨，因而把这种遗骨之所有者，定名为海德堡人（Homo Heidelbergensis）。人类学家认为这种人类型，是属于第二间冰河期。此种古生人较爪哇立行猿人是后起的人类，但他们必有其更原始的祖先，所以说在第四纪之初，西欧已有人类。

[4] 一九二四年，南非石灰公司职员 A.F.Camphell 在南非 Bechanaland 的 Tanngs 附近发现一个脑骨，人类学家认为这种脑骨的所有者，是一种近于人的猿，因而定名为“非澳猿”（Australopithenclls Afrrcans）。因此，在第四纪之初，南非也有最原始的人类之出现的可能。

[5] 这里所谓“其余的世界”，是指没有发现古生人化石的地方。如在澳洲美洲，至今尚无古生人化石的发现。但是也许在将来有所发现。

当时的中国除接近热带的西南一带，天气和暖，雨水充足，生长着繁茂的森林以外，黄河以北，都是一片冰雪皑皑的世界。特别是蒙古高原，因为地处中国的极北，首当冰河之冲击，所以在那里，“有冻寒积冰，雪雹霜霰，漂润群水之野”。在那里，是“寒冷之所积也，蛰虫之所伏也”。洪大的冰流以排山走石之力，从西伯利亚滚滚而来。这些冰流挟着砾石，卷着泥沙，把大量的冰块继续不断地倾注于今日之瀚海盆地，因而使这个盆地，汇成一个波澜壮阔的大内海。[1]这就是中国传说中所谓北方的“寒泽”。[2]

太阳虽然照在蒙古高原的地上，但它仍然不能消解由冰河带来之寒冷和潮湿的气候。[3]即因气候过于寒

[1] 近来于瀚海盆地之沙漠中，发现鸢色的圆礫石，砂岩，这都是由太古冰河冲刷而来的遗物。此外又发现了早于沙漠之海底的黏土以及第四纪初生存于这个内海中的贝类之化石（见 N.H. Odhner Fossil Shells of setemte Formation of Mongolia）。而且一直到现在，我们还能从残留于这个瀚海西部的许多小泊，认出这个古代大内海的轮廓。

[2]《淮南子》云：“北方曰大冥，曰寒泽。”

[3] 天文学家谓冰河之周期的袭来与太阳的黑点之周期的变化有关。地质学家谓冰河的袭来系地轴渐渐变更其位置，即地球走向与太阳距离较远之处。此两种假说，皆系寻找太阳无力之原因。

冷，[1]所以植物不易繁殖。虽然如此，当时内海周围没有为冰雪所掩蔽的山谷和原野里，已经生长出耐寒的石松枞桧月桂树，无花果以及球根类的植物。此外，在卑湿的地方或溪涧的沿岸，则生满了地衣与苔藓。这些古生的植物，就用它们生命的色素，点缀这荒旷的原野。

巨型的爬虫类已经灭绝了。[2]现在驰逐于蒙古高原的，是长毛犀，长毛象，剑齿虎，洞熊，鬣狗，麝香牛，北极狐及旅鼠之类的古生动物。它们弱肉强食相互吞噬，用了它们的咆啸，打破这洪荒世界的沉寂。

地球在转动，冰河在冲刷，海洋在隆起，陆地在沉沦，风雪在飘零，内海在荡漾，月桂树在摇曳，剑齿虎在咆啸，这就是开天辟地时代的情境。就在这个宇宙洪荒的时代，在蒙古高原大内海的周围，出现了中国最初的人类。

---

[1] 冰河期及冰河退去后之短时期每年平均温度为摄氏七度。间冰河期（第三次）每年平均温度为摄氏十五度乃至十六度。

[2] 地质学把地球发展的历史分为四大时代:（一）太古代（Archeozoic Era）,（二）古生代（Paleozoic Era）,（三）中生代（Mesozoic Era）,（四）新生代（Cenozoic Era）。每一个时代的特征，就在于各有特征其时代之特殊的生物。如在太古代单细胞的和无脊椎的动物是其特征的生物。而古生代却出现了鱼类和两栖类的生物。庞大的爬虫类是中生代的特征生物，到新生代便已让位于哺乳动物了。蒙古高原曾经有过庞大的爬虫类之存在，特别是恐龙。美人安竹思（Hapman Andrews）曾于蒙古火锋发现完整的恐龙卵四十个碎片数千。

第二节　北京猿人的出现

提起中国最初的人类，便会令人想起中国人种起源的许多神话。如“盘古”与天地并生，[1]“女娲”用黄土造人，[2]以及诸如此类的神话。[3]这些神话的结构虽各不同，但要而言之，不外把中国人种的起源，归之于天地的精英之所凝结，或神灵之所创造。

最近由于“北京猿人”的发现，[4]才粉碎了一切天生地育，泥塑土造之人种起源的神话；同时，又确切地

---

[1] 徐整三五历云：“天地混沌如鸡子，盘古生其中，一万八千岁。天地开辟，阳清为天，阴浊为地，盘古生其中，一日九变，神于天，圣于地。天日高一丈，地日厚一丈，盘古日长一丈，如此，一万八千岁！……后乃有三皇。”

[2]《太平御览》引《风俗通》云：“天地开辟，未有人民，女娲氏乃抟黄土作人，剧务力不暇供，乃引绳泥中，举以为人。故富贵者，黄土人也，贫贱凡庸者，絙人也。”

[3]《淮南子·精神训》云：“古者未有天地之时……有二神混生，经天营地……于是乃别为阴阳，离为八极，刚柔相成，万物乃形，烦气为虫，精气为人。

[4]“北京猿人”的化石，发现于北平西南一百二十里之房山县的周口店。最初的发现者为奥人资丹斯基（O.Zdansky）。资氏于一九二六年在周口店采集化石，发见了两个人的臼齿，证明是属于“中国猿人”的。嗣于一九二七年至一九三二年间，由步林（B.Bohlin）杨钟健裴文中等继续发掘，又于周口店洞穴中获得化石甚多，其中有二十五种以上的特殊化石，如臼齿牙床脑骨等，又证明是属于“中国猿人”的。因为这种猿人的化石，发见于北平附近，所以人类学家，称之为“北京猿人”。

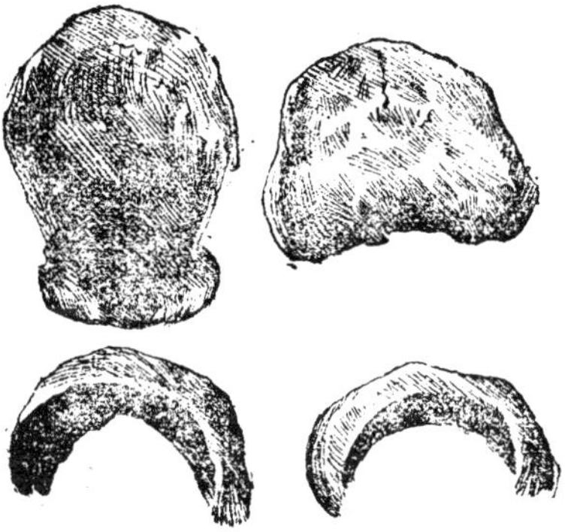

插图二　北京猿人的头盖骨　上右，头盖骨的正面，上左，头盖骨的后部。下左，北京猿人头盖骨的弧形，下右，现代人头盖骨的弧形。）

证实了中国最初的人类，也是由类人猿转化而来的。[1]

从“北京猿人”头盖骨的构造上考察，这种猿人还是具有不少原始的诸特征。如眼窠上的隆起之突出，与平坦而又非常倾斜的前额。后脑之非常曲折，与眼窠后方之具有特别的纠缠线。厚的颚骨，凹入的颐部，凸出而尖锐的腮骨以及头盖骨之一般弧形等，这些诸特征，都表示了他由类人猿转化而来的痕迹（插图二）。

[1] 古生物学者从地下发掘出来的化石中，再现了从最低级的生物到现代人之地上的生物发展之全系列的过程。这一系列的最后之一环，便是人类的出现。由此而知人类是依于数百万年来地球的历史发展法则而进行之生物长期发展的结果。在生物发展的这条路线上之人类最原始的祖先，是已经死灭了的类人猿。

即因如此，所以当“北京猿人”提到巴黎科学院开会报告时，竟有人谓“‘北京猿人’不是人，而是一种知道制造工具的动物”。但是甚至波列伊尔神父也不能不说：“直至今日，我们还没有看见真正的动物会知道用火，而同时又会知道用石头和骨骸制造工具。我们必须承认这种猿人是人。”

但是反对者如威丹锐喜（Weidenreich）又提出了异议。威氏谓在发现“北京猿人”的牙床和脑骨的附近，并无其他文化遗存的发现，因之，周口店洞穴的文化，并非“北京猿人”所创造，而系另一种较为进步的人类之所遗。而所谓“北京猿人”者，乃系此种较为进步的人类之“狩猎物”。但是据“北京猿人”的发掘报告谓“北京猿人”之一部分肢骨，现在亦已于周口店洞穴中之最主要的文化层中被发现了。

实际上，“北京猿人”头盖骨的构造，除了原始的诸特征以外，同时也具有进步的诸特征。如他的前头部的突起之发达，头盖骨之高而且长，特别是头盖骨内腔的容量之大，达到了一〇五〇立方厘米。这种脑量的指数，较之现代人的，虽尚小五〇六立方厘米，但较之一般高等猿类的，已越过四五〇立方厘米，即较之“爪哇立行猿人”的，也超过一〇〇立方厘米。[1]而这种脑量，就把“北京猿人”从一般高等猿类中区别出来。

自然，“北京猿人”决不能生长得“河目隆颡，日角龙颜”那样一表非凡的像貌；反之，这种原始的人类正如达尔文所云“他们满身都是长毛，有须有尖耳，在树上爬着”。他们与猿类不同的，就是他们已经挺直身躯，在地上立行，[2]以及由此而引起之手的解放，并且运用他们的双手，开始了劳动的过程。

“北京猿人”的发现，就无异是中国人种起源于中国的一个宣告，因而对于中国人种“外来说”是一个现实的批判，但是新的发现又引起新的问题。这就是“北

---

[1] 据人类学家测量：“高等猿类”的脑量，平均为六〇〇立方厘米，“爪哇立行猿人”的脑量为九五〇立方厘米，“北京猿人”的脑量为一〇五〇立方厘米，“内安得达尔人”的脑量为一四〇〇立方厘米，而“现代人”的脑量，则平均为一五五六立方厘米。

[2] 直至现在，我们尚未发现“北京猿人”之重要的肢骨，因而对于他的全部肉体型之构造，无法还原。但“爪哇立行猿人”之大腿骨，已经发现。据人类学家考察，“爪哇立行猿人”的大腿骨已经与“真人”的大腿骨接近，因而测定这种遗骨之所有者，已能立行。“北京猿人”既具有较“爪哇立行猿人”更为发展之脑腔，故其具有直立的肢体，是毫无问题的。

京猿人”是否即为现代中国人的原始祖先的问题。[1]

关于这一问题，如果要作出绝对的答案，尚须有待于地下的发掘。因为直至现在，从“北京猿人”到“现代中国人”之间的“中间诸人种型”，我们尚无有系统之发现。而这些“中间诸人种型”，又正是中国人种从

---

[1] 晚近西欧的学者几乎一致主张中国人种是“外来”的。如美人彭伯来（R.painpeily）、威廉（E. F. Willams）、英人鲍尔（DR. Ball）等主张中国人种来自中亚。英人圣卡墨（John chalmers）、法人拉克伯里（Terrande Iacouperie）主张中国人种来自巴比仑。瑞典人加尔格仁（Karngarn）主张中国人种来自土耳其斯坦。英人列格（James legge）主张中国人种来自里海与黑海之间。法人格奈斯（Joseph de Gnines）主张中国人种来自埃及的一个殖民地。法人哥比诺（A de gobiuon）主张中国人种来自印度。自从西欧学者倡为中国人种外来说之后，于是中国的学者，翕然赞同，初无异议，且搜采中国的古旧神话而证实之。如刘光汉的《华夏篇》，《思故国篇》，章太炎之《种姓篇》，黄节之《立国篇》，蒋观云之《中国人种考》以及近来许多中国历史著作之首章，无不千篇一律，主张中国人种“外来”。殊不知中国人种“外来说”乃人类起源的“一元说”之演绎。所谓“一元说”者，即谓全人类在最初皆系起源于同一地方，这个地方就是所谓“人类大故乡”。他们幻想这个“人类大故乡”如果不在中亚，便在今日已经沉没为印度洋海底之假想的太古大陆。即因“人类大故乡”不在中国境内，所以中国的人种就必须“外来”，而且必须“西来”。像这样的学说，并不是什么新鲜的发明，只是《圣经》中的“伊甸乐园”之再版而已。现在，这种“人类大故乡”的神话，已被不断地人类学上之发现粉碎无余；而“北京猿人”的发现，又使中国人种“外来”说变成荒唐的神话。

“猿人型”发展到“现代型”的过程中之肉体的演变。[1]虽然，这种情形不是“北京猿人”所独有，直至现在，尚没有一种古生人能够用自己的化石，说明其自己发生发展的全过程。今日人类学上所揭示之人类自己发展的系列，乃是集世界各地所发现之资料而作出来的结论。[2]盖人类起源，属于遥远的太古，自当时以至今日，中间经过几十万年的时间，其骨骸或毁灭于地面，或埋藏于地层之中，在今日而欲完全无缺地予以发现，实为不可能之事。因此我们不能把“考古学上的缺失”，当作人种自己发展过程中之“现实的中断”。

在中国，古生人的化石之发现，除北京猿人以外，又于西拉乌苏河发现属于旧石器时代中期之末的人类化

[1] 人类学家把人类自己发展过程中之肉体型的变革，分为如次的几个相续继起的类型。即“爪哇立行猿人”，“北京猿人”，“海得堡人”，“内安得达尔人”（Neanderthalman），“洛谛西亚人，”（Homor hoderlensis），“克洛马郎人”（Cro - magnonrace），以后才达到现代人的肉体型之出现。因此，“北京猿人”与“现代中国人”之间，还应该存在着这一系列的“中间人种型”。

[2] “立行猿人”发现于爪哇，“北京猿人”发现于中国，“海得堡人”发现于德国，“内安得达尔人”发现于德法比及西班牙，“洛谛西亚人”发现于南非，“克洛马郎人”发现于法国。他们是相续继起的人类型，但他们却发现于不同的地方。

石，[1]于周口店山顶洞发现属于旧石器时代晚期的人类化石，[2]至于新石器时代的人类化石，则已有有系统之发现。[3]固然我们不能就把上列诸人类化石，依次顺列起来，作为中国人种自己发展之系列，但我们可以断言，这些属于不同历史时代的人类化石，决不是一些各有其自己来源的孤立的人种之所遗。

依据中国新石器时代的人类头骨考察，他们都具有“亚洲嫡派人种”的诸特征。据步达生甘肃史前人种略说云：“他们的鼻下沟常见，微著或显著；头部极称其形，

[1] 一九二二年，李特生于鄂尔多斯南部，西拉乌苏河发现一个人类的臼齿和大腿骨及上膊骨之一部。

[2] 一九三三年到一九三四年间，裴文中于周口店山顶洞发现人骨化石。

[3] 步达生：甘肃史前人种略说，谓中国新石器时代的人骨化石，从甘肃地层中发现者已有一三三具，从河南地层中发现者十具。此外在辽宁沙锅屯遗址中亦有发现。步氏又于其所著《甘肃河南晚石器时代及甘肃史前后期之人类头骨与现代华北人及其他人种之比较》一书中，把中国新石器时代的人骨化石，依其肉体型之发达的程度作出如次的表式：（一）齐家期（无发现）。（二）仰韶期，男性三三具，女性一四具。（三）马厂期，男性三具。（四）辛店期，男性十具，女性二具。（五）寺洼期，男性女性各四具。（六）沙井期，头骨未经地下破坏而足供测量者，仅有七具，其余十一具，已不能供如此测量。由此看来中国新石器时代的人骨化石，除齐家期尚无发现外，其余各期均有发现。这些化石，在大体上已能再现这一时代中国人种自己发展的过程。

但眉上脊及额下中点仅微著或恰著而已。额中缝合之见于朱家寨成人头骨者居百分之十五以上，见于辛店甲组之成人头骨者居百分之十一，但其余各组不如此之多。鼻管长，但在鼻额界点下一大部极狭而低；颧骨甚著而大；额眶差别角较小。男枕骨之外凸甚著，时作钩形。”根据头盖骨的研究，步氏认为与现代华北人的头盖骨极相近似，他们正是现代华北人的直接祖先。同时，步氏又认定中国新石器时代的人种，是“原形的中国种”，亦即由旧石器时代一脉相传下来的人种。准此而论，则“北京猿人”与“现代华北人”之间有着远缘的血统关系，可能在将来，从考古学的发现中，获得更确实的证明。

除此以外，现在，在中国的北部，发现了不少旧石器时代和新石器时代的文化遗存，这些相继兴起的史前文化，必有其相续继起的文化创造者。假如我们认为这些文化创造者，不是“北京猿人”的苗裔，则只有假定“北京猿人”的族类在太古时代遭遇了巨大的天灾地变，而陷于完全的灭绝。否则“北京猿人”必有其子孙，而其子孙又必然分布于中国北部。但是直至现在，我们还没有发现“北京猿人”陷于完全灭绝之任何痕迹。因此，在没有新的地下发现以前，我以为“北京猿人”就是中国人种的原始祖先。

第三节　中国的伊甸乐园

自从“北京猿人”出现以后，于是中国这个地理领域内，才有最初的人类。这种最初的人类——“北京猿人”的族类，就用他们拙笨的双手，在蒙古高原太古大内海的周围，揭开了中国历史的帷幕。

从这一时代起，“北京猿人”的族类，就用石头和木棍武装他们自己，展开了开天辟地的伟大的历史事业。同时中国的历史，也就展开了它的端序，进入于历史上之蒙昧时代，这一时代，就正是传说中之“有巢氏”“燧人氏”以至“伏羲氏”的神话时代。

在整个蒙昧时代，中国的历史都在蒙古高原太古大内海之周围进行。[1]直到这一时代的末期，即传说中所谓“伏羲氏”的时代，由于冰河期之最终的退去，所引致的蒙古高原之自然条件的变革，中国的原始人群，才开始离开他们的原始故乡，向着新的世界移动。所以今

[1] 中国的旧石器时代文化遗址，皆发现于今日瀚海盆地之周围。详见下章。

日流沙万里的瀚海盆地之周围，在太古时代，正是中国的“伊甸乐园”。在这里，是中国最初的人类发生之地，也是中国旧石器文化的摇篮之地（插图三）。

提起“伊甸乐园”我们即刻就会想到那生长在这乐园中的甜蜜的苹果，诱惑的毒蛇和生长得与上帝一样的一对原始的夫妇，“亚当”和“夏娃”。但是如前所述，当时的蒙古高原，毒蛇则有之，甜蜜的苹果，则还没有生长出来。同时，当时的原始人类，与其说他们的像貌像上帝，不如说像猿猴。虽然，当时的蒙古高原却有一

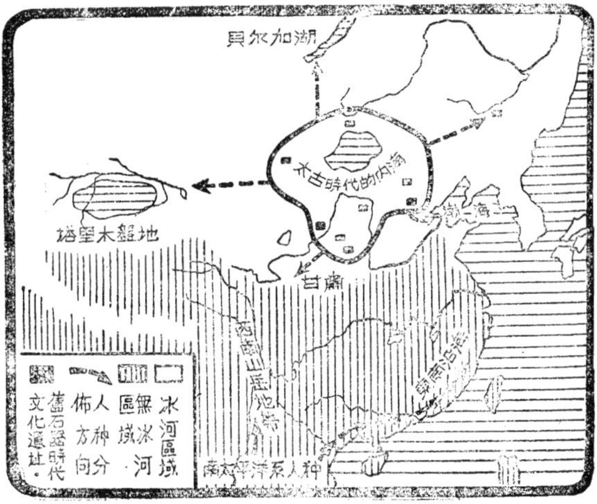

插图三　蒙昧时代的中国图

个一望无涯的内海，在这内海中，有丰富鱼类和贝类。虽然在这里尚没有苹果，但到处都生长着无花果，而且还有各种球根类的植物。同时，在这里，又富有各种古生动物。这些都提供了原始人群以最好的生存条件，所以蒙古高原也就成了他们的“伊甸乐园”。

在蒙昧时代下期，即传说中的“有巢氏”时代，“北京猿人”的族类，大概都流浪于这个内海的附近，他们在今日内外蒙古交界处之通古尔，在阿尔泰山东麓的沙碛中，在张家口等处，都留下了他们的文化遗存。虽然这些文化遗存，不是属于蒙昧下期的类型，但是由此可以推知他们在这一带，曾经有过长期的占领。

到蒙昧时代的中期，即传说中的“燧人氏”时代，这时蒙古高原的自然环境，并没有甚么改变，不过因为人类劳动生产性之发展与火的应用，发达了人类自身的肉体型之机构，因而提高了人类对自然环境的适应性，从而他们便扩大对自然的占领。

在这一时代的原始人群，已有一部分从内海的东南，今日之张家口一带，向南移动，达到了今日河北平原之西北部。他们在今日之房山县留下了周口店洞穴的文化。

另一部分原始人群，则由内海的南岸，南越阴山而达到今日之鄂尔多斯；及甘肃陕西北部之广大区域，他们在鄂尔多斯之西拉乌苏河流域和宁夏附近，在甘肃的庆阳，在陕西的油房头，都留下了旧石器时代中期的文化遗存。

鄂尔多斯的西南，在今日已成一片沙碛之地，但在蒙昧时代，这里因为承受阴山南坂与贺兰山东坂的冰雪，潴为许多沼泽，因而这里是一个布满沼泽之地。今日的沙碛，则为冰河时代之冲积层。这里的沼泽，直至有史以后，尚未涸竭，所以《穆天子传》说这里有"溹泽"，"渗泽"，《山海经》说这里有"从极之渊"，《淮南子》说这里有"海泽"。因此当时的原始人群，占领这一带地方，不是没有原因的。至于当时的河北平原，河流纵横，与今日无异，亦为适宜于人类生存之地。

到蒙昧时代的晚期，亦即传说中之"伏羲氏"时代，这时，由于冰河之最终的退去，蒙古高原的自然环境，发生了一个巨大的变革。

首先由于冰河期的终止，蒙古高原大内海，便失去了源源不断的水源而逐渐陷于涸竭。一方面西伯利亚的冰流，已不再向内海倾注；另一方面，蒙古西北山岳地带的冰流，也因为火山爆发而迸裂出一些障壁，阻绝了残余的冰流向内海之倾注。这些山岳地带的冰流，因为阻绝了出路，于是就在这些山谷内，汇成无数的高山湖泊。这些湖泊，至今还存在于蒙古西北之山岳地带。因为它们四周的障壁，都是火成岩，所以知道它们是由间冰河时期所发生之地壳的隆起所形成。由于水源的断绝，于是内海的海面随着水位之灭低而逐渐缩小，同时沙滩便一天天地扩大。这到蒙昧上期之末，内海便完全涸竭变成了一望无涯的沙漠，只有那些极低的洼地，还存在着一些小泊，指示这太古大内海的轮廓。

同时，因为冰河的退去，严寒的气候，逐渐变为和暖，因而以前生存于蒙古高原之冰河时代的古生物群，因为不能适应新的气候，大部分都趋于死灭。也有极少数的古物以变种而继续存在。此外则多退向北极。过去曾经嚣张一时的长毛犀长毛象剑齿虎等动物，现在已经遗尸被野而消逝了。代之而起的是地质学现代的生物群。

由于内海的涸竭与古生物的灭绝，生活于蒙古高原的原始人群，遂失去了鱼类和肉类的供给，而鱼类和肉类则系原始人群之最主要的生活资料。这样一个变革的结果，于是过去中国的原始人群之“伊甸乐园”，现在，已一变而为万里穷荒的沙漠之地了。

为了求生，生活于蒙古高原的原始人群，不能不离开他们住了几十万年的故乡，走向新的世界。可怜的原始人群，他们并不像我们今日的人类，具有地理的常识，一旦遭此巨变，于是四顾茫茫，莫知所适。他们披着兽皮，拿着石制或骨角所制的匕首，离开了古旧的洞穴，成群结队地开始了向四方八面的迁徙，没有一定的方向，也没有最后的目的，走到那里，就是那里。

流浪于内海东南的原始人群，在这一时代，仍然继续向河北平原的北部移徙，他们在易水流域一带，恐怕有过长期的占领。今日周口店山顶洞的文化，就是这一时代的人类之所遗。从山顶洞文化遗存中之有海贝的存在看来，这一支原始人群的活动范围，至少已扩展到周口店东南二百公里以外之渤海沿岸。这一支走向渤海沿岸之旧石器末期的人群，就是后来渤海沿岸新石器文化创造者的祖先，亦即后来殷族的祖先。

流浪于内海东北的原始人群，在这一时代，他们沿着黑龙江而东，达到了今日辽东半岛之东北部。这一支原始人群，在哈尔滨的何家沟留下了他们的文化创造。他们在后来的发展中，与渤海北岸的原始人群混种，这就是中国史上所谓“东夷”的祖先。

流浪于内海西南鄂尔多斯一带的原始人群，到这一时代，也有一个新的迁徙。他们之中有一部分，沿黄河而东下，走向山西河南交界处一带，是为后来传说中的“东夏”之祖先。另一部分，溯黄河而西上，走向甘肃青海交界处一带，是为后来传说中的“西夏”之祖先。“东夏”后来又分化为“诸夏”而分布于中国之中原，“西夏”后来又分化为“诸羌”而分布于中国之西北。所以“诸夏”与“诸羌”同为鄂尔多斯的旧石器时代末期之原始人群的后裔，亦即同为传说中的“夏族”的苗裔。

流浪于内海西岸阿尔泰东麓一带的原始人群，到这一时代，则向西南移徙。他们越过了天山缺口，走向今日新疆之塔里木盆地。塔里木盆地，在今日已成为一片广大的塔斯马干沙漠，但在冰河时代，这里也是一个大内海。这里是天山昆仑山及帕米尔高原的冰流之所倾注。一直到现在，在这些高山上，还有太古的冰河之存在。斯坦因《西域考古记》对于昆仑山的冰河，曾有如次的叙述。他说：“从昆仑分水岭下流的大冰河地图，因为气候极为寒冷，岩石分裂的现象都很显著，…… 从岭上滚下来的大石块，几乎把下面的冰河都阻塞了。这些冰河上覆着这种岩层，杂以黑色的冰河石砾，远远看来，有如巨大黑暗的波涛在宽处突然凝化一般。”（三七页）由此可以推想在冰河尚未被阻塞以前，一定有大量的冰块从昆仑山的北坂倾注下来。再加以天山南坂，与帕米尔高原东坂所倾注的冰块，这个塔里木盆地，当然会变成一个大海。直至现在，在塔斯马干沙漠中，还常常发现一种岛屿式的台地，比附近风蚀了的荒地为高。同时，在罗布洼地中之奇特盐块堆成的海床，更显明地指出这里曾有内海之存在。因为这里四周环有高山，所以这里的内海，直至蒙昧时代之末，尚未涸竭。由此而知当时的原始人群之徙向这里，并不是由沙漠徙向沙漠，而是由沙漠徙向海边。徙到塔里木盆地的一支原始人群，便是后来新疆一带新石器文化的创造者，亦即有史以后的“西域诸种族”的祖先。

流浪于内海北岸一带的原始人群，有一部分北徙于贝加尔湖周围，成为今日苏联境内的“鞑靼”之祖先。还有一部分则始终徘徊于这个荒废了的故乡，是为后来中国史上所谓“北狄”的祖先。

由于这样一个四方八面的大迁徙，于是“北京猿人”

的族类，便布满了中国的北部，而中国历史活动的范围，也就获得了广大的扩张。但是中国历史的出发点，却是蒙古高原，所以我说蒙古高原是中国的“伊甸乐园”。同时，因为“北京猿人”的族类，发生于蒙古高原，所以我称这一个系统的人种曰“蒙古高原系”人种。

第四节　新的人种之外来

在整个的蒙昧时代，中国的南部，都没有人类生存活动的痕迹。在那里，繁茂的森林，遮蔽了天日。在森林中，充满了毒蛇与猛兽，但同时，也有接近于人类的类人猿。今日退住于喜马拉雅山麓的“猴人类”（Dryopithecus）及“西瓦猴”（Sivapithecus），就是太古时代普遍生存于中国西南的类人猿之子孙。这里的类人猿，因为生活在有丰富果实的地方，而又没有寒冷气候的压迫，所以他们没有从树上走向洞穴的必要，因而他们始终不能脱离树上型而转化为人类。

一直到蒙昧晚期之末，大约与“蒙古高原系”的人类之大迁徙同时，另一个系统的人种从南太平洋出发，沿马来半岛的海岸，向北推进，而达到了中国的南部，于是中国南部才有人类。在其后来的发展中，这一人种的一分支，并且进入中国的中部与“蒙古高原系”的人种发生血统的与文化的交流，成为中国人种构成中之一新的因素。这一人种因为来自南太平洋，我称之为“南太平洋系”人种。[1]

根据新石器时代的文化遗址之分布，我们可以推知当时“南太平洋系”人种之移入中国，似乎经由两条路线。其一支，似系由安南溯湄公河与澜沧江或由缅甸溯伊洛瓦底江以达于云南。这一支人在今日云南缅甸交界处之磨明附近所留下的新石器文化遗存，业已发现。[2]

[1] 一九三四年，但尼尔神父（Daniel J，Fine）于广东海丰发现一新石器时代文化遗址。在这里所发现的文化遗存中，有旧石器文化遗存掺杂其中，由此而知在旧石器时代之末或新石器时代的曙光期，中国东南沿海，已经有了最初的人类。

[2] 阿尔纳（T.J.Arne）：河南石器时代之着色陶器序言中有云：“一八六〇年之末，印度加尔各答亚洲博物院院长安特生约翰为科学旅行，沿伊洛瓦底江之上游，经八莫以入云南，彼于近磨明处采得如石斧石凿约一百五十。皆以石英、冻石、燧石、玉石、页岩、玄武岩、闪长岩及辉绿岩等为之。该处居民，常于耕种处得之。并云，此等石器随雷雨坠入土中，越九年，始复出地面。”其详见一八七一年，加尔各答安氏“八莫云南西部间旅行报告”。

近来又于四川广汉县发现属于“南太平洋系”的史前文化之大石环。[1]据此，则在新石器时代，这一徙入中国西南的“南太平洋系”人种，已向北发展徙入四川。这一支人种，就是后来所谓“西南夷”的祖先，亦即今日夷族和苗族的祖先。

其另一支则系由安南沿今日之东京湾海岸，进入中国之广西广东福建东南沿海一带，其前锋甚至到达台湾琉球乃至日本。这一支人在广西林河及其他古代洞穴，[2]在广东海丰，[3]在香港舶辽洲，[4]在福建

---

[1] 郭沫若氏致著者书云：“承询四川出土之大石环，其出土地为广汉县，发现之者为成都华西大学教授。其石均经琢磨，规整如璧，大小不等，大者直径恐逾三尺。磨制甚精，极平滑，与常见之璧无殊，惟石质非玉，闻仅系一种白色浆石，未经目睹，不知其详也。”

[2] 阿尔纳：河南石器时代之着色陶器序言中云：“广西林河地方，亦常有石具洼沟者，盖为磋磨石斧之用。”又广西洞穴文化系以粗石打制而加以凿孔之大石环为特征。

[3] 据 R.Maglioni《海丰史前遗物发见记》云，但尼尔神父于一九三四年于海丰沿海各处发现新石器时代文化遗址十一处。

[4] 但尼尔神父著《香港舶辽洲史前遗物发见记》一文中报告，在舶辽洲之西及西南沿海岸发见大批刻有几何花纹的陶器石器。（见香港《自然科学杂志》第三四期，一九三二年十二月份）

武平，[1]在日本[2]等处，均留下了新石器文化遗存。特别是海丰所发现的新石器文化，几乎可以表示出“南太平洋系”的新石器文化之发展的全过程。[3]假如再加以搜求，我相信，此种“南太平洋系”的史前文化，在两广福建，必能有更多之发现，同时，在海南岛在台湾琉球等处，亦必有此种文化之遗存。这一支人种就是后来“百越”之族的祖先，亦即今日瑶族、僚族及海南岛的黎族、台湾的番族之祖先。

学者也许以为中国东南沿海及西南山岳地带的史前人种，是由北方迁徙而来。但是中国南部出土的新石器文化，却显示出与同一时代之“蒙古高原系”人种的文

[1] 卫聚贤氏《吴越考古丛志》谓在福建武平县南之小山发现石斧石镞石环石杵及具有几何花纹之陶片甚多。阿尔纳于前揭书中亦谓：“几格里阿里氏（Giglioni）藏有细颈小玉斧一，乃得自福建福州者。”

[2] 日本已发现新石器时代文化遗址四十余处，其中有无数的贝冢，除骨角器物外薄肉浮雕之刻纹陶片，发现极多。（其详参看孟落氏《远古之日本》Keiji Imamura: *Prehistoric Japan*）一九〇八年横滨出版。

[3] R. Maglioni 把海丰出土的新石器文化遗存，依其出土的小地名，而别为二十一种名称。又依其文化制作技术之发达的水准，而别为若干相续发展的阶段。在最早期文化中，有旧石器文化的存在，在最晚期文化中则出现了青铜器乃至铁器。由此足证海丰的史前文化，实代表一个最悠久的时代，而且从此也可以看出“南太平洋系”的新石器文化之发展的大概过程。

化，具有不同的诸特征；反之，与同一时代之“南太平洋系”人种的文化，则具有相同的诸特征。这种文化上所表示的特异性，就很明白地指出了这种文化创造者之人种的渊源。

例如就陶器而论，在南方，最特征的陶器，是一种“刻纹陶器”。陶器上具有精致的浮雕，而浮凸各种形式之几何花纹。[1]此种“刻纹陶器”，在海丰史前遗址中，发现最多，香港舶辽洲遗址中，亦有发现。并且由此而传入日本，成为日本史前陶器装饰之特征。[2]而在同时中国之西北，则为彩陶，在中国之东北，则为黑陶。（详见第二编）在中国北部，虽亦偶见刻纹陶，如沙锅屯遗

[1] Maglioni：《海丰史前遗物发见记》云：“海丰沙坑文化中最具特性的陶器，为一种黑色混沙型。表面平滑，器颈间有手刻花纹。（中略）瓶上雕刻，甚为精工，似为尖锐之工具所作。线状花纹，形式甚伙，有作直线，有作曲线，更有鬈状，点状，圈状，三角形之几何图案，不一而足。皆显示设计之精巧与艺术之卓绝。”

[2] 孟落氏：《远古之日本》，谓日本新石器时代的陶器多加刻纹而施色者甚少。孟氏云：“（日本）史前陶器，饰以彩绘之图案者极少，而且仅有三角形及圆形等简单花纹，但薄肉浮雕，则为其特征。”又 Maglioni 谓在海丰“曾发现无数绳纹陶之碎片，附有红色的纹饰。惟余拟解释为着色者，并非真正着色，而是一种奇异的绣纹。”由此足见在“南太平洋系”文化中，没有真正的彩陶。

址中曾发现一片，但极为幼稚，当系由南方传入。此外，在南方的史前陶器中，已有釉彩陶的出现，而这在北方，则是没有的。

与“刻纹陶器”相关联，在中国南部的史前遗址中，又发现一种“爪形石斧”[1]，此种“爪形石斧”后来又发展为一种“梯形石斧”。此种形式之石斧，亦为南方文化之特征。“爪形石斧”在海丰发现甚多，而“梯形石斧”，则海丰与香港均有发现。同时在菲律滨所发现之“文石斧”（Trapzoidac Axe）及“阶形石斧”都是属于这一类型。但在中国北部的史前文化中，此种“爪形石斧”则仅于热河林西发见一枚，其余皆系长方形的石斧。

用粗石钻孔而制成之一种大型石环，亦为中国南部史前文化的特征之一。此种大型石环，在广西洞穴中，在四川广汉县均有发现，同时也普遍发现于南洋群岛之

[1] Maglioni 前文云：“在海丰沙坑中发现爪状石斧无数，其背面有一小凸，四周皆有显著之隆起，形如人类手指而带甲。”

史前文化中。[1]而在中国北部的史前文化中，则仅有磨制极精之小型石环。

此外，在中国南部的史前文化中，有一种特殊的海贝，学名为 Cyprea Moneta，即今人所读“玛瑙贝”，日人所谓“子安贝”（Koyasuga），此种海贝，不产于中国沿海，而产于南洋群岛。其长不及半寸，南洋土人，多磨穿其脊以贯串为颈饰及货币之用，而称之曰 Bea，中国的“贝”之读音，即系由南洋土语翻译而来。（根据郭沫若氏所述）此种海贝之传入中国北部，则在殷代。而且在殷代即系难得之物，故往往以珧或骨仿制之，以代真贝。但是此种海贝，在西南诸落后种族中，则直至晚近，尚用为货币。[2]

以上不过略举其主要的几个特征，此外如石器上釉，陶器上没有动物画，豕骨的缺乏等等，皆为其与北

[1] 郭沫若氏致著者函谓：“南洋土人，有使用石钱之习，今存于关岛附近之小岛中，旧为德国殖民地，第一次欧洲战后，归日本管理。其钱亦大小不等，即以大小定其价值之高低。大者亦有二尺来往之直径者，东京日比谷公园中有一枚，余曾见之。”

[2]《马可波罗游记》谓：大理一带的落后种族，在元代初叶尚以海贝作货币。在当时，八十个海贝等于一个“银萨吉”或两个威尼斯的“格洛特”。

方系统的文化不同之点。要之，此种发现于中国南部的史前文化，实代表与“蒙古高原系”人种不同之另一人种，而与此种文化最相类似者，则为“南太平洋系”人种之文化，因而我以为这种文化创造者，乃系“南太平洋系”人种的一个支裔。

由此看来，中国人种的来源，不是一元，而是两个系统的人种，即“蒙古高原系”与“南太平洋系”。此两大系统的人种，在中国历史上之蒙昧时代，尚未发生接触，直到野蛮时代，亦即新石器时代的初期，才在中国中部，第一次遭遇，而这在传说中，便是“黄帝”与“蚩尤”之战。自此以后，这两系人种，在不断的战争与交换中，遂发生文化的与人种的混合，因之在今日的中国，再也找不出一种“纯粹的”人种来了。

第二章　前氏族社会的经济构造

第一节　有巢氏时代——中国的下期旧石器文化与原始采集经济

人类最初从兽类中分离出来，就是因为人类知道制造工具，使用工具，开始了劳动创造。所以传说中之“有巢氏”时代的原始人群，他们虽然刚刚带着自己起源的痕迹，走进中国历史之蒙昧时代的下期，但因为他们已经挺直身躯，站立在大地之上，所以他们也就开始了人类社会之最初的劳动创造。

“有巢氏”时代的原始人群，虽然已经知道制造工具，使用工具；但所谓工具，也不过是石块和木棍而已。这一时代的人类之劳动创造，考古学家称之曰“下期旧石器时代”的文化。[1]这种“下期旧石器时代”的文化，在周口店洞穴中，已有大批的发现。[2]同时，在锦西沙锅屯洞穴之新石器遗址中，也有发现。[3]

从这一时代的文化遗存看来，当时人类最喜用的石材，大半都是燧石。缺乏燧石的地方，就用石英、黑耀

---

[1] 考古学家把旧石器时代的文化，依其制作技术之发达程度，划分为下中上三期，这与历史上蒙昧时代之下中上三时期的社会经济内容是相适应的。所以特征蒙昧下期之“有巢氏”时代的文化，是下期旧石器时代的文化。旧石器文化之下中上三期的划分，是以欧洲出土的旧石器文化为标准。考古学家把欧洲出土的旧石器文化，依其发达的程度而细分为如次的诸发展阶段：叙里亚（Chellean）、亚叙（Acheulian）、莫斯特（Mousterian）、奥利那（Aurignacian）、梭留特（Solutrian）、马格达林（Magdalenian）、亚織尔（A ilian）。以莫斯特文化为中期，而以前于莫斯特文化者为下期，后于莫斯特文化者为上期。除此种分期法以外，又有依于旧石器文化之使用的性质，而划分为如次之四时期的：削劈时期（Chiping），抛掷时期（Pitching），压榨时期（Pressing），研磨时期（Polishing）。这样的划分，我以为过于机械，在实际上，旧石器文化的发展，亦决不能从其使用性质上，划出界线来。

[2] 周口店猿人产地的文化，代表一个悠久的历史时期。其中大部分系知道用火的人类之文化，亦即蒙昧中期的文化。但亦有属于蒙昧下期的“下期旧石器时代”的文化。

[3] 安特生:《奉天锦西沙锅屯洞穴层石器各论》一章中云:“第六版第二图应为石削，与奥斯本书之叙里亚期之石削相若。其背部未经琢磨，故粗糙不平，右边磋磨尖利可作刃用。”

石或砂石代替。当时的人类之所以选择这一类的石材，以我们的推想，大概是取其具有容易分割的性质。而这种对于石材的性质之辨别，如果没有长期的经验，是不可能的。

在整个“有巢氏”时代，石器的制作，都非常原始。最初的石器，不过把粗糙而不整齐的燧石，石英，或砂岩等，对于其一边或多边加以打制，而使之变为一种具有不整齐的形式之石块（插图四）。当时的人，就利用石块上之不整齐的部分，以用于球根果食及肉类之切断

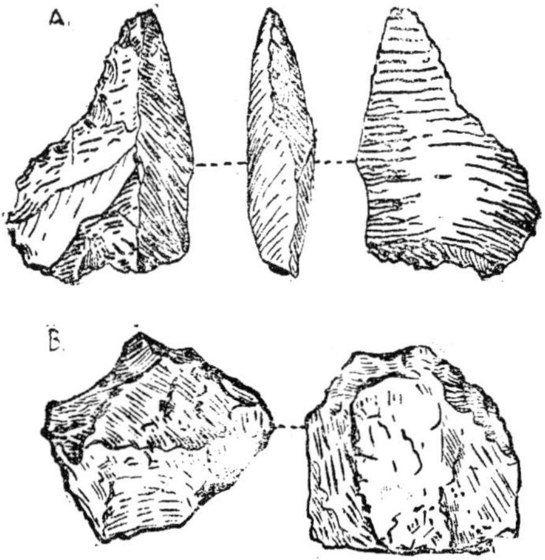

插图四 “有巢氏”时代（蒙昧下期）的燧石器，周口店山洞发现之最原始的燧石器

或剥削，但主要的还是用于制造木制的棍棒枪杖等生产工具和战斗武器。

以后便渐渐知道利用一种粗糙的扁桃形的石片，作成一端尖锐，一端钝厚的形式；即以钝厚部分的重量，加强尖端之打，剥，刻，切的力量。此种石器制作，已经应用了力学的原理，而这就是后来尖头器与皮削器之最古的渊源。

到这一时代之石器之制作技术，更加进步了。这时的石器，已经不像以前那样粗糙而钝厚，他们已经知道把石块制成一种平的或三角形的形式，而出现了狩猎用之枪的锋铓。但一直到这一时代为止，人类还不知道凿孔的技术，而这也是因为当时的尖头器，尚不锐利，不能凿通钝厚的石块。所以在整个“有巢氏”时代，所有的工具，都是没有附着柄而使用。

从这种石器制作技术的表现上看来，当时的人类，尚不能很好地控制石材，制作出他们所需要的一定形式的石器，他们似乎只能听命于一击之后因震动而发生的石材之物理性的分裂。虽然这一时代的人类，已能意识到一定形式的工具之创造，所以表现于他们遗物上之制作技术，可以看出是带有系统的性质。

在另一方面，当此之时，当作生产力主体之人类自身的肉体型，还没有完全从“树上型”转化为“地下型”。他们的两臂还是很长，两腿还是不能紧密地并拢，脑部还是不十分发达，声音器官，还是不能发出明晰的言语。一言以蔽之，他们与类人猿的差别，还是微乎其微。

人类自身的肉体型，既如此不发达；劳动工具，又如此幼稚，由此二者之结合所发挥出来的劳动生产力，当然是最低级的水准。当时的人类还不能猎取较大的动物，因而狩猎在当时人类的生活中，还不曾演着重要的任务，人类之基本的生活方式，还是采集。

我们可以想像，当时的人类，不过是拿着石块和木棍，流浪于蒙古高原之寒冷的原野。他们或则在内海的沿岸捕捉鱼类贝类；或则在内海附近的原野和山坡，发掘球根，采集果实以为生。《淮南子》云：“（古之人）茹草饮水，采树木之实，食蠃蚘之肉。”（修务篇）正是这一时代的人类生活之缩写。

这一时代的人类还不知道用火，正是传说中所谓“未有火化”之时。因此，他们都是生吞血食，和禽兽一样。这种不知火化与肉食缺乏的情形，也就正是他们肉体不能很快发展的原因。

这时的人类，为了回避猛兽的袭击，大半都结巢住在树上。《庄子·盗跖篇》云：“古者禽兽多而人民少，于是民皆巢居以避之……故命之曰有巢氏之民。”《韩非子·五蠹篇》亦云：“上古之世，人民少而禽兽众，人民不胜禽兽虫蛇……构木为巢，以避群害。”这些传说，虽系后人想像之辞，但亦系原始人群实有之事。

此种巢居的习惯，直至唐代，若干落后种族中尚可以看见。《文献通考·四裔考》二十二云：“室韦，在契丹北三千里，土地卑湿，至夏，则转向西贷勃贝对二山，多草木，饶禽兽，又多蚊蚋，人皆巢居以避其患。”同书五云：“獠，盖蛮之别种，……依树结木以居其上，名曰干栏，干栏大小，随其家之口数。”不仅唐代，即在今日，西南诸落后种族中，尚有巢居之遗习，我曾于湖南西部干城之山谷间，见苗人之居，多结于树上。由此而知“有巢氏”时代的人民，“昼拾橡栗，暮栖木上”之传说，实与历史相符合，不过到后来，因为严寒的气候之压迫，他们便渐渐走向洞穴。《礼记·礼运篇》所谓“冬则居营窟，夏则居橧巢”者，正是说明这一历史内容。

原始人群在这样的采集生活中，不知经历了若干万年。在这悠久的时期中，他们不知经历了若干我们今日所想不到的艰苦与危难，也不知用了若干我们今日所想不到的英勇和坚决的大无畏的精神，去和大自然的压迫斗争，以争取人类的生存和发展。由于长期的斗争，于是逐渐提高了战斗工具和生产工具之制作技术，因而扩大了他们对自然之占有的范围，提高了他们对自然的克服之程度，从而又发达了他们自身的肉体型之构造。于是才把中国历史引进蒙昧中期之“燧人氏”的时代。

第二节 “燧人氏”时代——中国的中期旧石器文化与采集狩猎经济

相当于传说中“燧人氏”时代，亦即蒙昧中期的社会经济构造，是中期旧石器时代的文化。中国的中期旧石器文化，晚近已经发现于周口店猿人的产地及鄂尔多斯东南之西拉乌苏河，宁夏东部，陕西油房头等处。惟周口店洞穴文化，乃属于这一时代之早期的文化，[1]而鄂尔多斯等处的文化则属于这一时代之晚期的文化，[2]因而中国的中期旧石器文化的发展过程中，中间还有一个缺失。但虽有缺失，亦可以从早期与晚期的文化遗物中，看出其相续发展的痕迹。

中期旧石器时代的文化，除石器的制作技术较之下期已有显著之发展以外，还有几个主要的特征即骨器的出现，凿孔技术的发明，特别是火的应用。这些特征，在周口店洞穴文化中，都已存在。

首先就石器而论，这一时期的特征，是皮削器与尖头器的出现，这在周口店洞穴中均有发现。所谓皮削器

---

[1] 周口店洞穴文化中之大多数遗物，是知道用火的人类之文化，而火的发现与应用，则始于莫斯特期。因此，周口店洞穴文化中之大部分，是属于莫斯特期的文化。如果把旧石器文化分为上下两期，则莫斯特期的文化应该属于上期，如果分为三期（G.G.Maccurdy 的分期法），则此期文化，应该属于中期。我是依三期的分法，故将周口店文化之一部，属之于中期。

[2] 阿尔纳:《河南石器时代之着色陶器》序言中谓：鄂尔多斯之西拉乌苏河，宁夏附近，及陕西油房头等处所发现的旧石器文化，都是属于莫斯特式的文化。但从遗物之制作技术看来，则较周口店文化，已大为进步，而且似乎与周口店文化不能直接衔接，所以我认为这一带的文化，是属于中期旧石器时代之末期的文化。

就是把卵形的碎片一边加以打制而使之成为扁平的刃，这是当时的人群，用以为兽皮之剥削的工具。所谓尖头器，就是一种打制成为三角形而又削尖了尖端之燧石的碎片，这是用作切断器及穿孔器的，也作为狩猎用之枪的锋铓而使用。

从遗物的制作技术方面看来，也有了显著的进步。在以前，只是就燧石加以一次的打制，即行使用。在现在，是预先取燧石一块，加以强烈的打击而得着扁平的三角形或卵形（亦有棱形或四方形）的碎片；以后再就此种打出的碎片之一而或其尖端，再加以打制使之成为皮削器或尖头器。这种第二次的打制，考古学家称之为"再加工"，而这在以前是没有的。又如在以前，石器的取材，是打去其边缘而保留其核心，即以燧石之核心部分，作为石器而使用。在现在，则是取大块燧石，从其中央加以打制而使之分裂为若干小块。即于此种小块的燧石碎片上再加工使之成为石器，而核心则变为粉屑了。

周口店洞穴中，发现了大批的兽骨兽角及兽齿。据法人步日耶（Henri Breuil）所著《周口店猿人产地之骨角器物》（*Bon and Antler Industry of Chonkoutien Sinanthropus*

Site）所述；这里所发现的各种骨角之类，其中不少皆有显著之人工的痕迹。它们都留下了人类之刻削割切的形迹（参看插图五），而且有些骨角上的刻削割切，还是很艺术的。因而证明这些骨角，在当时，有很多是被当作器物而使用的，有些则是被当作制造器物的原料而储存的，更有些，则是制作器物以后割弃的部分。

据步日耶上书图片中之所示，在周口店所发现的

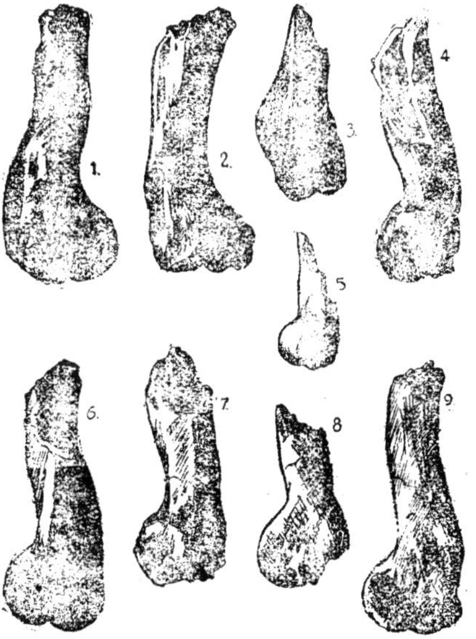

插图五　“燧人氏”时代（蒙昧中期）的骨制尖头器或锤击器（见《周口店猿人产地之骨角器物》第六版）

骨角器物中，有很多鹿角是当作“锤”用的，其锋形的部分，则被当作“尖头器”而使用（插图五）。其中有一个“很精致的尖头器”和一个骨制的“凿”（第十五版），并有各种长骨碎片制成的“钻”（第十八版）及类似燧石形状的许多“割切器”（插图六）。此外有扁角

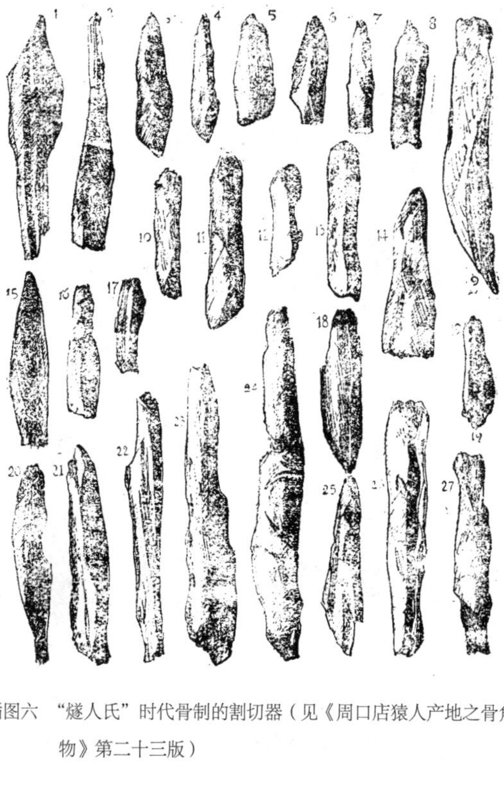

插图六　“燧人氏”时代骨制的割切器（见《周口店猿人产地之骨角器物》第二十三版）

鹿（Fallow deer）及梅花鹿（Spotted deer）的上牙床各一：好像是用作“锉刀”或“磨具”而被整齐过的（第十一版）。又有些大的虎类（Felidae）及鬣狗（Hyena）的下颚骨，好像是利用其突出的部分而当作肉搏之“武器”使用的（第九版）。最有兴趣的是一块长毛犀（Rhinoceros）的肱骨，其上具有无数纵横交错的切纹，显然是当时的人类用作“案板”或“车床”的（插图七）。

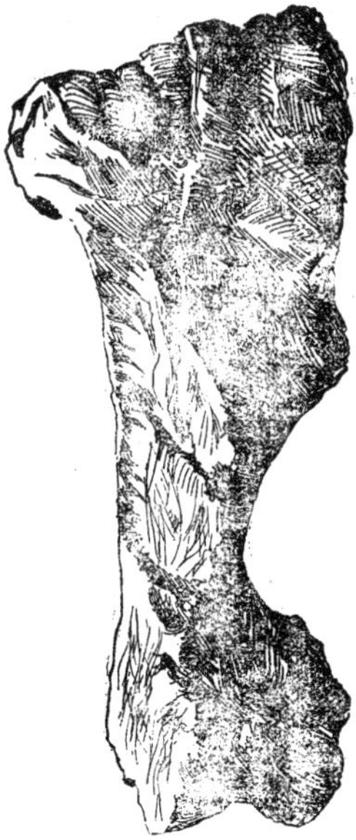

插图七　“燧人氏”时代的古人用作案板的一块兽骨（见《周口店猿人产地之骨角器物》第十二版）

还有一个犀的腿骨，刻成凹形仿佛是当时人类用作“碟子”的。由此我们可以看出在中国中期旧石器时代，骨器的制作，已经非常发达。许多以前用石作的器物，现在同时也用骨角制作。

骨角器物的出现，当然是石器制作技术之发达的结果。因为石器的发达，人类才有可以进行狩猎之锋利的武器开始狩猎的生活。因为人类进入狩猎生活，才能获得野兽的骨角齿牙，并从而把这些东西，当作制造生产工具之材料。所以骨角器物的出现，是表明石器制作技术之更大的进步，同时，也表明狩猎在这一时期人类的经济中具有之最大的意义。

在周口店洞穴文化中，钻孔的技术，已经发明。据步氏前揭书二十六版图片所示，有一钻孔的骨管，又有一马的踝骨，经过重复之打制而凿有一长形之孔（插图八）。凿孔技术的发明，这就指明了当时有锐利的尖头器之存在，同时也就指明了当时的工具已经附着柄而使用。由于工具之附着柄而使用，因而人类从此可以从与兽类之肉搏中解放出来，得以在较远的距离中刺杀动物。这一面加强了打击的力量；另一面，又减少了人类的死亡。

火的发现与应用，是这一时代最主要的特征。传说中也说“燧人氏”是中国最初发明用火的神人。例如《世本》云:“燧人出火，造火者燧人，因以为名。”《韩非子》云:“燧人氏钻木取火，以化腥臊。”《风俗通》引《礼纬·含文嘉》云:“燧人始钻木取火，炮生为熟。”据考古学报告，周口店洞穴中，曾发现燃余的灰层，并且有用火烧过的鹿角。由此看来，传说所云，又适与事实符合。

火在自然界中，一定很早就已经存在。动物尸体中之磷的燃烧，空气中之电的触发以及地壳中之火山的爆发，都可以成为火的来源。所以传说中说:“往古之时……火爁焱而不灭。”(《淮南子》)又说:“天王时遭火劫。”(《绎史》)火在太古时代，虽然到处存在，但必须要人类社会经济达到一定的高度，才能被人类所引用。这犹之自古即存在于天地之间的电，一直到最近几十年间才被人使用，是同样的理由。

火的发现，一方面是由于自然火的效用之启示，另一方面从“木与木相磨则烧”的原理，又发明了人工生

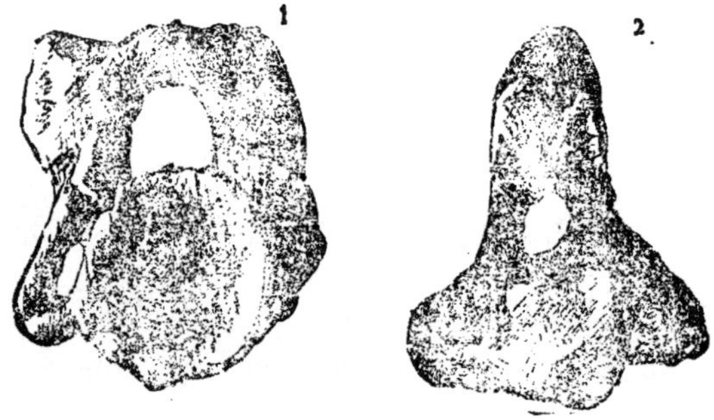

插图八 “燧人氏”时代凿孔的兽骨（见《周口店猿人产地之骨角器物》第二六版）

火的方法。所以伪《尸子》说：“燧人氏……察五木以为火。”同时，摩尔根据现存的原始人的生活考察，火的应用与捕鱼的生活是同时开始的，而这与“燧人氏教民以火以渔”（《韩非子》）的传说，又适相符合。

火的发明与应用，对于人类社会的发展，可以说是一个伟大无比的动力，它在人类解放中所演的作用，比之近代的蒸汽机，更为重大。有了火的应用，人类才能“炮生为熟”，开始熟食的生活，因此而引起人类生理上之化学的变革，从而使人类最终地从动物中分离出来。有了火的应用，人类才能“焚林而狩”，开始利用自然去征服自然，因此而丰富了人类的肉食，从而使人类肉体的有机构成，获得了更进一步的发展。

到这一时代的末期，人类之文化创造，更加发展了。据阿尔纳《河南石器时代之着色陶器》序言上云："宁夏东部黄土中之粘土层，检出旧石器时代之器物多件，并有废物堆及燃余灰烬，计仅一处所得，共有石器四百公斤，率为石英岩及砂化页岩所制，常有大者。其刮磨器及穿孔器等，则属于莫斯特式。……在西拉乌苏河之最下部（深约六十公尺之处）见有旧石器时代之遗物多种。此层与黄土中之粘土层相当。器物之形式与宁夏无甚差异，亦以石英岩为之。大抵出自含泥层中之罅隙，或得自含有化石之沙砾层中。……在油房头仅获旧石器时代之器物数种（石英岩所制之刮磨器等），……尚有他处，亦见相似之器物，且地面更有新石器时代之燧石器及石斧等。"此等研究非常重要，可惜此种遗物之发现者桑志华及步日耶仅于一九二三年"人类学报"第六号发表一简短之论文，无从详知其内容。惟此等地带所发现之旧石器文化中，有刮磨器之出现，则其所代表之时期，实比周口店的文化为晚，而且在这些地方的遗址中，有大批兽骨化石之出现，又证明这些地方的文化创造者，已经生活于繁荣的狩猎经济之中，这也是较晚的现象。

在这一时代，一方面由于作为生产主体的人类自身的肉体型之比较的发达；另一方面，由于劳动工具的制作材料之扩大与制作技术之提高，必然地会提高人类劳动的生产性。所以到传说中之“燧人氏”的时代，人类的生活，便不完全依靠于采集，同时，也依靠于狩猎。这样过去的采集经济，到现在，便发展为采集狩猎经济。

据考古学的报告，在周口店洞穴中，发现了大批古生物的化石，如长毛犀，长毛象，剑齿虎，驯鹿，水牛，野马，野猪，灵猫，水獭及貂之属。在宁夏东部的遗址中，发现了长毛犀，鬣狗，驼鸟，野马等的化石。在西拉乌苏河的遗址中，也发现了长毛犀，长毛象，羚羊，卷角羚羊，水鹿，野牛，鬣狗，野豖，骆驼，野牛，驼鸟，狼等的化石。在陕西油房头的遗址中也发现了长毛犀，野牛，驼鸟之属的化石。这些古生物的发现，就指明了狩猎在当时人类生活中，已经占领了很重要的地位。并且我们由此可以想像“燧人氏”时代的人群，已经再不是拘束于内海周围之可怜的采集者，而已一变为英勇的猎人。他们拿着鹿角制成的匕首，或是有柄的投枪，在蒙古高原，在河北平原，在鄂尔多斯，在陕甘北部，到处展开了“烧山林，破增薮，焚沛泽，逐禽兽”之大规模的狩猎活动。到处的森林，都烧起了熊熊的大火，到处的猎人，都发出了雄壮的呼声，于是在胜利的呼号中，大批的野兽抬进了洞穴。同时，在内海的周围，在易水流域，在西拉乌苏河，在黄河的沿岸，都布满了渔捞的人群。此外，在这一带的山坡和原野也有成群的女子，进行采集。现在，在原始人的菜单上，已经不仅是球根，果实和螺蛤之类，而是添上了许多前所未有的山珍野味了。

第三节 “伏羲氏”时代——中国的上期旧石器文化与采集狩猎经济之发展

冰河已经最终地退去了，太阳渐渐带给蒙古高原以温暖的气候，这正是地质学上所谓后冰期的时代。在这一时代，中国的历史，便进到了蒙昧上期，而这在传说中便是“伏羲氏”的时代。

相当于这一历史时期的社会经济构成的文化，是上期旧石器时代的文化。中国上期旧石器文化之早期的（即奥利那期与梭留特期）遗址，至今尚未发现，但这一文化期之晚期的遗址，则已被发现于周口店山顶洞[1]及哈尔滨何家沟。[2]

这一时代之早期的文化，虽尚无有系统之发现，但亦散见于史前各遗址之中。如水洞沟的文化，大半都是带着奥利那期的特征。在沙锅屯洞穴文化中，也曾发现类似"梭留特式"的石矛（沙锅屯洞穴层第六版第四图）。此外在山顶洞文化中，也有不少类似奥利那期及梭留特期的文化遗物。由此足证这一时代之初期的文化，在中国也是曾经存在过的，假使继续从地下搜求，必能有更多之发现。

就一般的情形而论，大抵在这一时代之初，即所谓奥利那期的时代，在原始人的技术中，就出现了相当剧

[1] 裴文中氏于其所著《周口店山顶洞之文化》中谓：山顶洞的文化发现于黑土层，在遗物中，又发现有孔的磨光的装饰品，因此判定这里的文化迟于鄂尔多斯的文化，而又早于何家沟的文化，它们应该是西方晚马格达林期之东方同时代的文化。

[2] 哈尔滨附近何家沟的文化，考古学家判定是相当于西欧亚織尔期的文化。

烈的变化。从石器方面说，在这一时代的石器，已经不是用广的卵形石片制成，而是从棱镜型石片上有计划地打下来的细长石片所制成。当时的人类已经知道在这种细长石片上很巧妙的加工而使之成为各种形式分明的器物。如因附柄而截去其干部之狩猎用的枪的锋铓，应用于剥削之皮削器，应用于骨角加工之雕刻刀，应用于刺和切断之尖头器，应用于石器和骨器的穿孔之穿孔器。这些器物都出现了，而且都是附着柄而使用。在骨器方面，则出现了枪的锋铓，光滑皮革之光滑器，乃至原始的骨针。

稍后，到梭留特期，则制作的技术，更为精巧。在这一时代，器物的形体，变得更为细长。有很多是扁平的，月桂树叶状的，两端非常整齐的石片所制成。这种石片，决不是从一块大石上锤击下来的碎片，仿佛是用一种很细的弹性的骨棒从一块大石上裁割出来的。这种裁破石块的技术在石器的制作技术上，是一个非常之大的进步。从此以后，人类才有可能创造自己所要的形式与大小的器物。

继梭留特期而起的文化，便是马格达林期文化。这一时代的文化遗物，在山顶洞已经发现了。

这一时代的文化，一般地说来，是石器制作技术之更加精巧；同时骨器已经达到了最大的完备。燧石器虽然同时存在和发展，但有些燧石器则已为骨器所代替。在石器中，如皮削器，光滑器，穿孔器，尖头器，裁切刀，乃至有柄的燧石小刀，都制作得更为完善。在骨器中，则有有钩骨铦，尾部有钩的投掷器，及裁缝用的骨针，都已经出现。

但是在山顶洞文化中，石器的发现，却非常稀少，除几个用燧石打制的切断器，锤击器及一个尖头器以外，就只有一些燧石和石英的碎片。而且这些燧石器，打制的痕迹，既不规则，又没有凿孔，这必定是前期的残余之物。不过这里同时却发现了大量钻孔的石珠[1]和

[1] 据安特生云：中国所发现的石珠，没有比山顶洞的石珠更早的。在法国曾经发现象牙珠（见 Peyrom：*From Bourdeille in the South of france*, – 1931），在苏联的欧洲区，曾经发现蚌制之珠，从图片上看来与山顶洞的石珠，有若干相似之点。最有名的石珠，是西伯利亚阿尔干马托乃特（Algemantorite），尤其是阿奉特发（Afantva）所发现的马格达林期的石珠（见 Boncho smolousky ibd）。不过西伯利亚所发现的石珠，从其边之圆与孔之小看来，是一种更为进步的技术之制作品。但是石珠，总是马格达林期的文化之特征。

唯一的一块钻孔的卵石[1]，而这却是马格达林期的文化之特征。从石珠与卵石上所表现的技术看来，则当时研磨与钻孔的技术，已经达到相当的熟练，从而推知当时的穿孔器与小型的锤击器或雕刻刀，一定已经相当的锐利了。

在山顶洞文化中，最值得大书而特书的，是有孔的骨针之出现。据山顶洞文化报告书中所述，这里所发现的一个骨针，稍呈曲形。干长八二公分，钻孔处的直径，是三点一公分。最粗的部分的直径，是三点三公分。从形式上看，似系保存骨材之原来的大小而稍加磨制。针干圆而光滑，针尖圆而锐，针孔似系用尖头器凿的（插图九）。有孔的骨针之出现，就说明了当时的人类，已经知道缝制皮革和编制罔罟的事实。

[1] 钻孔的卵石，在马格达林期以前，也是没有的。在整个梭留特期，形状完美的小卵石，虽然到处发现：如在巴第果尔（Badegouls），在康白－卡拍尔（Combe-Capelle），在金布拉克（JeanBlanc）等处，都发现了卵石，但都是没有钻孔的（见 Henri Mar in Lahri De Roc Charente）。到马格达林期，则钻孔的卵石是常见的。例如 DR.De st.Perier 在 La Grotte De I espugue 发见一个钻孔的乳色石英的卵石。在 Peyrony 的报告中，也说到从 La Madeleine 所发现的一个钻孔的石灰石的卵石。由此而知钻孔卵石也是马格达林期文化的特征之一。

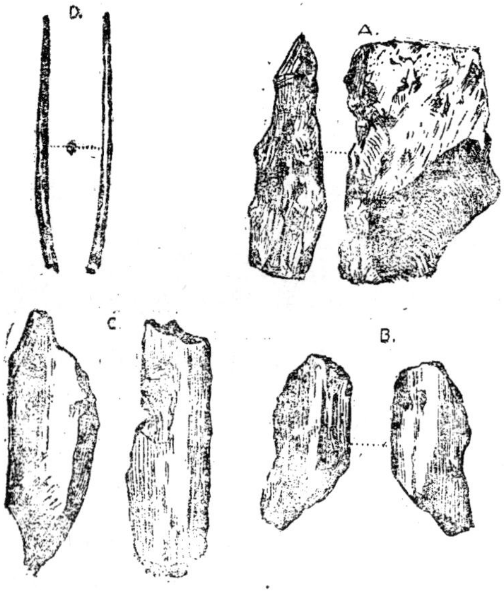

插图九　“伏羲氏”时代（蒙昧上期）的石器与骨针 A. B. C. 石器，D. 骨针（见《周口店山顶洞之文化》）

同时，当时的制作技术，既能创造出有孔的骨针，当然也能创造出有钩的骨铦。在山顶洞虽未发现有钩的骨铦，但却发现了三个大鱼骨，六个较小的鱼的尾脊骨，同时并发现了三个海贝和许多淡水贝的碎片（插图十），这就证明了当时已有发达的渔业，从而也就可以推知在当时必有若干应用于渔捞之工具的存在。

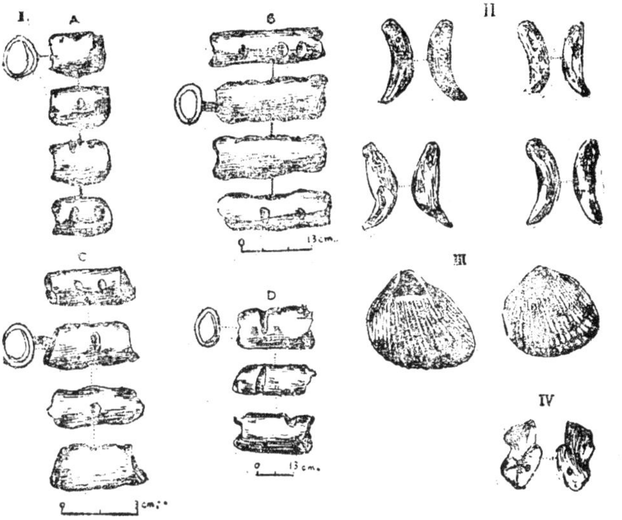

插图十　“伏羲氏”时代“以佃以渔”的遗迹　I、鸟骨，　II、兽齿，　III、海贝，IV、鱼骨（见《周口店山顶洞之文化》）

在山顶洞文化中，虽没有矢镞的发现，但在这里却发现了四个鸟类的骨管，并且发现了大批钻孔的兽齿。其中包括虎、鹿、狐、狸、野猫、鼬鼠等各种兽类的齿（插图一一）。此外并发现各种肉食兽的骸骨，如鬣狗、熊、狼（Conis）、狐（Valdes）、獾（Meles）、鼬（Mustela），这些兽类的齿骨之存在于山顶洞，就指明了当时的人类已经进到了一个大规模狩猎的时代了。传说中谓“伏羲氏”“作结绳而为罔罟”，又谓“伏羲氏”“教民以佃以渔”，由此看来，又与考古学的发现，适相符合。

到这一时代的终末，亦即所谓亚戚尔期，随着采集狩猎经济之更高发展，生产工具的制作技术就更加提高了。在何家沟所发现的文化，一方面表现工具的形体之缩小，另一方面，工具的外形，也统一了。形体的缩小与外形的统一，就说明了这一时代的人类已能有计划地控制石材，打成他们所需要的一定的形式。由此再向前发展一步，便出现了新石器时代的文化，而人类也就抱着更高的目的，走进了历史上之野蛮时代。

总而言之，在传说中之“伏羲氏”时代，一方面由于劳动工具制作技术之发达；另一方面，由于作为生产主体之人类的肉体型，已经发达到接近于现代人的肉体型的程度。由此两者的结合而发挥出来的生产力，便是采集狩猎经济之高度的发展。在这一时代之末，他们甚至开始了植物栽培和动物驯养之农业——畜牧的经济。

第三章　前氏族社会的生产关系与家族关系

第一节　“有巢氏”时代——原始群与血族群婚

古代的学者，往往幻想中国历史开幕的时代，便是一个衣冠文物的盛世。“当此之时，阴阳和平，风雨时节，万物蕃息。乌鹊之巢，可俯而探也，禽兽可羁而从也。”(《淮南子·泛论训》)又以为“当此之时，禽兽蝮蛇，无不匿其爪牙，藏其螫毒，无有攫噬之心。”(同上，《览冥训》)因而以为当时的人群，可以一事不做，只是“含哺而游，鼓腹而熙”(同上，《俶真训》)。

但是据我们的考察，则“有巢氏”时代的原始人群，并不是生存在这样一个乐园；反之，而是生存在一个冰雪皑皑的蒙古高原之原野。在那里，有冻寒积冰，雪雹霜霰，严寒之威胁。在那里，有成群的古生动物，张牙舞爪，“挚鸟攫老弱，猛兽食颛民”。当时的原始人群，他们巢居穴处，“日与禽兽居，族与万物并”（《庄子·马蹄篇》），“冬日则不胜霜雪雾露，夏日则不胜暑蛰蚊虻”（《淮南子·泛论训》）。他们在大自然的残酷压迫之下，必须劳动，才能生活，而且必须集体的劳动，才能生活。所以人类自出生以来，便是群生聚处，决没有一个孤立的个人，可以离群索居而能生存。特别是在太古时代，自然环境如此险恶，而单独的个人，如此无力，劳动工具，如此幼稚，他们更须结群，才能生存。这诚如《吕氏春秋》所云：“凡人之性，爪牙不足以自守卫，肌肤不足以捍寒暑，筋骨不足以从利避害，勇敢不足以却猛禁悍，然且犹裁万物，制禽兽，服狡虫，寒暑燥湿弗能害，不唯先有其备而以群聚耶？群之可聚也，相与利之也。”（《恃君览》）

依据民俗学的指示，人类一出现在地球上，便结成一种原始人群。在整个蒙昧时代，人与人的关系，都表现于这种群的组织之中。自然条件，规定这种原始人群必须出现；自然条件，又制约着这种原始人群的规模，必须适应于采集经济之最大的可能性。超越了这种最大的可能性，原始人群便不能生活。在原始人群之现存的典型中，群的人数，大约是十八至六十人之间。在中国曾有“天皇十二头”，“地皇十二头”，“人皇九头”的传说，这种传说，正是暗示“有巢氏”时代原始人群的组织之规模。

在这种原始人群中，任何分业，都不存在。男子和女子，老年和壮年，他们的活动，都没有一点分别。除了婴儿由母亲背负，所有具有劳动能力的男女，都要劳动。

在这一时代，一个人的生产力，只能生产养活自己的物质，换言之，在当时，没有一个人在生产了养活他自己的生活资料之外，再能生产一部分多余的生活资料，养活别人。因而也就没有一个人依赖别人的劳动而生活。所以在当时有些失掉了劳动能力的老年人，常常有被群所遗弃的事。

当时的人群，“饥则求食，饱则弃余”（《白虎通》）。他们没有任何蓄积，因而也还不知道私有。他们把地面上的一切，都当作是他们共同之所有。他们“因天之资而与之同和”，以地球为他们的公共仓库。他们共同生产，共同分配，共同消费，过着原始公社制的生活。

即因他们人人劳动，所以他们“不忿争而财足”(《淮南子·本经》)。即因他们尚不知道私有，所以“生而不辱，予而不夺”(《淮南子·泛论训》)；“施者不德，受者不让”(《淮南子·本经》)；“机械诈伪，莫藏于心”(同上)。

在这种群之间，没有君长，一切的人都是平等，他们“不以人之坏自成也，不以人之卑自高也，不以遭时自利也”(《吕览·诚廉篇》)。在他们之间，无贵贱等级之差，无上下君臣之道。“仁义不布而万物繁殖，赏罚不施而天下宾服。”(《淮南子·俶真训》)

在这种群中，没有任何具有强制性的法律，没有任何后来的道德，一切的事，都依照习惯，共同商量，大家决定。诚如《淮南子》所云:“当此之时，无庆贺之利，刑罚之威，礼义廉耻不设，诽誉仁鄙不立，而万民莫相侵欺暴虐。”(《本经》)

在这样的群中之两性关系，当然没有甚么“父母之命，媒妁之言”，完全是基于生理的要求，与相互的情感之共鸣而发生的纯自然的不固定的性交。因为当时的人，还不能认识谁是他的父母，所以“民有其亲死不哭，而民不非也”（《庄子 · 天运篇》）。

在这一时代的人群，他们“男女杂游，不媒不娉”，过着极自由的，不受到任何缚束的性的生活。在这种性的关系中，包括亲子间的性交。但我们必须知道这时的人类，尚无亲疏等级之别，亦无尊卑长上之分。在今日所谓亲子的关系，在当时，只不过是年龄上的等级之差别，即老年与壮年，壮年与幼年的关系而已。在原始杂交生活中，根本没有可能使一个人认识谁是他的父母，谁是他的子女，因而在今日所谓亲子间的性交，在当时，只不过是不同年龄级的人们之性交而已。从而在今日看来是逆伦伤风的事情，在当时，则认为是正当的行为。

在这一时代之末，随着性别——年龄别的分业之萌芽，人类的两性关系，便进入了血族群婚的阶段。

血族群婚与原始杂交，不同之处，即后者是不受到任何限制的杂交，而前者则是受到年龄等级的限制之杂交。在这种家族形态中，两性的关系是由世代而区分。所有祖父母辈，皆互为夫妇，他们的子女，即父母辈，也是一样，再由父母辈的子女，成为共同配偶的第三群。这一批人的子女，即第一群的曾孙们又成为第四群。因而在这样的家族形态中，只有祖先与子孙是被排除在互为夫妇的权利与义务之外。此外各等级的子孙，互为兄弟姊妹，同时又互为夫妇。而且正因为兄弟姊妹，才互为夫妇。因此这种家族形态，虽然尽可能地排除亲子间的性交，但并不排除兄弟姊妹间的性交，而且是以兄弟姊妹间的性交为原则。

原始杂交和血族群婚，是蒙昧下期的人类之两性关系，这在现存的人类中，即使在最落后的种族中，也再找不出这样的例子了。但是在中国“有巢氏”时代，是存在过的。关于亲子间的性交，因为与伦理主义太相背逆，这样的传说，即使在古代曾经有过，在伦理主义出现以后，一定也被消灭了。但是抱着妹妹做新娘的传说，却留下来了。《搜神记》中有云：“昔高阳氏有同产而为夫妇，帝放之于崆峒之野，相抱而死。”同书又云：“（高辛氏）令少女从盘瓠，……经三年，产六男六女，盘瓠死后，自相配偶，因为夫妇。”像这种神话，正是血族群婚最好的例子。

又据文献所载，这样的家族形态，直至汉唐时代，在中国四裔诸落后种族中，还有不少的种族，停滞在这个历史阶段，或者还保有血族群婚之浓厚的残余。前者如新罗[1]安息[2]波斯[3]党项[4]附国[5]等；他们都是兄弟姊妹互为夫妇，而且有些还没有排除亲子间的性交。后者如宕昌羌[6]突厥[7]吐谷浑[8]林邑[9]松外诸蛮（注一

[1]《文献通考·四裔考》三云："（新罗）兄弟女、姑姨、从姊妹皆娉为妻。"

[2] 同上"四裔考"十四云："（安息）风俗同于康国，唯妻其姊妹及母子递相禽兽，此为异也。"

[3]《北史》卷九七传八五云："波斯，古条支国也，多以姊妹为妻妾，自余婚合，亦不择尊卑，诸夷之中，最为丑秽矣。"

[4]《旧唐书》卷一九八传一四八云："（党项羌）妻其庶母及伯叔母、嫂、子弟之妇。淫秽蒸亵，诸夷中最甚。"

[5]《文献通考·四裔考》六云："附国，隋时通焉，在蜀郡西二千余里，即汉之西南夷也。妻其群母及嫂，子弟死，父兄亦纳其妻。"

[6]《北史》卷九六列传八四云："宕昌羌者，其先盖三苗之裔，父子伯叔兄弟死者，即以继母，世叔母及嫂弟妇等为妻。"

[7] 同上卷九九列传八七云："（突厥）父兄伯叔死。子弟及侄辈妻其后母，世叔母，惟尊者不得下淫。"

[8] 同上卷九六列传八四云："（吐谷浑）父兄死，妻其后母及嫂等，与突厥俗同。

[9]《文献通考·四裔考》八云："（林邑在汉时）同姓还相婚姻。"

〇)[1]多摩长[2]及北狄[3]等，他们都是父死妻其母，子死妻其媳，兄弟死妻其嫂弟妇。

不仅在汉唐时代的四裔诸落后种族中，有此残余，就是在我们的今日，这种不受年龄拘束的婚姻也还是存在。在现在，一个人还是可以和子辈或孙辈的异性结婚，这种两性的结合，就正是"有巢氏"时代的遗风呵！

第二节 "燧人氏"时代——性别年龄别社会与亚血族群婚

到传说中之"燧人氏"的时代，随着采集经济向采集—狩猎经济之转化，于是在原始人群中间，开始了性别——年龄别的分业。

性别的分业之出现，是原始公社制的社会生产力之一般增大，特别是狩猎发生的结果。由于狩猎的发生，以前男女不分的原始人群，现在分裂为一群男子与一群

[1]《文献通考·四裔考》七云："(诸蛮)居丧婚嫁不废，亦弗避同姓。"

[2] 同上"四裔考"八云："(多摩长)婚姻亦无同姓之别。"

[3] 同上"四裔考"十七云："(北狄)父死妻其后母，兄弟死者，皆取其妻妻之。"

女子。男子群则从事于狩猎，女子群则从事于采集。男子和女子相互以自己的劳动生产物相供给，这样就建立了他们和她们在生产过程中的关系。所以传说中云："(当时)丈夫不耕，草木之实足食也；妇人不织，禽兽之皮足衣也。"(《韩非子》)

即因当时的男子群和女子群在生产过程中，担任了同等重要的劳动任务，因而规定了在这样的原始人群中两性的社会地位之平等。在当时，人们还不知道"男尊女卑""夫为妇纲"这一类的"真理"，他们觉得在性别中，决找不出尊卑来。他们对于人类的地位，是用劳动的成果来决定的。

狩猎在当时虽然已经成为人类的主要生活方式，但狩猎是带有偶然性的——特别在某些禽兽比较稀少的地方——它并不能像采集一样具有比较可靠的性质。因此，人类的经济，即使进到狩猎—采集经济的阶段，他们的生活资料，还是依靠采集为最基础之保证。这样的经济关系，就决定了女子在原始公社制中之优越的地位。

和性别的分业并行，或者在若干时期以后，随着狩猎经济之更高的发展，在原始人群中，又发生了年龄别的分业。所谓年龄别的分业，即依据年龄的等级，把原始人群编制为幼年群，壮年群和老年群，除幼年群受社会之共同抚养以外，其余壮年群和老年群，都分担一定的劳动任务。

年龄别的分业之出现，是狩猎工具制作技术之复杂化的结果。在以前，因为劳动工具简单而原始，劳动者皆能自己制造其工具；在现在，工具复杂化了，对于工具之打制与修理，需要相当的经验，而这种经验之保有者，则是那些经过长期劳动的老年人。因此，当壮年男子从事狩猎，壮年女子从事采集的时候，老年的男子和女子，则留守洞穴，从事于劳动工具之制作和修理。从这一时代起，以前常被群所遗弃之老年人，便被引用于生产过程之中。

与老年人之被引用于生产过程的同时，一切因劳动而受伤的废疾者，也同时因为担任了与老年人同样的工作而得到社会的抚恤。

在性别一年龄别的社会里，真是一个“老有所终，壮有所用，幼有所长，鳏寡孤独废疾者皆有所养”的大同世界。在这样的社会里，虽然各人执行的劳动任务不同，但一切的人都必须劳动。没有一个人被强制作过量的劳动，也没有一个人可以不劳而食。因为一切的人都参加劳动，所以人与人之间，还是没有尊卑贵贱之差。没有酋长，也没有臣属。在这样的社会里，还是没有私有，他们的生产关系，还是建筑在原始公社制的基础之上。在这样的社会里，一切的公共事务，都依照传统的习惯而进行，没有法律，也没有任何后来的道德和礼教。

社会生产力的提高，改组了劳动的编制，同时，也改变了两性的关系。因为两性的关系，就是生产关系的反映。

随着性别—年龄别的分业之出现，人类的两性关系，便由以前的血族群婚，进到亚血族婚，即所谓彭那鲁安（Punaluan）家族的阶段。

所谓彭那鲁安家族，即一系列或数系列的姊妹成为一个家属共同体的核心，她们的兄弟又成为另一家属共同体的核心。于是许多本身的或远缘的姊妹，成为她们的共同之夫的共同之妻，但她们的兄弟是除外的；许多本身的或远缘的兄弟又成为许多不是姊妹的女子之共同的夫。这种古典的家族形态之特征，是在一定的家族内共有相互的夫妻，其中最先是本身的兄弟或姊妹除外，以后是远缘的兄弟或姊妹，都被除外。

这样的家族形态之出现，就表征了通婚的纽带所拥抱的范围之逐渐缩小。通婚纽带的范围之得以实现其缩小，决不是人类主观的愿意，而是由于年龄别的分工之发展，表现了血缘关系之等级。由于血缘关系的等级之逐渐规律化，又从此发现了亲疏关系。即因从血缘关系之中，发现了亲疏等级的概念，于是才出现了亲族制度。因此，所谓亲族制度，就是血缘关系的亲疏等级的概念之硬化。从此以后，人类才认识他们的母亲和兄弟姊妹。但直至此时，人类还不认识谁是他们的父亲。因此，我们发现了一个真理，即群的扩大和通婚关系的缩小，是以正比例而发展的。

据文献的记录，这种亚血族婚，也还存在于汉唐时代中国四裔之某些落后种族中。如当时的滑国[1]哌哒[2]

[1]《文献通考·四裔考》十五云："滑国，车师之别种也，后汉顺帝永建初……（还是）兄弟共妻。"

[2]《隋书》卷八三传四八云："（哌哒人）兄弟同妻，妇人有一夫者冠一角帽，夫兄弟多者，依其数为角。"

多蔑国[1]吐火罗[2]等，都是兄弟共其妻。

第三节 “伏羲氏”时代——氏族社会的萌芽与亚血族群婚家族向对偶婚家族之过渡

到伏羲氏时代，随着历史进入蒙昧上期，因为社会生产力的发展，生产关系也更趋复杂。这表现在社会分工之更加精细，劳动编制之更加绵密。

在这一时代，有许多工具，如弓矢投掷器等，必须熟知工具的重量，和弯曲的角度以及其飞力的大小，才能制造出来。同时，如骨针的研磨，鹿角的雕刻，卵石的染色，兽齿的凿孔（详见下章），恐怕都不是人所皆能，而是要那种具有长期劳动经验的老年人，至少，也要在他们指导之下，才能制造出来。这样，老年人的权力，便逐渐巩固了。

[1]《文献通考·四裔考》九云：“多蔑国，其人短小，兄弟共娶一妻，妇总发为角，辨夫之多少，唐贞观中通焉。”

[2] 同上“四裔考”十六云：“吐火罗……隋时通焉，俗奉佛，多男，少妇人，故兄弟通室，妇人五夫则首戴五角，十夫戴十角。男子无兄弟者，则与他人结为昆季，方始得妻，不然，终身无妇矣。”

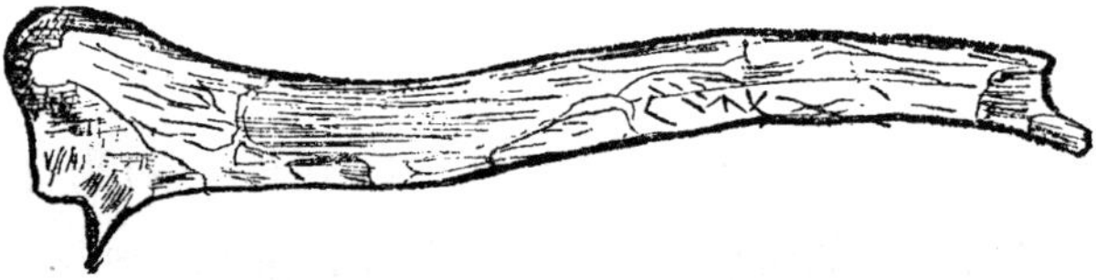

插图一一　“伏羲氏”时代氏族长老用于宗教之鹿角制的“指挥杖”（见《周口店山顶洞之文化》第六版第一图）

同时，在这一时代，原始人群已逐渐在海岸，湖沼的周围，河流的沿岸，及草原森林地带，展开了相对定住的生活，他们已经不是像以前一样，以整个自然世界为生活的领域，他们似乎已经知道守着一定的区域。在这一时代的末期，由于血缘关系之固结，在许多地方的原始人群，都发展为原始型的氏族。《竹书纪年》谓:“属于庖牺氏之各族，有飞龙氏，潜龙氏，居龙氏，降龙氏，土龙氏，水龙氏，青龙氏，赤龙氏，白龙氏，黑龙氏，黄龙氏。”这种传说，就正是暗示这一时代已有氏族之存在。这一时代之有氏族社会的存在，近来已由于考古学的发现，获得了确证。

在属于这一时代之山顶洞文化遗物中，发现了一个磨光而又充满了不能说明的刻纹的鹿角（插图一一），我以为这个鹿角就是所谓“指挥杖”（Batonsde Commandment）。这种指挥杖，在西欧同时期的文化遗址中，多有发现，所不同的，只是西欧同时期的指挥杖，都有一个乃至几个大的钻孔，而且还有很精致的装饰。但在山顶洞所发现的，却无钻孔。不过据考古学的报告，属于奥利那期的指挥杖，也有不钻孔的。因此我以为这或者是前期的人们遗留下来，而仍然为山顶洞的文化创造者所使用。这种“指挥杖”的用途，有各种的推测，但一般皆以为是氏族长老用于魔术之神器。山顶洞既有此种原始的神器发现，就无异说明了在“伏羲氏”时代已经有了氏族的形成。

此外，在山顶洞的文化遗物中，又发现了一个卵形的石灰石碎片（插图一二），这个卵石的周围已经受到

插图一二 “伏羲氏”时代作为祖先崇拜之象征的“珠灵卡”（见《周口店山顶洞之文化》第五版第五图）

空气之强烈的腐蚀，透出不鲜明之赤铁矿的涂色。这种涂染的图案，隐隐现出三个卵形和其延长的斑点。这种彩色卵石，在欧洲亚鑯尔文化中，常有发现，而且至今尚被澳洲土人当作祖先传授的魔力或表明信仰之存在而称之为“珠灵卡”（Churinga）。因此，我以为山顶洞所发现之彩色卵石，就是所谓“珠灵卡”，而这又是氏族存在之又一实证。

在这一时代由于原始人群结成一个一个以血缘为基础的氏族，他们在不同的自然环境之下，开始了集团的分业，因而又发生了最初的交换。这时的交换，不是个人与个人间的交换，而是共同体与共同体之间的交换。山顶洞内所发现的海贝和赤铁矿，都不是洞穴附近所有的，如果不是远道探取而来，便是由交换而来。

由于弓矢的发明，于是劳动工具之集团的所有，变为不可能，因为弓矢的制造，是要依于使用者个人的体力，这种劳动工具的性质，就规约着工具之个人的使用。同时，装饰品也似乎被私有了。山顶洞内所发现的石珠和兽齿，大半都在人体化石的附近，如果是用于殉葬的话，则那些石珠和兽齿，必为死者之所私有。虽然如此，这只是表明因个人的生产能力之提高，而引起了生产的个人化，从而生产工具的个人所有，但生产物之集体所有的性质，并没有改变。

这时在某些原始人群中的老年人，也许随着氏族的形成，而出现为氏族的首长，但是这时的族长，并不是像后来的皇帝一样，可以锦衣玉食，作威作福；反之，他们也和一切其他的人一样，要参加劳动，服从习惯。他们之所以为族长，并不是因为他们有超人之处，而是因为他们在长期的劳动过程中，蓄积了不少劳动工具制作技术的智识；同时，他们还记忆由祖先的生活传来之无数的故事，和关于万物创造的神话，传说，以及关于狩猎者所应知道的动物的性格之智识。而这些，对于后一代的人群，都是必须要学习的。因此，这一时代的族长，他们的权威就是建筑在劳动经验之上。同时他们的任务，也就是用他们所有的劳动经验去指挥集体的生产。在这一时代，我们所看到的，是习惯的统治，我们决不能看见一部分特殊等级的人统治着别人的现象。因为直至此时，人类的生产力，只能创造出“食己”的生活资料，还不能提供出“食人”的那一部分，因而也就不能产生“食于人”者的那一批人。

在这一时代的家族形态，还是彭那鲁安家族。不过随着群的扩大，婚姻的范围，更加缩小了。以前是排除近亲的兄弟姊妹间的性交，现在，则远缘的兄弟姊妹间的性交也被排除了。到这一时代的末期，甚至同一始祖母所生的最远缘的兄弟姊妹间的性交也被禁止。到这一时代，原始人群，即转化为氏族。换言之，即他们已经组成一个由女系血族关系群所成的不许相互通婚的确定的群。所以彭那鲁安家族，是过渡到氏族组织的一个桥梁。由此向上发展，则一个男子要到族外才能找到他的妻子，一个女子也要到族外才能找到她的丈夫，这就是所谓族外婚。跟着族外婚的出现，彭那鲁安家族也就转化为对偶婚家族。同时历史也就走出了蒙昧时代的境界。

第四章　前氏族社会的意识诸形态

第一节　言语的发生及其形成的过程

过去的历史家，总是幻想以为自有人类以来，人类之中，便有圣哲与凡庸之别，而且天生圣哲，就是为了要替凡庸作之君作之师牧。所以当开天辟地的时候，便出现了一个“神于天，圣于地”的“盘古”，以后圣哲相承，凡庸代出，以至于今日。这样说来，人类之或为圣哲，或为凡庸，乃是出发于不同的种属，并非历史发展的结果。

但是科学告诉我们，人类的智慧，并不是天生的，而是人类在劳动过程中，自己创造出来的。劳动首先解放了人类的双手，因为双手的解放，人类才能获取更多的生活资料，以发达其头脑，从而发达其思维能力。人类的智慧，就是思维能力发达的结果，而思维能力的发达，是一个历史的过程。正因为它是一个历史的过程，所以人类的智慧，决不能越出于它所处的历史时代所应有的高度。在太古时代，人类之脑的容量，尚如此之小，这就规定了最初的人类的思维能力之薄弱，从而他们也就不能具有"神于天，圣于地"的智慧。但是我们也决不能说他们没有思维，没有智慧，因为今日所发现的许多旧石器时代的文化遗物，都是他们的思维之凝固或智慧的体现。

人类思维之最初的表现形式是言语，人类最初的言语和动物一样，只是一种简单的叫声。他们就用简单的叫声，作为表达各人的思维之工具，从而以此取得彼此在劳动过程中的行为之联系与情感的沟通。

在"有巢氏"时代（蒙昧下期），人类还不过使用石块和木棍以进行采集经济，他们尚不能获得充分的肉类以发展其头脑，所以他们的头脑，对外界的反映力是非常之小的。同时言语器官的分化作用，也尚未发育完全，具有音节的言语，当然没有发生的可能。在这一时代的言语，是运动言语。所谓运动言语，在其最初的发展阶段上，是人类受外界之感触而表现于肉体上的一种倾动。这种肉体的倾动，在它尚没有和人类社会的意识结合以前，还不能成为人的言语。只有当人类为了沟通相互间之劳动行为而利用这种肉体运动之姿势的时候，它才起着反射作用，它才能成为表达人类思维的记号。在长期中，由于一定的习惯之蓄积，从这种运动之反复重演中，它才社会地被应用起来，而赋予以社会的意义。这种运动言语，配合着简单的叫声，就是最原始而又最现实的言语。

到“燧人氏”时代（蒙昧中期），随着采集经济向采集—狩猎经济之转化，人类的世界观也改变了。在采集经济时代，人类是以外部的全自然界为对象，到狩猎出现以后，人类便以与他们发生直接关系之外的世界中的各个代表物为对象。因此，以前散漫而笼统的思维，现在已经具体化分节化了。为了表达这种新的思维，他们要求更繁多更精确的言语。于是自然而然地，从过去混沌的运动言语中，分化出一种姿势言语来了。

姿势言语是用手的运动来表达人类的思维。因而这种言语的现实，是要手演着本质的任务。人类的手，到这一时代，由于长期劳动的结果，已经达到了莫大的完成。手已经能曲折自如作出很复杂的姿势，因而这种姿势，便能表达出更详细的思维。同时，日趋于发展的脑部，对于自然的反映力，抽象力和认识力，也正在平行发展，这样又帮助了姿势言语的复杂化。

到伏羲氏时代（蒙昧上期），随着历史进入蒙昧上期，狩猎工具逐渐复杂，从事生产工具制作之特殊的技术者分化出来。对于工具和装饰品的个人所有，给与劳动的新形态以刺激。同时，由于集团间的原始交换之发生，使狩猎社会的机构发生很大的变化。新的社会经济条件，唤起新的思维形态。在这一时代的人类，不仅要求表现事物和动作的记号，而且要求表现视觉以外由听觉的作用而发生的感觉的记号。因此，姿势言语，已不能满足，于是音节言语代之而起，成为人类思维表现之主要的形式。

音节言语发生以后，姿势言语并不因此而趋于死灭；反之，它还是继续存在，而且给与音节的言语以影响。实际上音节言语，只是姿势言语之翻译而已。

直至现在，姿势言语，还成为各民族言语构成中之一个主要的因素，如借手指的屈伸而表现数目的多少，借手的摆动而表示肯定和否定的命意，这在今日世界各民族中，都是相同的。因此之故，我们在今日还能借姿势言语之助而使各民族的不同的言语，达到原始的统一。

姿势言语不消灭的原因，是因为它比之音节言语是更现实的思维之表现形式。它能使音节言语更具体化，分节化，现实化，尤其是生动化。因此，当它与音节言语配合以后，便能使音节言语更为优美，更为艺术。

不仅姿势言语保存到今日，即原始之简单的呼声，也还是存在于今日的言语中，如因愉快、悲哀、感伤、痛苦、惊奇与劳动协力而引起之呼声，在今日各民族的言语中，也还是存在的。而且这种呼声所表示的意义，在各民族的言语中，也是毫无差别的。

这样看来，人类不是一开始就能说出音节言语，音节言语的出现，是人类言语长期发展的结果。从运动言语，姿势言语到音节言语，是人类言语发展的过程，而言语发展的过程与思维发展的过程，是相适应的。同样，思维发展的过程，又是相应于社会经济发展的过程，以及由此而引起之人类自身肉体型的变革过程。所以我们说，言语是社会的创造物。

第二节 宗教的发源及其原始的形态——万物有灵

原始人已有宗教。原始的宗教是万物有灵的信仰。

原始宗教的发生，是原始人对于其自身周围的人与自然，人与人的诸关系之错误的，歪曲的，颠倒的幻想之反映。换言之，它是人类之颠倒了的世界意识的表现形式。因此，宗教的发生，必须要在人类对于现实世界的一切事物、现象和它们之间的相互关系起了反映作用以后。

根据考古学的指示，在早期旧石器时代的文化遗物中，至今尚没有发现有任何宗教信仰存在的痕迹。根据传说的记载，人类也有一个“不择时日，不占卦兆”的时代。因为在当时，人类“犹在乎混冥之中”，他们与万物并生，或“自以为马”，或“自以为牛”，尚没有从自然界中把自己划分出来。同时，在这一时代的原始人群中，任何分业都不存在，人与人的关系，只是浑沌一团，他们“不知亲己，不知疏物”。天地万物，磅礴为一。在这样一个时代，人类对于他们周围的现实世界，尚不能引起反映，自然不能有宗教的存在。所以在传说中之“有巢氏”的时代，是一个没有任何宗教信仰存在的时代。

万物有灵的信仰之发生，恐怕是在传说中之“燧人氏”的时代。据考古学的报告，在属于这一时代之鄂尔多斯的遗址中，已发现狩猎工具及其他物品与人类尸体共同埋葬，证明当时已有死后生活的信仰之存在，亦即灵魂不灭的信仰之存在。而灵魂不灭，是万物有灵的信仰之基础，因为万物有灵，只是人类自身有灵之推论而已。

宗教发生于这一时代，不是偶然的，因为在这一时代，原始人群中，已有性别年龄别的分业之存在。在这种经济基础上，人类已开始对自然之直觉的理解，并进而规定人与人，人与自然现象间的诸关系，而宗教的发生，就是人类对这些诸关系之错误的感觉。

为了说明万物有灵的信仰之发生，首先必须说明灵魂不灭的观念之起源。灵魂不灭的观念之发生，不是由于一种原因，而是由于梦，死等现象之综合的产物。梦和死的现象，很早就已经存在，但只有达到一定的社会经济阶段上，才能从这些现象中，导引出灵魂不灭的观念来。

如前所述，在“有巢氏”时代（蒙昧下期），老年人及病人，常为群所遗弃，这些被遗弃的人，他们后来变成怎样，原始人不能正确的知道。只有当原始人达到比较固定的洞穴生活时，他们在洞穴附近，偶然发现腐烂的尸体，这尸体在思维中反映，而以生前的姿态出现于梦中，然后才能达到灵魂不灭的观念之产生。

灵魂不灭的观念之被引伸到一切万物，这并不是单纯的幻想之延长，而是由于人类对自然之不理解和对自然克服之无力，只有这样，才能产生神，恶魔，奇迹之信仰。比如黑夜的恐怖，森林的幽暗，海波的浩荡，冰河的移动，火山的爆发，暴风雷雨的震撼，植物种属的多样性，和动物姿态的奇异性，这一切的自然现象，都使原始人为之头昏目眩，感到奇异与威胁。他们不能解释这些奇异，不能克服这些威胁，于是便发生了一种歪曲的幻想，即包围于他们周围的自然物及自然现象，都是一些暗藏着幽灵的象征。于是一切万物，都是神灵。人类在大自然界威胁之下跪下来了。

万物有灵是自然界的人格化，由于自然界的人格化，于是造成了最初的诸神。因为最初诸神的出现，于是一个世界变成了两个世界——人的世界与神的世界。不过在整个蒙昧时期，由于在人的世界上是万人平等，因而反映到神的世界上，也是万灵平等。

与原始宗教平行发生的，还有咒术。实际上，咒术与原始宗教是不可分离的，因为咒术是原始宗教之表现的仪式。

与咒术有关的遗物，在鄂尔多斯的遗址中，尚无所发现，但在山顶洞的遗址中，则已发现有咒术存在的痕迹。

山顶洞曾发现一个类似“珠灵卡”的彩色卵石，又发现一个类似“指挥杖”的鹿角。而这两种遗物，都与咒术有关。

“指挥杖”的用途，学者不一其说，但它不像一种劳动工具，可能是原始宗教的仪具。

"珠灵卡"，在现在还被澳洲的土人当作图腾祖先的灵魂之所寄托，或者就是代表生殖器吧？通过它，氏族的成员，才能和图腾祖先结合。因此，澳洲的土人，为了女子怀妊之成功，必须将"珠灵卡"中的胚种，投入女子的体中。山顶洞文化中发现了这样的遗物，就表明了在中国太古时代，也有类似的信仰之存在。

同时，我们由山顶洞所发现之"彩色卵石"，又联想到澳洲土人一年一度的咒术，"食物之繁殖祭"（Intchiuma）。这种咒术的仪式，通常于一年雨季之前植物繁殖之期举行。当举行仪式时，所有属于这一图腾的男子，都秘密地聚集于神话上所传图腾祖先之游行有关的地点。一切的武器装饰品，最后一片兽皮，亦必除去。然后咒术师以"珠灵卡"打击各男子的腹部，说道："愿汝食物丰富。"最后，则以洞窟游行，作为仪式之结束。这样看来，所谓"珠灵卡"，就是祖先灵魂永生的一个象征，而且原始人又企图借这灵魂的象征之力，以繁殖其族类及其生活资料。像这样的咒术仪式，在中国的"伏羲氏"时代（蒙昧上期）也是存在过的。

咒术的发生，是表现原始人对自然征服之渴望，他们希望征服自然，而又无力征服自然，于是企图借助于咒术以实现其不能实现的幻想。比如他们以为画一幅投枪刺杀野牛的绘画，在狩猎时，便可以实现这样的幻想。吃了鹿脚，就会与鹿跑得同样的快；喝了动物的血，就会使动物的力量转移于自己。为了猎取飞禽，就想到用咒术替自己生出羽翼，总而言之，原始咒术，只是人类无力之反映。

在山顶洞遗址中，发现了许多用赤铁矿涂染了的钻孔石珠和兽齿及骨坠（插图一三），这些东西，都发现

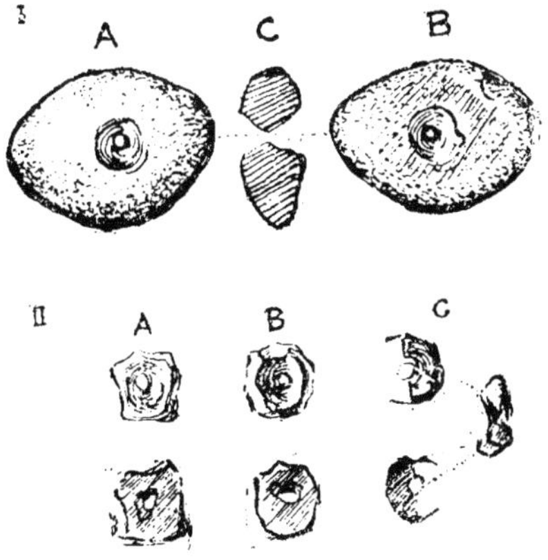

插图一三　“伏羲氏”时代的古人之装饰品　I 图用赤铁矿涂红了的钻孔卵石，II 图用赤铁矿涂红了的钻孔石珠（见《周口店山顶洞之文化》）

在死者的尸体附近。还有许多赤铁矿的碎片，散布于死者遗骨的底下，这说明了当时埋葬经过了许多手续，而且似乎这是葬埋的一定的习惯。这种埋葬习惯，说明了当时人类以为人类死后还是像活人一样生活着，因而死人也需要装饰品。

和后来的一切宗教一样，原始宗教也是人对自然无力的克服之表现。它是被虐待的生物之安息，是生存于黑暗严酷的现实生活中之原始人祈求慰藉和遗忘的鸦片。借灵魂之助与咒术的行为，原始人以为他们的希望将达到。

原始宗教，不但反映人类对自然的无力，而且当其发展到一定阶段时，又积极地巩固着这种无力。在这一点上，原始宗教，具有最反动的意义。它一方面加强人对自然的畏缩性，同时又给与狩猎经济的发展以保守性，因而它成为原始社会经济发展缓慢的原因之一。这样，为了企图帮助人类从自然压迫之下解放出来的原始宗教，反而支持了自然对人类的压迫，到后来，并成为人压迫人的一个最有力的精神工具。原始宗教中之许多荒唐和无稽的迷信，到后来，当作精神的遗产被保留到我们今日的宗教中，成为帮助支配者压榨贫苦无知的人民之麻醉的圣药。

从万物有灵到一物——黄金——有灵，这是宗教发展的过程。在原始人看来，一切可以作为他们生活资料的，以及可以影响他们生活资料之获得的自然物，都值得他们的礼拜。而在今日，则因为黄金是一切生活资料之象征，有了它，便可以获得一切，所以近代人只向黄金礼拜。实际上崇拜一物与崇拜万物，在原则上，同是崇拜生活资料，同是崇拜自然，因而同是拜物主义的宗教。所不同的只是原始人崇拜具体的生活资料，而现代人则崇拜抽象的生活资料而已。这种信仰上之差异，正是反映原始人与现代人获得生活资料的方式有了差异。

第三节　原始的艺术——卵石彩绘鹿角雕刻及原始舞蹈

前氏族社会的社会经济的内容，也具体地反映到原始艺术的创造上。

原始的艺术因为建基于精神劳动和肉体劳动尚未分

离的社会经济基础上，所以它反映出来的现实社会的内容，就更为逼真，更为透明。

根据考古学和民俗学的指示，原始艺术，也表现为各种形式，如绘画，雕刻，歌舞等，但在中国的旧石器文化中，对于原始艺术，并没有有系统的发现。虽然如此，我们并不能因此而遂谓中国的原始艺术没有西欧的发展，只能说，中国的原始艺术，还是很好地保存在地层中。因为人类发展到一定的社会经济水准，便会产生一定的意识形态，而艺术便是意识形态之具体的凝固。所以从理论上推断，在中国也应该存在着原始艺术之一系列的发展阶段。

直到现在，无论在中国或在西欧之奥利那期以前的旧石器遗址中，都没有发现任何艺术的创造。在中国，则至今还没有发现早于马格达林期的原始艺术品。因此，考古学家判定原始艺术的产生，恐怕是在蒙昧的中期。

原始艺术的产生，毫无疑义，是从劳动工具的制作技术中发展出来的。因此原始的艺术与劳动生产是不能分离的。当时的艺术决不是为了人类的审美，而是为了人类获得生活资料之欲求；换言之，是为了人类的活命。

当时的艺术家就是劳动者，劳动者也就是艺术家，没有不艺术的劳动者，也没有脱离劳动的艺术家。因此，原始的艺术与劳动是统一的。比如在周口店猿人产地所发现的文化中，我们虽没有发现所谓艺术品，但从这里发现的劳动工具上已经显出了原始艺术的创造。如他们已经能够创造出各种几何学的形式，此外，如他们在犀角上所刻的凹形以及在其他骨角器物上所刻的纵横交错的深壕，至少是依据一定的思维之指导而作成的，因而亦即当时人类的思维之凝固。假如这也算是艺术的话，这便是中国最原始的艺术。

在中国，属于蒙昧中期之末的旧石器遗址中，如在鄂尔多斯，西拉乌苏河等地的遗址中，都没有发现任何可以称为艺术品的东西。但在同一时期之西欧的遗址中，却发现了雕刻在石材和骨材上的女子的刻像。[1]把女子当作雕刻的题材，这不是一件偶然的事，正是表明当时的女子在生产中之特殊的地位。

[1] 女子的刻像，在苏联的旧石器时代遗址中，发现最多。在柯斯詹加，发见一个石制的女子像，在加加林斯卡斯得萧，发见五个古象之牙所刻的女子像，在伊尔克兹克，发见十个以上的女子像。这些女子像，考古学家认为都是用于祭祀的神像。

在中国，在山顶洞遗址中，才发现可以称为艺术品的东西。在这里所发现的原始艺术，可以分为两类，即装饰艺术与宗教艺术。

关于装饰艺术方面，在山顶洞发现了钻孔的石珠，钻孔的骨坠，钻孔的兽齿，钻孔的卵石。这些艺术品，都经过了精细的打制研磨，钻凿，并且都用赤铁矿涂染着红的颜色。这些装饰艺术品之出现，也正是反映当时社会生产力的发展，已经达到了狩猎工具之个人的使用与个人所有，从而装饰品的个人所有。

在周口店山顶洞所发见的石珠，形体的大小，几乎差不多，但形式则各有差异。所有的石珠，均经过研磨与钻孔。从石珠上残留的痕迹看来，在研磨之前，似乎为了改变其自然形状，曾经作轻微之打制。即因经过一番打制，所以石珠的形式，常常带着不规则的多面形。石珠的一面研磨平滑，另一面，则系原来的底子。从遗留在石珠上之螺旋形的纹理，及孔的边缘上之梯形的等级，可以看出钻孔的技术，还很拙笨，而且是由两面钻通的。

这里发现的钻孔骨坠，有四种形式。骨管不直，亦不规则，或者是经过不规则之割切的结果。所有的骨管，皆经过研磨，表面非常光滑，边缘呈现波纹。在骨管上，都显出经过绳磨的纹理，此种纹理，不像是仅由于使用之故，颇似为着某种我们所不知道的原因而为当时人类所刻画的。这四种骨管，可能都是某种大的鸟骨。此外还发现了几个钻孔的鱼骨，在孔的内部都留有由绳串而刻出之深槽，并且在骨的某一部分，还可以看出是用赤铁矿涂染过的。

这里发现了大批的兽齿，所有的兽齿，都经过了钻孔，而且大部分都用赤铁矿涂染过。孔的内部都留有绳磨的纹理。其中有一鹿齿，在齿的顶端，现出细而深的沟槽，当时的人，为甚么要刻这样的沟槽，是值得研究的。

在这里发现了唯一的一个钻孔的卵石，这个卵石，是一块美丽平滑而具有圆形的火成岩。卵石的中央钻有一个大孔，孔的两面，大小不一，可以看出是由两面钻通的。在卵石的一面，似乎部分地研磨平滑，留下了一些美丽的纹理，在另一面，则保存自然的水磨状态，没有任何人工的痕迹。

从这些装饰品中所表现的艺术看来，当时研磨与钻孔的技术，已有相当的发展。他们已有可能控制体积甚小的材料，在石珠与兽齿之适当的部位，加以钻孔。从绳磨的纹理看来，他们已经知道将同一类型的东西，加以贯串，使单一的东西复合化，显出其类型化的美。从其加于艺术品之打制的痕迹看来，他们已经知道把不同的形像，变成相同的形像，显出其同一性的美。从其加于艺术品上之赤色的涂染看来，他们并且知道利用颜色以掩盖不纯洁之天然色泽，从而改变其色泽。

关于宗教的艺术，最值得赞赏的，就是那个类似“指挥杖”的鹿角。这个鹿角，角枝是被割去了的，留下来的是角的干部。鹿角的表面，是在削平以后再加研磨的。在磨光以后，割切的痕迹，已经消灭。从磨光的面上，可以看出有许多横行的纹理，这些纹理布满了鹿角的周围，它不像因研磨而留下的痕迹，可能是用某种尖头器刻上去的。美的条纹和平行的刻痕，到处都是。特别是几条很重的刻纹，彼此交错或平行，很鲜明地显现在鹿角上。这显然可以看出是当时人类为了装饰而刻上去的记号。在这里，可以看出有平行线、复平行线、交叉线、锐角、复锐角、曲线、波纹线、点各种几何学图案之原始构意。这种几何学的图案之构意，只有当人类思维达到具有抽象力的时候才能出现。换言之，这是人类艺术从原始的写实主义或自然主义，达到象征主义以后的产物。

此外就是那个类似“珠灵卡”的彩色卵石。在这个卵石上显出用赤铁矿涂染的三个卵形和其延长的斑点。这就证明了当时已经有了彩色绘画之存在。

原始绘画，在中国旧石器时代遗址中，至今尚未发现。但在欧洲之奥利那期的遗址中，便出现了原始的动物画。到马格达林期，动物画便代替女子的刻像而成为绘画雕刻和浮雕等艺术创造之主要的题材。[1]

动物画是狩猎经济时代之必然的产物，犹之女子的刻像是采集经济时代之必然的产物。因此，这种原始的动物画完全是写实主义的。从这种原始动物画看来，可以看出当时狩猎者对于他们的生产对象，曾经作过微细

[1] 特别有名的原始绘画，发现于法国和西班牙的洞穴。如在法国的佛奥特兰，尼约，康巴勒；西班牙的阿尔他米拉，伽斯支洛，品塔等处，都发现了原始的洞壁画。

的观察，他们完全是纪述某一动物在其运动中，斗争中，或休止中之筋肉紧张与松弛而表现出来的各种活的动态，因而它都具有解剖学的原理。

从西欧所发现的动物画看来，这时绘画的格式，通常是在石壁上刻成绘画的线条，涂以赤和黑的彩色。他们为了描写的便利，已能利用天然的形态，如尼约的洞窟中，为着描写犎牛的脊背，而利用石壁之天然的罅隙。利用石壁上之天然的洼凹，以描绘动物的腰部之负伤。像这样的艺术手腕，与其说，他们是被制约于自然条件，毋宁说，他们已经善于控制天然的画面。

与写实主义的动物画同时或者稍迟，便出现了图型画。图型画，是在同一画面上描写各种姿态的动物像和人像。有些动物是具体地描写，有些则仅描写一头一角，以局部而特征其全体。这种图型画，到后来，采取装饰的形式而发展，更加抽象化了。

图型画之所以有出现的可能，是写实主义绘画之类型化的结果。绘画之这一发展，乃是反映人类在长期狩猎生活中，已经熟悉了动物的特征，因而他们有了可能，从动物之局部认识其全体。同时也是人类的思维之发展，使他们在同一画面中，描绘出更多样的而且似乎彼此有联系性的图型。

到蒙昧时期之末，便出现了狩猎、祭祀、舞蹈及半人半兽的复杂的构造图。艺术的这一发展，便表现了宗教已经浸入了艺术的领域。因而艺术的中心任务，便不在于外部的相像，而是要求在艺术的内部，具有充分之幽灵与神秘，以适应于宗教之要求，为信仰之象征。如尼约洞穴内之被刺伤的犁牛，便是用于咒术的绘画。比如人类学会了骑马，便把人与马联系起来，而创造半人半马的形像。又如把猎取狮子的英雄与狮子联系起来，便造出“司芬克斯”的形象。

总而言之，原始艺术，最初是写实主义，后来发展为象征主义，艺术的这一发展，恰恰相应于运动言语向姿势言语之发展。音调之复合与意义的象征，同样是人类思维表现形式之进一步的发展。因而象征主义的绘画，可以说是姿势言语之文字的表现。实际上，一切的绘画，都可以看作文字，可惜我们今日已经不能了解它们原来的意义了。

原始人也有歌舞，这在欧洲旧石器时代的洞穴中，还留下了歌舞的绘画。但我们决不能把原始人的歌舞，从现代人的立场上去想像。因为在蒙昧时代，不但没有乐曲，没有乐器，而且由于发音器官之发育不完全，他们还不能发出婉转悠扬的音调。同时，他们的手足，也还不十分灵活，因而也作不出抑扬有致的舞蹈。简单的呼号与拙笨的舞蹈，就是原始人的歌舞。

被猛兽包围的原始人的歌舞，当然不能像我们今日文明人类的歌舞一样，含有一种抒情的或当作慰安的性质，而是反映原始人对于自然的残酷抑压之反动，而是他们对自然斗争之胜利的呐喊与劳动热情之爆炸。是表现他们在集体生活中之自由平等的无上的愉快，是表现他们人与人之间最真诚的友爱精神。一言以蔽之，原始人的歌舞，就是他们一往直前的伟大的前进力量之表现。

我们可以想像，当中国的蒙昧时代，那些原始人群，当他们捕获了大批野兽时，他们就会举行胜利的歌舞会。当此之时，深蓝的青天，团圆的明月，碧绿的海水，幽美的森林，雪白的沙滩，平旷的草原，那些原始人群，就在这样良宵美景之中，展开他们的狂欢大会。

他们披着兽皮，挂着石珠和兽齿，于是发出了响亮的歌呼，展开了疯狂的舞蹈。热烈的拥抱与甜蜜的深吻，表现出毫无虚伪，毫无拘束，毫无隐蔽的人类之真性。所以传说中说，当时的人类“生者不怨，死者不恨，天下和洽，人得其愿”。

二　氏族社会

第一章　中国人种的分布与氏族社会的形成

第一节　世界的新面貌与中国历史的新形势

大约在今日以前九千年乃至一万年的时代，随着旧石器文化向新石器文化之转化，中国的历史，便从蒙昧时代走进了野蛮时代。过去的氏族制以前的社会，到现在便发展为氏族社会。这一时代，在中国历史上，正是传说中之“神农”“黄帝”“尧”“舜”“禹”以至“夏代”之全时期。

当此之时，随着后冰期之终了，地球完全改变了原来的面貌。海洋和大陆的形势，都和我们现代所住的地球差不多了。许多过去的大陆，现在已沉沦为海底；许多原来的内海，现在则干涸而为沙漠。假如回忆过去，真令人不胜沧海桑田之感（插图一四）。

当此之时，寒冷的气候退去了，温暖的太阳，照耀着人间的世界。地球上除了南北两极仍为冰块所掩盖，其余的地方，只有拔出地面一万尺以上的高山上，残留着一些太古的冰床。这些高山上的冰块，随着溪涧向下移动，成为大小河川之水源。

随着气候之转变，以前生存于冰河时代的生物群，大部分都死灭了，它们的遗骨，就成为冰河最终退去之标志。也有一小部分随着冰河退向北极，这些北极的生

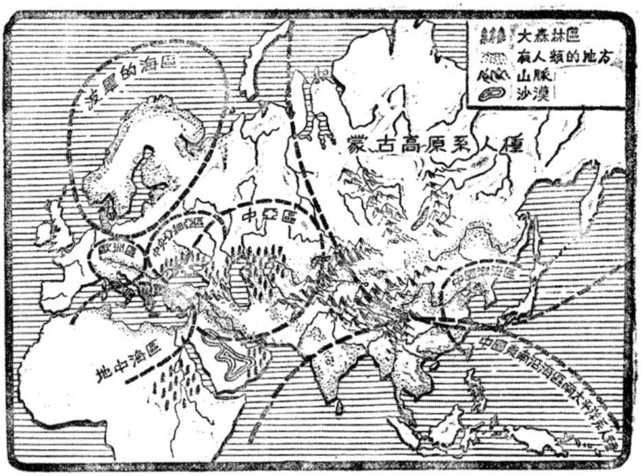

插图一四　冰河退去以后的世界图（中央亚细亚区应作小亚细亚区）

物群，就正是冰河时代的生物群之现存的典型。更有一些，它们适应于气候之变化而改变其种属，成为新的时代之新型的动物群。同样跟着气候的变化，又出现了地质学现代的植物。温暖的气候，使植物的繁殖，极为迅速。在山陵与溪涧，河谷与原野，到处都布满了原始的森林。这些新的动物和新的植物，用了它们的生存与活动，装饰这个新的世界，特征这个新的时代。

这一时代，除了中国以外，在旧世界各处，到处都出现了现代型的人种。在波罗的海沿岸，在德国北部，在荷兰，在英国，在法国，在西班牙，在葡萄牙，在意大利南部，在北非，在波斯，在巴勒斯丁，在瑞士，在波兰，在乌克兰，在北高加索，在苏联境内之土耳其斯坦，在西比利亚，在苏联之北海沿岸，在南洋群岛，在马来半岛，在日本等处，都有新石器时代的文化遗址之发现，这就证明了这一时代人类活动的范围，已经有了广大的扩展。

中国的历史，就在这样一个世界背景中，走进了野蛮时代。

在这一时代的中国，过去波涛浩荡的蒙古高原大内海，恐怕已经完全涸竭了。但今日新疆之塔斯马干沙漠，在当时还是一个蓄有充分水量的大内海。因为这里周围都是高山，南有昆仑，北有天山，西有帕米尔，这些高山上所停蓄的冰块，还能继续供给这个内海以水源。这个内海之陷于完全的涸竭，恐怕是在新石器时代中期前后。

这一时代的青海，其水面与我们今日的时代没有甚么差别。据安特生云："余曾见旧时湖岸，高出近代湖面约三公尺。湖之东端，比旧岸高出水面六公尺。此外，更无其他湖面扩张之迹。此等旧时湖岸，构成一种极低水平而明显之山脊。山脊之顶，则文化层在焉。层中多陶器及石骨各器。是则青海水面，四千年来，其旧时湖面高出现代者，至多仅六公尺而已。"（《甘肃考古记》导言第五页）

这一时代，华北一带的地文与以前也大不相同了。安特生根据地质构成考察，谓在旧石器时代之末，华北一带地层，曾有一次垂直的侵蚀，"以致马兰期[1]之黄

[1]《甘肃考古记》云："垂直侵蚀所形成之河谷中，见有多数之沙砾层厚约三四十公尺，位于现代河床之上。层中夹沙砾及黄土类似之物。有时沙砾层之上，常为无层理之黄土所覆。此二者造成之时代统名马兰期。马兰期者，为洪积统之中叶，以黄土之中，曾发现哺乳动物如象等之化石也。"

土层及沙砾层，有一部为侵蚀所毁灭，而另建三十公尺之阶段。就地又凿成多数之峡谷，同时更有黄土层之停积，中见野牛、水鹿、巨角羊等之化石。此垂直之侵蚀期，著者目为板桥期，盖当洪积统之末叶也”（《甘肃考古记》二八页）。据安氏的意见，由于这一次的垂直侵蚀，“终至沟渠纵横，峡谷交错，而演成现代残破之痕迹”（同上二九页）。如此，则在新石器时代之华北的地文，已与我们今日的地文差不多了。

至于当时华南的地文，是否有陵谷的变迁，尚无有系统之地质学的报告，无从考察。

在这一时代，不仅在中国的西南，有着不见天日的原始森林，即在中国的西北，也是森林密布之地。据安特生的研究，“当时甘肃的环境，除森林密布之外，与吾人今日者无大差异”。

当时的生物，就全体而论，与我们今日的生物，已无何等之不同。但据安特生云：“至于仰韶期之生物，则与现代者略异，即如向北分布之豪猪，现代于此区域中，并未以产闻也。”（《甘肃考古记》三〇页）

这一时代，中国的人种，已分布于广大的领域，从

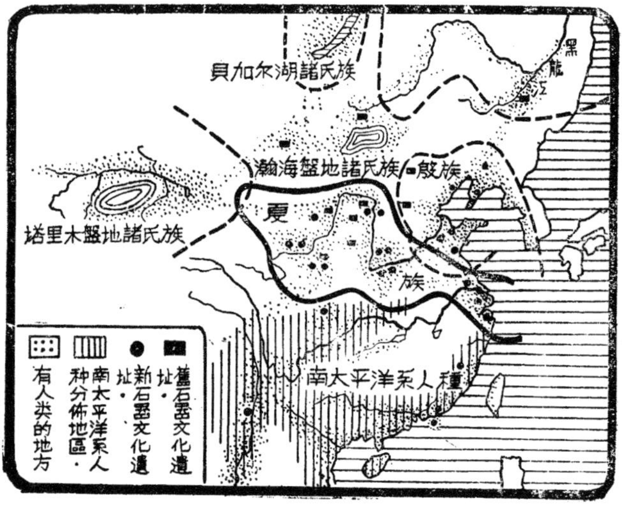

插图一五　野蛮时代的中国图

中国新石器时代的文化遗址看来，在当时，几乎中国的全领域，都有人类生存活动之迹（插图一五）。

从“伏羲氏”时代（蒙昧上期）开始从鄂尔多斯迁徙的夏族，到“神农氏”时代（野蛮下期）一部分已定住于山西河南交界处之汾河河谷，[1]黄河河谷，[2]他们分

［1］新石器时代遗址发现于山西者，有夏县的西阴村，万泉的荆村。

［2］新石器时代遗址发现于河南者，有渑池的仰韶村，不召寨，河阴的秦王寨，池沟寨。

化为许多氏族，是谓“诸夏”之族。另一部分，则定住于甘肃西南之黄河河谷，洮河河谷，[1]青海之西宁河谷，青海沿岸[2]及甘肃西北今日镇番之沙碛中，[3]他们也分化为许多氏族，是谓“诸羌”之族。“诸羌”与“诸夏”，同为“夏族”之苗裔，他们创造了以鼎鬲与彩陶为特征的新石器文化。

以周口店一带为出发点而东徙之殷族，到这一时代的初期，已分布于今日之渤海沿岸，他们在渤海南北，留下了不少的文化遗存。[4]这种文化，是以黑陶与卜骨为其特征。

在这一时代，今日新疆之塔里木盆地，也是一个文化摇篮之地。据斯坦因的报告，在新疆之古楼兰的遗

[1] 新石器时代遗址发现于甘肃西南者，有宁定的齐家坪，王家沟，瓦罐嘴，半山，洮沙的辛店，临洮的寺洼山，卡窑等处。

[2] 新石器遗址发现于青海者，有西宁的朱家寨，乐都的马厂沿。

[3] 新石器时代遗址发现于甘肃西北者，有镇番之沙井。

[4] 新石器时代的文化遗址之发现于渤海沿岸者，在山东有济南的城子崖，有黄县的龙口，在辽宁者有锦西的沙锅屯，有旅顺的老铁山，郭家屯，大连的傅家庄柳树屯及抚顺等处。

址，[1]在干涸了的库鲁克河三角洲，[2]都发现了磨制石器和彩陶碎片，证明了今日塔里木盆地在史前时代，曾经有过人类的占领。

在这一时代，今日蒙古高原的瀚海盆地一带，已经从人类之乐园，一变而为荒凉之原野。残留在这里的人群，一部分已经北徙贝加尔湖的沿岸，成为今日苏联境内之鞑靼的祖先。另一部分则已沿着今日之黑龙江，东徙辽东半岛之东北，与北徙渤海北岸之殷族混种，成为中国史上所谓“东夷”的祖先。再有一部分，则向山陕北部一带南徙，成为中国史上所谓北狄的祖先。

与“蒙古高原系”人种之分布同时，在“神农氏”时代，“南太平洋系”人种，已布满了中国东南沿海及西南山岳地带。他们在那里创造了以刻纹陶，爪形石斧

[1] 斯坦因《西域考古记》云：“在（古楼兰）遗址之风扫光了的地面上，屡屡拾得石器时代的石箭镞，刀片，其他小件器物，以及很粗的陶器碎片。至于荒凉的地域，我们还很少进到里面去。更向前进，每隔不远，又见着同样的东西。就我们的路线而言，我们极力的保持取直线前进，实际上，不许左右寻找，而这种发见屡见不已，可以证明这些地带，在史前时代末期，必然已为人类占有。”（九五页）

[2] 同书又云：“（在库克河三角洲）风蚀的地面上，得到很多新石器时代的箭镞玉斧一类的石器。”（一〇六页）

及大石环为特征的新石器文化。

以上是“神农氏”时代之初中国人种分布的情形。但直至此时，中国境内的各氏族，尚无任何接触，而各自保持其人种的与文化的独立之发展。

第二节　中国人种的大移动与史前文化的大交流

到“神农氏”时代之末，由于以上诸文化氏族之各自的历史活动之扩张，于是遂出现了一个人种的和文化的大交流的时代。

一方面，诸夏之族，逐渐向东南移徙；另一方面，“南太平洋系”人种中之一分支，即今日苗族的祖先，从西南向中原移徙。于是这两系人种，在中原发生了接触。传说中“黄帝”与“蚩尤”之战，正是暗示这一历史内容。

据传说所示，当时“南太平洋系”人种中，有由“八十一个”氏族[1]所组成之“熊罴虎豹”四大部族，他们

[1]《史记正义》引《龙鱼河图》云“蚩尤兄弟八十一人”，余以为即八十一个以“蚩”为图腾之氏族。

组成了以“蚩”为图腾之部族联合。[1]属于这一部族联合中之“棕色人种”,[2]他们带着“假面具”[3]用“石刀和弓矢”武装自己,[4]并且带着西南之“雾季”[5]和“雨季”[6]的传说，由西南出洞庭，缓缓向北移动，达到山东半岛，在山东半岛，首先与“渤海系”的诸氏族，发生了接触。[7]以后继续向北移徙，似乎分布于今日之河北平原乃至察哈尔。[8]在河北平原，便与“夏族”相值。[9]在“夏

[1]《竹书纪年》云:“属于蚩尤之各族，有熊氏罴氏虎氏豹氏。”

[2]《史记正义》引《龙鱼河图》云:“(蚩尤之族)铜头铁额”，余以为即形容其棕色之皮肤。

[3] 同书又谓:“(蚩尤之族)，兽身人语。”余以为所谓“兽身”者，即此种族类，有带假面具之习惯。此种习惯，在今日南洋土人中尚可见之。

[4] 同书谓“蚩尤造五兵，仗刀戟大弩”。

[5]《纲鉴汇编》云:“蚩尤作大雾，军士昏迷。”

[6]《史记正义》引《龙鱼河图》云:“蚩尤(作)大风雨。”

[7] 传说谓“蚩尤出洋水，登九淖，伐‘神农’之后于空桑。”据说，“空桑”在今日山东半岛。

[8]《逸周书》谓“蚩尤为阪泉氏”，据近人考证，谓古之阪泉，即今察哈尔怀来县。

[9]《史记·黄帝本纪》云:“蚩尤作乱，不用帝命，帝乃征师诸侯，与蚩尤战于涿鹿之野，遂禽杀蚩尤。”按氏族与氏族之间，有时也发生流血的惨剧，但这时的战斗，只是表现为个人对个人之复仇的形式，尚没有大规模的集团战争。因为当时的人类，尚不以砍掉人头为荣耀。所以传说中“黄帝”与“蚩尤”之战，只能意味着是“蒙古高原系”人种与“南太平洋系”人种之接触。

族”的压迫之下，“蚩族”复向南退却，直到野蛮中期，他们与夏族还是匹敌的种族，并且有着文化的乃至人种的经常接触。[1]这种接触的事实，由仰韶遗址中发现了刻纹陶器，可以证明。[2]

其次，在野蛮中期，一方面由于“诸夏”的东渐；另一方面，由于“渤海系”诸氏族之西徙，于是这两个系统的氏族，在黄河中游，发生了接触。传说中“启与有扈之战”、[3]“太康被拒于有穷后羿”之事[4]以及“少

---

[1]《尚书·大禹谟》中，谓“舜”的时代，曾有“苗氏逆命”之事，而且“舜”曾命“禹”讨伐。后来因讨伐没有得到胜利，“乃诞敷文德，舞干羽于两阶”，于是“七旬，有苗来格”。这一传说，也只是说明“南太平洋系”人种，与“诸夏”之族，继续保持人种的与文化的接触。

[2] 安特生《奉天锦西县沙锅屯洞穴层》云：“（沙锅屯曾发现刻文陶）刻文之术，于十版三图表明之。”

[3]《尚书·甘誓》云：“启与有扈，战于甘之野。”《竹书》云：“启灭有扈，遂为牧竖。”王国维氏谓有扈所在，即今河南怀庆府原武县，正在河阴仰韶遗址之东北。

[4]《尚书》谓：“有穷后羿，距（太康）于河。”《左》襄四年传云：“昔夏之方衰也，后羿自鉏迁于穷谷，因夏民以代夏政。”《史记正义》引《括地志》云：“故鉏城在滑州卫城县东十里。”《晋地记》云：“河南有穷谷，盖本有穷氏之所居也。”

康与寒浞之争”，[1]都是暗示这一历史内容。

因为“夏族”的东徙，遂使仰韶文化，远播山东。在山东，虽至今尚未发现仰韶遗址，但传说中谓“诸夏”之族分布于山东者有“有鬲氏”“戈氏”，其命名皆与“仰韶式”之鬲属文化与戈属文化有关。[2]

在野蛮时代的上期，“诸夏”之族，由于殷族之压迫，一部分且南徙长江下游，成为后来吴国的祖先，他们在今日江苏、浙江一带，留下了不少新石器文化遗物。[3]

---

[1] 少康中兴的故事，见《左》襄四年传及哀元年传。余以为这个故事，即暗示“夏族”定住山东半岛的历史事实。

[2] 参看拙著《中国史论集》“诸夏的分布与鼎鬲文化”一文。

[3] 据卫聚贤《吴越考古汇志》中所云，近年来在江苏浙江一带，发现新石器遗址多处。其在江苏境内者如在南京附近的栖霞山，在常州的奄城，金山卫的戚家屯，在苏州的石湖，均发现石斧，石锛，石镞，石刀，石锤，石瑗，及大批具有几何花纹之陶器。惜卫氏的报告，既未附图片，而说明亦甚简单，对于各种器物之制作技术，形式及几何花纹的图案均无说明。但据卫氏报告，在栖霞山一处，即发现几何花纹的陶片三百余片，而且还有“红色含砂质的粗陶及鼎腿出现”。则此种新石器文化的制造者，可能是“诸夏”之族。其在浙江者则在湖州的钱山漾，在杭州的古荡，良渚皆曾发现石器及陶器。据卫氏云，在浙江曾发现石钺及黑陶文字，惜未拓印，无从研究。但卫氏谓此种黑陶文字与殷契不同，而石钺又系附柄使用之长方形而锐其一端的石器，如此，则此种石钺，与仰韶出土之长方形石镰，颇相类似。故余疑吴越一带在史前时代，即有“夏族”分布于此。

另一部分则由豫西南徙长江上游，成为后来荆楚的祖先。在荆楚一带，我们虽至今尚未发现仰韶系统的文化，但从文献考证，当时“夏族”实有南徙荆楚之事。[1]而且“夏族”祀“祝融”，[2]楚人亦祀“祝融”与“鬻熊”，[3]故同为负有鼎鬲文化之种族。其另一支，则退回西北，是为后来之鬼方。[4]

同时在野蛮时代之初，分布于甘肃、青海一带的“诸羌”之族，亦开始新的移徙。一部分沿南山北麓之天然走廊，西徙新疆，与原住塔里木盆地的诸氏族，发生接

[1]《竹书》谓“夏后廑八年，昆吾迁于许”。《左》昭十二年传谓“昔我（楚）皇考伯父昆吾，旧许是宅”。又传说谓禹曾铸鼎于荆山，而《墨子》谓“昔夏后开使飞廉铸金于昆吾”。铸鼎与铸金，似为一事，是昆吾又曾由许以迁于荆山。荆山者，是为楚之先王熊绎所居，故昆吾之族，实有迁于荆楚者。而昆吾又为楚之皇考伯父。故楚族实由许南迁荆楚者。同时，《左》哀十七年传谓“昆吾之虚，有戎州己姓”，《国语》亦谓“己姓昆吾”。余以为“己”与“杞”为一字之讹变，“杞”为“夏”后，故“己姓昆吾”，亦当为“夏族”。

[2]《国语·周语》云：“昔夏之兴也，‘融’降于崇山。”

[3]《左传》谓楚人祀“祝融”与“鬻熊”。余以为“鬻熊”即“祝融”之音转，“融”字从“鬲”，“鬻”字亦从“鬲”。所不同者，“融”字为鬲从“虫”，“鬻”字为鬲从“米”。前者鬲一耳，而后者鬲两耳。米为由马来半岛传入之植物，“夏族”南迁荆楚以后，或已由“南太平洋系”人种获得稻种，故“融”变为“鬻”，并非偶然。

[4]详见拙著《中国史论集》“诸夏的分布与鼎鬲文化”一文。

触。中国传说中，许多神话人物皆与昆仑山有关，[1]或与“西王母”有往来，[2]正是暗示这一历史内容。“诸羌”

[1]《路史》引《春秋命历序》云：“天皇出昆仑之东南无外之山。”《穆天子传》云：“天子升于昆仑，观黄帝之宫。”《淮南子》谓“共工氏与颛顼争为帝……共工氏败，怒触不周之山。”而不周之山“在昆仑西北”。《山海经》谓“羿与凿齿战于寿华之野，……在昆仑虚东”。这些神话，我以为并非完全无据之说。比如《穆天子》传谓黄帝在昆仑山的半山之间有一个“悬圃”，据斯坦因《西域考古记》所述，昆仑山的下坡，只是一些荒凉的山谷，在那里，仅有一些纡曲的锯齿形的峻岭，和无荫蔽的峻岩坂。在昆仑山的顶上，只是清澈澄明的冰雪，其高可望而不可及，真是所谓“是维上天”。只有一万二千五百尺到一万三千尺的高处，那里靠近冰河，水分比其他各处较多，生有一些青草和一些有花的高山植物。这里，恐怕就是所谓“悬圃”。因此，我以为“悬圃”的传说，或者是史前人类由昆仑之虚带回来的。

[2]《山海经》云：“王母之国在西荒，凡得道授书者皆往朝王母于昆仑之阙。”《瑞应图》云：“黄帝时，西王母献白环。”《贾子·修政篇》云：“黄帝涉流沙登于昆仑。”又云：“尧身涉流沙地，封独山，西见王母。”《易林·明夷之萃》云：“稷为尧使，西见王母。”《世本》云：“舜时西王母来献白环玉玦。”《尚书大传》云：“舜以天德嗣尧，西王母来献白玉琯。”《大戴礼·少闲篇》、《汉书·律历志》、《风俗通·声音篇》、《晋书·律历志》、《宋书·乐志符瑞篇》、《说文》等书均有“西王母来献其白玉琯”的记载。《论衡·别通篇》云：“禹使益见西王母。”《淮南子·览冥篇》云：“羿请不死之药于西王母。”《竹书》郭注云：“穆王西征至昆仑丘，见西王母。”据以上传说所云，则自“黄帝”历“尧舜禹”以至周穆王时代，中国与“西王母”之邦，皆常有往还献纳之事，而“西王母”之邦则在“流沙之濒”，“昆仑之丘”正今日之塔里木盆地。“黄帝”以至“尧舜禹”的时代，又正是中国史上之野蛮下期之末以至中期的时代，所以我以为这些传说，正是暗示当时“夏族”与塔里木盆地诸氏族的接触。

之族，并且通过塔里木河盆地诸氏族的关系，而与中亚之新石器文化的创造者发生文化的交通，这从塔里木盆地所发现之新石器文化所表现的内容，可以看出。[1]另一部分，则南徙今日四川西北，[2]乃至西藏高原。[3]更有一部分则东徙陕西，并且先后进入中原，是为后来之

---

[1]《斯坦因第三次中亚考古略记》中有云："在塔里木盆地考古……发见史前时代之石器及彩画陶器甚多，与里海附近米索不达米亚，俾路支，及中国西陲发见铜器时代之遗物的形式，颇相类似。"据此，则史前之塔里木盆地，已为东西文化交流之处。

[2]蜀有"夏族"传说，《遁甲开山图》云："古有大禹，女娲十九代孙，寿三百六十岁入九嶷山，仙飞去。后三千六百岁，尧理天下，洪水既甚，人民垫溺，大禹念之，乃化生于石纽山前。"《吴越春秋》云："石纽，在西川也。"《山海经·海内南经》云："夏后启之臣曰孟涂，是司神于巴人。"《吴越春秋》谓禹"家于西羌"，《铁云藏龟》一〇五页称蜀曰"羌蜀"。蒋廷锡《尚书地理今释正义》云："蜀都分为三，羌在其西。"故余疑史前时代，属于"夏族"之"诸羌"，已有南徙四川者。又《华阳国志》谓蜀之次王鱼凫"田于湔山"，卜辞中有"湔方"，许书谓"湔水出蜀绵阳玉垒山东南入江"。是殷以前，四川已有人类之证，其为"夏族"，似无可疑。

[3]《旧唐书·吐蕃传》云："吐蕃在长安之西八千里，本汉西羌之地也。其种落莫知所出也。"《新唐书·吐蕃传》云："吐蕃本西羌属，盖百有五十种，散处河、湟、江、岷间，有发羌、唐旄等，然未始与中国通。……'蕃''发'声近，故其子孙曰吐蕃。"步达生谓甘肃史前人种的头骨，与西藏族中之B种及甘姆斯种人的头骨构造，最相类似，故余疑"诸羌"之族，在史前时代，即有徙入西藏高原者。

周族与秦族。[1]

总上所述，我们因知中国历史上之野蛮时代，乃是一个人种和文化大交流的时代。中国过去以至现在的历史家，以为在这一时代，只有“夏族”是一个文化的氏族，殊不知与“夏族”平行发展的还有许多史前氏族。当“夏族”的彩陶与鼎鬲文化，风靡于中国西北的时候，殷族的黑陶与卜骨文化，亦掩袭于中国的东北，“南太平洋系”人种的刻纹陶与爪形石斧文化，亦普及于中国东南沿海及西南山岳地带。同时，今日之塔里木盆地，也已经成为一个新石器文化的摇篮之地。而且这几种不同系统的文化，并不是孤立的各自发展，而是在彼此之间的相互交流与相互影响中发展。在当时，一方面，是“夏族”的彩陶文化和鼎鬲文化由西而东，另一方面，是殷族的黑陶文化和卜骨文化由东而西，再有一方面，是“南太平洋系”人种的刻彩陶文化和爪形石斧文化由南而北，此外中亚的史前文化也由塔里木盆地缓缓流入中国。这些人种的接触和文化的交流，就构成了中国野蛮时代的历史之全面的运动与全面的发展。

[1] 详见后篇。

第二章　氏族社会的经济构造

第一节　“神农”“黄帝”时代——中国下期新石器文化与畜牧种植的发明

氏族社会的经济基础，是建立在新石器文化之上。在中国新石器时代的文化遗物，虽然发现不少，然大都皆有缺失。只有甘肃出土的新石器文化，缺失较少。安特生根据陶器制作技术之发达过程，把甘肃出土的新石器文化，划分为六个时期，即齐家期，仰韶期，马厂期，辛店期，寺洼期，沙井期。前三期为没有铜器的时代，后三期，为有铜器的时代。安氏的这种划分，至今考古学家尚没有提出新的论证，给与以任何改变。因此这种划分，仍不失为研究中国新石器文化的一个标准。

自然，我们不能说，甘肃出土的新石器文化，就毫无缺失，如各期之间的过渡关键，至今尚未完全发现，诚如安氏所云："此刻各期之相承，固甚突然也。"虽然如此，甘肃出土的新石器文化，在大体上，已能显示出中国新石器文化相续继起之发展的过程，因而使吾人据此得以探溯中国氏族社会时代之社会经济的内容，从而这一时代之人与人的社会关系乃至其思想文化之发达的过程。

关于甘肃出土的新石器文化所属的年代，安氏于其所著《甘肃考古记》中，曾作如次之推定。安氏谓："著者现假定甘肃各文化期之年代，平均为三百年，则六期共为千八百年。吾人若信阿恩博士所定仰韶期中部之年代开始于纪元前三千年[1]则甘肃考古所得各期，当起于纪元前三千五百年，而终于纪元前千七百年也。"安氏又将此种假定之年代与"中国半神话之上古史"相联系，谓"适与此际相值者，盖夏代勃兴时也"。

[1] 阿恩《河南石器时代之着色陶器》中云："欲推定河南遗虚之时代，当视苏萨安诺第一二期及古域来茵与底撒黎（Thessally）之铜器时代为断，予虽未涉其详，但世之学者，率愿置此等文化时期于纪元前二千五百年殆甚近于纪元前三千年者。河南陶器，亦当属于同时耳。"（二七页）

我以为安氏的这种年代推定，大有问题，因为把每一文化期，平均为三百年，殊少充分之理由。根据人类文化发展的原理，愈古的文化期，所占的时间愈长。其时间上的差度，有时一倍，数倍，乃至数十倍，因而决不能以三百年之平均数字，推定此等史前文化所占领的时间。我们在时代的关系上可以确说的，只是甘肃出土的史前文化之最晚期的文化，亦较殷代的文化为古。至于甘肃最早的新石器文化，究竟起于历史上之若干年代，在今日实无推定之可能。

依据甘肃出土的各期文化之特征，我以为齐家期及其以前的文化，是属于野蛮下期的文化，与此相值者，为传说中之“神农”“黄帝”时代。仰韶期马厂期两期的文化，是属于野蛮中期的文化，与此相值者，为传说中之“尧”“舜”“禹”时代。辛店、寺洼、沙井三期的文化，是属于野蛮上期的文化，与此相值者，为传说中之夏的时代。

野蛮下期之开始，是以陶器及研磨石器之出现为特征。因为陶器是人类达到定住生活以后的产物，在流浪生活中的原始人群，是不会发明陶器的。同样研磨石器，也是特征人类定住生活的开始，因为必须有了研磨的石斧与石刀，人类才能斩伐森林，开始植物的种植，才能建设木房家具小舟畜牢，开始动物的驯养以及一切适应于定住生活之需要。

附着于“神农”“黄帝”的传说，正是特征这一时代的历史内容。

传说中谓“神农”是中国最初发明陶器的神人。《周书》云:“神农作瓦器。”又云:“神农作陶。”以后自“少皞”至“黄帝”的时代，陶器的制作，便成为一种专业，并有专司。《春秋正义》云:“少皞有五工正，抟埴之工曰鶅雉。”《史记》云:“黄帝命宁封为陶正。”《吕氏春秋》云:“黄帝有陶正昆吾作陶。”这种最古的陶器，近来已发现于甘肃宁定之齐家坪，洮沙之新店丙址中。安特生称之为齐家期的陶器。

据安氏报告，齐家期的陶器，全属单色（灰色），并无彩画。惟在此种陶器上，自领及耳，已满缀压成之美丽的花纹，以为装饰；有时器之多部，亦复如此。此种压花，颇似梳状之物所压印，故成为多数行列之点（插图一六第一、二两图）。

传说中谓"神农作瓮"（物原）。又谓"瓶瓶同神农作"（绀珠）。而齐家期的陶器中，曾发现一种"安佛拉（Amphora）式"之薄肉高领瓶（插图一六第三图）。

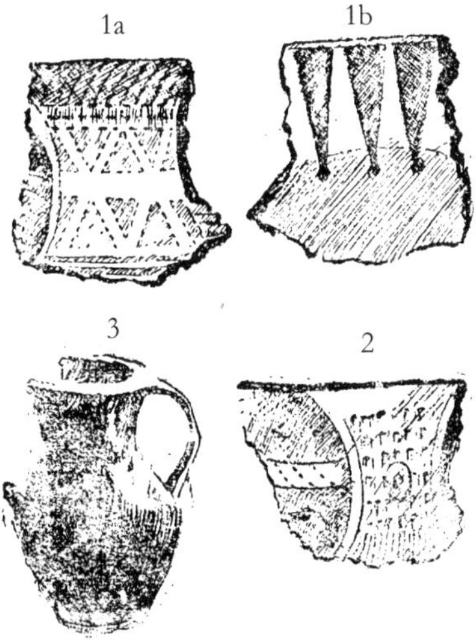

插图一六　"神农黄帝"时代（齐家期）的陶器及陶片　1a　有耳陶片之表面及领与身之碎片，领之最上处，缀以压花之图案。耳部上亦缀压成之平行线及 X 式之斜交纹线。器身上部，至凸耳之两侧，均有斜纹线。1b　陶片里面之彩绘，作紫红色，为三下垂之三角形所组成。2　图为一有耳之陶片及其领与身之碎片。器耳缀以多数压成之花纹。中心饰以乳状突起之点，领部平滑无纹。身与领之交界处满缀康氏（Kammkeramik）之压花纹。　3　图系一安佛拉式的陶瓶。（见《甘肃考古记》第五版）

其色灰黄，形式极为秀丽。传说中谓“黄帝作碗碟”（物原），而齐家期陶器中，曾发现碗形器。

惟据民俗学的指示，最原始的陶器，是在树皮编制的容器上，涂以粘土再加烘烧而成。因此“神农氏”时代的陶器，应该是有骨胎的陶器。齐家期的陶器，不但无骨胎，而且已有花纹之装饰，因而此种陶器，已经是经过长期发展之陶器。从而我以为在中国一定还有一种较齐家期陶器更为原始的陶器。但这在考古学上，至今还是一种缺失。我相信，这种缺失，将来一定可以发现的。

传说中又谓“神农”是中国最初发明斧斤的神人。《周书》云：“（神农）作斧斤。”而在齐家期的遗址中，已经发现研磨石斧。

传说中又谓“神农”是中国最初发明农具的神人。《易·系辞》云：“神农氏作，断木为耜，揉木为耒，耒耨之利，以教天下。”《周书》云：“神农为耜鉏耨，以凿草莽，然后五谷兴，以助窳实。”《礼纬含文嘉》云：“（神农）始作耒耜，教民耕种，其德淳厚若神，故为神农也。”齐家期的遗址中，已发现石镰及各式尖锐的骨器。这些石镰，当然是用于垦草莱的。至于各式尖锐的骨器，是否有些是作为耜耒而使用，尚待考证。考原始种植所使用的工具，系由原始采集经济中之掘土棒转化而来，即转化为附有木柄之骨质角质蜃质石质之鹤嘴锄。此种原始锄，亦有完全用木制的。在这一时代，应该有此种原始锄的存在。

传说中谓“黄帝”时，已有宫室，“上栋下宇，以避风雨”（《易 · 系辞下》）。而齐家期遗址中，已发现村落遗址。

传说中谓“黄帝”“弦木为弧，剡木为矢，弧矢之利以威天下”（《易 · 系辞下》）。同时，“伏羲氏”时代所发明的罔罟，到“黄帝”时，更为进步。即因弓矢与罔罟之普遍的应用，因而使当时的人类，有了“拘兽以为畜”的可能。

由于植物栽培和动物驯养之开始，又造成了织物出现的前提。传说中谓“黄帝造衣裳”（《越绝书》）。又谓“黄帝”“垂衣裳而天下治”（《易 · 系辞下》）。这正是暗示当时或者已有织物的存在。但当时的织物，诚如《淮南子》所云，不过“緂麻索缕，手经指挂，其成犹罔罗”

而已。

据此，吾人因知在传说中之“神农”“黄帝”的时代，在今日甘肃西南一带之美丽的川谷中，已经布满了诸夏之族。他们在那里建筑了许多村落，开始了“时播百谷草木，淳化鸟兽昆虫”之植物栽培与动物驯养的定住生活。

现在，在他们手中，再不是拿的粗糙的打制石器，而是研磨的石斧与石镰。再不是原始的掘土棒，而是进步的鹤嘴锄。他们就用这种研磨石斧与石镰斩伐森林，芟夷草莱，开辟耕地，建筑房屋。用鹤嘴锄掘开土壤，试种植物。因而在他们村落的周围，已经不是一片榛秽的丛莽，而是枝叶繁茂的谷物和果树。这诚如传说中所云：“昔者神农之治天下也，甘雨时降，五谷繁殖，春生夏长，秋收冬藏。”（《淮南子·本经》）又如传说所云：“神农之世……耕而食，织而衣，无有相害之心，此至德之隆也。”（《庄子 · 盗跖篇》）

同时，在这一时代的人类，已经不是专以狩猎为生的原始猎人，同时又是知道驯养动物的牧人，他们也许已经知道“驾马服牛，令鸡司夜，令狗守门”？（《淮南子·秦族训》）猪在当时，恐怕已经成为家畜。

在这一时代，人们再不是披的原形的兽皮，至少是经过缝制的兽皮，甚至也穿着粗制的织物。他们再不用革囊盛水，用石器盛食物，而是用的具有美丽压花之碗形器及薄肉高领之“安佛拉式”的陶瓶。

这一时代的人们，真如传说所云，他们或则“剡耜而耕，磨蜃而耨”，或则“斧柯而樵，抱甄而汲”，或则“埏埴而为器，窬木而为舟”，或则“掘土而种谷”“拘兽以为畜”。他们“治麻捆布”以为衣裳，“上栋下宇”以为宫室，过着“男耕而食，女织而衣”的日子。

虽然如此，我们仍然不能忽略采集和狩猎，对于这一时代的社会经济中所起的作用。在具体的考古学的资料中，我们常常看到它们与农业畜牧经济之并存。不过在这一时代，它们退到次要的地位而已。

因为植物的栽培，是从采集经济中发展出来的；同样，动物的驯养，则是从狩猎经济中发展出来的。据民俗学的指示，当人类达到相对定住的时候，这时的女子，不能获得以前多量的采集对象，她们就想起把一定的可食的植物，保存种子，或移植起来。北美印第安人，常常把野生稻留下一部分作为野生播种。马来半岛的巴济济人，经常把植物的果实移到远方播种。中国传说中所谓“硕果不食”，正是保存种子的意义。即因如此，人们才能在他们住宅的附近有一块“以杞以瓜”的园地。原始的农业，还不能保证人类以充分的生活资料，所以他必须用采集来补充。

动物的驯养，是狩猎经济发展的结果。由于罔罟，陷阱，栏栅等在狩猎中的应用，人类便能捕捉活的动物。因为一次食用不尽，在储蓄中便发明了驯养的方法。尼科巴尔群岛的尼格利陀人，常饲半驯养的小猪，慢慢屠杀，若猪有妊娠，则留待生子。澳洲之巴布亚人，遇有小猪，则畜之，以待其肥大。在中国传说中之“伏羲氏”时代，动物驯养，已经开始，到这一时代，也许有若干种半驯养甚至完全驯伏的家畜了。但是为了肉类及兽的皮毛骨角等的需要，还是要用狩猎来补充。而且农业的发生与狩猎亦有不可分离的关系。因为“焚林而狩”，正是原始农业发生的前提。

在“神农”“黄帝”的时代，正是由采集狩猎经济转化到农业畜牧经济的时代，所以前者在社会经济中，还是有其作用。

农业的发生，是人类定住生活之巩固的基础，它产生了生产过程之集团的组织，助长人类血缘关系之固结。但是人类的定住生活，不一定完全发生于农业，它也可能发生于狩猎，渔捞乃至采集生活的人群之中。因为原始流浪人群之最初的定住，是相应于动物植物及鱼类之存在，而把他们自己相对地固定于一定的森林，草原，河谷或海岸。这种情形，可以从狩猎及渔捞的人群中，亦有陶器之发现，获得确证。据考古学的报告，在今日之渤海沿岸，东南沿海，青海东北，西南森林地带及塔里木盆地，都发现了古人的遗址及原始的陶器，因此，我们就可以想到生活于这些地方的人群，都已经进入了相对固定的生活，组成了以不同的生产方式为基础之氏族社会。

在这一时代，虽然出现了研磨石器，但这种石制的工具，究竟还是非常拙笨。据民俗学家的报告，南美土人用石斧砍倒一株树，需要两个月的时间，而在我们用铁斧去砍伐，则只须一小时。即因生产力的不发达，所以决定了集体劳动，还是这一时代的社会之基本的存在条件。不仅耕种，即耕种以外之狩猎与渔捞，亦由集团进行。

在这一时代，我们可以想到在甘肃，河南，山西一带，许多氏族中的男子和女子，他们或则以石斧共同斩伐森林，或则以原始的鹤嘴锄共同进行耕种。在耕种时，三个或更多的男子，以锄插入土中，掀起土块，女子继男子之后，打碎男子掘起的土块。然后女子将种子或球根植入土中。

同时，我们也可以想到西南森林区域诸氏族的人们，他们也在以集体的方式进行狩猎。他们在森林的各处放火，驱出藏匿的禽兽。在一定的地方设置陷阱和罔罟，而自己则分批的守着一定要塞，以弓矢长枪，刺射逃亡或被陷的禽兽。

此外，我们又可以想到在当时渤海沿岸及东海沿海的诸氏族的人们，他们拿着枪铦弓矢，组织了集体的渔捞。他们乘着小舟，使用共同编制共同使用之大网，以进行渔捞。

由于共同的劳动，就决定了他们的共同所有。在当时的各氏族，似乎已经守着了一定的疆域，正如《淮南子》所云他们已“分山川溪谷，使各有壤界”。但是在这一定的疆域之内，并没有此疆彼界，所有的森林，河川，海岸，易言之，所有的土地，都是属于氏族成员之共同的所有。不但土地，即主要的生产手段，如大网，栏栅，小舟等，亦属于他门之共同所有。一切的生产物，除一部分为了再生产之用而必需储存的以外，其余都共同分配。

当时的人群，并不像我们今日文明时代的人类一样，每一个人都有自己的炉灶和钱柜。据民俗学的考察，他们还是一大群人住在一个共同长屋之中。他们只有共同的住宅，共同的炉灶，共同的餐桌，共同的仓库。此外，还有共同的墓地。他们真是可谓生则同衾，死则同穴。

根据考古学的发现，这一时代的人群，也还有穴居的。但是这时的洞穴，也不是属于个人之所有而是氏族的公共住宅。

据传说所云，“神农氏”的时代，已经有了交换。《易·系辞》云：“神农氏作…… 日中为市，致天下之民，聚天下之货，交易而退，各得其所。”但在这一时代的交换，并不是进行于个人与个人之间，而是氏族与氏族之间的集体的交换。

中国的古人，在这样的经济条件之下，不知生活了若干年代，才进到野蛮中期，这在中国历史上是传说中之“尧”“舜”“禹”的时代。

第二节 “尧”“舜”“禹”时代——中国中期新石器文化与畜牧种植经济的发展

野蛮中期之主要特征，是陶器制作与研磨石器之进步，铜器的出现，土砖的房屋之建筑以及由此引导出来之农耕与畜收生产之更高的发展。

传说中谓“尧”“舜”时代，陶器的应用，已极普遍，它已成为家常日用的器皿。《周礼·考工记》云：“有虞氏尚陶。”《韩非子·十过篇》云：“尧有天下，饭于土簋，饮于土铏。”《史记》谓：“（舜）陶河滨，作什器于寿丘。”《韩诗外传》谓：“舜甑盆无膻。”这一时代的陶器，近来已经发现于仰韶及马厂两文化期的遗址中。据考古学的报告，这一时期的陶器，制作技术，已大有进步，形

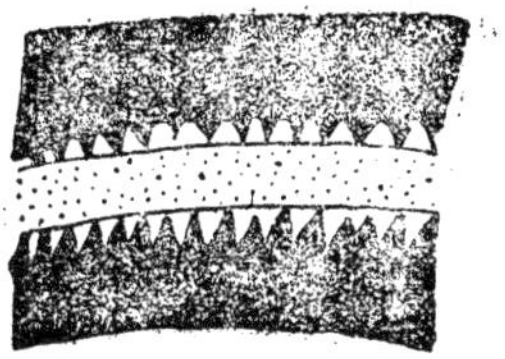

插图一七 “尧舜禹”时代（仰韶期）殉葬陶器上的丧纹

式亦已多样化，如瓮、钵、瓶、簋、鼎、鬲、盘、盂、碗、碟之属，无不应有尽有。与传说所云，适相符合。

传说中谓“禹”的时代已有彩陶，而彩陶多用作祭器。《韩非子·十过篇》云：“禹作祭器，墨染其外而朱画其内。”此种红黑两色相间之彩绘陶器，近来已于甘肃之仰韶遗址，有丰富之发现。据安特生云，此种彩陶，皆发现于葬址，因而皆为殉葬的冥器，亦即传说中所谓“祭器”。[1]

[1] 安特生《甘肃考古记》云：“吾人于仰韶村之葬地遗址中，见殉葬之器，颇不丰饶，而甘肃墓地则异是。其中大件之殉葬陶器（第六版至第八版），类皆辉煌华丽，确为石铜器过渡期中陶器之艺术放一异彩也。至其表面之花纹，类皆非常繁复，吾人附图所示，仅其中选出之一部耳。但在繁复图案之中，有一种为吾人常见不爽之花纹，乃一红色条纹，上下夹黑色条纹。红纹与黑纹之间，各留一缝，不施彩绘。并自黑纹之里边向中心红带，伸出若干如锯齿之纹（插图一七）。此种图案，凡同期之殉葬陶瓮，几于无器无之。但同期之家用陶器，则绝无踪迹可寻。是以吾人视为一种与葬礼有关之‘丧纹’，实有理由之依据也。”（十二页——十三页）

彩陶不仅限于殉葬之冥器，在仰韶与马厂两文化期遗址中所发现之家用器物上，亦无不施以富丽之彩绘的几何花纹（插图一八及一九）。如斜纹，纵纹，横纹，斜长之椭圆形，三角纹，之字纹，条纹以及人形花纹等，皆为这一时代的陶画之流行的图案。

插图一八 “尧舜禹”时代的陶器之一（仰韶期的陶瓮） 黑处为原器之黑色，点处为原器之红色。（见《甘肃考古记》第一版）

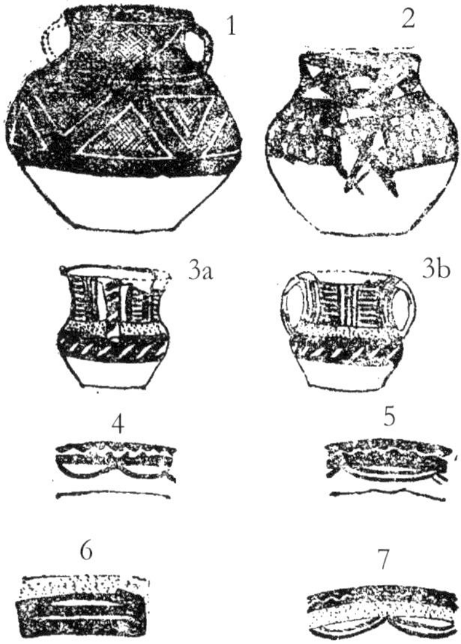

插图一九　“尧舜禹”时代的陶器之二（马厂期的陶瓮） 1，2　两图陶质橙黄色，花纹深紫色，领部里面有彩绘之花纹。　3a，3b　两图陶质同1，2两图彩绘为红黑色，领部里面有彩绘之花纹。　4,5,6,7　示领部里面之花纹。（见《甘肃考古记》第二版）

在这一时代，研磨石器（插图二〇及二一）及骨器（插图二二）的制作，已经达到高度发展的阶段。传说中谓“尧”“舜”时代，已有杵臼的发明，[1]而仰韶遗址中，已有石杵的发现。传说中谓“舜”躬自“耕稼”，

[1]《易·系辞》云：“断木为杵，掘地为臼。”

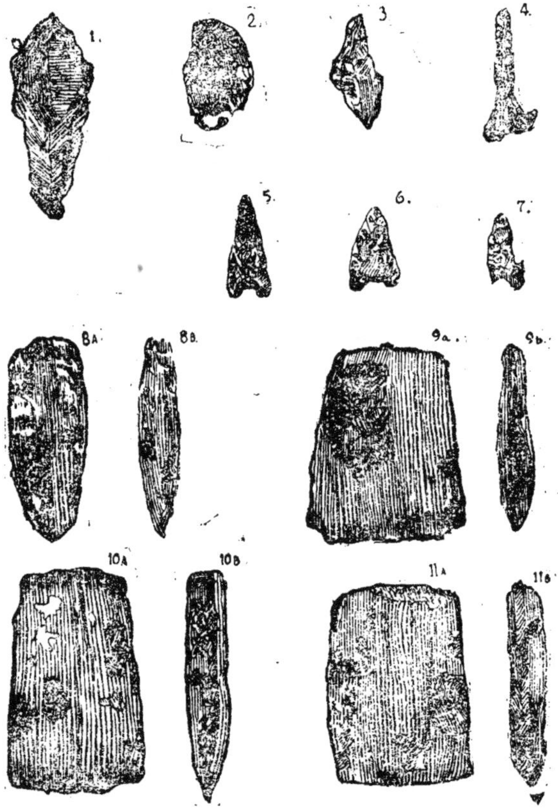

插图二〇 “尧舜禹”时代的石器之一 1~7 沙锅屯出土之石髓及燧石制的石锥。 8~11 沙锅屯出土之仰韶式的长方形石刀。(见《奉天锦西县沙锅屯洞穴层》第七版)

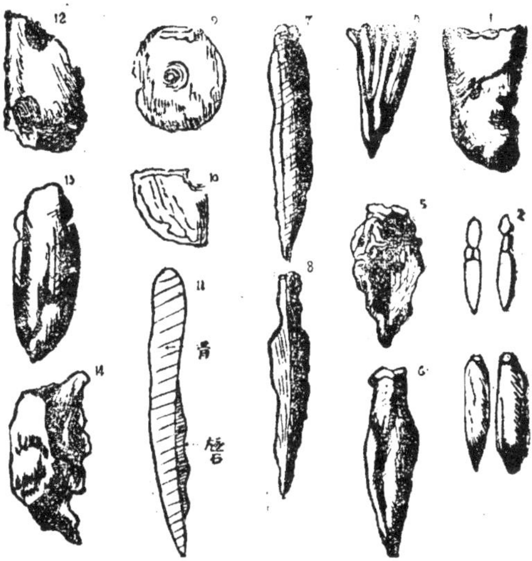

插图二一　“尧舜禹”时代的石器之二（以上各古物皆发现于山西夏县西阴村之仰韶遗址）。第一图石刀，锋刃在转弯的部分。第二图石英岩作之半月形长方石刀。第三图千枚岩作之半月形石刀（以上均见《西阴村史前的遗存》第十版）。第四至八图，石锥或石镞。（见前书第十二版）第九图为一完整的石纺轮。第十图为石纺轮的一个破片。第十一图为用燧石镶嵌之骨刀，西宁朱家寨出土（见《甘肃考古记》第十四页）。第十二，十三图为绳穿石穿。第十四图为木柄石锥。（以上见《奉天锦西县沙锅屯洞穴层》第十版）

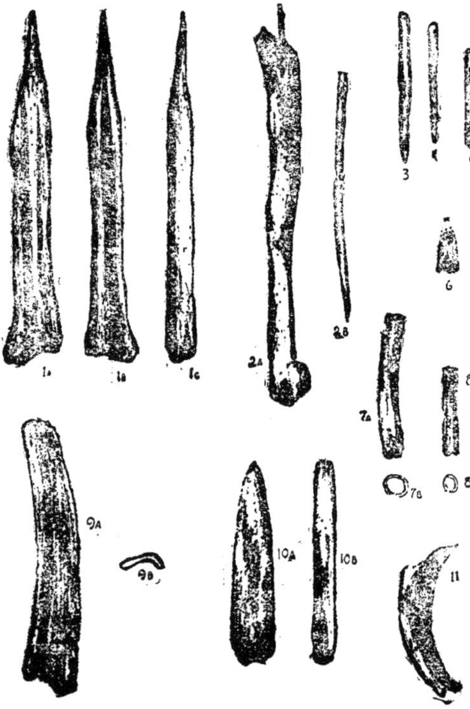

插图二二　“尧舜禹”时代的骨器　第一图 ab c 皆系骨锥。第二图 a 为骨针及放置骨针之骨管，第二图 b 为骨针。第三至第十图，系各种不同的骨器。第十一图系象牙的雕刻物。（以上均系沙锅屯出土，见《奉天锦西县沙锅屯洞穴层》第九版）

"禹亲操橐耜，而九杂天下之川"（《庄子》），又谓"禹身执耒插以民先"（《韩非子》）。而仰韶及马厂遗址中，已有石锄石耨石镰及骨镰[1]等农具之发现。传说中谓"禹""随山刊木"，"凿龙门，辟伊阙"，"惟荒度土功"，而仰韶及马厂遗址中，已发现石斧[2]石锛。[3]传说中谓"尧"使"羿"诛凿齿，杀九婴，缴大风，射十日，杀猰㺄，断修蛇，禽封豨（《淮南子·本经》），而仰韶及马厂遗址中，已有石镞[4]骨簇贝簇及石戈之发现。传说中谓尧时已有"黼黻绵绣"，"以五彩彰示以五色作服"，而仰韶遗址中，已有纺织用之石轮、[5]裁缝用之骨针[6]

[1] 甘肃西宁周家寨发现一种骨刀，刀之切口为薄片之燧石镶嵌而成。

[2] "仰韶式"的石斧，多作长方形而无孔。但在西阴村的遗址中，亦发现附柄及绳穿的石斧。

[3] "仰韶式"的石锛，有对称的及不对称的。

[4] 仰韶及马厂的石镞或三棱或四棱或扁平，在西阴村尚发现带翼的石簇。

[5] 在西阴村仰韶遗址，发现石纺轮两个，其一为片岩制，甚完整，其一为石灰岩制，只存一部。

[6] 安特生《奉天锦西县沙锅屯洞穴层》云："第九版第二图为一缝纴所用之骨针，置一空骨中，以护之。参阅图二十。当发见时，针尖外露，但此空骨之长，足以纳针全体。针长八三公厘，稍弯曲（如插图二二第二图），尖处较钝。针孔破裂，只余其半。"

及茧壳[1]的发现。传说中谓尧时“后稷教民稼穑，树艺五谷”(《孟子》)，“烝民乃粒”(《虞书》)，而仰韶遗址中，已发现谷粒。传说中谓“益”为“舜”虞，管理家畜，而仰韶遗址中有大批豕骨的发现。传说中谓“尧”“茅茨不剪，采椽不斲”(《韩非子·五蠹篇》)，又谓“尧朴桷不斲，素题不枅”(《淮南子·神训》)。“舜作室筑墙茨，辟地树谷，令民去岩穴，各有家室”(同上《修务训》)。“禹卑宫室而尽力乎沟洫”(《论语》)，而仰韶及马厂遗址中，已发现板筑遗址。这样看来，仰韶及马厂两文化期的遗物，正是“尧舜禹”时代的人们之所遗。

在这一时代，应该已有金属工具的发明。[2]传说中谓“尧舜禹”时代，已有金属工具的存在。《史记·封禅书》云：“当虞夏之盛，远方皆至，使九牧贡九金，铸九鼎荆山之下。”《尧典》云：“金作赎刑。”《禹贡》谓扬州荆州“贡金三品”，郑玄谓“金三品”者，即“铜三色”。同书又谓梁州贡“璆铁银镂”。郑玄注云：“黄金之美者

[1] 在西阴村遗址中，曾发现半个茧壳。

[2] 据彭伯来依据沙砾堆积的速率而定安诺各期的年代。彭氏谓初成铜器时代为纪元前六千年，亦即今日以前七千余年。真正的黄铜时代则在纪元前二千二百年。巴比仑的铜的使用，可以上溯到纪元前四千五百年。

谓之璆。镂，刚铁也，可以刻镂也。”但据考古学的报告，在仰韶与马厂的遗址中，并无金属工具之痕迹。在中国，直至辛店期，始发现铜器。不过依据辛店出土的铜器之制作技术看来，此种铜器，已经不是原始的铜器，而是经过长期发展之铜器。因此，我以为仰韶，至迟马厂期，应该有了铜器的存在，而这在中国考古学上，还是一个缺失。

这些文化创造的出现，就说明了当时社会的生产力，已有很大一步的发展。这样的生产力，当然会创造出更发展的经济状况。这种经济状况，就表现于大规模的焚烧农业，有组织的畜牧业，专门化的手工业以及比较具有恒长性的交换之出现。

传说中谓“尧舜禹”的时代，已经有了繁盛的农业。当时的人群，到处焚烧山泽，[1]斩伐森林，[2]披山通道，随地造区，[3]开凿沟渠，[4]披除草莱。他们就这样开辟了

[1]《孟子·滕文公上》云：“舜使益掌火，益烈山泽而焚之。”

[2]《淮南子·修务篇》云：“禹乘四载，随山刊木。”

[3]《吴越春秋》云：“尧聘弃使教民山居，随地造区，研营种之术。”

[4]《论语》云：“（禹）卑宫室而尽力乎沟洫。”《困学纪闻》云：“沟洫之成，自禹至周，非一人之力。”

广大的耕地。然后他们偶立而耕，[1]播莳百谷。由于谷物之普遍的种植，于是“万民乃粒”，而中国的人民也就在这一时代最终地脱离了采集生活。

传说中谓“舜”的时代，已有专门掌管畜牧的人，[2]而且他们已经熟悉动物生长发育的过程，如动物何时“孳尾”，何时“希革”，何时“毛毨”，何时“氄毛”。这如果不是畜牧繁盛的时代，人类决不会有这样的知识。传说中谓“舜”时已有牛群与羊群，[3]仰韶遗址中，亦发现大批豕骨和鹿骨。两相印证，不谋而合。

传说中谓在“尧”时即有精细的分工。《淮南子·齐俗训》云：“故尧之治天下也，舜为司徒，契为司马，禹为司空，后稷为大田，奚仲为工。其导民也，水处者渔，山处者木，谷处者牧，陆处者农。地宜其事，事宜其械，械宜其用，用宜其人。泽皋织冈陵陂耕田。时以所有易所无，以所工易所拙。是故离畔者寡而听从者众。譬若播棊九于地，圆者走泽，方者处高，各从其所安。”

[1]《荀子》云：“禹见耕者偶立而式。”

[2]《虞书·舜典》云：“帝曰，畴若予上下草木鸟兽，佥曰益哉。帝曰咨益，尔作朕虞。”

[3]《孟子》云：当舜之时“牛羊父母”。

这段传说，就是说明当时农牧渔樵工艺，已经分裂。但据考古学的发现考察，当时工艺部门，或有更精细的分工。如石器之研磨，钻孔，陶器之埏埴与装饰，骨器之切割与雕刻，铜器之冶炼与范铸，都有了分工。

传说中谓“尧”“舜”时代，已有“懋迁有无化居”之事，证之考古学的发现，当时实亦有交换之存在。如鼎鬲文化之西播于甘肃，东播于山东，彩陶文化之由甘肃东播于河南，刻纹陶器之由东南沿海北播于华北，此等文化之传播，皆必须有人类为之媒介，而此种媒介，则为交换。据安特生云：“在仰韶之墓地中，曾发现琢磨之玉片及玉瑗数件，其形质吾人常认为来自新疆和阗者也。”而传说中在“尧”“舜”“禹”的时代，亦有“西王母”来献白环玉玦之事，两相印证，则当时甘肃的居民已与塔里木盆地诸氏族发生交换的关系了。

综合以上所述，我们可以了然于当时人类之生活，实已进入大规模之焚烧农业与有组织之畜牧生活。虽然如此，当时的农业和畜牧，还是集体的进行，因而土地及农产品和畜群，都是属于共同所有。只有狩猎用具和装饰品，恐怕已经属于个人所有。《孟子·万章篇》云：“父母使舜完廪，捐阶……象曰：‘谟盖都，君咸我绩，牛羊，父母；仓廪，父母；干戈，朕；琴，朕；’”这里所谓“父母”，即共同所有之意，所谓“朕”有，即个人所有之意。据此，则当时谷物与畜群，还是属于共同所有，而储蓄于公共的仓库与公共的厩栏之内；只有“干戈”等狩猎工具，及“琴”等娱乐工具属于个人之所有。

在当时，没有人被允许有自己的小块土地，私人的住宅，尤其不允许有自己的奴才。所以《淮南子·本经》云“尧无百户之郭，舜无立锥之地”，“禹无十人之众”。他们还是居住在共同长屋之内，大家耕种共同的土地。他们耕而食，织而衣，但“无私织私耕，共寒其寒，共饥其饥”（《尉缭子 · 治本篇》）。

据民俗学的指示，当时的长屋，规模宏大。在婆罗岛有达四分之一英里的住宅，其中居住一千人左右。传说中谓“舜有膻行，百姓悦之，故三徙成都，至邓之墟而十有万家”（《庄子 · 徐无鬼》）。我以为这个传说，正是暗示共同长屋之存在，这里所谓“都”，就是长屋，所谓“家”，乃系指人口之数。不过十万人的数字，是过于夸张了。此种长屋，在唐时高勾丽的土人中还存在着。《隋书 · 东夷传 · 高丽》谓“（高丽）父子同川而浴，共室而寝”。这种长屋，在中国古代，一定是存在过的。

第三节 “夏代”——中国上期新石器文化与田野农业的出现

人类在野蛮中期，又不知经过了若干时代，才进到野蛮上期，即传说中之“夏”的时代。

野蛮上期的人类之伟大成就，据摩尔根说，是铁器的出现，鞴，手臼，陶器，车及油、酒的制造。在美术工艺以前之发达的金属工具，货车，及战车，用梁及板的造船术，艺术建筑的开始，围以有塔及墙壁之都市的出现。

在中国传说中之“夏”的时代，除铁以外，所有这一时代的诸特征，都已存在。

铁在中国，何时出现，至今尚无定论。惟直至殷代尚无铁的痕迹。黄铜工具，则在传说中之“夏代”确已发现。安特生于《甘肃考古记》中云：“辛店遗址所获

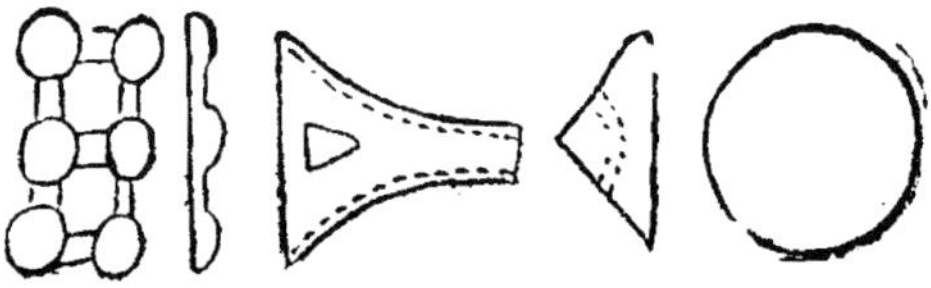

插图二三　夏代初期的铜器　卡窑及下面河墓中出土之辛店期的小件铜器。（见《甘肃考古记》P18）

之铜器，极为稀少，其中有类似刀剑之品。”“此外于寺洼葬地中，又获铜器若干件”（插图二三）。“至沙井葬地遗址及村落遗址中，吾采获之铜器无数，内有带翼之铜镞，乃精工之作”。据安氏云，在甘肃出土的小铜器上，全没有像殷商所出象牙刻或古铜器的花纹，这两种反面的证据，值得指出，因为这就可以证明甘肃最迟的遗址中的文化，也比殷商文化为早。而这些铜器是“夏代”的遗存。

“夏代”的陶器，制作更为发展。无论在形式方面或花纹方面，均超越以前的时代。以形式而论，“辛店期陶瓮之底，自下视之，多作凹形，与早期平底的陶器，差异甚明”（插图二四）。到寺洼期，则出现“马鞍口之

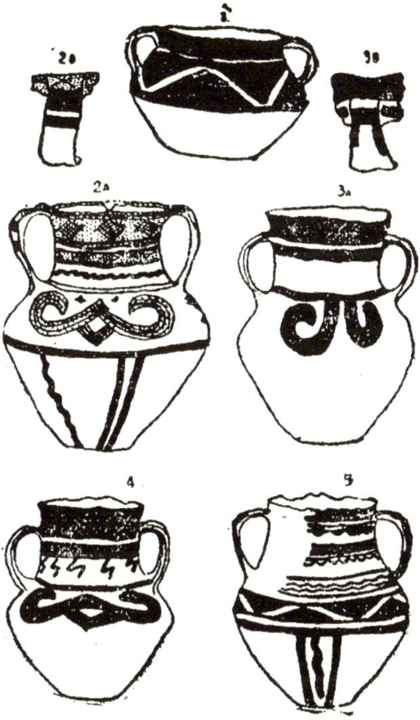

插图二四　夏代初期（辛店期）的陶器　此等陶器发现于辛店甲址，陶质粗松，色灰黄。器之表面或底部，常有纵行布纹之痕迹，但大半则消失殆尽。彩纹黑色，直施于陶地之上。第二图彩绘之法较佳，系先涂红色条纹及其他图案之底，然后再加黑色之条纹及格纹。第五图陶质红色，其上之灰色彩衣，似为掩复此红色粗糙之地。（见《甘肃考古记》第四版）

大陶瓮”，及“足部肥大之陶鬲”（插图二五）。至沙井期的陶器，则形式“更为复杂”（插图二六）。以花纹而论，辛店期的陶器，“多为横行之黑色条，及细狭之波纹；此外并有颠倒列置之三角纹，其间致成之字之缝”。“又

插图二五　夏代中期（寺洼期）的陶器　此等陶瓮及陶鬲，发现于甘肃狄道县寺洼山。1图陶质红色，质粗，表面光滑。口部侧面作马鞍形，由上视之，则为卵形，其形亦为卵形。2图耳有犬牙状之直凸纹，耳间有犬牙状之横凸纹，陶质灰色，表面粗糙。3图寺洼式之大鬲足。陶质砖红色，但略粗，表面不平。两足间，有犬牙状凸纹，上接两耳。（见《甘肃考古记》第十版）

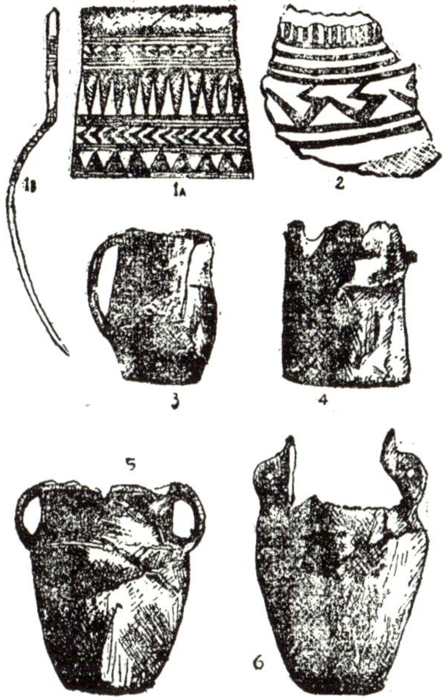

插图二六　夏代晚期（沙井期）的陶器　以上陶瓮及陶片，均出自镇番县沙井南之葬地，陶质红色，略粗。第六图所示，则具有黄色之云母质。第三、四图所示，其上一部涂有红彩。第一、二图所示，则缀以红色美丽之花纹，但施有黑色之彩纹者，终无所见。第一图图案系斜形线纹，组成垂或立之三角形。成列之鸟纹，鸟状形带纹系所组成。第二图绘有同心圈纹，纵行线后及鸟形带纹之图形。第三图大耳之瓶状陶器，器之下部及耳之外部，涂有紫红色之彩衣一层。第四图筒状陶器，留有器耳下部之迹。第五图有二高耳之陶器，耳间稍低处，有凸出之小凸纹，器身下部有清晰之布纹。第六图破碎陶器，器有两耳，耳皆有细孔，仅容一线。器身上部，露有红色之彩衣，下部有布纹。（见《甘肃考古记》第十一版）

有一种花纹，其上为一横线，下垂二相反之弧线，略与兀字相仿佛”。“尚有一种令人注意之花，于辛店较大之陶瓮上，最为普遍，即连续回纹是也”。“尚有小件花纹，错置其间，即如与N字相似之图形是也。又有小动物之图形如犬及羊者，点缀其间。”此外尚有马形，人形，鸟形及轮形之图案画。寺洼期的花纹，其主要特征，即回文更为发展。至沙井期的花纹，“其主要者为直立的三角形，及有鸟形横带纹”。吾人于此而知“夏代”陶器之发展，已经达到了高度的完成。但敷釉之术，迄未发明。

这一时期的石骨各器，除牛马胛骨所制之鹤嘴锄外，其余均为以前诸期广布之品。惟石斧较少，如非尚未发现，则或系为铜斧代替。此外长方形石镰，尖头骨器等，较之前期出土者，进步很少。因此安特生以为“甘肃远古之居民，似均致力于陶器艺术之创作，而于此等简单之石斧及长方形石镰等，已觉满足，不欲有所改进也”。我不同意安氏的这种见解，我以为石斧的稀少及石器之不改进，乃是因为铜器发明以后，石器退到次要地位的结果。

传说中谓“夏代”已有车的发明，[1]而夏代的陶画上，已有车轮的花纹。安特生根据考古学上的发现谓“车轮之制，亦想得见于远古之期，盖以陶器与磨轮，当仰韶之时，确已使用”。

传说中谓“夏代”已有艺术建筑，《尚书》谓“太康”时即有“峻宇雕墙”。到“夏后桀”之时，则已“筑倾宫”，“饰瑶台”。在仰韶的遗址中，也发现了村落遗址及雕刻骨板，所以“峻宇雕墙”，“倾宫瑶台”，在“夏代”是可能存在的。

传说中谓“夏代”已有围以城墙的都市之出现。[2]而在寺洼遗址中，已发现四壁围以土墙之住址。

从以上诸文化遗存看来，从传说中之“尧”“舜”“禹”时代到“夏代”，生产力又有很大的发

[1]《左》定元年传云：“奚仲居薛，以为夏车正。”又云：“盖夏初奚仲作车，或尚以人挽之。至相土作乘马，王亥作服牛，而车之用益广。”又《甘誓》云“御非其马之正”。《五子之歌》亦云：“若朽索之驭六马。”《史记》谓夏禹治水“陆行乘车”。

[2]《吴越春秋》云：“鲧筑城以卫君，造郭以守民，此城郭之始也。”《淮南子》云：“夏鲧作三仞之城。”《管子》云：“夏人之王外凿二十虻，渫十七湛……道四泾之水……民乃知城郭门闾室屋之筑。”

展。在生产力发展的这一水准上，由于技术的成长，个人的力量之强化，于是原始的协业，开始崩溃，而逐渐发生生产过程之渐次个人化。生产过程的个人化，和私有财产的出现相关联；私有财产的出现，又助长了技术之疾速的成长，并加强生产过程的个人化。因此生产过程的个人化，是私有财产出现的前提，同时，又是它的结果。

由于铜器的出现，便加速地扩大了耕地的面积。以前，人类因为局促于小的耕地面积上，容易使土地枯竭，因而必须经常向新的土地移徙。现在，因为耕地面积广阔，人们便不必流浪耕种，只是在同一地区内轮流休耕。[1]但是由于人口的增多，又使广阔的耕地，变为相对的狭小，于是休耕期间，渐次缩短，由五年三年的休耕，到隔年耕种，最后到不休耕为止。由于施肥及灌溉的发明，提高了土地的报酬，使更小的地面，能够得到更大的收获，从这里，奠定了农业生产之个人化的基础。

---

[1]《汉书·食货志》云："民受田，上田夫百亩，中田夫二百亩，下田夫三百亩。岁耕种者为不易上田，休一岁者为一易中田，休二岁者为再易下田，三岁更耕之，自爰其处。"据此，则此种轮流休耕制，在中国古代，确曾施行过。

农业生产之个人化的倾向，首先表现于氏族的土地所有，分裂为由氏族中分解出来的几个大家族的土地的世袭使用。因为耕地面积广阔，势必分配耕种，这种分配，以前是定期的，一年，两年或三五年再分配一次，以后分配的期间延长，最后便不分配，而永远委诸各个家族使用。到这一时候，土地在名义上还是属于氏族所有，只有各大家族自己新辟的土地，便属于各大家族所有。同样氏族共有土地上的果树，也属于氏族所有，只有由各大家族自己栽种的果树，才属于他们自己所有。但是随着生产个人化的愈益发展，大家族对于土地之世袭使用，便变成世袭所有了。

个人化的倾向，也表现于畜牧上，到这一时代，家畜的种类，日益增多了，马牛羊鸡犬豕，几乎都变成了家畜。这些家畜，最初，当然属于氏族全体的所有，但是随着氏族分解为几个大家族，畜群也分裂为大家族的所有了。

个人化的倾向，也表现在狩猎和渔业的集体劳动中。在很早的时代，随着弓矢的发明，就奠定了狩猎之个人化的基础，到这一时代，个人化的倾向更加发展了。随着钓针在渔业中的应用，又造成了渔业个人化的前提。自然，狩猎与渔业的个人化，不但依于工具之发达，同时由于土地之分配而使森林，溪谷，河岸，海边，都属于一定的大家之使用，也是最大的原因。

由于生产过程个人化的倾向之继续增长，于是引起氏族内部个别经济细胞的形成，即大家族和特殊的小家族之出现。并且在一个氏族内部产生了各家族之间的分业。

原来性别的分业，到这一时代，渐渐归于消灭。女子的劳动，大半都移到男子劳动的领域。这种过程，与氏族内部独立的经济细胞之形成，同时开始。同时过去年龄别的分业，也不存在了。在这一时代已经不是男女老少的分业，而是把男女老少分别归纳于各个家族之中，形成家族与家族之间的分业。在这一时代，出现了从事各种手工业活动之若干大小家族，如陶器，木器的制作，特别是冶金业的发达，给这种形式的分业以强烈的影响。到现在，手工业脱离农业被承认了，而这就是第二次伟大的社会分业。

生产力的发展，不仅改变了劳动的组织，而引起分业的形式之变化；同时，也改变了所有的关系而引起分配之变化。以前属于氏族共同所有之农产物，现在，那些大家族渐渐当作自己的财产而占有（除了拨出一部分为公用之需）。同时，对于猎物及鱼类的分配，也出现了不依要求而依劳动的新的分配原理。

生产组织的改变，从而又改变了交换的方式。随着氏族内部各大家族的分业之出现，因而又出现了氏族内部各大家族之间的交换。氏族内部的交换之出现，就表征着原始共同体内部的统一性之分裂，亦即氏族制向着大家族的方向崩溃。传说中谓“夏代”已经出现了作为等价形态的货币，[1]货币的出现，就使得交换物之量与质，渐渐形成一定的相互关系。但这一时代的货币，恐怕还是畜群。也许出现了贝货？

由于经济的这一发展，到“夏代”中叶以后，原来的公共谷仓，现在一变而为各大家族之私有的蓄储库。原来的共有的畜群，现在一变而为各大家族的私有财产。共同的长屋冷落了，共同的炉灶废除了，共同的大

[1]《史记·平准书》云：“虞夏之币，金为三品，或黄或白或赤，或钱或布或刀或龟贝。”《汉书·食货志》云：“金钱布帛之用，夏殷以前，其详靡记。”

餐桌撤消了。在这一时代，到处都出现了大家族的村落，在村落的周围，都筑有城堡式的土墙。在村落的附近，都布满了青葱的果园。在过去曾经是荒芜之地，现在一变而为美丽的田野，在那里，种植了各种的谷物。在大家族的村落之中，有陶器，石器，骨角器物的作坊，有金属的冶炼场，有大规模的厩栏，有自己的仓库，有公用的杵臼，和酒、油的酿造所。那些大家族的成员，他们日出而作，日入而息，凿井而饮，耕田而食。如果有了多余或缺乏，他们便牵牛贩卖，懋迁有无。这在原始公社制的社会中，真是一种前所未有的新现象。

到传说中之“夏”“孔甲”时代，便到了氏族制社会的末日。《国语·周语》云：“孔甲乱夏，四世而陨。”《纲鉴汇纂》云：“自孔甲以来，诸侯多叛。”《史记·夏本纪》云：“孔甲立，夏后氏德衰。”这些传说，我以为正是暗示氏族社会的崩溃。所谓“诸侯多叛”，正是大家族分解氏族社会之说明。

“夏”至“孔甲”的时代，以血缘为基础而结合的氏族组织，已为依领土关系而结合的农村共同体所代替了。而这在形式上，便表现为大家族再向小家族的方向崩溃。在这一时代，耕地虽仍属共有，但各小家族渐渐把自己的分配地，变为自己的私有。惟直到这时，土地还是不许自己让渡，因而在名义上，还是为公社所共有。此外山林，荒地，牧场，河岸，海岸，也还是共同所有。不过土地上的生产物，则已为小家族的私有财产了。主要的生产手段之共有与生产所得之私有，就正是农村共同体所具有的二元性，而这种二元性，也就正是共同所有与私人所有的对立斗争之表现。但是依据历史进化的原理，这一次斗争的结果，是私人所有之胜利。

在这一时代，到处都出现了各小家族的私人房屋，在这种房屋的周围，有自己小小的园圃。在房屋的内部有自己的仓库，炉灶和餐桌，也有自己的厩栏。一切都走向个人化了。虽然在他们的生产物中，也还储有公用的部分，但此种公用财物，已变成富裕首长用以榨取共同体成员的手段之一了。虽然也还保存协作的劳动，如建筑房屋及收获时之无条件的互相协助，但这也变成富的小家族用以榨取贫穷邻人的手段了。

到传说中之“夏桀”的时代，随着协业的崩溃和财产差别的发生，那些因集团生产过程之要求而获得自己指导地位之原来的氏族首长，已经失去了他们的意义了；代之而起的，是富裕家族的代表。这些新的首长，他们继续担当还被保存于农村共同体内部之公共职务的执行。他们渐渐从劳动过程中脱离出来，成为一个统治阶级，公仆变成主人了。所以最初的统治阶级之出现，是“经济的富裕之属性”。传说中谓“夏桀”之时，“昆吾豕韦，相继为羁”。又谓“桀”为无道，“暴戾贪狠”“残贼天下”。这些传说，都暗示当时已有特权阶级及剥削之存在的事实。

在这一时代，为了集中更大的财富，于是以畜群及人类之掠夺与捕获的战争，开始了他们的任务。因而随着牛马之后，人类的自身，也就变成了一种商品，而出现于市场了。传说中谓“桀”伐“有施氏”，得“妹喜”。后伐“珉山氏”，“珉山庄王”进其二女，曰“琬”曰“琰”。又说“桀”有“女乐三万人”。这里所谓“妹喜”“琬”“琰”及“女乐三万人”，正是后来奴隶的前身。

现在，公共的长屋倒塌了，在它的废墟上，建立起“金柱三千”“以瓦为屋”之华丽瑰伟的“倾宫瑶台”。氏族社会结束了，从此以后，中国的历史，便走进文明时代。

第三章　氏族社会的家族关系与社会组织

第一节　对偶婚家族与族外婚

新石器的出现以及由此而引起的社会生产力之发展，它改变了社会经济的组织，也改变了人类之家族关系。以前蒙昧上期之亚血族群婚，到野蛮下期，便发展为对偶婚家族了。

对偶婚家族，是野蛮时代之典型的家族形态，正犹血族群婚之于蒙昧时代，一夫一妻制之于文明时代一样。一直到野蛮上期——人类才开始由对配婚家族转向一夫一妻制的家族。

所谓对偶婚家族，并不是意指着一夫一妻的家族。据摩尔根的研究，这种家族形态，即一个男子在他的许多妻之中，有一个主妻；反之，一个女子在他的许多夫之中，有一个主夫。这种家族形态之继起，是由于继续缩小通婚的范围而引起的结果。

我们已经说过，最原始的时代，通婚的范围，是毫无限制，以后通婚的范围，便逐渐被限制。先从近缘的，再从远缘的亲族，最后，甚至不过法律上姻戚关系的人，都禁止通婚。因为如此，血族群婚，在事实上，成为不可能，于是对偶婚才代之而起。所以对偶婚是血族群婚缩小到它最后的单位，即仅由一男一女两个原子而构成之不稳定的两性关系。

对偶婚出现的时代，婚姻范围，已经缩小到不许同一氏族的男女，互相通婚。因此一个男子必须到另一氏族寻找他的妻子；反之，一个女子，也必须从另一氏族寻找她的丈夫；这就是所谓族外婚。这时的族外婚与我们今日不同的，即出嫁外族者，非氏族中之女子，而是氏族中之男子。

族外婚之出现，正是氏族制的社会经济在家族关系上之具体的反映。在前氏族社会的末期，社会经济的发展中，即已开始了生产过程个人化与占有性质集团化之间的矛盾之萌芽，这种矛盾到氏族社会时代，更加发展。但是，一直到氏族社会的中叶，个人化的发展程度，仍不能达到与集团所有的关系之决裂。所以反映在家族关系上，一方面，是通婚的范围，几乎缩小到以个人为单位的对偶婚；另一方面，这种对偶婚，仍然被制约于集团的关系之内。

男子之不允许在其自己氏族内结婚，这件事具有重大的经济意义。因为由此即可以防止在氏族社会的共同体内，分裂出许多以个人为单位的家族，从而防止个人化的倾向对集团组织之分解。族外婚的执行，就是企图把构成氏族社会的细胞（男子与女子），缚束于集团生活之中，使集团中的个人，不能脱离集团的关系而生活。所以对偶婚的家族形态，虽然是两性关系向个人化方向发展之表征，但在原则上，婚姻的关系，却不是个人对个人，而是氏族对氏族。换言之，当时出嫁外族的男子，并不是当作一个单独的个人，而是当作氏族的成员之一；反之，女子亦然。从这里，我们就可以了然族外婚的发生正是生产过程个人化与所有关系的集团化之间的矛盾之透明的反映。

至于男子出嫁而女子不出嫁的原因，则是因为直到对偶婚家族时代，人类还不能正确地认识其真正的父亲。在对偶婚家族中，虽然女子已有一个主夫，但同时，还有许多庶夫；因而当时的人们，虽然可能由其母之主夫的存在，而认识其父亲，但这只是名义上的父亲，而非真正的父亲。为了血统的追溯，及动产（武器、衣服、装饰品等）的承继，女子必须留在自己氏族之内，以为血统计算的基础及财产的继承人。

对偶婚在中国史上之野蛮时代，也曾经存在过。传说中之“黄帝”以至“尧”“舜”“禹”时代，正是对偶婚家族时代。

据传说的暗示，“黄帝”以至“尧”“舜”“禹”时代，曾有外婚制的存在。

《国语》示：“黄帝之子二十五宗，其得姓者十四人，为十二姓；姬、酉、祁、已、滕、蒧、任、荀、僖、姞、儇、依是也。”同书又云：“黄帝之子二十五人。其同姓者二人而已，惟青阳与夷鼓同已姓。”这里所谓“黄帝之子二十五宗，得姓者十四人，为十二姓”，我以为正是暗示“黄帝”之二十五子，分嫁于十二个氏族，其中有二子，同嫁于已族，故各有其自己之族姓。而此十二姓，直到有史以后还是相与为婚姻，[1]由此，足征传说中之“黄帝”时代，曾有男子出嫁的外婚制之存在。

传说中谓“尧”以二女妻“舜”，同时又以九男（《吕览》作十子），百官“备以事‘舜’于畎亩之中”。[2]这一传说的内容，我以为一方面是暗示“舜”嫁于“尧”的氏族，而妻“尧”的氏族中之二女；另一方面，又暗示“尧”的氏族中的男子，所谓“九男”与“百官”嫁于“舜”的氏族，而成为“舜”的氏族中的劳动成员，所谓“事舜于畎亩之中”者，正是此意。同时，传说谓“舜”为“有虞氏”，而其弟“象”则为“有鼻氏”（《孟子》作“有庳”），是“舜”与“象”，皆未留在本族，而是分嫁于不同的氏族。此外《国语》谓：“四母之子，

[1] 崔述《补上古考信录》卷上云：“十二姓之见于传者，姬祁己任姞五姓而已，然皆相为婚姻。后稷取于姞，王季取于任。春秋时，晋之栾与祁婚、鲁之孟与己婚，而姬、刘、范、祁乃世为婚姻。”

[2]《孟子·万章篇》云：“帝（尧）使其子九男二女，百官牛羊仓廪备，以事舜于畎亩之中。”《吕氏春秋》云：“尧传天下于舜，礼之诸侯，妻以二女，臣以十子。”《淮南子·泰族训》云：“尧乃妻以二女以观其内，任以百官以观其外。既入大麓，烈风雷雨而不迷，乃属以九子，赠以昭华之玉，而传天下焉。”

别为十二姓。”是“四母”之子，亦分嫁于十二个不同的氏族。由此看来，“尧”“舜”的时代，也有男子出嫁的族外婚之存在。

此外据帝系姓云“黄帝娶于西陵氏”，“昌意娶于蜀山氏”，“颛顼娶于滕奔氏”，“帝尧娶于散宜氏”，“帝舜娶于陶唐氏”，“帝禹娶于涂山氏”，这些传说，都暗示当时有外族婚的存在。

关于对偶婚的存在，传说中也有暗示。

《史记索隐》皇甫谧语云：“尧娶散宜氏之女，曰女皇，生丹朱。又有庶子九人。”有“庶子”，当然就有“庶妻”。是“尧”除其“主妻”“女皇”之外，尚有许多“庶妻”，所以除“嫡子”“丹朱”之外，“又有庶子九人”。

《史记正义》谓“娥皇无子，女英生商均，舜升天子，娥皇为后，女英为妃”。这一传说，更明示“舜”于主妻之外，更有庶妻。

惟传说所示，仅使吾人可以看出对偶婚之一面，即“尧”“舜”时代的男子，除一个主妻，还有许多庶妻，而没有指出对偶婚的另一面，即“尧”“舜”时代的女子，除一个主夫之外，也有许多庶夫。在对偶婚的家族中，不是片面的多妻，而是男子多妻，女子多夫。关于这样的事实之存在，却在另一种传说中暗示出来，这就是从“黄帝”以至“尧”“舜”“禹”这些神话人物，传说中皆谓他们系“感天而生”，“感天而生”者，即在多夫多妻的对偶婚家族中，人们尚不能正确的认识其亲生的父亲，因而不能不托于龟蛇之类的动物以设定一个假想的父亲。

传说中只记“黄帝”之母曰“附宝”，“帝尧”之母曰“庆都”，“帝舜”之母曰“握登”，“帝禹”之母曰“修已”，而皆不及其父。后来虽然有些传说替“舜”创造了一个父亲曰“瞽叟”，替“禹”创造了一个父亲曰“鲧”，但这也只能意义着是“舜”“禹”的母亲之“主夫”，因而也只能是“舜”“禹”之“名义上的父亲”。因此之故，所以传说中谓“黄帝”之生乃其母感北斗之大电，[1]“尧”之生，乃其母感三河之

[1]《初学记》引《诗纬·含神雾》云：“大电绕北斗枢，照郊野，感附宝而生黄帝。”《竹书纪年》亦云：“黄帝母曰附宝，见大电绕北斗枢，星光照郊野，感而孕，二十五月而生黄帝于寿丘。”

赤龙，[1]即如“舜”“禹”之生，亦与其父亲无关，“舜”之生，乃其母感姚墟之大虹；[2]“禹”之生，乃其母感贯昂之流星。[3]这些传说都是当时尚在对偶婚家族阶段之反证。

惟《孟子·万章篇》曾有“象”使“二嫂”治其“栖”，及“象往入舜宫”及见“舜在床琴”而又“忸怩”之记载。[4]以之与《天问》中“尧不姚告，二女何亲”，“眩弟并淫，危厥厥兄”之语相印证，则似乎“娥皇”、“女英”为“舜”与“象”兄弟共同之妻；而“舜”与“象”兄弟为“娥皇”“女英”姊妹共同之夫。如此，则“尧”“舜”时代，似尚为亚血族的家族。

---

[1]《初学记》引上书云：“庆都与赤龙合婚，生赤帝伊祁，尧也。”《太平御览》引《春秋纬·合诚图》云：“尧母庆都，……出观三河之南……赤龙与庆都合婚有娠（生尧）。”

[2]《初学记》引《尚书纬·帝命验》云：“姚氏纵华感枢。”《太平御览》引《诗纬·含神雾》云：“握登见大虹，意感而生舜于姚虚。”

[3]《太平御览》引《尚书纬·帝命验》云：“禹，白帝精，以星感。修已山行，见流星意感栗然，生姒戎文禹。”《竹书纪年》云：“禹母曰修已，出行，见流星贯昴，梦接意感，既而吞神珠，修已背剖而生禹于石纽。”

[4]《孟子·万章》云：“父母使舜完廪，捐阶，瞽瞍焚廪；使浚井，出，从而揜之。象曰：‘谟盖都君咸我绩。牛羊父母，仓廪父母，干戈朕，琴朕，弤朕，二嫂使治朕栖。’象往入舜宫，舜在床琴，象曰：‘郁陶思君尔，忸怩。’”

但是传说明明指出当时的社会经济内容，是“牛羊，父母；仓廪，父母；干戈，朕；琴，朕；”换言之，即畜群公有，谷物公有，武器私有，娱乐器物私有。而这种经济内容，正是属于野蛮中期的时代。据摩尔根考察，野蛮中期的家族形态，已经是发展了的对偶婚家族。同时据传说所示，“象”称“娥皇”“女英”曰“二嫂”，“嫂”的称呼之出现，正是兄弟别妻之证明。固然，在对偶婚家族中，仍然有亚血族婚的残余，但对偶婚的实践，是族外婚，是男子出嫁族外，因此，除非兄弟同嫁一族，才有共有一对姊妹为妻之可能。但据传说的暗示则“舜”嫁“陶唐氏”而“象”嫁“有庳氏”。所以他们根本没实现亚血族婚的可能。而“娥皇”“女英”，只能解释为“舜之主妻与庶妻”。至于“娥皇”“女英”除“舜”以外，虽亦有其他之夫，并不是“象”，而是“陶唐氏”族中之其他外来的男子。

男子出嫁的族外婚，在汉唐时代的四裔诸落后种族中，尚有此种遗风。如高句丽，扶桑国，勿吉铁勒，乌桓，室韦以及西南诸种族中，其婚姻皆男就女家。

《文献通考·四裔考》二云：“高句丽，其先出自夫余，其婚嫁皆就妇家，生子长大，然后将归。”《三国志·东夷传》亦谓高句丽“其俗作婚姻，言语已定，女家作小屋于大屋（共同长屋）后，名婿屋。婿暮至女家户外，自名跪拜，乞得就女宿，如是者再三。女父母乃听使就小屋中宿，傍顿钱帛，至生子已长大，乃将妇归家”。

《文献通考·四裔考》四云：“扶桑国，其婚法，则婿往女家，门外作屋，晨夕洒扫，经年而女不悦即驱之，相悦乃成婚。”

《北史》（卷九四，列传八二）、《魏书》（卷百，列传八八）及《文献通考·四裔考》三均载勿吉（一曰靺鞨）“初婚之夕，男就女家，执女乳”。

《文献通考·四裔考》二十一云：“铁勒之先，匈奴之苗裔也。其俗大抵与突厥同，唯丈夫婚毕，就便妻家，俟产乳男，然后归，此其异也。”

同上《四裔考》十九云：“乌桓，其嫁娶先私通……然后婿随妻至家，无尊卑，朝朝拜之，而不拜其父母。为妻家仆役一二年间（参加妻的氏族之劳动生产），妻家乃厚遗送女，居处财物一皆分办。”

新旧《唐书·北狄传》皆谓“室韦（契丹别种）婚

姻之法，男先就女舍，三年役力，因得亲迎其妇。役日已满，女家分其财物，夫妇同车而载，鼓舞共归。”

《文献通考·四裔考》七引《桂海虞衡志》云：“（西原蛮婚嫁）婿来就亲女家，于五里外结草屋百余间与居，谓之入寮……半年而归夫家。”

此种男子出嫁之族外婚，直至清代，人甚至现在，还存在于两粤的瑶族中。清魏祝亭《两粤猺俗记》中有云：“山官婚嫁则不然，先数日嫁女之家，购香木芳草，构屋于中途名曰寮。届期男女均集，鼓角鸣铙，人声与笙声迭作，雅乐与俗乐并陈。日将晡，鼓吹导入营房。……居阅六月，婿始率妇归。”

第二节　中国的母系氏族社会及其向父系氏族社会之转化

适应于对偶婚家族的氏族，是母系氏族。所以在传说中之“黄帝”，以至“尧”“舜”“禹”的时代，是母系氏族社会时代。

人们也许怀疑传说中明明说“黄帝”以至

“尧”“舜”“禹”的时代，都是男子执政，何以说它是母系氏族社会呢？关于这个问题，民俗学已经替我们解答了。苏门答腊的米兰卡巴人，他们是处于母系氏族社会的一种落后种族，但为了共同事务的处理，尤其是对敌人的防御，他们却选出男子做他们的酋长。不过他们的酋长却是由氏族评议选出，而氏族评议则掌握在女子手中。氏族评议会，可以推选酋长，也可以任意罢免一个不称职的酋长。氏族评议会，是氏族社会之最高的权力机关，同时它又是最古典的民主政治的形式。所以即使“黄帝”“尧”“舜”“禹”，这些神话人物都是男子，也并不妨碍当时的社会之仍为母系氏族社会。

据民俗学指示，母系氏族社会之第一个特征是子从母姓，而在中国传说中，“尧”“舜”“禹”“契”，皆从母姓。《史记索隐》云：“尧初生时，其母在三阿之南，寄于伊长儒之家，故从母所居为姓也。”《史记正义》云：“瞽瞍姓妫，妻曰握登，见大虹，意感而生舜于姚虚，故姓姚。”《史记索隐》引《礼纬》云：“禹母修已，吞薏苡而生禹，因姓姒氏。”“契”姓“子氏”者，亦以其母“吞玄鸟卵而生”。据此，则传说中之“尧”“舜”“禹”

的时代，实有子从母姓的事实。

母系氏族社会之第二个特征，便是酋长的职位，不能父子相承，因为在母系之下，儿子是属于别一氏族的。惟有兄弟或姊妹的儿子，得常被选为继承者。而这在中国，“尧舜不传子而传贤”的传说，正是暗示这一历史内容。传说中谓“尧”之子“丹朱”不肖，“舜”之子“商均”亦不肖，因而“尧”“舜”以公天下之心，不传子而传贤。实则“尧”“舜”之不传子而传贤，并不是因为他们的儿子不肖，也不是因为他们是“允恭克让”的圣人，而是因为他们的儿子，必须嫁到外族，不能被选为酋长的继承人。《史记》云：“尧子丹朱，舜子商均，皆有疆土，以奉先祀。”这一传说，正是“尧”“舜”之子嫁到外族的证明。司马迁不懂得这种历史原理，硬要把五帝牵强附会为一个父系的世系，于是“尧”“舜”的禅让，便成为“高祖”与“玄孙”之递嬗；而“舜”“禹”之禅让，且成为“玄孙”与“高祖”之倒传。因而“舜”与“娥皇”“女英”之婚姻，为“曾孙”与“曾祖姑”之血族婚，这是如何的不近人情。

母系氏族之第三个特征，是有氏族评议会的存在。

这个评议会，最初是由氏族内部选出来的代表组织而成，以后随着氏族发展为胞族，[1]胞族发展为部族，[2]部族再发展为部族联合[3]评议会的代表，便以氏族为单位，而各自推选其代表组织之。在当时女子亦得被选为代表，甚至占有更多的议席。这个评议会是氏族社会最高的权力机关，它有选举及罢免酋长的大权以及决定一切公共事务的进行之大权。在中国，“黄帝”时代恐怕就已经形成了部族，传说中谓“黄帝之族有熊氏”（谯周《古史考》）。又说“少典娶于有蟜氏”（《国语》）。又说“属于有熊氏之各族有熊氏、罴氏、貔氏、貅氏、貙氏、虎氏、雕氏、雁氏、鸢氏”（根据列子所云）。由此看来“有熊氏”乃系由九个氏族所组成之一个胞族，“有蟜氏”也应该是由若干氏族所组成的一个胞族，而“黄帝”之族，便是由“有熊氏”与“有蟜氏”两个胞族所组成之一个部族了。到“尧”“舜”“禹”的时代，

[1] 胞族是二个或二个以上的氏族组成之一种有机组织。此种组织是由一个基本氏族分裂而成，其存在时期与氏族几乎相等。

[2] 部族是由几个胞族组织而成。

[3] 部族联合是同一血族的部落，从分裂状态中，再行联合，构成永久的联盟。由部族联盟再向前发展便形成了后来的种族国家。

所以便出现了由部族与部族结合之部族联盟，而这从当时氏族评议会的组织中，可以看出。

据传说，当“尧”“舜”时代，选举继任酋长的时候，前任酋长必须出席评议会，遍咨“四岳”“群牧”，请其“明明扬侧陋”，推选继承人，而“四岳”“群牧”，也毫不客气，各有所举。一直到最后“询谋佥同”，新酋长才算当选。于是这位新酋长于“正月朔旦，受命于神宗，率百官若帝（前任酋长）之初”。“舜”的当选如此，“禹”的当选亦如此，这样看来，所谓“四岳”“群牧”（或十二牧）正是当时各氏族选出来的代表，亦即当时氏族评议会的议员。据传说所示，当时氏族评议会的议员，除“四岳”“十二牧”以外，尚有“八元”“八恺”“四凶”等。所谓“八元”者，即八个氏族中所选出的代表，[1]所谓“八恺”者，也是一样。[2]所以《左传》说：“此十六族也，世济其美。”所谓“四凶”者，也是

[1]《左》文十六年传云：“高辛氏有才子八人，伯奋、仲堪、叔献、季仲、伯虎、仲熊、叔豹、季貍。……天下之民谓之八元。”

[2] 同上书云：“高阳氏有才子八人，苍舒、隤敳、梼戭、大临、尨降、庭坚、仲容、叔达……谓之八恺。”

四个氏族中所选出的代表，[1]所以《左传》说“流四凶族”。像这样一个庞大的评议会的组织，正是部族联盟时代的规模。

关于氏族评议会罢免酋长之事，中国传说中，亦有暗示。《史记索隐》引卫宏语云：“挚立九年，而唐侯德盛，因禅位焉。”《帝王纪》云：“挚在位九年，政微弱，而唐侯德盛，诸侯归之，挚服其义，乃率群臣造唐而致禅。唐侯自知有天命，乃受帝禅，乃封挚于高辛。”这段传说，正是说明，挚为氏族评议会（群臣）所罢免，由酋长而降为普通的战士。

母系氏族之第四个特征是有两头军长制的存在。而这样的制度，在中国传说中之“尧”“舜”“禹”的时代，也是存在过的。据传说所示，“挚”与“尧”曾共同执政九年。[2]“挚”被罢免，即选“舜”补缺，“尧”“舜”

[1] 同上书云“昔帝鸿氏有不才子”，“天下之民谓之浑敦”；“少皞氏有不才子”，“天下之民谓之穷奇”；“颛顼氏有不才子”，“天下之民谓之梼杌”；“缙云氏有不才子”，“天下之民谓之饕餮”；是谓“四凶”。

[2]《帝王世纪》云：“挚登帝位，封异母弟放勋为唐侯。”“挚”在位九年而禅位于“唐侯”，故“挚”与“唐侯”共同执政九年。

共同执政三十一年。[1]“尧”出位，又选“禹”补充，“舜”“禹”共同执政十七年。[2]“舜”出位，又选“皋陶”补充,“皋陶”旋死，又再选“益”补“皋陶”之缺，“禹”“益”共同执政又十年。[3]这样看来,“尧”“舜”“禹”的时代，正是两头军长制的时代。

在整个母系氏族社会时代，一切的制度，都建筑在传统的习惯之上，没有国王，贵族，总督，知事或审判官，没有军队，宪兵及警察，也没有监狱和诉讼，一切的争端和异议，都由氏族评议会共同解决。一切的问题，在未决议以前，都不要“面从”；在决议以后，都不准“退有后言”。大规模的战争，在这一时代是没有的，仅在非常希罕的时候，才有当作积极手段的复仇行为。所以在当时虽有刑而期于无刑。在“尧”“舜”“禹”的时代，可怜的穷人，还不存在，没有财产的差别，没有贵贱的

[1]《尚书》谓“舜”被征庸后三载，始陟帝位，又二十八载，尧乃殂落。故“尧”“舜”共政三十一年。

[2]《史记·五帝本纪》云:“舜乃预荐禹于天，十七年而崩。”故舜禹共政十七年。

[3]《史记·夏本纪》云:“帝禹立，而举皋陶荐之，且授政焉。而皋陶卒……而后举益，任之政。十年，帝禹东巡狩，至于会稽而崩，以天下授益。”故“禹”“益”共政十年。

等级，一切的人都是自由平等，女子也包括在内。容奴隶的余地还没有，压迫异族部落的事实，也不存在。当他们征服异族时照例把异族的人容纳到联盟中去，只有对方拒绝时，才把他们驱逐出境。在这样的社会中，产生出何等漂亮的男女，他们真是庄严公正高尚纯洁而又勇敢。

据文献所载，在中国汉唐时代的四裔诸落后种族中，还有停止在母系氏族社会的种族。《文献通考·四裔考》十六云：“东女，亦曰苏伐剌拏瞿咀罗，羌别种也……有八十城，以女为君。……官在外者率男子为之，凡号令，女官自内传，男官授而行之。王侍女数百，五日一听政。王死，以金钱数万纳王族，求淑女立之。凡二次，为小王，王死，因以为嗣，或姑死妇继。”上书又云：“东女俗轻男子，女贵者皆有侍，男披发以青涂面，惟务耕战而已，子从母姓。”

又同书“四裔考”十九云：“乌桓者，本东胡种也，……俗，怒则杀父兄，而终不害其母，以母有族类，父兄无，相仇报故也。”

又同书“四裔考”五云：“獠，盖蛮之别种……俗不辨姓氏，又无名字，性同禽兽。至于忿怒，父子不相避，惟手有兵刃者先杀之。若杀其父，走避于外，求得十狗，以谢其母，然后敢归。母得狗谢，不复嫌恨。”

此外如尾濮直至汉魏时代，还是识母不识父。由此足征母系氏族社会存在于中国史上之野蛮下期与中期，并非附会之辞。

中国历史之由母系氏族社会转入男系氏族社会，是从传说中的“夏代”开始。传说中谓“至于禹而德衰，不传于贤而传于子”（孟子）。照母系氏族社会的惯例，“禹”应传位于“益”，但“禹”并未传于“益”，而传于其子“启”。说者因不知氏族社会的发达过程，而谓“禹”之不传贤而传子，乃因“启”贤于“益”。实际上“禹”之传子而不传贤，与“禹”之德不德，“启”之贤不贤，丝毫无关系，而是由于黄铜器文化基础上所引起的历史之必然，换言之，即当时社会生产力已经达到了由母系转到父系氏族社会的界线。在这一时代，男子已经不出嫁外族，反之而是女子出嫁外族，所以男子便一变而为社会的中心，因而父子相承，已经有了可能。

因为到传说中的“夏代”，随着铜器之应用，田野农业和有组织的畜牧事业，便相应出现。在农业和畜牧经济的这一发展阶段上，于是女子的劳动，开始转移到男子手中；同时氏族共同体开始分裂为许多大家族。在大家族的继续发展中，于是男子便逐渐成为生活资料，即家畜之所有者，后来便是新的劳动力即奴隶的所有者。因此，随着财富的增加，男子在家族中的地位，便愈比女子重要。为了使他的子女，获得从他继承财产之权，于是非先把母权制废止不可，而母权制竟被废止了。

母权制的废止，是一个革命，但这一次革命，并没有侵害氏族中任何一个活着的氏族成员之必要，在革命过程中，全氏族成员照常生活。只要有一个简单的决议，谓从今以后，男子氏族成员的子女，应属于氏族；女子氏族成员的子女，应转属于他们的父之氏族就够了。所以传说中谓“启干益位”，并没有引起战争，而是氏族成员的拥戴。据《孟子》云：“禹崩，三年之丧毕，益避禹之子于箕山之阴。朝觐讼狱者不之益而之启，曰吾君之子也；讴歌者不讴歌益而讴歌启，曰吾君之子也。”诚如孟子所云，这样的转变“天也，非人之所能为也”。换言之，这是历史发达的结果，而非人类之主观的意图。

父系氏族是出现于氏族社会之更高的社会经济基础上，他和美术品，金属工具，奢侈品，畜群，最后奴隶成为家长的特别财产是相适应的。这种生产力的发展，物质地制约着母系氏族向父系氏族之移行。但如果因此而给予这一历史的移行以飞跃之理解，那便是大大的错误。因为在父系氏族中，除了动产依男系而继承，家系依男系而追溯以外，对于土地之氏族共同所有，依然是其主要的特征。此外，氏族首长的权力，依然是传统的道德的，并没有成为氏族成员的权力之对立物。氏族依然保留着共同的墓地，共同的祭祀和原有的权力机关。一言以蔽之，父系氏族社会之出现，虽然是表征氏族社会的生产力水准之一般地增高，但这时的生产力，尚没有达到与氏族社会的生产关系即刻破裂的地步。因此，从母系氏族社会到父系氏族社会的推移，并没有改变原始公社制的社会性质，只是氏族社会之进一步的发展而已。

据传说的暗示，“启”继承酋长以后，还是有氏族评议会的存在，所谓一享群后于钧台，再享群后于夏都，正是举行氏族评议会的说明。又当“启”伐“有扈”时他召六卿而申之曰“用命赏于祖，不用命戮于社”，又是当时仍有共同墓地与共同祭祀之说明。所以在“夏”初，虽然已有“峻宇雕墙”，而仍然是氏族社会的组织。

在这一时代，随着畜群成为大家族的私有财产以后，为照料畜群，需要更多的人，于是虏俘的异族的人，开始被利用于劳动。《竹书纪年》云：“启灭有扈，遂为牧竖。”又《史记索隐》引《左传》魏庄子语云：“昔有夏之衰也，后羿自鉏迁于穷石，因夏人以代夏政。”这里所谓“启灭有扈，遂为牧竖”，正是说明“夏族”在征服“有扈”之后，把“有扈”的族人，俘虏起来，而使之从事畜牧劳动。同样，“有穷氏”俘虏“夏人”亦利用于生产。虽然，在“孔甲”前，俘虏与主人，还是过着共同生活，几乎与家族成员合而为一。男子则被编为兄弟，女子则结为婚姻。

随着男权的确立，于是以前男子出嫁的族外婚家族，便一变而为女子出嫁的父系家长制家族，这种家族是本族的成员和外族的俘虏在家长制的父权之下组成的一种家族。在这种家族之内，家长过着一夫多妻的生活，其余的家族成员乃至俘虏也有妻子。为确保妻的贞操及父系的稳固，女子已完全引渡到男子的权力之下。这种家族形态的形成，是保存对偶婚的一面，男子多妻；而取消其另一面，女子多夫；因而它是对女子的贞操之片面的限制。从此以后，女子便被贱视，被隶属，成为满足男子欲望的工具，与生产子女的机器。一直到文明时代的一夫一妻制家族时代的今日，女子的这种卑贱地位，虽然逐渐被美化，被假装，甚或用更缓和的形态被粉饰，但无论如何，并不能废除。因此，母权制的被颠覆，是女性的世界史的失败。

父系家长制家族，是由对偶婚家族过渡到一夫一妻制家族的中间形态。这种家族形态，一直继续到“夏代”的末叶。传说中谓“夏桀得岷山氏女，爱之，而弃其元妃”（《竹书纪年》）。又谓“桀子獯鬻妻桀之众妾”（《史记·匈奴传》）。是桀有“元妃”又有“众妾”，像这样的家族，正是父系家长制的家族。传说中谓“桀”“多求美女，以充后宫”（《帝王纪》），又谓“桀女乐三万人”（《管子》），这些桀的“众妾”和“女乐”，其中也许有不少是从外族俘虏来的女子。传说中谓桀伐有施氏取妹喜，又伐岷山氏取琬琰。而妹喜琬琰，皆系桀之众妾。

由此足征在夏末，已经出现了家内奴隶。

以后，随着大家族再向小家族的方向崩溃，于是父系家长制家族便向一夫一妻制转化，而氏族制社会，也就陷于最终的崩溃。

第四章　氏族社会的意识诸形态

第一节　氏族社会的宗教——图腾主义的信仰·咒术与祖先崇拜

氏族社会的生产力之发展，改组了社会的生产组织和家族关系；同时也发展了人类的思维能力。因此氏族社会的意识诸形态，较之前氏族社会的，是更为发展的思维之表现的形式。

从宗教方面说，前氏族社会时代之万物有灵的信仰，到氏族社会时代，便发展为图腾主义。图腾主义与万物有灵不同之点，即万物有灵是对一般的自然现象及动植物之盲目的崇拜；而图腾主义则是对一种或数种特定的自然现象及动植物的崇拜。

从万物有灵到图腾主义这一信仰的转变，决不是偶然的，这正是反映人类从以广泛的自然环境为范围之流浪生活，转向了以特定的自然环境为范围之定住生活。因为只有当人类相对地固其生活于某一特定的自然环境之中，才能察知其所占有的自然环境的范围以内之特殊的自然物，从而选择其中的某一种或多种自然物或自然现象，以为崇拜的对象。因此之故，图腾主义虽然在前氏族社会末期，即已萌芽，但是由单纯的暗示，发展到完全的形态，则是在氏族社会的时代。

其次，这一信仰的转化，又是反映人类从掠夺经济生活过渡到生产经济生活的内容。因为图腾的崇拜已经不是对自然一般之惊奇与恐怖所刺激而发生之一种精神的屈服，而是对于作为其生活资料的某几种特殊的自然之有意识的保护。

据民俗学的考察，在澳洲的土人中，当作图腾的动植物，都禁止剿灭。因为在氏族社会时代的人群，他们所依赖的自然，已经不是广泛的自然，而是一定地域内之特定的自然。为了保证再生产之实现，对于其生活地域内之某几种最稀少或最重要的植物或动物，必须禁止继续剿灭，以保存其种属。因此，渔业的氏族，往往选择若干特定的鱼类为图腾，狩猎的氏族，往往选择若干特定的禽兽为图腾，畜牧的氏族，往往选择若干特定的家畜为图腾，而农业的氏族，则往往选择若干特定的植物及自然现象如日月星辰云雨等为图腾。这样看来，图腾主义最初是发生于人类经济生活之外的性质，是对自然物之物质性的崇拜，但经过一定的长期之发展，由于自然现象与特定的动植物的人格化，于是又造成了无数的诸神。

据传说所示，在中国历史上，自传说中之“伏羲氏”时代以至“夏代”，皆有图腾信仰之存在。《左》昭十七年传郯子语云：“昔者‘黄帝氏’以云纪，故为云师而云名。‘炎帝氏’以火纪，故为火师而火名。‘共工氏’以水纪，故为水师而水名。‘大皞氏’以龙纪，故为龙师而龙名。我高祖‘少皞’‘挚’之立也，凤鸟适至，故纪于鸟，为鸟师而鸟名。”这里所谓云、火、水、龙、鸟，都是当时氏族社会的图腾。

传说中谓属于“伏羲氏”的十一个氏族，皆以“龙”为图腾。为了彼此区别起见，于是在图腾柱上，把“龙”的形态和颜色加以改变，因而伏羲氏各族的图腾，便有飞龙、潜龙、居龙、降龙、土龙、水龙、青龙、赤龙、白龙、黑龙、黄龙（《竹书纪年》）。

传说中谓“神农氏”所属的五个氏族，皆以“火”为图腾，而以大火、鹑火、西火、北火、中火作为其彼此之间的区别（《左传正义》引服虔语）。

“黄帝”之族，恐怕是由几个胞族组成的一个部族。所以其中有属于一个胞族的五个氏族是以“云”为图腾，他们以青云、缙云、白云、黑云、黄云为相互之间的区别（《左传》）。另一胞族所属的五个氏族，则以熊、貔、貅、貙、虎五种“猛兽”为其各自的图腾。更有一胞族所属之四个氏族，则以雕、鹖、雁、鸢四种“鸟类”为其各自的图腾（《列子》）。此外似乎还有一个以“虫类”为图腾的胞族，即《国语》所谓“黄帝之族有蟜氏”。

以“水”为图腾之“共工氏”的各族，则以东水南水西水北水中水为其各自的图腾（《左传》）。

以“鸟”为图腾的“少皞氏”之族，也是由几个胞族所组成的一个部族。属于第一个胞族之五个氏族，是以凤鸟、玄鸟、伯赵（即伯劳）、青鸟、丹鸟“五鸟”为图腾。属于第二个胞族之五个氏族，是以祝鸠、鴡鸠、鸤鸠、爽鸠、鹘鸠“五鸠”为图腾。属于第三个胞族之五个氏族，是以鷷雉、鶅雉、翟雉、鵗雉、翚雉“五雉”为图腾。属于第四个胞族之九个氏族，是以春扈、夏扈、秋扈、冬扈、棘扈、行扈、宵扈、桑扈、老扈“九扈”为图腾（《左》昭十七年传）。

此外，“蚩尤”之族以虎、豹、熊、罴为图腾。“高阳氏”之八族中有庞阼，“高辛氏”之八族中有伯虎、仲熊、叔豹、季狸。凡此诸氏族，皆以动物为图腾。

传说中谓“尧之族有骀氏”，其后分化为十八个氏族，在此十八氏族中，有御龙氏、㲋氏、狸氏、谷氏、季氏、栎氏、蔷氏（《世经》）。据此，则“尧”之族的共同图腾是“马”，以后支族又有以龙、㲋、狸等动物为图腾的，亦有以谷季栎蔷等“植物”为图腾的。

传说中谓“舜之族穷蝉氏”，其后分化为十二个氏族，在此十二族中，有来氏，来者，麦也。据此，则“尧”之族的共同图腾为“蝉”，其后亦有以“麦”为图腾之支族。

传说中谓“夏之先族有蟜氏”，“有蟜”者，有角之虫，即蜗牛也。其后亦分化为十二个氏族，其中亦有以杞为图腾的氏族。

此外“祝融”八族中，有以“动物”为图腾之虎氏，有以“植物”为图腾之芊氏。《诗·商颂》云：“天命玄鸟，降而生‘商’。”是商之图腾为“玄鸟”。《国语》云：“我姬族出自天黿。”是周之图腾为“黿”。这样看来，图腾主义，已经是中国氏族社会时代的人类之普遍的信仰。

图腾主义的信仰，不仅是一种消极的迷信，同时它又积极地巩固并加强各氏族间的联系，并从而发展各氏族之间的交换关系。根据民俗学的考察，随着图腾主义的发展，在一个氏族内，被禁止狩猎的动物和采集的植物，便日益加多，因而使得每个氏族，都感到生活资料之狭隘。由于生活的压迫，于是各氏族对于不允许食用之自己的图腾，便允许捕获和采集，而用于与其他氏族之交换与馈赠。同时，由于族外婚的关系，使氏族间的这种交换与馈赠更为频繁。再往后发展，这种当作图腾的动植物，便成为氏族间交换的目的物，而图腾主义也就仅仅成为一种观念形态而被保留了。

图腾主义虽然反映着由掠夺经济向生产经济之发展，但是它同时，还是反映着人类对自然的克服之无力，只有当人类对自然克服之无力的时候，才去寻找自己的图腾。图腾主义的信仰，说明了人类尚不能积极地进行对自然物之再生产，而只是消极地对自然界的动植物之剿灭的禁止。它说明了人类尚不能以自身的力量去繁殖其生活资料，而希图借助于魔术的仪式，祈求自然，自动地给予人类以恩惠。因而他们把重要的生活资料神圣化，从而更缩小了自己生活资料的范围，增加了人类对自然之现实的狭隘性。人类为了企图从自然的压迫之下解放出来，才去寻找自己的图腾，但是图腾不但不能把人类从自然压迫之中解放出来，反而加强了这种压迫。所以图腾主义，也和后来的一切宗教一样，演着一种反动的任务。

与图腾主义同时或者稍晚的时候，又发生了祖先崇拜。祖先崇拜和图腾主义一样，它也是人类达到相对的定住生活以后的产物。没有相对的定住生活，从而由此而固结的血缘关系，人类要想追溯他们的祖先是不可能的。

祖先崇拜较之图腾崇拜，显然是原始宗教之更高的发展。因为图腾主义是人类对自然界的现象和生物的灵魂之崇拜；而祖先崇拜，则是人类对自身的灵魂之崇拜。自然界的现象和生物的灵魂，是表征着人类的生活资料之抽象；而人类自身的灵魂，则是表征着人类劳动经验之蓄积的抽象。因此从图腾崇拜，到祖先崇拜，是人类从崇拜生活资料的本身，进到崇拜获得生活资料的劳动经验，而这就正是表征人类从屈服自然之自然主义的世界观，进到改变自然之社会主义的世界观。

祖先崇拜从图腾主义中发展出来的痕迹，我们至今还可以从神话中看出来。在神话中，把许多神话人物都描写为一半动物一半人类之“人兽混体”的形像。这种“人兽混体”的形像之创造，说明了当时的人类企图赋予祖先的灵魂以图腾之威力，因而在人类与动物的肉体型上建立其关联，从而企图由肉体的关联达到灵魂的过渡。

传说中谓“伏羲”,“龙身牛首”,“虎鼻山准”。[1]“神农氏”“宏身而牛头，龙颜而大唇”。[2]“黄帝”“日角龙

[1]《博物志》引《春秋纬·合诚图》。

[2] 同上书引《孝经纬·援神契》。

颜”。[1]“颛顼骈干”。[2]“帝喾骈齿”。[3]“舜”“龙颜日衡”。[4]“禹”“虎鼻河目，骈齿鸟喙。”[5]“女娲”“蛇身人首”。[6]此外在《山海经》的神话中，有“豹尾虎齿”的“西王母”，有“人面豹尾”的“武罗”，有“人状虎尾”的“泰通”，有“人面羊角虎爪”的“嚣圉”，有“人身龙首”的“计蒙”，有“兽身人面”的“祝融”，有“牛状八足二首马尾”的“天神”，有“人面牛身四足一臂”的飞兽神。此外，尚有“人面马身”，“人面蛇身”，“人面鸟身”，“龙身人面”，“羊身人面”，“蛇身人面”，“马身人面”，“豕身人面”各种人兽混体的神灵。这些神灵，一方面是动物的人格化，另一方面，又是人类的动物化。就由于动物的人格化与人类的动物化之相互的关系中，于是完成了由图腾崇拜到祖先崇拜之转化。

人类最初崇拜的祖先，是母系祖先，这已经是考古

[1] 同上。

[2]《太平御览》引《春秋纬·元命苞》。

[3]《汉学堂》引《春秋纬·演孔图》。

[4]《路史》引《洛书·灵准听》。

[5] 同上

[6]《绎史》卷三引《帝王世纪》。

学和民俗学所证实了的。中国母系氏族时代的人群，也是供奉女祖先。他们都是“受兹介福，于其王母”，而不是于其“王父”。据传说“伏羲氏”之族所崇拜的母神是“华胥”,“神农氏”之族的母神是“安登”,“有熊氏”之族的母神是“附宝”,“少皞氏”之族的母神是“女节”，“陶唐氏”之族的母神是“庆都”，“有虞氏”之族的母神是“握登”，“夏后氏”之族的母神是“修已”，商族的母神是“有娀”，“周族”的母神是“姜嫄”。这些古典的女神之走上氏族的祭坛，就正是说明当时女子之崇高的社会权威。

父系的祖先之开始走上祭坛，那是父系氏族成立以后的事情，而这在中国历史上，则是在传说中的“夏代”。但一直到殷代，母系祖先还是享受“特祭”。父系的祖先之占领祭坛的主位，而“以妣附祖”，则是一夫一妻制家族确立以后的事情。

随着氏族之扩大为种族，于是又出现了种族神，如融为“夏族”之神。随着社会分业之发展，于是又出现了各种职业神，如“稷”为农神。

一切人间世界的现象，都照样反映于灵魂世界中。

这就证明了宗教是客观的现实之反映。因为它是客观现实的反映，所以它所创造出来的灵魂世界与现实世界的内容完全是一致的。比如在氏族社会之现实的生活中，人与人之间，没有等级从属的关系，因而反映在灵魂世界中，灵魂与灵魂之间，也是平等的关系。只有到氏族社会的末期，随着人间世界的特权者之开始生长，于是在灵魂世界中，也就开始孕育着至尊无上的天神。

氏族社会的宗教之表现的形式，还是咒术。在氏族社会中，主持宗教仪式的，是氏族首长，但除此以外，或者已有专门服务于宗教祭祀的巫觋。

据考古学的报告，在中国许多新石器时代的文化遗址中，都发现了氏族社会之共同的墓地。从这些墓地的遗物看来，它们似乎有一定的埋葬仪式，而且殉葬的冥器也有一定的形式和花纹。

据传说所示，当时也有大规模的氏族祭。《尚书》所谓“类于上帝，禋于六宗，望于山川，遍于群神”，我以为这正是描写当时的氏族祭。

第二节　氏族社会的艺术——陶片上的彩画、骨石的雕刻与舞蹈

最后说到氏族的艺术。

氏族社会的艺术，也表现为各种的形式，如绘画雕刻和舞蹈等。但在这一时代，无论在艺术的哪一个部门，较之前氏族社会，都有了很大的发展。这一方面，是因为新的更进步的劳动工具之出现，提高了艺术创造的技术；另一方面，由于新的物质材料之应用，又扩大了艺术创造的范围。同时，因为人类生活的日趋复杂，又丰富了艺术创造的内容。一言以蔽之，这一时代的艺术，是人类更高的劳动生产性之升华。

据民俗学的考察，在氏族社会的初期由于两性分工及原始咒术之继续发展，因而也产生了男子艺术与女子艺术之主题与样式的差别。

在这一时代，男子的劳动是制作武器、工具、家屋和小舟，因而他所处理的材料，是金属、骨角、石和木等硬性的材料。女子的劳动，是制造陶器和编制衣物，因而她所处理的材料，是具有伸缩性的软性的材料。他

们就在各自的劳动领域中，养成了处理各自经常接触的材料之加工的特殊的技术，因而由此升华而为艺术，也就走向了不同的方向。

另一原因，也是由于两性所担负的劳动任务不同而引起了艺术创造之两性的差异。在氏族社会，虽然已经进到农业——畜牧经济阶段，但狩猎及渔业，仍然是人类之补助的生活方法，而这种狩猎劳动的担负（者）便是男子。为了狩猎生产之必要，于是压迫着男子的艺术，走向现实主义。他必须把他所要猎取的野兽的形象，尽可能的正确，肖似，尽可能地将它所具备的一切特征，习惯，运动，都描绘出来。因而在男子的艺术中，便产生了富于生命、运动和解剖学的正确的艺术。这种艺术，一般地以不平等为特征。这种艺术与图腾和咒术是相关联的。在北美印第安人中，产生了许多动物的雕刻绘画，各种野兽的假面具和模仿动物的衣服，以及再现动物的运动之舞蹈，并且出现了用白桦皮或动物皮描绘之狩猎用的地图。同时起源于实际狩猎生活中的传说、故事或年代记录的绘画与雕刻也出现了。

在这一时代之女子的劳动是植物的栽培、陶器的制作及缝纫与编织，因此，从这种劳动中所发生出来的艺术，是再现缝痕、缝口、镶边及编织的花纹，而使其整齐化，复杂化，类型化，成为装饰的系列。从而女子的艺术，是充满着从缝纫与编织劳动节奏上所引起的抽象之几何学的表象，而且主要的，是作用于装饰。

属于氏族社会初期，亦即传说中“神农氏”时代的艺术创造，在中国已有发现。齐家期陶器上席纹和篮纹的美丽的压花，正是属于这一时代之几何画的图案。不过在中国却没有发现这一时代之写实主义的动物画以及与图腾有关之艺术。

到氏族社会的中期亦即传说中之“尧”“舜”“禹”时代，随着农业——畜牧经济之发展，艺术也相应地改变了它的性质。

在狩猎经济生活中，人类所碰到的动物，都是野性的，战斗的，因而反映到艺术上，是动的描写。到畜牧——农业经济的时代，人类所看到动物都是驯服的，所看到的植物，都是熟悉的，因而反映到艺术上，便是把一切题材在其不动性中去描写。在这样一种变化中，绘画之自然主义的特征消灭了，它丧失了以前的运动，而只是创造一些静止的形象。它丧失了以前解剖学的详细，丧失了以前力学之正当的均衡，而变为一种象征的描写。

同时，随着图腾的信仰之逐渐的淡薄与祖先的崇拜之相续继起，宗教的实践，又赋予艺术以新的任务。以前作为剿灭动植物的咒术，现在一变而为繁殖动植物的咒术了。宗教的实践，统辖着家畜之保护者及危害者的灵魂，也统辖着家畜本身的灵魂。在这一时代，人类对动物的关系，与其说是企图影响动物的肉体，毋宁说是企图影响动物的灵魂。因而反映在艺术上，便不是对动物之肉体的描写，而是对于动物所领有的或住在其中的灵魂之描写。于是描写的中心，从外部的表象移到内部的神秘。这样的艺术，不是在于与原物的肖似，而是要给与描写以生命，给与形象以灵魂。因此，大部分的艺术创造，好像都是灵魂的象征，或宗教的圣物。

在这一时代，由于男女两性在生产领域内的劳动任务之交错，因而又产生了艺术之性别的综合。男子也学会了几何画，女子也学会了动物画。不过女子即使遇到写实主义的主题，也有其自然主义处置之必然性，因为在篮类或织物上，要想描绘动物或人的完全肖似的形象，是不可能的。由于艺术材料的局限性，于是艺术之几何学的性质，遂以种种的形态被保留下来，而成为陶器上的绘画之蓝本。

在中国发现于仰韶与马厂两文化期遗址的艺术品，正是属于“尧”“舜”“禹”时代（氏族社会中期）的艺术。在这两文化期的艺术，主要地是体现于陶器上之彩绘与雕刻，此外，亦有表现于象牙玉片，石珠及贝环上之艺术。

在仰韶与马厂两期的陶器上所描绘之富丽繁复的几何花纹，其所表现之各种抽象的构图，我们在今日虽已不能正确地知道其原来之命意，但从这些图案构成之基本的部分考察，可以看出仍然不外是出发于与人类劳动生产有关之几种基本概念。如他们为了摹写太阳而作出○，为了摹写缺月而作出☽，为了摹写星而作出●，为了摹写云的卷舒或螺纹而作出，为了模写水的波纹而作出 ~~~~，为了摹写叶状或蚌状而作出，这些都是对自然之摹写。其次如由直线、横线、斜线、曲线、弧线而组成之方格纹，菱形纹等，则系织物的花纹之复写。

此外如锯齿纹，之字纹，Z 字纹等，则为缝痕之再现。

几何花纹，即以此等基本花纹为出发点而展开其发展。如：

由·而··，而…，以至一系列之点……

由○而◎◎而以至一系列之圆

由—而而以至无数行列之直线

由丨而而以至无数行列之横线

由／而而以至无数行列之斜线

由而而以至无数湾曲之波纹

由而而以至一系列之半圆

由而而以至无数之弧线

由而而以至一系列之螺纹

由而以至一连贯之

由而而以至一系列之

由△而以至一系列之▲▲▲▲▲▲▲▲

由而而以至无数之方格

由而而以至一系列之菱形

以后再由此等基本花纹之复合，而组成无数花样翻新之图案（插图二七、二八）。

像插图所示的几何花纹的图案，都是依照严格的节奏描绘出来的。但是随着经济生活中的农业意义之愈益显著，就出现了一种棕叶形的植物花纹（插图二九）。因而艺术中之严格的节奏被破坏了，不协和的形象也出

插图二七　夏代彩陶上的几何花纹图案之一（见阿恩《河南石器时代之着色陶器》及巴尔姆格仑之《半山及马厂随葬陶器》）

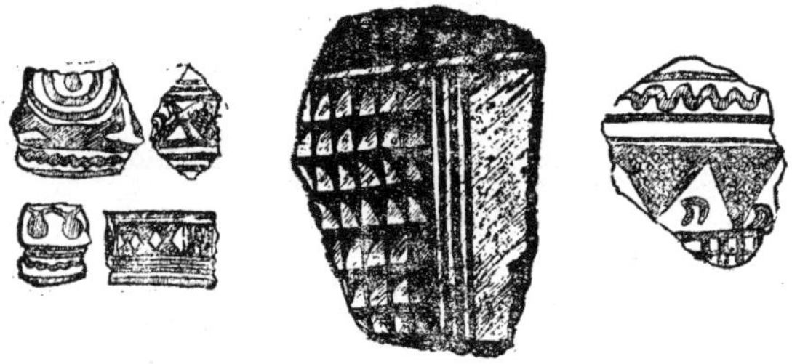

插图二八　夏代彩陶上的几何花纹图案之二

插图二九　夏代彩陶上的植物花纹

现了。

马厂期陶器上的花纹，大概与仰韶期的花纹相仿佛，惟较为发展，而且出现了初期的回纹。马厂与仰韶之陶画中，均无动物画的出现。但在属于仰韶期之沙锅屯的遗址中，却发现了雕刻兽物。据安特生云：“此奇巧物状似兽，尤似猫头，后身下之稍突出者为前足，后面略隔离而远者为后足。眼与臀部以深二公厘之小圈表示之。头顶加两洼线以示两耳。有孔穿过全身，足征为堕物之用。”（插图三〇）由此则当时陶画上可能有动物画的存在。

除此以外在当时的遗址中，又发现了大量石制之石盘、石环、石珠、石扣、贝环，及施有镂刻之小件的象牙板。其中除象牙板或系属于宗教艺术而与埋葬仪式有

插图三〇　夏代彩陶上的动物花纹

关外，其余皆系装饰艺术（插图三〇）。

到传说中的“夏代”（氏族社会的晚期，）新的力量——家畜，最后是奴隶被利用了。农业和畜牧一天天发展了，个人化的倾向，一天天严重了。由于分工之更加发展，出现手工业的专门家；同时，又发展了交换的关系。相应于氏族社会的这一发展，祖先的崇拜和氏族圣火的崇拜，氏族的祭典、庆典及成年的仪式也更加隆重了。因而这一时代的艺术，也就必然反映出这种新的社会内容来。

在辛店期的陶器上，已经出现了许多家畜及动物的图像如犬、羊、马、鸟等点缀于几何花纹之间，这就是反映当时已有繁盛的畜牧业之存在。同时，植物画也继续被采用，这又证明当时有着发展了的农业之存在。此外并有轮纹之出现，这又表示当时已有车的应用，因而又暗示了当时的交通条件的改进，从而交换关系之发展。

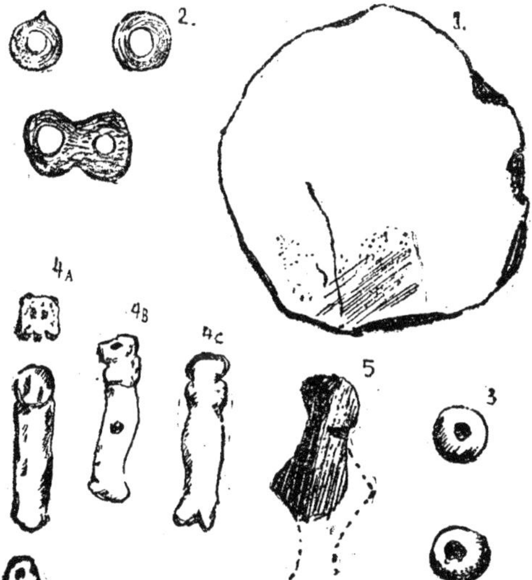

插图三一　夏代的艺术品　1、石盘　2、石环　3、石珠　4、兽头雕刻物　5、陶制人像（以上均系沙锅屯洞穴出土）

在辛店期的陶画中，已经出现了人像，这与祖先的圣像之摹绘是相联系的。此外在装饰艺术方面，如饰珠等之制作，则更为精美。

总而言之，在氏族社会时代，艺术的活动，还不是为了有闲者的娱乐，或是为了交换上的价值，而是为了记录劳动的人类，对于扩大对自然的占有之愿望，以及登记复杂的生产物之种类与数量。所以这一时代的艺术，是没有文字的人类对自然抗争之宣言。在这一时代的艺术中，我们决找不出一点人与人之间相互敌视的意味，一切的动机，都是为了共同的生存。同样，这一时代的艺术家，还是为着社会全体之生产而服务，他们的庄严与伟大，就是因为他们不是为艺术而艺术，而是为了劳动生产而艺术。只有到氏族社会的末期，艺术品才被卷入交换过程，而开始改变其原有的性质。

据民俗学的考察，舞蹈在氏族社会时代，已经有了很大的发展。这主要地是因为他们生长在真正自由平等的社会之中，在这样的社会中，没有“强凌弱，众暴寡，智欺愚，富侵贫”的事情，也没有“有财而不以相分”，“有力而不以相助”，“有智而不以相授”的事情，更没有有疾病苦难而不相扶持的事情。因此之故，他们愉快的情绪，发乎其心，动乎其容，不觉“手之舞之，足之蹈之，口之歌之”。所以传说中说，“伏羲”有“罔罟之歌”，“神农”有“丰年之咏”（《太平御览》引晋·夏侯玄《辨乐论》），“尧”有“击壤之歌”（《列子》），“舜”有“卿云之曲”（《太平御览》引《尚书大传》），“禹”有“九伐之舞”。这些传说，当然是后人想像之辞，因为当时的人，尚没有我们今日所有的乐曲，他们只是放开喉咙，尽情地歌呼而已。但这一时代之有歌舞，则是可以断言的。

我们可以想像，当他们举行大规模氏族祭的时候，这些氏族社会的男女，他们头上插着羽毛，颈上挂着大理石的饰珠，耳上带着石环或贝环，甚至在他们的皮肤上，用鲜艳的颜料，描绘着美丽的花纹，或者还带上假面具，他们成群地集合在共同的墓地，或者共同长屋之前，开始宗教的舞蹈。他们也许把石头当鼓打，把瓦缶当钟敲，把弓弦当琴弹，把竹筒当笙吹。他们就在神的面前，在祖先的灵魂面前，展开了狂欢大会。

但是，到“夏代”的末叶，情形便大大的不同了。

在这一时代，氏族的贵族们，他们在长屋的废墟上，建立起“金柱三千”之“琼室瑶台”，在那里肉堆成山，脯挂满林，酒池可以运船，漕堤可以望十里。这些氏族贵族，为了精神的享乐，于是开始宫廷的歌舞。在这样的歌舞场中，我们可以看出一方面，在大群的贵族面前，摆着“南海之荤，北海之盐，西海之菁，东海之鲸”，他们开始“牛饮”，另一方面，是女乐三万人，开始奏出“煖烂之乐，靡靡之音”，同时“侏儒倡优”演出“奇伟之戏”。而这就正是中国古代社会之前奏曲。

三　古代社会

第一章　殷族的起源与中国古代国家的成立

第一节　古代的世界与古代的中国

大约在纪元前一千七百年代前后，中国的历史，开始了一个巨大的变革过程。这一历史变革的结局，便是原始公社制的崩溃与殷代所创造的古代社会之出现。从这一时代起，遂开始“异贵贱，差贤不肖，经诽誉，行赏罚，则兵革兴而分争生，民之灭抑夭隐，虐杀不辜而刑诛无罪，于是生矣”(《淮南子 · 本经训》)[1]。

在这一时代，世界上大多数的人类，还是生活在人

[1] 安特生根据甘肃出土的新石器文化遗存考察，谓“甘肃考古所得各期，当起于纪前三千五百年而终于纪前一千七百年”。又谓：“适与此际相值者，盖夏代勃兴时也。”据此，则纪前一千七百年代前后，当为夏殷交替之际也。

类史上之野蛮时代乃至蒙昧时代。这些人类，他们仍然在海岸，河边，草原，森林地带，过着自由平等的快乐日子。他们“浑浑苍苍，纯朴未散”，“昧昧芒芒，吟德怀和”。他们虽已开始剖判天地，窍领万物，但栖迟于至德之世，尚未离其童蒙之心。只有在今日尼罗河流域的古埃及及今日美索不达米亚的古巴比伦，放出了历史上之文明时代的光辉。这文明的光辉，它烛照着最大多数的人类，走向奴隶的命运（插图三二）。

在今日依旧树立于埃及沙漠中的巍峨的金字塔，奇

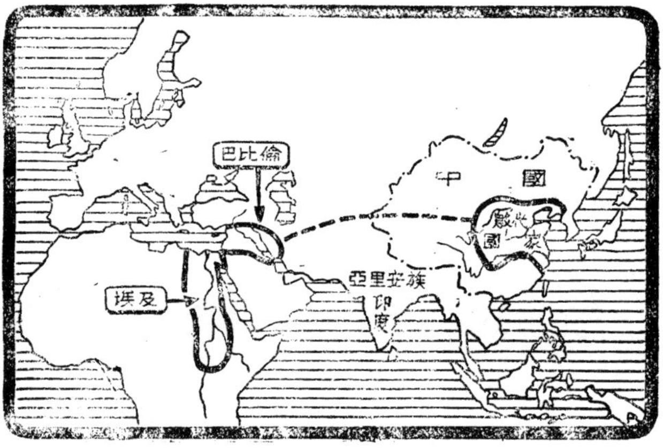

插图三二　古代世界图

异的“斯芬克斯”（Sphinx），摩天的“后亥特色素的方尖塔”（Obelisks of Hatsheptsut），都是埃及古代社会的遗物。我们看了这些伟大的历史遗存，一方面惊叹古代埃及文明之光辉的成就，另一方面，也想到当时，埃及的无数奴隶劳动者之悲惨的命运。

由于汉冒拉比王（Hammurabi）的首都之发现，巴比伦的历史，已能追溯到纪元前二千二百年代，而古巴比伦王拉那曼生（Naramsin）的胜利碑（Slegestele）及沙尔贡（Sargcz）圆石的相继发现，则可以上溯到纪元前三千年代。由于“汉冒拉比法典”之发现，我们已经确切地知道在纪元前二千二百年代，巴比伦的历史已经进入了有文字的时代。因为“汉冒拉比法典”是用楔形文字写在泥砖上，再加以烘烧的。此种楔形文字之出现，而且用以写成原始的法典，这正是巴比仑已经进入文明时代的特征。

此外，由于四世纪都市亚美拉（Tellel Amerna）的掘发中所发现的楔形文字之指示，使我们由此而知早在纪前一千四百年代，埃及与巴比伦就有着外交通信的关系。

这样看来，当中国历史走进古代社会的时代，在世界的另一角落，也有些人类，他们的文化也达到了与中国同样的历史阶段。尼罗河岸的塔影，底格里斯河岸的古碑，和黄河中游的兽骨龟甲文字，正是这一时代三大文化据点之特征。

这一时代的中国，在中原一带，如山西、河南、河北、山东、安徽乃至湖北的西北，远至江苏、浙江一带，都布满了“诸夏”之族。在西北一带，如甘肃、青海、陕西，北至宁夏、绥远，南至四川、西藏皆布满了“诸羌”之族。在正北一带如蒙古、察哈尔、热河、绥远、山西、河北之北部乃至北及贝加尔湖、东至黑龙江流域，都布满了“诸狄”之族。在今日新疆之塔里木盆地一带，也布满了由蒙古高原西徙的诸氏族之苗裔，在这里，甚至也有由中亚东来的人种及由甘肃西徙的“羌族”杂居其间。至于中国的西南山岳地带及东南沿海一带，则仍为“南太平洋系”人种滋生繁殖之所。这些“南太平洋系”人种其北徙的一支，甚至还有一部分始终停留于淮河流域而与“诸夏”之族杂处（插图三三）。以上分布于中国境内的诸氏族，其中除“诸夏”之族，已经渐渐走出

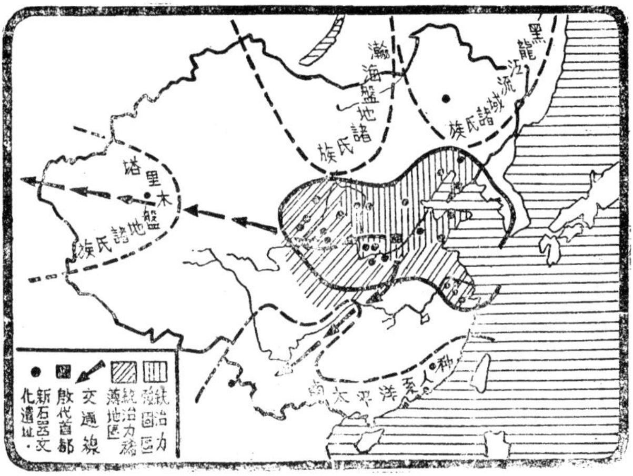

插图三三　殷商时代的中国图（盆地误作盘地）

野蛮时代的历史境界，向着历史上之文明时代迈进以外，其余诸氏族，都还是停止在原始公社制的历史阶段。

殷族就在这样一个世界，这样一个中国的环境中，展开了它的历史发展。它驱逐了“诸夏”，征服了“诸羌”，打通了与中国西南及东南的“南太平洋系”人种的氏族乃至与巴比伦的交通，在中国的黄河腹部，创造出崭新的青铜器文化，并且在这种文化的基础上，建立起前所未有的庞大的古代国家，揭开了中国文明时代之历史的帷幕。

第二节　史前的殷族——其出发点与分布区域

殷族何时才组成古代国家，典籍上并没有明确的记载，因而我们不能指出其绝对的年代。但我们从甲骨文字中所发现的殷代先公先王的世系，再证之考古学的发现及传说的暗示，可以约略地看出殷族历史发展之全过程，即殷族由新石器时代进到青铜器时代的过程，亦即殷族由氏族社会进到古代社会的过程。

根据传说所示，殷族最初的出发点，是在今日河北平原西北之易水流域。《楚辞·天问篇》云：“该秉季德，厥父是臧，胡终弊于有扈，牧夫牛羊？”又说：“恒秉季德，焉得夫朴牛？……昏微遵迹，有狄不宁。”《山海经·大荒东经》云：“有困民国，勾姓而食，有人曰王亥，两手操鸟，方食其头。王亥托于有易、河伯仆牛，有易杀王亥，取仆牛。”郭璞注引《竹书》云：“殷王子亥，宾于有易而淫焉，有易之君绵臣杀而放之，是故殷上甲微假师于河伯，以伐有易，灭之，遂杀其君绵臣也。”

以上传说中之季、亥、恒与上甲微，都是甲骨文中证实了的殷代远祖的名字。甲骨文中，常有“㞢于季”

的记载，王国维氏谓“季亦殷之先公，即‘冥’是也”。传说中谓亥与恒皆秉季德，则亥与恒可能都是季的儿子。故王国维氏谓亥，即《史记·殷本纪》中之“振”。至于同一王亥，而《山海经》作“亥”,《天问》作“该”,《史记》作“振”，此外《世本》作“胲”,《吕览》作“冰”，则系传写之讹误。因无论字形如何改变，而其人皆与“有易”及“仆牛”故事有关，故证明其同为一人。同样，同一“有易”，而或作“有狄”，或作“有扈”，则以“狄”“易”二字，古原不分。《白虎通·礼乐篇》云:“狄者，易也。”又《史记》上之“简狄”，索隐谓“旧本作易”。至于或作“有扈”者，则或系同一地方之不同时代的名称，否则即为有易附近之另一地名。总之，以上诸传说，都是暗射着同一历史内容，即殷族直至其远祖王亥时，还有一部分族类游牧于易水流域一带。近来，考古学家在易水流域之易州，发现了商代之三种句兵，又确切地证实了这一部分的殷族，直至青铜器时代，还是继续定住于易水流域一带。因此，我以为殷族之人种来源，与周口店山顶洞的文化创造者，似有若干关系。

殷族之开始向渤海沿岸移徙，早在旧石器时代之末。这已经从山顶洞文化遗存中的海贝之发现，获得确证。据《周口店山顶洞之文化》中有云：“山顶洞的海贝之出现，是一件富有兴趣之事。以今日的情形判断，此种海贝可能获得之最近地方，也须在距洞穴东南二百公里以外，古人之获得此物，若非间接得之于贸易，则须直接取之于渔捞。但不论如何获得，皆足以说明当时人类活动的范围，至少已伸展于距洞穴东南二百公里以外之地。”以今日的地理而言，实即渤海沿岸一带。所以一到中国历史上之野蛮时代，渤海沿岸，便布满了殷族的苗裔。

根据近来所发现的渤海沿岸的新石器遗址之分布的情形看来，殷族在渤海沿岸的发展，并非向着同一方向，而是一支沿海而北，一支遵海而南。大约到新石器时代中期，其北徙者，即布满了辽东半岛西南及朝鲜半岛西北之渤海沿岸。这一支人在今日辽宁的许多地方，如锦西的沙锅屯，旅顺的老铁山、郭家屯，大连的东老沟、貔子窝、傅家庄、柳树屯及抚顺乃至朝鲜等处，留下了丰富的新石器时代的文化遗存。其南徙者，则满布于山东半岛之沿海岸乃至腹部。这一支人，在今日山东的许多地方，如黄县的龙口，济南的城子崖及日照等处，也留下了不少的新石器时代的文化遗存。这两支人，他们隔海相望，南北对峙，在中国的东北，放出中国历史的曙光（插图三四）。

殷族南北分驰以后渐渐在渤海南北分化为无数氏族，这些氏族，传说中总称之曰辰国。《左》昭十七年传云：“宋，大辰之虚也。”按宋为商后，而《左传》谓其国为“大辰之虚”，则所谓“大辰之虚”者，实即“殷

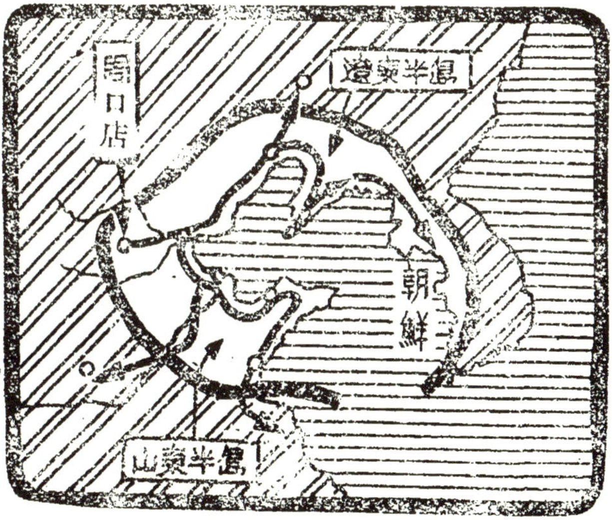

插图三四　史前殷族的分布图

墟”，以是而知殷在古代，实有“大辰”之称。证之《左》昭元年传有“辰为商星”之语，尤为可信。同时《后汉书·东夷传》谓：“韩有三种，一曰马韩，二曰辰韩，三曰弁辰……凡七十八国，……皆古之辰国也。”据此，则自山东半岛沿渤海而北以至朝鲜半岛，都是属于古辰国的领域。这些氏族之所以有辰国之称，以字义推测，或系因为他们都已达到了“磨蜃而耨”的经济阶段，以近代语译之，即农业氏族之意。[1]即因殷族在史前时代，有如此广大的分布，所以《诗·商颂》云：“相土烈烈，海外有截。”此所谓“有截”当系地名，甲骨文中已有“截”的地名之发现，惟此地究现在今日何处，无从考

[1] 甲骨文中，辰字有多种书法，如，，或如如。金文中亦有各种书法，如（散盘），如（伯仲父）。书法虽多，但大抵可以分为二类，即或呈磬折形，或呈贝壳形，盖即古者“磨蜃而耨”之蜃器。郭沫若氏谓“辰与蜃，在古当系一字，蜃字从虫，例当后起，盖制器在造字之前，辰即以蜃为之，故蜃亦即以辰为字”。又云：“要之，辰本农器，故农、辱、蓐、耨诸字均从辰，星之名辰者，盖星象于农事，大有攸关，古人多以耕器表彰之（西方亦称北斗为犁星），故大火为大辰，伐为大辰，北极亦为大辰（《公羊》昭十七年），更进则举凡星象，皆称为辰。”（见郭著《卜辞通纂》）

证，但必在海外，则可断言。[1]或即《左》定四年传所谓“相土之东都”？以今日地理言之，当在辽东或朝鲜。而且据《诗·商颂》云：“有截其所，汤（成汤）孙之绪。”则“有截”之地，为殷族的苗裔之所分布，又无可疑。总而言之，在新石器时代殷族业已广泛地分布于渤海沿岸，换言之，环渤海而居者，皆为殷族。其北徙者“巢山处海”，世称东夷；其南徙者“渐居中土”，是谓殷商。其实东夷与殷商，实为同一种族的分支。

殷族在史前时代，虽南北分携，但他们却创造了同一系统的新石器文化，这种文化以“黑陶”与“卜骨”之一般的存在为特征。据考古学的发现之启示，黑陶与卜骨两种文化，在史前时代，实有不可分离的关系，最

[1]“截”字甲骨文作“戕，”从爿地名。但王国维氏谓甲骨文中之“戕”，与虎𣪘之“截”及石鼓文之“𩛥”略同，“古文以为载字，殆即《春秋》隐九年伐载之‘载’。（此字《左传》作‘戴’，《公羊》《穀梁》皆作‘载’。《汉书·地理志》：‘梁国甾县，故载国。’今传汉封泥有‘载国大行’，是汉初尚名‘载’也。后汉改为考城，至今仍之，其地与亳为邻，卜辞之‘戕’盖是地也（今河南归德府考城县）。”我不同意王氏的这种解释，因《诗·商颂》明言“海外有截”，故“截”必在海外，而不在河南。向时甲骨文中之戕字从“爿”而虎𣪘之“截”及石鼓文之“𩛥”则皆从“食”，显系各为一字，亦即各为一地。故我以为海外“有截”之“截”，并非“载国大行”之“载”。

显要之证明，即在今日所发现的黑陶遗址中，皆有卜骨的遗存。就今日已发现之黑陶文化及卜骨文化之遗址而论，其分布区域，大概以山东半岛及河南东部为中心，北延及于辽东半岛，西播止于洹水及淇水流域。至于中国西北部之仰韶文化遗址中，则至今毫无痕迹可寻。由此而知此种文化，实为与“夏族”之彩陶与鼎鬲文化东西对峙之一个独立的文化系统。

最典型的黑陶文化与卜骨文化，近来已经发现于山东济南之城子崖的遗址，[1]但据我的考察，在辽宁锦西之沙锅屯遗址，亦有此种文化之存在。[2]若单就卜骨而

---

[1] 李济《城子崖发掘报告·序》中云：“(城子崖)下层文化，为完全石器文化，陶器以手制为主体，但亦有轮制者。所出之黑陶与黄粉陶，技术特精，形制尤富于创造。”又云：“城子崖最可注意之实物为卜骨。由此城子崖文化与殷墟文化得一最亲切之联络。下层兼用牛鹿肩胛骨，上层只用牛胛骨，故上下两文化层，虽属两个时期，实属一个系统。”

[2] 安特生《沙锅屯洞穴遗址》中云：“沙锅屯之陶器，皆用手制，间有一二碎片，似为轮制者。”又云：“第十一版三图所示，与他陶片有特异处……初视之，极似黑皮。”又云：“单色细陶器……土之结合甚松，以指磨擦，则黄粉屑屑落。”此种“极似黑皮之陶片”及“黄粉屑屑落”之陶片，我以为即城子崖文化中之黑陶及黄粉陶。安氏又于同书中云：“九版九图，乃一个细长之器，由骨劈裂两边后将劈裂处磨光而成者。其一端稍窄而圆，他端有裂痕。”我以为这一劈两开的骨版，可能是用于卜筮的。

言，则东传至日本，[1]北传至通古斯[2]及西伯利亚之滨海民族。[3]

史前殷族的诸氏族，不但创造了属于同一系统的文化，而且还保有共同的原始传说，鸟生的传说。如殷族自谓其始祖为“玄鸟”所生，[4]而北夷橐离国，[5]徐夷[6]及高丽[7]皆有卵生的传说。此外如殷商、高句丽及扶余皆与“河伯”有关，而“河伯”者，我以为即殷之祖“冥”，亦即

[1]《后汉书·东夷传》谓倭人“灼骨以卜，用决吉凶”。

[2] 同上书谓“(夫余国)有军事亦祭天，杀牛，以蹄占其吉凶”。

[3] 见李济《城子崖发掘报告·序》。

[4]《诗·商颂》云：“天命玄鸟，降而生商。”

[5]《论衡·吉验》篇云：“北夷橐离国王侍婢有娠，王欲杀之，婢对曰，‘有气大如鸡子，从天而降，故我有娠。’”

[6]《搜神记》云：“古徐国宫人，娠而生卵，以为不祥，弃之水滨。有犬名鹄苍，衔卵以归，遂生儿为徐嗣君。”

[7]《魏书·高句丽传》云：“高句丽者，出自扶余，自言先祖朱蒙。朱蒙母河伯女，为扶余王闭于室中……既而有孕，生一卵，大如五升。”(此传说并见于高丽好大王碑，高丽王氏朝金富轼撰《三国史记》，朝鲜旧《三国史·东明王本纪》及《清太祖武皇帝实录》等书。)

甲骨文中之“季”，[1]由此又证明他们是出发于一共同祖先。

不仅如此，环渤海而居的殷族，直至有史以后的时代；他们还保有共同的宗教信仰。如殷人有崇拜天帝的信仰，[2]而扶余[3]、涉[4]、韩[5]亦有此种信仰。

这些文化相同，宗教信仰相同以及保有共同传说的殷族，他们在整个新石器时代，都在渤海南北，繁育滋长，或罔罟而渔，或弓矢而猎，或磨蜃而耕，或畜牧牛

[1] 如上注所云，高句丽出自扶余，而扶余王与河伯女有关，是高句丽及扶余皆与河伯有关。同时《山海经》郭注引《竹书》谓：“上甲微假师于河伯以伐有易。”是殷商远祖亦与河伯有关。此所谓河伯，余以为即《山海经》中所谓“河伯仆牛”之“河伯”，实即传说中之殷的远祖“冥”。因为在传说中殷之远祖，只有“冥”与“河”有关。《竹书》谓“少康十一年使商侯冥治河”。又云：“后杼十三年冥死于河。”故我以为所谓“河伯”实即传说中之“商侯冥”。而传说中之“商侯冥”近来已被证实即甲骨文中所发现之殷的远祖季。《国语》云：“殷人禘喾而郊冥。”正与这一事实相符合。

[2] 殷人崇拜天帝，见于传说，亦见于甲骨文字。如《书·盘庚》上云：“天其永我命于兹新邑。”《盘庚》下云：“肆上帝将复我高祖之德。”甲骨文中亦常有“帝受我又（祐）”之记载。

[3]《后汉书·东夷传》云：“（扶余国）以腊月祭天，大会连日，饮食歌舞，名曰迎鼓。”

[4] 同上书云：“涉……本皆朝鲜之地也……常用十月祭天，昼夜饮酒歌舞，名之曰舞天。”

[5] 同上书云：“（韩）主祭天神，号为天君。”

羊，由渔猎生活，逐渐进到农牧生活。此种殷族，因其后来分化为许多氏族，故传说中称之为“九夷。”[1]“九夷”者，即“群夷”之谓，其实夷之族，并不止于九。殷族亦被称为夷。如传说中称商之居为夷居，[2]纣之居亦为夷居，[3]称纣为纣夷，[4]称纣之人为夷人，[5]由此足证所谓夷族者，实即殷族。

大约在新石器时代末期，亦即传说中之“夏代”的初年，殷族便开始由山东溯黄河而西上，所谓“太康失德：夷人始畔”（《后汉书·东夷传》），正是暗示这一历史内容。到传说中之“夏”的末叶，便展开了积极的西进，所谓“桀为暴虐，诸夷内侵”（《后汉书·东夷传》），正是暗示这一历史内容。《史记·殷本纪》中所谓“自契至汤八迁，汤始居亳”，又正是说明殷族自渤海沿岸

[1]《后汉书·东夷传》谓：“夷有九种，曰畎夷、于夷、方夷、黄夷、白夷、赤夷、玄夷、风夷、阳夷。”

[2]《逸周书·祭公解》云：“用夷居之大商之众。”）

[3]《墨子·天志》篇引《太誓》云：“纣越厥夷居而不肯事上帝。”同书《非命》篇引《太誓》云：“纣夷处不肯事上帝鬼神。”

[4]《逸周书·明堂解》云：“周公相武王以伐纣夷，定天下。”《墨子·非命》篇引《太誓》云：“纣夷之居，而不肯事上帝鬼神。”

[5]《左传》引《太誓》云：“纣有亿兆夷人，离心离德。”

北徙辽东，南徙山东以及由山东西徙河南之过程。据王国维考证，此八迁，实即转徙于蕃、砥石、商邱、殷、亳五地之间，而此五地者，又皆位于山东、河南之间。[1]我对于王氏的这种考证，不能同意，因为根据以上所云，在“相土”以前，殷族的迁徙，尚在渤海沿岸一带，故最初之迁徙，当系指渤海沿岸之转徙。至于在山东、河南一带的迁徙当在“相土”以后。

第三节　殷族的大征服与夏族的大移动

殷族之进入黄河腹部，大约在传说中之汤的时代。

[1] 据王国维云：“今考之古籍，则《世本·居篇》云：‘契居蕃。’契本帝喾子，实本居亳。今居于蕃，是一迁也。《世本》又云：“昭明居砥石，”由蕃迁于砥石，是二迁也。《荀子·成相篇》云：“契玄王生昭明，居于砥石，迁于商。”是昭明又由砥石迁商，是三迁也。《左》襄九年传云：“陶唐氏之火正阏伯居商丘，祀大火而火纪时焉，相土因之，故商主大火。”是以商丘为昭明子相土所迁。又定九年传云：“祝鮀论周封康叔曰，取于相土之东都，以会王之东搜，”则相土之时，曾有二都。康叔取其东都以会王之东搜，则当在东岳之下，蓋如泰山之祊，为郑有者，此为东都，则商丘为西都矣。疑昭明迁商丘后，相土又从泰山下，后移归商丘，是四迁五迁也。《今本竹书纪年》云：“帝芬三十三年，商侯迁于殷，”是六迁也。又“孔甲九年，商侯迁于商丘”，是七迁也。至“汤始居亳，从先王居。”是八迁也。（《观堂集林》卷一二，第一页）

《孟子》谓“汤始征，自葛载，十一征而无敌于天下”。《诗·商颂》云：“武王载旆，有虔秉钺。”又云：“韦雇既伐，昆吾夏桀。”这些传说，正暗示殷族在汤的时代，已开始征服山东河南交界处的“诸夏”之族，在后来，并进而击溃“诸夏”之族的首脑部，代替“夏族”而成为中原文化之主人。

“夏族”虽然被殷族所征服，但并不是被消灭。他们大部分与殷族同化，而其余则分向三个方向退却。其原住徐淮一带的“夏族”，则继续南徙于吴越。传说中谓汤伐桀于鸣条，擒之焦门，放之夏台，死于亭山。[1]又谓“桀与妹喜同舟浮江，奔于南巢之山而死”（《淮南子》）。这些传说，都是暗示夏殷之际，“诸夏”南迁吴越的事实。其原住豫西一带的“夏族”，则被迫而南徙荆楚，与原住荆楚的“诸夏”合流，他们驱逐“南太平洋系”人种而据有其地。其原住山西及河南西部的“夏

[1]《淮南子·主术训》云：“汤革车三百乘，困之鸣条，擒之焦门。”同书《本经训》又云：“汤以革车三百乘，伐桀于南巢，放之夏台。”《荀子·解蔽》篇云：“桀死于亭山。”

族”，则大批地退回西北一带，是为后来之“鬼方”。[1]传说中谓：“夏桀无道，汤放之鸣条，三年而死，其子獯粥，妻桀之众妻，避居北野，随畜转徙，中国谓之匈奴。”（《史记·匈奴列传》索隐引乐彦《括地谱》）这一传说，正暗示“夏族”在夏殷之际，向西北方向退却的事实。但这一支由中原西退的“夏族”并非匈奴，因匈奴为北狄，而此则“诸夏”之族。

“诸夏”之族，虽然分途向边远的地方退却，但他们仍然是殷族可怕的邻人。尤其鬼方，当它退回西北与“西夏”合流以后，成为殷族的劲敌。为了彻底地征服“诸夏”之族，殷族在其进入中原以后，又对诸夏之族发动了一连串的战争。它南征荆楚，[2]西伐鬼方，[3]并且远征

[1] 鬼族为夏族中最大的一个氏族，他们分布于山陕河南之交，故这一带被称为鬼州。《左》昭四年传云：“四岳、三涂、阳城、大室、荆山、中南、九州之险也，是不一姓。”此所谓“九州”，实即“鬼州”。又《左》昭二十二年传云：“晋籍谈、荀跞帅九州之戎。”此所谓“九州之戎”，实亦“鬼州之戎”。又《史记·殷本纪》正义引《括地志》云：“相州洛阳县西南五十里有九侯城，亦名鬼侯城，盖殷时九侯城也。”由此，我们因知鬼族分布之广，而且直至殷代，洛阳附近，尚为其大本营。

[2]《诗·商颂》云：“挞彼殷武，奋伐荆楚。罙入其阻，裒荆之旅。”

[3]《易卦·爻辞》云：“高宗伐鬼方，三年克之。”甲骨文中，亦有伐鬼方之记载。

西夏，使氐、羌之族，来享来王。[1]于是殷族遂“奄有九有，处禹之堵”，完成了广大的疆土之开拓。

在这样一个广大的征服之下，“诸夏”之族几乎都变了殷族的臣属，而这在中国历史上，便是一个用夷变夏的时代。当时除了分布于中国东南及西南的“南太平洋系”诸氏族，因为中间隔有“诸夏”之族，未被征服。分布于新疆及蒙古的诸氏族，因为中间隔有“诸羌”之族，或由于地理的关系，亦未被征服。其余整个的中原，西北陕甘一带及殷族之故乡，渤海沿岸一带，皆已入于殷族统治之下。为了把这无数血族不同的氏族，放在一个权力的统治之下，国家遂在这种客观要求之下出现了。

国家的出现，当然不仅是种族对种族之征服的结果。最主要的，还是社会生产力的发展，达到了与原始公社制的生产关系之决裂的程度。换言之，即社会经济的发展，已经达到了由原始公社制转向奴隶制的时代，古代的国家，才能出现。

如前所述，在夏代的末叶，我们已经看到在其生产

[1]《诗·商颂》云：“昔有成汤，自彼氐、羌，莫敢不来享，莫敢不来王，曰商是常。”

发展阶段中，人类的劳动生产力，就能产生超出生产者自己生活所需要的生产物。我们也看出这个阶段，大概是相当于分业及个人交换之开始的时期。依据历史的原理，差不多人类的交换一经开始，人类自身也就被交换了。

另一方面，在新石器时代，殷族的文化与“夏族”的文化，是两个平行发展的文化系统。从他们的文化遗物上所表现的技术看来，他们的生产力原是相颉颃的。而且在新石器时代的晚期之末，殷族生产力的水准，已经超越夏代了，这从小屯出土的遗物，可以看出来。殷族就挟着他们较高的生产力，向“夏族”展开了征伐。在不断的征伐战争中，殷族又从“夏族”诸氏族中，获得了不少的财富——贝玉、畜群和俘虏，并且开拓了广大的疆土，以及由此而来的贡纳。依据历史的原理，劳动生产力之发展，财富之增加，以及生活领域之扩大，必然要引起奴隶制的。

因此我以为在传说中之汤的时代，殷族就可能形成了中国最初的种族国家。不过这并不是说，在当时，整个的中国，都已从氏族社会转向古代社会，而只是说，进入黄河腹部的殷族，已经转向古代社会。根据历史事实考察，通过殷代历史的全时期，散布于中国东南沿海，及西南山岳地带的南太平洋系诸氏族，散布于中国西北及正北之“蒙古高原系”诸氏族，乃至殷族的故乡渤海沿岸诸氏族，都仍然保持原始公社制的社会经济体制。至于中原一带的“诸夏”之族，甘肃、青海一带的“诸羌”之族，虽然在政治上从属于殷族的国家，而作为其国家构成之细胞，但在经济上，还是保持其原来的氏族制的社会经济机构。因此，在当时，那些被征服的诸氏族，一方面，在其社会内部，还是保持其以血缘关系而结合之氏族社会的组织；另一方面，从他们的外面，却来了一个国家的权力，压在他们的头上。一方面，在他们的内部，还是劳动与所有的统一；另一方面，在他们的外部，却来了一种贡献的剥削，成为氏族成员之共同的负担。一方面，原来的氏族首长，对于氏族内部，还是族长的身份；另一方面，原来的氏族首长，对于殷代的古代国家，却是一个相当于殖民地总督的地位。这样一来，于是在氏族社会的经济基础之上，出现了“国家”，出现了“剥削”，因而表现出政治形态与经济基础不相适应的现象。这种现象，就使得许多历史家为之陷于苦闷。

实际上，这并不是历史的奇迹，也不是中国史上的特殊，而是古代国家形成过程中之一般的必然的历史现象。古代希腊罗马对于其小亚细亚及其他各处的殖民地，也是表现为这样的关系。历史的原理，指示我们，征服者是被限制于被征服者的社会机构，他必须依照被征服者原来的社会经济组织，才能行使最方便的剥削。这样的历史原理到现在，还被帝国主义所应用。同时武装的征服，只能改变政治的关系，它不能在一个胜利的冲锋之下，而使对方的社会经济，跟枪锋所向，而立即完成其向于更高形式的转化。自然，政治的力量，也可以反作用于社会经济之改变。当许多氏族成为殷代种族国家之隶属时，他们同时也就变成了繁荣殷代奴隶制经济的养料，因而使殷代奴隶制经济更为发展。反之由于殷代奴隶经济之更为发展，它又加强了对被征服的诸氏族之社会经济的影响，因而又加速了他们向着奴隶制经济之转化的行程。这样交互的历史作用，遂完成了殷代种族国家的建立。到盘庚时代，殷代的种族国家，便达到了完全的成熟时期。

以上我说明了殷代所处的世界环境、中国环境、殷族的种族来源，以及殷族从原始公社制走向古代社会的历史过程。从这里，我们对于史前的殷族，以及殷代种族国家之发生的过程，可以得到一个简略的概念，而这种概念，对于我们研究后来殷族之奴隶制经济，是必须具备的知识。

近来甚至有人否认中国曾经有过古代社会这一历史阶段。他们以为中国历史，是由原始公社制直接转入封建制。这种主张者，是把古代社会当作一种地方的特征，而不把它当作人类社会的历史发展中之不可缺少的一环。实际上，封建社会决不能从原始公社中直接发展出来。因为封建社会下面的农奴劳动，是以社会生产力之更高发展为前提，而原始公社制的本身，一般是限制在生产力之低度的水平下，它决不能把更高之发展阶段的农奴劳动提供出来。古代社会的历史任务，就在于使存在于原始公社制社会内部的农业共同体崩溃，而造成封建制之直接前提，即大土地所有与个人化的生产。所以古代社会是原始公社制与封建制之间的历史必要的中间之一环。

人们也许会提出日耳曼人的历史，以为原始公社制直接跃入封建社会之例证。但具体的史实指示我们，日耳曼人的历史，也不是由原始公社制直接跃入封建制，它是在罗马奴隶制的影响之下，通过了奴隶制的历史影响，并且已经进到了未发达的奴隶制。所以它才能在罗马奴隶制的废墟上，建立起封建社会。总之，没有奴隶制劳动，便不能提供出农奴劳动的生产水准，因而也就不能出现封建社会。因此，在全世界，任何文化民族的历史发展，都曾经有过奴隶制。根据具体的历史资料考察，中国的历史上，也并不空白奴隶制。殷代的历史，正是中国史上之奴隶制经济的阶段，殷代的社会，正是中国的古代社会。

第二章　殷代的社会生产力

第一节　殷墟出土的青铜器文化

从“夏代”即已发明的黄铜文化，便已经发展为高度水准的青铜器文化。这种文化遗存，晚近几十年来，已于殷墟有了大量的发现。无论从量与质哪一方面考察，都证明了殷代的物质文化，已进到了高度发展的青铜器时代。

根据《殷墟发掘报告》，在殷墟的遗址中，到处都可以看到“红烧土块，木炭，将军盔，炼渣，铜范（插图三五）和未冶炼过的铜矿砂”。[1]在某一坑内，“铜范出土逾百，铜锅出土数十”。[2]“有些铜范上，尚有铜锈

[1] 见刘屿霞《殷代冶铜术之研究》。

[2] 见刘屿霞《殷代冶铜术之研究》。

插图三五　殷墟出土的铜范

的遗留，可以证明它们是已用作铸过铜器”。[1]同时，“炼渣与木炭，往往杂有镕铸的铜块。不成形的铜块，也得了不少”。[2]此外，在“殷墟文化层内，常有未曾冶炼过的铜矿砂发现。一九二九年秋季发掘殷墟，又得着一块较大的孔雀石铜矿，重一八点八公斤”。[3]这些铜矿的冶炼遗址或遗迹的发现，使我们可以想到当时安阳附近一带有多少炼铜场，在成天的从事于青铜的原料之生产，从而也可以想到在安阳以外之其他属于殷代的城

[1] 见李济《小屯与仰韶》。

[2] 见李济《小屯与仰韶》。

[3] 见刘屿霞《殷代冶铜术之研究》。

市，也一定有这样的炼铜场的存在。

又据殷墟发掘报告，在殷墟的发掘中，曾发现每次能炼出一二点七公斤纯铜的炼锅，而且还发现一块二七点八公斤的炼渣。这种大型的炼锅与大块的炼渣之发现，又使我们可以想到当时炼铜厂的冶炼规模之宏大，因而又指明了当时青铜的原料之大量的生产，从而又指明了当时手工业制造对青铜需要量之大。

适应于青铜之广泛而大规模的冶炼，殷代的各种日用器皿、祭器及兵器，大概都已用青铜制造。据罗振玉《殷文存》所收集的七百余种铜器中，其中即有二十种不同形式的器皿，如爵，卣，尊，瓮，觯，鼎，敦，觚，盉，角，斝，甗，匜，壶，鬲，罍，奁，盘，觵，豆等（插图三六）。这些不同形制的青铜器皿，大概皆用作祭器或日用的盛器，而这在"夏代"，都是陶器充任的。由此足见殷人之处理青铜，与"夏人"之处理泥土，已经具有同等的纯熟。而且从其形制的多样化看来，殷人之制铜的技术，甚至超过了"夏人"制陶的技术，这当然是社会生产力之极大一步的发展。

除日用器皿及祭器已由陶器发展为青铜器以外，以

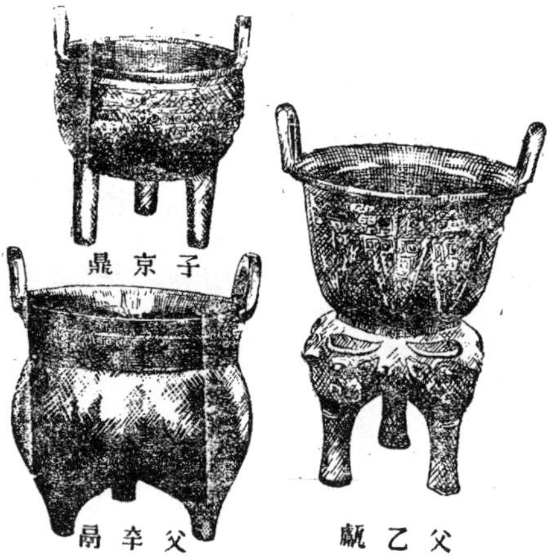

插图三六　殷墟出土的青铜器

前由石制或骨制的武器，现在也用青铜代替了。在殷墟中已经发现了铜戈铜矛铜镞等武器（插图三七）。殷代的铜戈，已由无穿无胡，进化到单穿带胡的形式，而这到春秋时代，便更进化为三穿四穿而又带胡的形式。殷代的铜矛，已由矛间的空隙大到矛尖的形式，进化到止于安柄的一段。殷代的铜镞，已由圆锥式及扁平式的石镞，进化到对状或倒须式的形式。这到春秋时代铜镞的形式，便进化为三棱式了。从这些武器之制作技术的发

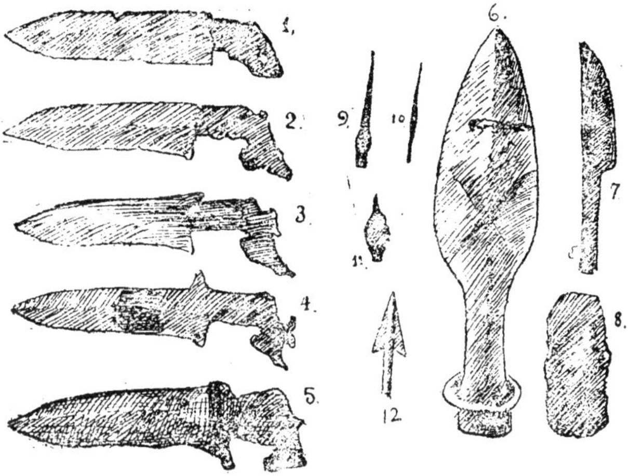

插图三七　殷墟出土的青铜武器　1~5 图为铜戈，6 图为铜矛，7 图为铜刀，8 图为铜斧，9~10 图为铜锥或铜针，11~12 图为铜镞。

展过程，也可以显出青铜文化之高度的发展。

此外，殷代的主要劳动工具，也都用青铜制造，据《殷墟发掘报告》，在殷墟中，曾发现铜斧、铜锛、铜刀、铜锥、铜针等器物。而这些劳动工具，在“夏代”，大半都还是用石制或用骨制的。

惟青铜器之农耕工具，则迄无发现。因而有人以为殷代之青铜器的使用范围，仅限于食器祭器，兵器，乃至艺术创造的工具方面；而于农业，及一般的手工业，则仍系使用石器。这样说来，则殷人是用石器为工具来创造高度发展的青铜器文化，这诚如吕振羽氏所云："石器所代表的生产力，能产生高于其自身的艺术文化，却不是我们这个人类的历史中所能发现的。"此外，因为殷墟所发现的青铜器皿中，祭器较多，日用器皿较少，因而又有人怀疑，殷代的青铜器，只用于祭祀神灵和祖先，而人民之日用器皿，则仍是陶器和石器等。这样说来，则无异说石器时代的人民，却能替他们祖先创造出一种青铜器文化的供奉。而这在现实的历史中，也是找不到的奇迹。

在现实的历史中，劳动工具的发展，是一切其他的文化创造之发展的前提；而最主要的劳动工具，却是农耕器具和手工业制造之基本的生产工具。有了进步的农耕工具，才能提供当时的文化创造者以生活必需之物质条件；有了进步的手工业制造之基本的生产工业，才能使进步的文化创造有现实的可能。所谓衣食足而后礼乐兴，前者之谓也；所谓工欲善其事，必先利其器，后者之谓也。同样，一切用于祭祀的礼器及殉葬的冥器，都是当时人类日用器皿之复制。换言之，即决不是先有祭器和冥器，而后才有当时人类之日用器皿，而是先有活人的日用器皿，然后才把这种器皿依形模制，送进死人的坟墓和神灵与祖先的祭坛。由此，吾人可以断言，在殷代一定有青铜制之农耕工具和最完备的手工业制造之基本生产工具。同时日用器皿，也决不会少于祭器和冥器。我相信我的这种假定，在将来一定可以被考古学的发现证实的。

依据考古学家的意见，金属原料之用于箭镞的制造，这就证明了这种金属在当时已经达到了最普遍最便宜的时候。因为箭镞一经射出，便不容易收回，非有大量的制造，即不能填补这样的消耗；非达到最便宜的生产价格，便担负不起这样的损失。即因如此，所以有许多虽然已经进到青铜器时代的人群，他们仍然使用石制和骨制的箭镞。在殷墟，虽然也还有骨镞和石镞的发现，但这恐怕已经是残余的东西。这从形制上亦可看出，因为殷墟的石镞和骨镞均未带翼，这比之双棱带翼的铜镞，当然是一种古典的形制。殷代尤其是殷末，恐怕已经完全使用铜制的箭镞。殷代既以铜为箭镞，则断无不以铜为农耕工具及手工业工具之理。

董作宾氏根据骨臼刻辞考证，在武丁时代，仅在短期之内，其所颁发的铜矛，“有数可计者共有四百零五支”，而且“这仅仅是武丁时代所铸造的兵器之一小部分中而又矛数有记载可稽者”(《帚矛说》)。由此推而远之，则武丁时代所铸造的铜矛，其无数可稽者，尚不知有若干？其在武丁以前及其以后所铸造之铜矛，又不知有若干？其矛以外之其他的兵器的铸造，更不知有若干？由此可知殷人所铸造的铜制兵器的总生产量之庞大。殷人在兵器上既已广泛地应用青铜，则亦断无不以铜为农耕工具及手工业工具之理。

殷代的青铜器，不仅在形制上，表现为多种的式样，而且从其器物上之精细而富丽的镂刻看来，并表现出高度的艺术之成长。如《殷墟古器物图录》中第三十九图所示之铜器断片，上缀富丽之雷纹，并嵌以碧绿之宝石，其制作技术之精巧，至今令人惊叹。又“如《考古图》所录亶甲墓旁所出之足迹罍，虽周代重器亦无以过之”(马衡《中国的铜器时代》)。又如墓葬中铜觚的花纹，亦至为繁复而细致(见《殷墟发掘报告》第二期图版十五)。此种古铜器上的花纹，在甘肃出土的小铜器上，是完全没有的。这些都表现了殷代已有高度的制铜艺术。

由于铜器上之精细的镂刻，以及龟甲兽骨上之细如发丝的文字之契刻，证明了当时有着锋利的工具之存在，从而当时的人民对于青铜之锤击与锻炼的技术，也一定达到高度的发展。

总上所述，如炼铜遗址之普遍，炼铜规模之宏大，铜器的种类之繁多，铜器的应用之广泛，铜器的生产量之庞大，铜器的制作技术（如选矿，冶炼，范铸，镂刻，锤击等）之精巧等，实足以确切地证明殷代已经是青铜器文化时代。

第二节　殷代是青铜器时代还是石器时代？

与青铜器并存，在殷墟中，又发现了大批的石器和骨角器物及陶器等，而且在数量上，石器反而多于铜器。因而有人以为殷代还是新石器时代，从而以为殷代社会，还是氏族社会。这样说来则殷墟出土的青铜器，便成了无法说明的奇迹了。因为如果认为殷代还是石器时代，则石器时代的生产力，决不能产生出比它自己更高的青铜器文化。如果一面认为殷代是石器时代，一面又认为青铜器是与石器并存的文化，则只有把青铜器解释为外来的文化。然而根据具体的历史，在殷代的当时，并没有比它具有更高的文化水准之种族的存在，因而这种解释，便不能成立。此外则唯有把殷墟出土的青铜器，解释为殷以后的时代之文化，掺入于殷墟之中者。然而在殷墟出土的青铜器上，又明明镂刻着与甲骨上同样的象形文字，因之，此种解释，更不能成立。所以，我以为这样的见解，是不正确的。

这种主张之不正确，是根源于其出发点。因为他们的唯一根据，即石器多于铜器，换言之即完全从石器与铜器之量的比例上做出来的结论。但是如果要正确地判断两种并存的文化之或为支配的文化，或为残余的文化，除了它们的量以外，还要顾到它们的质。而且唯有从质的方面，才能判别它们之或为支配，或为残余。如果单从量的方面考察，则所看到的，只是石器与铜器的一般，而不能看到它们各自所处的发展阶段，更不能看出它们之间的历史距离。因而结果石器就是石器，铜器就是铜器，从而做出了谁的量多，谁就是支配文化之机械的结论。

据李济氏报告，殷墟出土的“石器之多，不亚骨器，它们的用途较广，有类似陶器之容量器，如皿等。武器有镞、矛头与枪头。用器有刀、斧、杵、臼、磨、石等，礼器有瑗、戚、璧、琮等。乐器有罄。并有作猪，鸟，人像以作祭礼建筑或装饰的应用。或琢成特种花纹镶嵌于他物作装饰品”。[1] 从这里，我们可以看出殷墟出土的石器，大概可以归纳为如次的三类。

第一类，是前期的遗存，在殷代已完全废而不用的，如武器中之镞、矛头、枪头，及用具中之若干器物，如石粟凿乃至某种石刀和石斧等。因为根据李济的报告，石镞只见过两次，石粟凿只见过一次，此种一见两见的东西，其为稀少的古物，自可想见。而且就形制而论，殷墟出土的石粟凿，与仰韶出土的，完全相同，都是双眼月牙形。石镞的形制，虽略有改变，但亦不似为青铜器时代之产物。因为从这种石镞到双梭带翼的铜镞之间，还有一个带须石镞的阶段。至于石刀，虽出了过千，石斧也有很多发现，但其形制则甚简纯，大概皆系一种单

[1] 李济《安阳最近发掘报告及六次工作之总估计》。

孔斧与单孔刀，此类石斧与石刀，在仰韶文化中即已有之，亦不能证明为殷人之新的创造。至于石制的盛器，更当系前期的遗存，因为当人类发明陶器以后，便不会浪费劳动力去雕琢一种石头的盛器。而且殷代的青铜盛器已有二十种以上的形式，其种类之繁多与形式之复杂，以与石制之皿相较，已不可同日而语。若谓殷代尚为石器时代，则石器的种类与形制，应较铜器为复杂，然而事实恰恰相反，足证石器已为残余。

第二类，是仍然被殷人当作辅助的生产工具而使用于生产领域的石器，如用具内之某些石斧、石刀、石杵、石磨等。因为青铜器并不完全排除石器，甚至铁器也不能完全排除石器。直至我们的今日，而石臼石磨之类的东西，还是普遍的被使用。但是石器在殷代已经逐渐从主要的生产任务中被排除出来，则是必然之事。进步的工具驱逐落后的工具，这是历史的原理。因此，我们固然不能说，殷墟出土的石器，都是垃圾堆里的废弃物，我们也不能只要看见了石器，便说殷代是石器时代。

第三类，是在青铜器文化基础上所创造出来的发展了的石器。这一类的石器，都不是生产用的工具，“有的是一种艺术的创造，有的是一种宗教的寄托。这些东西到周朝的时候，好些都用玉作。譬如璧、琮、戚一类的礼器，相传在周朝的时候都用玉琢，在殷墟所见的，仍为石制”。此外如石刻的猪、鸟、人像，大概不是用作建筑的装饰，便是用作宗教的寄托。而石器的这一方面之发展，一直到我们的今日，还是继续着。因而也不能当作殷代是石器时代的物证。

总之，石器在殷代，已经逐渐从生产领域中脱退出来，一部分，沉淀而为历史的残滓；一部分，升华而为艺术的创造；更有一部分，则仍以残余的形态而作用于当时劳动生产之辅助，而且逐渐减低其辅助的作用。从这里，我们就可以看出石器在殷代的地位，从而也就可以了然殷代不是石器时代。

至于殷墟出土的石器，在量的方面，多于铜器一点，过去曾有许多学者企图解答这一问题。吕振羽氏曾引据《逸周书·世俘解》中“武王俘殷旧玉亿有百万”一语，谓“周族攻入殷都后，凡殷都所有之祭器、兵器、食器等有价值之物品，必尽数囊括以西”。[1]吕氏的这

[1] 吕振羽《殷周时期的中国社会》二六页。

种假说，揆之情理，也许是可能之事。不过我以为我们用不着去寻找这样的解释，因为所谓殷墟的石器多于铜器，只是就现阶段的发掘结果而言，而现阶段的发掘，其范围，并未及于殷墟之全部，因此，石器与铜器的比例，也只是一种暂时的假定。如果要确定他们之间的比例，则有待于将来更大规模之地下搜查。据《殷墟发掘报告》，谓“殷墟出土的铜器，仅是很少的几件，铜范的数量，倒是不少”。[1] 以情理推测，一个铜范，可以范铸无数的铜器，铜范既多，则铜器必更多。同时如前所述，殷墟曾发现无数冶铜的遗迹，而且有大型的炼锅之存在，这些都说明了当时青铜器之大量的生产，这些青铜的生产量，又必然是适应于铜器制造之需要。从这种种的方面，我们都可以断言，在殷墟的地层中，一定还埋藏着大量的青铜器，如若尽数发掘出来，在量的方面，是应该多于石器的。

或有人说，即使殷墟的文化，是属于青铜器时代的文化，但亦只能证明此种文化所代表的时期，是盘庚以后的时代，因而在盘庚以前之殷代，则仍为新石器时代。

[1] 刘屿霞《殷代冶铜术之研究》。

此种主张者之唯一根据，即因今日之所谓殷墟，乃系盘庚以后的都城，而晚近所发现之殷代青铜器，又皆得之于殷墟。以是而判定殷代之转入青铜器时代，乃在盘庚以后，似乎不为无据。

但是我以为一种文化，决不能突然的发生，而又于转眼之间，突然发展为高度的水准。依据历史的原理，一种文化从其发生到它的高度发展，其间必须经过一个长期的发育成长的过程。根据考古学的发现，中国早在新石器时代之辛店期，便出现了铜器。但这种铜器，是黄铜器，不是青铜器。而且这一时代的黄铜器物上，“全没有像殷商所出象牙刻纹或古铜器的花纹”。这两种反面的证据，就证明了新石器遗址中出土的最发展的铜器，也要早于殷墟出土的青铜器若干世纪。[1]至于殷墟出土的铜器，不仅是由黄铜器发展为青铜器，而且还镂刻着特征新的历史时代之雷纹与饕餮纹，有些还铭刻着象形文字。从这里，我们就可以看出，甘肃出土的铜器与殷商铜器之间，有着一个很大的历史距离，而这种历史距离，正是由黄铜器过渡到青铜器的历史实践所需要

[1] 参看安特生《甘肃考古记》三一页及《殷墟发掘报告》第三期三四四页。

之时间。但这在中国考古学上，还是一个很大的缺失。

如前所述，殷墟出土的青铜器，已经不是低级水准的青铜器，而是高度发展的青铜器。无论从其形制[1]抑或从其数量与种类[2]乃至从其所表现之艺术看来，都证明它确已臻于完全成熟的时期。像这样高级水准的青铜器文化之出现，诚如李济氏所云："这不是短时所能做到的。易言之，殷商的铸铜业，没有长期的培养，决不能达到这种境界。"从这里，我们又可以想到从黄铜器过渡到青铜器以后，青铜器文化本身，又必然经过了一个相当的时期，才由低级的水准进到殷墟出土的高阶水准的青铜器时代。而这一青铜器文化本身发展的历史过程，在中国考古学上，也还是一个缺失。

因此之故，我以为中国的青铜器时代，决不是开始

---

[1] 李济《殷墟铜器五种及其相关问题》一文中云："在我们发掘期间，虽没有得到全形的礼器，据所见的残片，它们的形制，确亦臻到成熟的时期。俯身葬的时代极近殷商，那里出来的铜制的礼器，如觚如爵等——虽说它们的形制完全是承袭陶器的，都是中国的发明。——都可证实那时铸铜业正在全盛时代"。

[2] "青铜在殷商时代确已达到了鼎盛时期，原料的供给，大约也很丰富。所以除了礼器外，很多的武器与用器，甚至矢镞，都由这种原料作成。"（见李济上文）

于盘庚时代，而是开始于夏殷之际。因为根据彭伯来氏（R.Punpelly）对于安诺各期的年代之推定，从初用黄铜到黄铜文化完了的时代，其间占有三千八百年的时间。如此，则中国青铜器时代所占有的时间，无论如何，决不只殷代后期之两百多年。根据属于夏代之新石器遗址中，已有黄铜小器物之发现，殷墟又有高度青铜器文化之发现，因而我以为这两种文化的过渡，可能是在夏殷交替之际。因为至少也必须有这样一个历史的时间，才能使青铜器文化，达到发育完成的境地。

关于这一点，李济氏曾有一个假定，他说："殷商以前，仰韶以后，黄河流域，一定尚有一种青铜器文化。等于欧洲青铜文化早中二期，及中国传说历史的夏及商的时期，这个文化埋藏在什么地方，固然尚待将来考古家的发现，但对于它的存在，……却可抱十分的信心。"[1]我完全同意李氏的这种假定，因为早中二期的青铜文化之存在，是殷墟出土的高度发展的青铜文化之存在的前提。由此，我们便可以暂时作出一个假定的结论，即整个的殷代，都是青铜器时代。

[1] 李济《殷墟铜器五种及其相关之问题》拓印本一〇四页。

第三节　殷末有没有铁器的应用?

最后，还有一个问题，即铁的问题。

就一般的情形而论，古代社会之出现，是以铁的应用为前提，但是在殷墟的文化遗址中，至今尚未发现铁的踪影。因而又有人依据铁的缺乏而谓殷代即使有高度发展的青铜器文化，也仍然不能创造出古代社会的经济体制和与之相适应的生产关系。

但是我以为殷代之是否已经知道用铁，至今还是一个问题。因为今日殷墟发掘的范围，还是非常狭小，如小屯、后冈、四盘磨、王家峪口，与霍家小庄之间的马家地内，这些文化遗址，皆不出一公里内外，即较远之侯家庄遗址，亦相去不过二公里左右。我们不能因为在这一狭小区域内没有发现铁器，便肯定殷代人民，尚不知使用铁器。

我以为至迟在殷末，殷人应该已经知道使用铁器。据马格尼昂立（R.Maglioni）《海丰史前遗物发现记》所述，在中国海丰史前遗址中，已经发现了两个生铁制的矢镞。这两个生铁的矢镞与青铜器及釉彩陶器，发现于同一地层中。据马氏云:“铁之年代或较古铜为近，但皆系史前遗物。”按海丰一带，直至战国时代尚未进入有史时期，故即使为史前遗物，但是否即系为与殷代同时期之物，尚难证明。惟此种铁器，发现于与青铜器及釉彩陶之同一地层，则指明了铁器与青铜器及釉彩陶，曾有一个长期并存的时代。殷代既有高度之青铜器及黄铜器文化之存在，亦应有发明铁的使用之可能。即不然，殷代末期，曾与东南诸氏族发生长期的战争，而且海贝稻种也从“南太平洋系”人种方面输入，又证明他们之间有着繁盛的交换关系。海贝稻种既已从南方输入，则冶铁之术，亦必可以从南方传入。

又据A.V.施密特于其所著《考古学所见之氏族社会》一文中云:“西亚一带的诸种族，在纪前一千四百年代，已经知道使用铁器。”按与纪前一千四百年代适相值者，正是殷代末际。从文化上的许多表现看来，殷族甚至与古巴比伦都有若干间接的关系。他们曾经通过氐羌从塔里木盆地诸氏族取得和阗之玉，又安知不能通过氐羌之关系传入冶铁之术?

冶铁之术，从西方传来，传说中亦有所暗示。《诗·公刘》篇有“取厉取锻”一语，郭沫若氏谓“取厉取锻”之“锻”字，毛诗虽训为石，但已经说了厉，为甚么又要说锻呢？郑笺云“石所以为锻质”，则正是铁矿。按“取厉取锻”，系公刘时代之事，当时周族系殷之属领，他们居在陕西豳的地方。由此足证在殷末，冶铁的技术，已由西亚传入陕西。当时周族既为殷族的属领，相距不远，而往来又频繁，则冶铁的技术，亦有从周族传入之可能。

总之，中国的冶铁术，不是中原的种族所发明，如果不是由南方传入，便是由西方传入，而其最初传入之时，则大概在殷末周初之时。

或谓“铁”字在中国文献上出现最晚，甲骨文中无铁字，而《诗经》中“驷驖孔阜”之“驖”，亦非指铁而言。中国最初之铁字，直至春秋末年才出现。《左》昭二十九年传云：晋赵鞅“鼓铁以铸刑鼎”，这是铁字在文献中第一次的出现。因此学者据此推定中国之使用铁器，始于春秋之末。

但是我以为根据文献中“铁”字之有无而推断铁之出现与否，是最危险的方法。因为古人对于各种金属，统称为“金”。如《国语》云:“美金以铸剑戟，试诸狗马；恶金以铸鉏夷斤斸，试诸壤土。”此所谓美金者铜，而恶金者铁也。按《国语》为春秋时代作品（或谓《左传》即由《国语》所改纂），春秋时的文献中，既有铁字，而《国语》称铁为恶金如故也。是知铁之有无，不能以“铁”字之有无为断。因此，我以为殷墟之没有铁器发现，乃系考古学上的缺失。

铁器的发明与应用，毫无疑义，是社会生产力之强有力的推进力，它使个人的生产和私的占有疾速地发展，因而强烈地破坏了氏族社会之旧的社会关系，从而使许多太古的社会转化为古代社会。但是在现实的世界史中，也有例外。例如在古代埃及和古代米索不达米亚的诸种族，在青铜器时代，就已经发生了敌对的社会关系，这从他们的墓葬中，可以得到证明。在北高加索的马可布附近发掘出来的青铜器时代的墓葬中，也发现了私的占有之存在。此外，在诺渥斯渥波得那亚利附近的墓葬中，也有同样的发现。在另一方面，在非洲的尼格罗人和西伯利亚的若干土人中，虽然已经用了铁器，而仍然保持其氏族社会之原有的组织。这样看来，殷代是否为古代社会，问题便不在于有铁无铁，而是在于青铜器能否创造出剩余劳动。而青铜器之能创造出剩余劳动，又是甲骨文中有无数记载，已经证明了的事实。

总结以上所述，我以为殷代是青铜器时代。在这一时代，石器仅以残余的形态而被保留；铁器可能已被发明，但即使有铁器出现，也还在萌芽的时期，因而殷代的古代社会，是以青铜器文化为基础而建立起来的。

青铜器是否能创造出古代国家来呢？这就看它所代表的劳动生产性是否能使社会内部的一部分人从生产领域中脱离出来，成为不劳而食的统治者；换言之，即是否能完成社会之最初的大分裂，因为这是古代国家之出现及其存在的主要内容。

殷代社会内部，是否已有完全从生产劳动中脱离了出来之一群人的存在呢？照甲骨文字的记载，这样的坐食者之群是存在的。据出土之一部分甲骨文字所载，殷代已有大批僧侣的存在，如在武丁时，有㱿、亘、永、穷、[illegible]、[illegible]、[illegible]、[illegible]、[illegible]、[illegible]、吏等十二人；祖庚、祖甲时、有大、旅、即、行、兄、出等六人；廪辛、廪丁时，有逆、[illegible]、宁、犾、彭、宄、□、旅等九人（见董作宾《甲骨文字断代研究举例》)。由此可以推知当时曾有庞大的僧侣贵族之群的存在。至于殷代的国王，皆系“生则逸，不知稼穑之艰难，……惟耽乐之从”的人，当然更是脱离生产劳动的贵族。此外还有“自酒”的“群庶”，如果历史上没有“自酒”的奴隶，则所谓“群庶”，便是当时的自由民了。所有这些文献的记载，都证明了殷代已有大批脱离生产劳动的坐食之群的存在。而这个庞大的坐食之群，又必须有庞大的生活资料才能生存，因此，在另一面，就必须有创造剩余劳动的奴隶大众之存在。这样，便完成了社会最初的大分裂，而古代国家也就出现了。

再就殷代之各种文化遗存看来，其精巧的程度，亦非有一部分具有复杂思维的僧侣们或其他专门从事于工艺者之存在，决不能实现这种文化的创造，而这种文化创造者，又必须脱离直接的生活资料之生产，始能达成其任务。所以我以为青铜器可以使社会内一部分人脱离生产劳动，成为坐食之群，换言之，即能创造出利余价值，从而创造出国家。

第三章　殷代的社会经济构造

第一节　农业取得了支配地位

殷代青铜器文化所表现的劳动生产性，无论在社会经济的哪一个部门，如农业、畜牧和工艺，都大大地超越了“夏代”的水准，达到了另一个崭新的历史阶段。尤其是农业已经超越了畜牧而成为社会经济的主要部门，使以前“夏代”的农业——畜牧经济转化为以农业为支配形态的经济。这一经济的转化，正是人类历史由野蛮时代过渡到文明时代之基本的条件。但是这并不是说殷代便没有畜牧，或者畜牧在殷代社会经济中，完全失去了它的意义，只是说畜牧在殷代已经退到了次要的地位。

殷代之有繁盛的农业的存在，我们从很多方面，可以找到证明。

就耕地的状况而言，甲骨文中，有田、畴、井、疆、甽、畯、畄、甾等字，这些字汇的出现，就说明了当时黄河南北广大的原野，大半都已开辟成为田畴。在那里，有疆有理，有沟有渠。同时，殷之属领周族，在渭河河谷一带，也开始“乃疆乃理，乃宣乃亩”之开辟耕地的工作。

就谷物的种植方面而言，甲骨文中有农、艺、麦、来、粟、黍、啬、禾等字，这些字汇之出现，就说明了当时黄河南北广大的田野中，已经种满了我们今日所有的谷类。今日之稻种，在当时已经经“南太平洋系”人种之手，由马来半岛传入黄河流域了。由此，可以想见殷代的农村，真是“麦秀渐渐兮，禾黍油油”。

与田畴相关联，在甲骨文中又有园圃等字，与种植相关联，在甲骨文中又有果、树、桑、栗等字。这些字汇的出现，又可以想到在殷人的村落附近，还有着美丽的果园和菜圃。在那里，他们“以杞以瓜”，栽种各种的果树和蔬菜。绵绵的瓜瓞，垂垂的硕果，点缀着当时古典的农村。

与桑的种植相关，在甲骨文中又出现了蚕字以及丝帛等字，而且还有祭祀蚕神的记载。《殷墟书契》后编上二十八页有云:“□牢□五牢，蚕示三牢，八月。”据此，则养蚕术在殷代业已发明，而桑之种植，当甚普遍了。

与谷物相关，甲骨文中出现了酒鬯等字。据郭沫若云:“酒鬯多用于祭，祭鬯之数，有多至一百卣之例。(鬯据后来的字义，就是酒的一种，卜辞每言鬯若干卣，揆其形象，大约是一种糯米酒的光景，字中的小点，便是表明酿中的酒糟。)”(《中国古代社会研究》二四七页)按殷人嗜酒,《尚书》上多有记载，周公曾因此而作《酒诰》，微子亦云“我用沈酗于酒”。又云“殷邦方兴，沈酗于酒”。同时殷代遗物中酒之盛器，如尊，如卣，如爵等，其种类亦至为繁多。由此足证酒在殷代，实为普遍流行之嗜好，其消费量一定不少，因而又必有大规模的酿造，以供给社会的需要。但是酒的酿造原料是农产物，而农产物之用于大规模的酿造，则又证明了当时已有食用不尽之剩余谷物的存在，从而又证明了当时农业的盛况。

殷人既以谷物酿造酒鬯，则当然早已用谷物为其主要的食料。据张蔚然氏《殷墟地层研究》一文中有云："在此形（穴居形）中间，多有灰土或黑灰土之层次。考此种土淤成之原因，乃人类取植物用为燃料，其灰烬概成此数色。后经水浸，泥土沉淀，而此种灰烬亦同时淤积成此层状。……且此数种土（灰土，黑灰土及炭黑土）可以揣知当时树木既已成为燃料，而五谷杂粮，亦为居民食用品也。"

殷人之以谷物为主要的生活资料，从卜辞的记载中，也可以看出。卜辞中关于"桒禾"，[1]"受禾"，[2]"受黍"。[3]"登黍"，[4]"告麦"，[5]"桒年"，[6]"受年"[7]的记载，非常之多，[8]此外尚有因农产物的关系而"卜

[1]"壬申贞，桒禾于夋。"（见《卜通》二五九）

[2]"南方受禾，西方受禾，北方受禾；癸卯贞，东受禾；口受禾。"（见《卜通》四五三）

[3]"庚申卜，贞我受黍年。三月。"（《卜通》四四〇）

[4]"甲辰贞，其登黍。"（新获卜辞一四三片）

[5]"已亥卜，宾，翌，庚子，㞢告麦，允㞢告麦。"（前四，四〇，七）

[6]"至后祖丁琴求年。"（《卜通》别，二七页揭田中藏甲二）

[7]"甲辰卜，商受年。"（《前》三，三〇，六）

[8]日本小岛祐马《殷代之产业》一文，曾就罗氏考释一书统计甲骨文中关于农事之记载，其卜年岁凶丰者二二次，卜风雨者七七次，但在七七次中，大部分与农业无关，而是为了出入田猎。

雨”[1]的记载。若非农业已成为其主要的生产事业，农产物已成为其主要的生活资料，则殷代奴隶所有者，决不会这样的关心。

殷人对于祈年，不但重视，而且成为按期举行的一种祈祷。据郭沫若氏考证“祈年全于二三月，亦于十月十一月以卜来年者”（《通·序》五页）。由偶然的祈祷到定期的祈祷，其间需要一个长期的发展，而这就证明了殷人之重视农业，由来已早。

殷代的奴隶所有者，一方面祈求“自天降康，丰年穰穰”（《诗·商颂·烈祖》），另一方面，也希望奴隶大众“稼穑匪懈”（同上《殷武》），以尽人事。因此，而又有“观黍”[2]、“相田”[3]之事。所谓“观黍”“相田”，大概就是后来周代“借田”之礼的原始。

殷代的农耕工具，至今尚无遗物发现，因此学者之

---

[1] “庚午卜，贞，禾㞢及雨。”（《前》三，二九，三）“贞，今其雨，不佳穑。”（《后》下，七，二）“已酉，卜黍年有足雨。”（《前》四，四〇，一）“贞于兄楽求年，帝令雨足年。贞求年于岳。贞帝令今雨弗其足年。”（《卜通》三六三）

[2] “观黍”（《前》六，三九，四）。

[3] “丙辰卜永贞乎（呼）相田。”（《前》五，二六，一）

间，推论不一。郭沫若氏曾根据农字从石之构意上，判定“当时耕具，犹用石刀”。[1] 董作宾氏则根据耤字之构意，而谓殷人尚在使用木制之耒以为农器。[2] 吕振羽氏则根据西周时代的农具已普遍使用金属，因而推论殷代农器之使用金属器无疑。[3] 以上的各种主张，各有其立论之根据，故皆足以供我们的参考。

关于这一点，我同意吕振羽氏的假说。因为以常理推之，殷人既以金属铸造食器兵器乃至礼器冥器，则对于作为其主要生产工具的农器，决不致再用石

[1] 郭沫若氏谓：“（殷代）当时的耕具，还是石器，此事于实物之外（如古器物图录中之三石磬，即是犁馆），于文字上亦可得到证明。此字即农字所从之辰字，盖辰乃耕器。卜辞中辰字变体颇多，然其最通用者为□或□，农字所从者亦均此形。□即石字，卜辞磬字作□，从此作象形□即磬形也。磬为石器，故知辰亦必石器。殷代文字还在创造途中，其象形文所象之物，必为当时所实有。辰既象石器之形，则当时耕具犹用石刀，殊可断论。”（《中国古代社会研究》二四八页）

[2] 董作宾氏谓：“甲骨文耤字从一人双手持耒，一足立地面，一足踏耒端之小木板，使增加深入土中之力。”（见《殷墟发掘报告》第四期董著《释驭嫠》）

[3] 吕振羽氏谓：“西周自周初，农具已普遍使用金属，此非有其长期之演进而莫能现实者；而西周文化，又系殷代文化之直接承继者。此亦可证殷代农器之使用金属器无疑。”（吕著《殷时代的中国社会》四二页）

器，更不致再用木器。至于农字从石，我以为此字之形成，或系由早期之象形图画中蜕化而来，在当时，耤种器具，尚用石器，殷人因之，未加改变。这正犹宝字从贝，今日所宝非贝，而仍然袭用此字，具有同样的意义。耕字的构成，如董氏所云，像一人双手持耒，但是耤字所从之耒，甲骨文作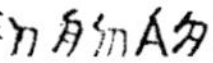，其形皆象一曲木下镶犁头。曲木仅为犁头之柄，并非全体皆为木制。从耒字所表现之犁头的形制看来，颇似今日之铁耙，此种具有细长而尖锐之梳状的耙齿，用石材制作，不但不易，而且容易折断，故必为金属所制无疑。

除耒以外，甲骨文中有字，徐中舒氏释作（即耜），亦为农具之一种。颇类今日之锄，或系用以碎土、垦草的一种农具。

甲骨文中方字作（《前》五，一一），作（《前》五、一三）。徐中舒氏谓：“象耒的形制……古者秉耒而耕，刺土曰推，起土曰方。”（见徐著《耒耜考》）证之《诗·大田》“既方既皁”，《生民》“实方实苞”，则方为农器，实为可信。

甲骨文中有字作（《前》六、二二），或作（《前》五、三九）或释作物，徐中舒氏谓亦象耒的形制。证之古籍所云“则物其地”（《周礼》），“冢人物土”（《仪礼》），“物土之宜”（《左》成二年传），“仞沟洫，物土方”（《左》昭三十三年传），则物为耕具，又信而有征。

总上所述，殷代耕种器具，种类既已繁多，形制亦极复杂，耒耜耙锄，具已应用，而其制作原料则应用金属。

殷代是否已经发明牛耕，这还是一个问题。传说中谓“胲作服牛”（《世本》），又谓“后稷之孙叔均，始作牛耕”（《山海经》）。据此，则殷人已知牛耕。惟从甲骨文中之耤字的构造看来，则系象一人以双手持耒，因而殷代似尚用人耕。但甲骨文中有字，郭沫若氏释作犁，此字象以牛拖曳耕具之形，则殷人又似已应用牛耕。不过殷代究竟有无应用牛耕的事实，尚须有待于地下发掘之证明，我们不敢根据字形，予以确说。

据甲骨文的记载，在殷代，大批奴隶，已经被驱上了田野，这些黔面辛额之徒，已经成为当时农业生产劳动之主要的担当者。[1]他们在“小臣”的监督之下，从事于垦土，耕田，播种，耘草，收割的工作，一直把谷物送到主人的谷仓，[2]然后又再开始第二年的工作。至于当时的奴隶贵族，则早已脱离了农业生产的劳动，他们“生则逸，……不闻小人之劳，惟耽乐之从”。当时的自由民，也鄙视劳动，他们也是“不昏作劳，不服田亩”。

第二节　畜牧退到次要的地位，渔猎娱乐化

殷人虽以农业为其生活资料之主要的来源，但仍然有着繁盛的畜牧事业。不过畜牧在当时整个社会经济构成中所占的地位，较之农业，则为次要而已。这样的情形，我们从甲骨文中“卜牧”、“告刍”的记录极为稀少，可以看得出来。因为这样的记载之稀少，就证明了当时

[1] 甲骨文中有不少关于奴隶参加农业生产劳动的记载。如“贞叀，小臣令众黍，一月”(《卜通》四七二)，“丙午卜，古贞，口众黍于口”(《卜通》二，九)，“戊寅卜，宾贞，王往以(挈)众黍于冏”(《前》五，二〇，二)，“乙巳卜，㱿贞，王大令众人曰劦田，其受年，十一月”(《续》二，二八，五)。

[2] 甲骨文中有㐭字，郭沫若氏释作廪。

的奴隶所有者对于畜牧事业，已经没有像对农业生产那样关心了。

畜牧经济之所以退到次要的地位，唯一的原因，就是由于农业的发展，人类的主要生活资料，已无疑依靠谷物，而肉类与乳类，只不过是辅助的食料而已。同时，由于青铜器的应用，人类已不需要动物之骨角，当作制造生产工具的原料；由于养蚕术的发明及其他植物纤维之被应用于衣服的材料，因而动物的皮毛，对于人类之日常生活，也不像以前那样重要了。此外，与农业发展相适应的，是耕地的扩大，耕地的扩大，同时就是牧场的缩小，这样，又逐渐给予大规模之畜牧事业的现实以客观的限制，在殷代当然还有着许多地方，供给畜牧的刍秣，但较之“夏代”，则已经大大的缩小了。这些原因，就是殷代畜牧经济退到次要地位的原因，而这正是社会经济之辩证的发展。

但是畜牧在社会经济上的重要性之减低，并不影响其自己之继续向前发展。在时间的过程中，许多半驯养的动物，变成完全的家畜；许多新的野性的动物，又变成半驯养的动物。所以在殷代马牛羊鸡犬豕，我们今日所谓六畜者，皆已成为家畜。甚至由冰河时代以变种而残留下来的“象”，在当时也是家畜。[1]诚如郭沫若氏所云，在殷代“六畜乃至七畜，均已存在”。但是家畜的种类之多，并不即是畜牧在社会经济上之重要性的表示，只是动物驯养之历史的必然成果而已。

诚然当时用家畜作为牺牲的数目，有一次多至三百四百者，这如果没有繁盛的畜牧是办不到的。但我以为这决不是平常的事情，恐怕只有在特别盛大的祭典中，如“贞之王亥”，才能有一次用三百条牛的豪奢。在普通的祭典中，用牺牲的数目，也不过几个乃至几十个而已。自然，我们不是说，当时已经没有大规模的畜牧，反之，当时奴隶所有者，还是掌握着大量的畜群于自己的手中，他们利用奴隶为之放牧的事实，甲骨文中，亦有记载。[2]在他们的庄园里，也有家畜的厩栏，养着肥

[1]《吕氏春秋·古乐篇》云：“商人服象，为虐于东夷。”甲骨文中亦有“今夕其雨获象”（《前》三，三一，三）之记载。再甲骨文中“为”字多作“象”形，是殷时中国北部尚有“象”，而“象”以后便逐渐南徙于热带去了。

[2]甲骨文中关于应用奴隶于畜牧，亦有记载，如云：“戊戌卜，大占奴，癸巳卜，令牧坐。”又云：“戊戌大占奴，卜令牧坐。”

猪肥羊和牛马等类家畜。[1]但是据《尚书·微子》篇云：“今殷民，乃攘窃神祇之牺牷牲用以容将食无灾。”据此，则当时一般奴隶乃至自由民，他们吃肉，恐怕是一件不容易的事了。不然，他们又何必去攘窃祭坛上的冷肉呢？因此一次用牺至三百四百，亦只是说明殷代奴隶所有者之豪奢，而在其反面，则存在着不能享受肉食的大群奴隶和自由民。

殷代家畜的用途，与其说在食用上，毋宁说，在劳动方面。在殷代，牛马皆已应用于交通运输，犬已用于狩猎。甲骨文中牛字作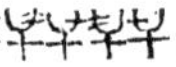，其形皆象以木楅牛角，此楅角之木，即《易·大畜》所谓“童牛之梏”的“梏”，盖用以系绳，以便于牵系者。甲骨文中“御”字从“马”，从“丝”，是马在殷代已用于拖车。郭沫若氏谓“殷末王者之车，所驾者仅二马，即所谓骈”（《通》二五五页）。甲骨文中有字，郭沫若氏释作狗，此字从“8”，盖亦指示有绳牵系之意。甲骨文中“狩”字从犬，可知犬在殷代已应用于狩猎。

渔猎在殷代，已经失去其在社会经济中的意义，仅

[1] 甲骨文中有等字，这都是象家畜圈在厩栏之形。

为当时奴隶贵族之一种娱乐。甲骨文中关于渔猎之记载，多为“王渔”或“王狩”，而且猎狩之时，王必“丝御”，“丝御”者，即乘坐马车。郭沫若氏统计已经出土的甲骨文中，关于猎狩的记载，“获兽至百以上者仅六七次，其他均在十四以下”，这对于当时社会经济，当然不能发生任何意义。惟从其猎狩物的种类上，我们得知当时黄河流域尚有野马，野羊，野猪以及野鹿之大量的存在，《史记·周本纪》云“维天不飨殷……麋鹿在牧，飞鸿满野”，正是当时的写真。

第三节　手工业分工的发达

从殷墟出土的遗物看来，我们知道殷代手工业技术，已经发展很高。同时，由于在殷墟遗址中又发现了铜器作坊、骨器作坊、石工作坊等的遗址，我们又知道当时手工业分工，亦至为发展，从而我们又可以想像当时的安阳，已经布满了各种手工业作坊，同时也有无数的奴隶，被驱进这些作坊之中，不分昼夜地，从事于各种工艺品之生产。

关于铜器的制造，已如前述，不但规模宏大，而且分工极细，如选矿，加锡，范铸，打磨，镂刻等，皆须有专门之技术的素养与经验的储蓄，想见当时亦必有具有各种专门技术的工人之存在。

陶器的制作也大大地进步了。从制作的技术上说，殷商的陶器，大部分都是完全用轮转的或镟削的。我们知道，仰韶时期的陶器，大多都是手制的，虽然已经有些是用镟削的，甚至也有完全用轮转的，但都是宽口大腹的钵，没有像殷墟所出深而精致的尊罍形的物件（插图三八）。

据李济云：“在这时期的陶器，绳印式的仍旧有，

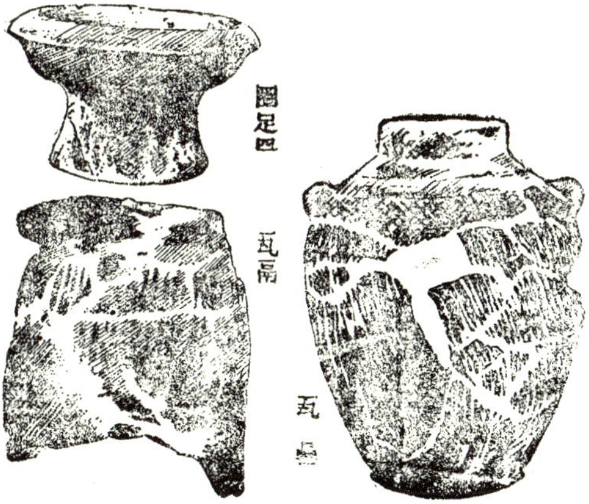

插图三八　殷墟出土的陶器

手作的尚多，然而轮转的手艺，的确已经到了很高的地位。”（见李著《殷商陶器初论》）

就陶器上所表现的艺术而言，殷商的陶器，多取象动物之形，而且这种经验，似乎因为经过相当时间之发展，已经规则化了。据李济云：“边口的花纹，约有三种，外为浪形刻纹，或一道或两道，有多至五六道者。”（同上）

作为殷商陶器之最大的特征，亦即最大的进步，自然是陶器上的彩绘之消灭而出现了敷釉的刻纹陶器。但敷釉的艺术，还很幼稚，今日所发现的若干殷代的陶片，其上所敷之釉，皆已剥脱。不论怎样，釉的发明，是陶器制作中的一个最大的进步。

石工与骨工，大概都从事于装饰品和奢侈品的制造，这从殷墟出土之象牙雕刻和施有富丽雕刻之石雕的人体可以证明。

此外，甲骨文中有丝、帛、巾、幕、衣、旒等字的出现，又指明了当时有专门从事纺织与缝纫的工艺。甲骨文中有宫、室、家、宅、宗、庙、邑、塞等字的出现，又指明当时土木建筑的技术，已经相当的发达。

关于手工业所使用之工具，已于上文述及，如斧、锛、锥、刀、针等均已存在。但从龟甲上之锯痕与凿治之迹看来，当时并已有锯凿之存在。据董作宾氏考察谓："此次所得无字之骨三一四号四七一号与骨板之六〇〇号，皆系有锯痕，至于骨料，则经锯截者尤多也。锯之形是否如今制，已不可知，然于锯痕之有层层之横纹，甚似其上有齿，锯时又往复为之。且锯之宽一点五公厘乃至二公厘，则其刀之厚，当在一公厘左右。"（董文《商代龟卜推测》）关于凿之被使用，董氏谓"今所出之大龟甲，其版面甚薄，知由两面凿治之故，故全体平正，甚美观也"。据董氏考察，龟甲上的凿痕，深九公厘，中宽七公厘。如此，则凿之刃，其厚度当在四五公厘左右。此种一公厘左右的厚度之锯，与四五公厘左右厚度之凿，决非石制，而为青铜所制无疑，因石制之锯凿，过薄过锐，则易折断。我们从此又知殷代当时，有专门制造此种精巧的劳动工具之工艺。

总上所述，可以想见殷代当时的手工业工艺，是何等的繁荣。当时的手工业工人，都是奴隶，他们成天在作坊中作无报偿的劳动，或鼓炉冶铸，或抟土埏植，或锤制兵器，或镂刻骨角铜石，或纺织丝帛，或缝纫衣裳，或制造车船，或版筑宫室城塞，于是当时的殷都，便成了手工业制造的中心都市。

第四节　商业交换的繁荣

手工业的发展是商业发展的直接前提。殷代的手工业既如此发展，因而又引出了繁荣的商业。

以都市的规模而论，今日的安阳，盘庚以后的殷都，已经不仅是殷代的奴隶国家之政治中心，手工业中心，而且已经成为古代东方世界之国际商业的中心。由发现于今日后冈之版筑及白圈基址的遗迹考察，确证当时的殷都，其城市的范围，已包有十平方华里以上的地域。据古本《竹书纪年》所云，这个都市，到殷之末际，纣的时代，其范围更加扩大，“南距朝歌，北据邯郸及沙丘，皆为离宫别馆”。

就都市的内容而说，当时的殷都，有纵横交错的街道，有鳞次栉比的市肆，[1]有无数冶铸青铜的炼场，有

[1] 殷墟所发现的版筑遗址，有连比的房屋之存在的遗迹。《尚书·盘庚篇》亦云“以迁肆”，“用永地于兹新邑肆”，又云“若挞于市”。足证当时有市肆之存在。

各种手工业的作坊，有耸立于首都天空之奴隶贵族的倾宫瑶台。[1]有坐满了醺醺大醉的自由民之酒店，也有看不见日光的奴隶大众之土牢。在这里我们可以看到坐着双头马车的奴隶贵族，招摇过市；可以看到零落的自由民，徘徊于街头巷尾；也可以看到额上打了火印的奴隶大众，成群地走进各种的手工业作坊。此外更可以看到各种不同种族的行商坐贾，熙来攘往。[2]总之，当时的安阳，可以说是殷代奴隶所有者的天堂，同时，又是奴隶大众和零落的自由民之地狱。

就商业的范围而说，据甲骨所示，当时殷代的商人，其足迹所至，东北达到了渤海沿岸乃至朝鲜半岛，[3]东南达

---

[1] 殷墟曾发现镂刻着富丽花纹之础石，想见当时必有华丽之宫殿的建筑。《御览》八十四引《帝王世纪》云："纣造倾宫，作琼室、瑶台，七年乃成，其大三里，其高千丈。"又《考工记》谓："殷人重屋，堂修七寻，堂崇三尺，四阿，重屋。"凡此，皆足以证明殷人已有崇大的宫室之存在。

[2] 谯周《古史考》谓："吕望常屠牛于朝歌。"《战国策》亦谓："太公望，齐之逐夫，朝歌之废屠。"按太公吕望与周为近亲，乃西北羌族之人，而经商朝歌，想见当时殷都必有不少的羌人以及其他种族之商人。

[3] 如前所述，朝鲜人种，本为殷族之支裔，《诗·商颂》云"海外来假，来假祁祁"，是殷人与分布于朝鲜之同族，始终保持不断之接触的证明。又甲骨文中有方，郭沫若氏谓疑即箕子所封之"箕"，此又殷人与朝鲜已有接触之证。

到了今日之江浙，[1]西南达到了今日之皖鄂乃至四川，[2]西北达到了今日之陕甘宁绥乃至远及新疆。[3]一言以蔽之，殷代的商人，已经走遍了他们所知道的世界。

就商业的种类而论，当时的商业，最主要的，自然是奴隶买卖。殷代最初的奴隶，本来是由战争的手段得来的俘虏，但当社会劳动生产性发展到一定的程度，奴隶便必然表现其商品性的价值，因而奴隶便一变而为商品，从而以商品交换的形式，也可以获得奴隶的所有权。在殷代，"怀其资"，即可以"得童仆"(《易·旅》卦六三)，而且从"利有攸往，得臣无家"一语看来，当时买卖奴隶，还是最有利的生意。不过奴隶究竟是人，不比其他的商品，所以在路上常有纵火逃亡之事，所谓"旅焚其次，丧其僮仆"(《易·旅》卦九三)者，正是描写奴隶

[1] 甲骨文中有"征上[illegible]"的记载，郭沫若氏谓"上[illegible]"疑即今日浙江上虞。

[2] 甲骨文中有地名曰"[illegible]"(《后》上，九、七)，郭沫若氏谓"[illegible]"即是"蜀"。

[3] 甲骨文中有"土方"在今山西北部，有"舌方"在今河套附近，皆与殷人有接触。又诗云："自彼氐羌，莫敢不来享，莫敢不来王。"当时的氐羌，分布于今日陕甘一带，其余裔且远布新疆，故知殷代商人甚至与新疆诸氏族亦有直接间接之商业关系。殷代宝玉之多，尤可确证此种商业关系之存在。

逃亡之事。

除奴隶买卖以外，殷代的商人，也还从事于其他的商品买卖。他们从渤海沿岸一带输入鱼类，海贝和绿松石，[1]从西北陕甘一带输入畜群和皮毛，并且通过羌族之手或直接从新疆一带输入玉石，最主要的买卖是从长江上游一带输入铜锡，[2]从长江下游输入稻米。自然他们同时也把殷族的农业物，尤其是工艺品向外输出。由于这样的商业关系，于是殷族遂把他们四周的各氏族都转入了交换过程，从而刺激了那些氏族之社会分工的发展。同时，由于殷族商人带回了四周各氏族的物质文明与精神文明，因而又丰富了殷族文化的内容。

再就交换之媒介物而论，殷人似已由物物交易进而使用作为等价形态之贝货。甲骨文中，贝字屡见，皆用

[1] 殷墟遗物中有极多之咸水贝及绿松石，并有鲸鱼骨，咸水贝与鲸鱼均系海产，其来自渤海沿岸无疑。绿松石亦非小屯附近之产物，或亦来自山东半岛一带。

[2] 青铜为铜与锡之合金、故冶炼青铜，必须添锡。但中国黄河流域并不产锡，锡之产地，皆在长江上游一带，故知殷代当时，必有从长江上游输入锡矿之事。同时，铜之产地，亦多在西南，故又知殷人当亦有从西南输入铜矿之事。

于货币之意，此外甲骨文中之与财货有关的字汇，如宝，如贮，如，如货，皆从贝旁，亦即皆为贝义之孳乳。据郭沫若氏考察，殷人最初使用之贝为海贝之一种，学名为 Cyprea Moneta。此种海贝，产于南洋，至今锡兰岛附近尚盛产之。其形如，故甲骨文中贝字作、，盖象其形也。此种海贝，想系经南太平洋人种之手，传入殷族，已如前述。即因如此，所以得之不易，以后遂改用珧制，又后则以骨制，更后则以铜制，以代替真贝。[1]真贝一贝之长，不及半寸，皆磨穿其脊以备横贯，故贯而为朋，亦不甚长。一朋所贯之贝有若干，无从确考，从甲骨文中朋字之各种书法看来，有贯三贝者，如，如；有贯四贝者，如，如。至于殷人用贝之数至多者十朋，少者一朋，似此，则当时一朋之值，必

[1] 罗振远《殷墟古器物图录 · 附说》中有云："往岁又于滋州得铜制之贝，无文字，则确为贝形。已又于滋州得骨制之贝，染以绿色或褐色，状与真贝不异，而有两穿或一穿以备贯系。最后又得真贝，摩平其背，与骨制贝状毕肖。此所图之贝（古物图录）均出殷墟。一为真贝，与常贝形颇异；一为人造之贝，以珧制，状与骨贝同，而穿形略殊，盖骨贝之穿在中间，此在两端也。合观先后所得，始知初盖用天生之贝，嗣以真贝难得，故以珧制之，又后则以骨，又后铸以铜，世所谓蚁鼻钱者，又铜贝中之尤晚者也。"

甚昂贵。因为从数目字的发展上看来，甲骨文中已有百千万亿兆，虽亿兆在当时似尚未用于数字，但数字之发展，确已达到了“三万”。按数字之发展，决不是偶然的，而正反映当时商业交换量之扩大。以如此庞大的交换量，而体现价值的等价物之贝的应用，仅及十朋而止，如非贝价甚高，则必有记载更多的贝朋数字之甲骨，（至今）尚未发现。

由此，可以想见殷代当时商业之盛。当时的商人，驾牛服象，浮舟资车，一队队地从殷都出发走向殷领各地，及其更远的世界。只要有利可图，无不结队而往。或“反复其道，七日来复”（《易 · 复》卦），或“夫征不复”（《易 · 渐》九三），而不幸死于中途。他们有时获利，有时也折本，所以《易》有“西南得朋，东北丧朋”的记载。但是他们“不耕获，不菑畬”（《易·无妄》六二），而“憧憧往来”（《易·咸》九四）于天南地北者，则仍以“利有攸往”之故。他们究竟还是获利的时候为多，所谓“臆则屡中”，“朋从尔思”，是很平常的事情。除非遭遇“无妄之灾”，以至“牵羊悔亡”或“旅焚其次，丧其僮仆”，才有丧贝之事。因此殷代的奴隶所有者，不仅从农业和手工业中榨取了大量的劳动价值，他们同时也从商业交换中获得了大量的财富。这些财富，就巩固了殷代奴隶所有者的政权。

第四章　殷代的社会关系及其发展

第一节　殷代社会关系的构成——奴隶所有者与奴隶

如上所述，殷代青铜器文化所表现的劳动生产性，无论在社会经济的哪一个部门，都已经能够创造出剩余劳动。青铜器既能创造出剩余劳动，也就必然会创造出一部分依赖剩余劳动以为生的坐食之群，以及另一部分提供剩余劳动的食人之群。这样就发生了社会之最初的大分裂，而在同一有血有肉的人类之中，出现了奴隶所有者与奴隶。殷代的国家，便是建筑在这社会最初大分裂的裂口之上。因而殷代社会之基本的矛盾，是奴隶所有者与奴隶的矛盾。

殷代奴隶所有者集团之最高的首领是国王，在国王的隶属之下，又有大群的世俗贵族和僧侣贵族。前者如甲骨文中所谓侯，宰，《尚书·盘庚篇》所谓邦伯，师长，以及《微子篇》所谓父师，少师属之；后者如甲骨文中所谓巫祝，卿史，御事等属之。这些奴隶所有者，他们已经完全从生产劳动中脱离出来，形成了一个以榨取奴隶劳动为生的统治者集团。

殷代的奴隶，有各种的名称，甲骨文中所谓小臣，奚，奴，童，仆，妾，役，牧，御等皆属之。这些奴隶完全失掉了身体的自由，成为奴隶所有者榨取的对象，而构成一个庞大的被统治者集团。

此外，在奴隶所有者与奴隶之间，还有一种自由民，即《盘庚篇》所谓“畜民”者是也。这种自由民，可以说是介于榨取者与被榨取者之间的一个中间社会群。

以上的社会分野，就是殷代社会关系之全面的内容，亦即殷代奴隶所有者的国家之政治的属性。

殷代的国王，是奴隶掠夺者军事集团的首领，同时，也是国家最高权力之代表。他与氏族社会末期的酋长，已经迥然不同。在氏族末期的酋长，必须通过氏族会议的选举，才能产生，并且氏族会议，还有罢免之权。在殷代，此种原始的民主制度，已被废除，他们“父子相承”，“兄弟相及”，视为当然。在氏族社会的酋长，他们仅是公共事务的管理人及战争的指挥者，但殷代的国王，则对于人民的生命财产，都有任意生杀予夺的权力。只要听盘庚说话的口气[1]便可以想见当时的国王，已经俨然有些后来专制皇帝的派头。

殷代的世俗贵族，如侯或邦伯师长等，大半都是原来氏族的首长，后来这些氏族被殷族征服，他们被强制接受殷王的册命，而为殷代国家统治异族的代理人。甲骨文中有“命周侯”，“命噩侯”的记载，可以证明。因此，他们具有两重人格，即对殷代国家，是其统治机构内组成的一员；对其自己的氏族，则又以氏族长的资格而存在。但是这些所谓侯或邦伯师长，也有由殷代国家直接派遣的，像这样的侯或邦伯师长，就有些类似今日资本主义国家殖民地总督的性质。总之，这些侯或邦伯师长，不论其为原来的氏族之首长，抑或由殷代国家直

[1]《盘庚篇》(上)云:“矧予制乃短长之命。”又云:“听予一人之作猷，无有远迩，用罪伐厥死，用德彰厥善。邦之臧，惟汝众；邦之不臧，惟予一人有佚罚。”《盘庚篇》(中)云:“乃有不吉不迪，颠越不恭，暂遇奸宄，我乃劓殄灭之，无遗育。”

接派遣，而其任务，都是替殷代国家征收贡纳，并捍卫领土，镇压殖民地的奴隶革命。

殷代的僧侣贵族，他们大半都是由过去氏族社会中之咒术师转化而来。这些僧侣贵族，他们具有较世俗贵族更高之文化的传统，他们蓄积着不少关于政治军事以及剥削和欺骗人民的经验。他们虽然在身份的等级上，是国王的属僚，但是他们却善于利用宗教的迷信，通过卜筮的仪式，把国王的一举一动，都放在他们的命令之下。因而实际上，殷代的僧侣贵族，就是殷代的政治、经济和军事之最高的指导者。

殷代的奴隶，主要的都是由从战争中得来的俘虏编制而成。这从殷代的许多战役中，都有俘人的记载[1]以及奴隶多冠以种族之名，[2]可以证明。但亦有不冠其种族之名而通称之曰臣妾奴仆者。这些奴隶，在他们的额

[1] 关于战争俘人的记载，甲骨文中甚多，兹举数例如次："昔甲辰，方征于蚁，俘人十又五人；五日，戊申，方亦征，俘人十又六人。"（《菁》，五）"今者，命虎田从𢦏至于渑，获羌"。（《前》七，二）

[2] 奴隶以其族名者，在甲骨文中有郱奴，土方牧，吕方牧等。

上，都黥刻着记号以为标志，防止其逃亡。[1]他们被役使于各种生产劳动，如前所述，在农业畜牧和手工业这些主要的生产部门中，奴隶都是生产劳动之主要的担当者。此外，据甲骨文所示，殷代的奴隶，也服役于贵族的狩猎及家庭贱役，乃至被役用于歌舞[2]与角斗，[3]以供贵族之观赏。到殷末，奴隶并且参加征伐。[4]

殷代的自由民和贵族，系属于同一种族，但在同一种族之中，有着许多氏族，而殷族中的贵族，则为多氏族的成员所转化，因之殷族中之其他氏族的成员，在这一历史的转化之下，大半都变为自由民。所谓自由民

---

[1] 郭沫若氏谓“古奴隶字多从辛，妾字从辛，童字从辛，此仆亦从辛者，欹劂之象形文。古人施黥以之。妾童仆之从辛者，亦黥其额也”。(《卜通》，八〇〇)

[2] 甲骨文中有云“王其又（侑）于小乙羌五人，王受佑”(《新》一，九八)，又有云:“又伐于上甲九羌”(《后》上，二一)，罗振玉氏谓上文之伐为武舞，郭沫若氏谓为干舞，盖即《诗·皇矣》“是伐是肆”之伐。而侑者，即《诗·楚茨》“以妥以侑”之“侑”也。由此以观，则殷代奴隶似有用于歌舞之事。

[3] 甲骨文中有“卜贞，臣在斗”(《前》二，九)，吕振羽氏疑殷代奴隶有用于角斗之事。

[4] 甲骨文中关于奴隶参加战争之记载甚多，例如“贞**叀**，王往伐居，乎多臣伐𢀛方……”(《前》四，三一)。又云“氏众伐𢀛方”(《后》上，一七)，又云“乎多射衛（防）”(《林》二，三〇)。

者，因为他们与贵族有同种族的关系，在人格方面，他们仍然是自由的。但是在政治上，他们却没有获得一种掠夺奴隶的特殊地位，自从氏族共有的土地转化为国家所有，亦即贵族所有以后，这些自由民，便零落而为依赖国家之恩赐以为生的流氓无产者之群。这种自由民，他们羞与奴隶为伍，鄙视劳动，因而他们“不昏作劳，不服田亩”，殷代的贵族，念他们也是同一祖先的子孙，所以抚畜他们，而称之曰畜民。[1]实际上，这些畜民，也是奴隶劳动之间接榨取者，所以他们与贵族之间虽亦有矛盾的存在，但在榨取奴隶劳动这一点上，矛盾却被统一了。这直到殷末，他们不能从贵族分得生活资料时，自由民又才站在奴隶的方面来反对贵族。

殷代的社会，就在这样一种矛盾关系中，向前发展。

由于战争的掠夺，贡纳的收入，商业的利益，尤其是奴隶劳动的榨取，殷代的贵族们，不久便都成为拥有庞大的奴隶大众，土地，畜群和贝货的主人。这些贵族，

[1]《盘庚篇》(中)有云："予岂汝威，用奉畜汝众，予念我先神后之劳尔先，予丕克羞尔，用怀尔然。"又云："古我先后，既劳乃祖乃父，汝共作我畜民。"

虽然完全不参加生产劳动，但却夺得了一切生产手段的所有权，并且也私有了劳动生产的人类。他们利用国家的权力，继续展开掠夺的战争，迫使四周的异族来享来王；同时，又以无人道的残酷，驱使奴隶从事于财富之再生产。于是他们的财富就更加增大了。

在财富继续增殖的当中，殷代的贵族，便开始了骄奢淫逸的生活，他们的离宫别馆，布满首都的城郊，良马骈车，驰逐于通衢。象牙雕刻，饰诸宫廷，青铜器皿，布满餐桌。酣歌曼舞，是伐是肆；旨酒佳肴，以妥以侑。当夫凯旋之日，则献俘执丑，异族来王；当夫祭祀之时，则沉猪埋羊，神人同乐。其骄奢如此，其威武又如此，他们真是时代的骄子，历史的宠儿。

在另一方面，当时的奴隶，则做着比牛马更苦重的工作，而过着比牛马更恶劣的生活。他们烙印在额，锁链在颈，斧钺在前，鞭笞在后，白昼则成群地驱进作坊，驱上田野，从事无偿劳动；黑夜则成群地被囚禁在污秽的土牢。[1]殷都有的是酒店，但他们只能望望然而过之；

[1] 甲骨文中圉字，象囚人于牢之形。又有关于囚俘之记载，如云："贞俘春不囚。"（《后》上二九，七）又云"俘其囚"（《铁》，二〇四，三）。

殷都有的是猪羊，但他们只有过屠门而大嚼。运气好的，也许做到一个奴隶头目，如小臣之类；运气坏的，甚至遭受刑戮。轻者则刖足，劓鼻，割耳，刺目；重者被杀戮，[1]被火烧，[2]被活埋。[3]至于皮鞭的抽打，在奴隶们看来，已经是家常便饭。最可怕的，是有时贵族举行大祭典的时候，奴隶们便有被当作猪羊而送上祭坛的危险。[4]

当时自由民，因为渐次被剥夺了土地和其他的生产手段，于是大半都走向都市。当时的殷都一定有一个庞大的流浪之群的存在。这些流浪于都市的自由民，因为有无偿的奴隶劳动之存在，他们在都市中也不容易找到

---

[1] 甲骨文中有字，象杀人而置于床上，其人旁之点，乃示鲜血尚淋淋也。甲骨文中杀俘的记载亦不少，凡云俘牲，皆杀俘也。

[2] 甲骨文中有字，象以火烧俘之形。同时亦有烧奴之记载，如云“贞烄奴士从雨”“贞勿烄亡其从雨”(《进》五，三三，二)。又云“癸未卜烧俘，韦”(《后》下，一八，二)。

[3] 甲骨文中有弇奴之记载，如云“归弇奴”(《铁》，三六，四)。又云“贞，不其弇奴”(《铁》一二四，一)。弇字，甲骨文作或书若，象两手将人送入土穴之象，故所谓弇奴者，即活埋奴隶也。

[4] 甲骨文中曾有以奴隶为牺牲之记载，如云“贞牲戈人”(《前》六，三一，五)，“巳巳卜，贞亡降牲”(龟甲兽骨文字，一，二六，一三)。“贞归俘不延牲”(《后》下，二，九)。《易》云“俘乃利用禴”，亦此意也。

工作，于是只有靠着乃祖乃父与贵族的血统关系，向贵族要求无条件之抚畜。这些自由民虽然没有像贵族那样过着豪奢的日子，但同样是一事不做，成群地坐在酒店里，过着醉生梦死的生活。所谓“群庶目酒，腥闻于天”，正是他们的写照。

第二节　殷代社会关系的发展——“盘庚迁都”与殷末的东南征伐

殷代的社会经济，就在上述的矛盾关系中，走向繁荣。这种繁荣，不仅把黄河南北引渡到文明世界，而且由于不断的战争与频繁的交换，它把包围于殷族四周的诸氏族，尤其是西北的周族，引渡到文明时代的边缘。可是从矛盾中发展出来的繁荣，在它的背面，也就是矛盾的发展。因而到盘庚时代，殷代社会经济中所内含的矛盾，便从奴隶所有者自己的营阵中爆发出来了。

据史载盘庚时代，曾经发生过一次反对迁都政潮。本来迁都在殷代是很平常的事情，史称自汤至盘庚凡五迁，均有水灾，所以从没有人反对。但据《盘庚篇》所述，这次迁都，并非因为水灾，而盘庚又“曷震动万民以迁”呢？同时与盘庚“共政”“在位”之人，又何以要鼓动民众反对迁都呢？坚持要迁都的是贵族，反对迁都的也是贵族，何以同一贵族集团而对迁都的主张不一致呢？这决不是他们闹意气，而一定有其政治的内容。据吕振羽氏的看法，这次反迁都的政潮，是因为国王要把残存于贵族手中之氏族公有地转化为国家所有，因而引起这一部分保有氏族共有土地的贵族之反对。但我不同意吕氏的这种解释，我以为如果殷代的政府，只是为了要把残存于一部分贵族手中的土地收归国有，他并没有震动万民以迁的必要，他只须用国家的权力，改变土地所有的属性便够了，而且当时的氏族共有地之所有者，只是少数的贵族，而这少数的贵族，并不一定住在土地所在的区域；至于当时受命迁徙之万民，则并非个个都是氏族共有土地之所有者；因之，即使有迁徙的必要，亦只应迁徙少数的贵族，而不应震动万民以迁。既震动万民以迁，则问题的核心，当然不在少数贵族，而同时亦与万民有关。换言之，即不是为了氏族土地之国有化的问题。况且氏族共有土地之国有化的实践，决不能因为这种土地所有者之离开土地而获得解决，果必如此，而后始能实现土地之国有化，则在殷代土地国有化的过程中，所发生之移民运动当不可想像。但是这在事实上，不但是不必要，而且是不可能的。因此。我以为吕氏之说，未免有些牵强。

根据《盘庚》三篇的暗示，盘庚时，迁都之主要的目的，是在把大量的农村人口徙向都市，使他们在都市中“安乃居”，“宅乃家”，而“永地于兹新邑”。为什么要把农村的人口，大量地徙向都市呢？盘庚只是说了几句冠冕堂皇的话，他说：“尔谓朕曷震动万民以迁？肆上帝将复我高祖之德，乱越我家，朕及笃敬，恭承民命，用永地于兹新邑。”用近代语译之，盘庚说明他迁都的理由，就是仰承天命，俯顺民情。在这里，天命固然是鬼话，不过民情却真是民情，但是并不是全民之情，而只是一部分人民之情，如果是全民之情，那就不致有反对了。这一部分人是什么人呢？照我的看法，正是当时蓬勃兴起之工商业贵族。这些工商业贵族，因为当时工商业的发展，在手工业作坊及交通运输中，都感到劳动力之相对的缺乏，为了补充劳动力之不足，于是通过国家的命令，企图将从事于农业生产的奴隶转移一部分到都市来。而这对于原来的土地贵族，所谓“旧有位人”，当然是一件不利的事。于是这些土地贵族就是鼓动自由民，起来反对，所谓“汝不和吉，言于百姓”，“而胥动以浮言，恐沈于众”，正是暗示土地贵族鼓动自由民起来反对的内容。当时的自由民对政府本不满意，经过土地贵族的鼓动，也乐得借题发挥，于是遂形成了一个轰轰烈烈的反迁都的群众运动。愤怒的群众，以“如火燎原，不可向迩”之势，走向王宫之前，向国王请愿。事情闹大了，国王不能不出来“话民之弗率”。大概说，本来与你们不相干，你们都是“自作弗靖”，这一定是有人“倚乃身，迂乃心”，胥动你们以浮言。你们现在应该解散，“毋亵在王庭”。我也“罔罪尔众”，你们也不许再闹了。请愿的群众是解散了，但问题并没有解决，结果，在“亦惟图任旧人共政”的条件之下，工商业贵族与土地贵族才取得协调。所谓“亦惟图任旧人共政”者，即承认旧有土地贵族，也有参加工商业剥削的权利。因此他们即使因奴隶之移入都市而影响到农业生产上的收益，但这种损失，却可以从工商业中得到补偿。换言之，他们并没有失去奴隶，而只是把奴隶当作一种活的资本，加入工商业生产而已。不过从此以后，工商业贵族，便一跃而为殷代奴隶所有者国家之命令者。

自从工商业贵族掌握了国家权力以后，他们的侵略性较之土地贵族更为强烈。为了开辟新的市场和掠夺更广大的世界，于是更大规模的战争便不断地展开了。据甲骨文所载，当时战争的规模之大，有一次杀人至二千六百五十六人者（《后》下，四三九）。杀敌之数至三千左右，则所用之兵，至少亦必倍于此数。其战争之长，则有延至三年者，如“高宗伐鬼方，三年克之”（《易》）。在战争中，当然可以由掠夺与贡纳而变成更大的豪富，但是在另一方面，战争的直接作用，又促成了自由民之急剧的零落，因而扩大了流浪者的队伍，从而增加了奴隶大众之更重的负担。同时，被征服的异族则遭受着更残酷的剥削。这样，殷代奴隶社会内部的矛盾便尖锐化了。一方面，是奴隶大众和零落的自由民之革命情绪的高涨；另一面，是被征服的异族之蜂起叛变，尤其西北诸属领以周族为领导，不久便形成了一个反抗殷代奴隶国家统治的武装集团。

与西北诸属领的叛变平行发展的奴隶之造反，在殷代我想是不免的。不过即使有之，也必然在殷代奴隶所有者的残酷屠杀之下被镇压了。可是殷代的奴隶所有者，他们有力镇压奴隶的造反，却无力镇压西北诸属领的叛变。但是殷人的奴隶，大部分皆来自西北诸属领，自从这些属领叛变以后，殷人便失掉了一个获得奴隶的主要来源，因而各种生产部门，都感到劳动力的缺乏。这样，殷的奴隶制经济，便开始了崩溃的过程。

到帝乙和帝辛的时代，殷代的奴隶所有者，为了获得劳动力的补充，以挽救日趋于崩溃之奴隶制经济的危机，曾展开征伐东南之大规模的战争，并且这个战争，似乎延长得很久。郭沫若氏曾根据甲骨文的记载，对于"殷末的东南经略"有所考证。据云："卜辞中有很多征尸方和盂方的记录，所经历的地方有齐有雇（即《商颂》"韦雇既伐"之雇，今山东范县东南五十里有雇城），在山东方面；有灊（今安徽霍山县东北三十里有灊城）有攸（即鸣条之条省文），是在淮河流域。"[1]这样看来，

[1] 参看郭沫若氏《驳说儒》一文中"殷末的东南经略"一节。（载《羽书集》三八七——三九二页）

当时征伐东南的战争，是由山东打到淮河流域。据郭氏的意见，以为东南征伐的对象是东夷，文献上也是如此说。[1]但我以为殷族自己就是东夷之一分支，东夷既是殷之同族，或不会叛变殷族，因而也就不致发生战争。同时殷族也不会向自己同一种族的氏族中去捕捉奴隶。因此，以我的推测，殷末东南征伐的对象，恐怕是夏族的残余，因为雇与灊（疑即有鬲氏之遗）都是夏族。也可能是“南太平洋系”人种，因为传说中谓“纣为黎之搜而殒其身”，又谓“蚩尤为九黎之君”，是则黎之族乃属于“南太平洋系”人种之一分支。当殷之末叶，国势衰微，夏族的余裔可能发生叛变，“南太平洋系”人种也可能沿东南海岸北向淮河流域，故我以为殷末东南征伐的对象，可能是“夏族”或“南太平洋系”人种。

征伐东南的战争，本来是为了劳动力的缺乏，希图从战争中捕获一些俘虏，把他们转化为奴隶，但是为了进行战争，首先就要动员大批的自由民和奴隶走上东南的战场，而这就必然要使仅有的奴隶，从生产领域中脱退出来，从事于战斗。战争既然延长如此之久，即使顺

[1]《左》昭十一年传云：“纣克东夷而殒其身。”

利进行，也不能没有伤亡。同时，即使有新捕获的俘虏，但因他们都是来自比较落后的种族，缺乏高于他们的劳动生产之经验，所以不能即刻把他们转化为劳动力，而使用于生产。因此，征伐东南的战争，不但不能解除殷代社会经济的危机，反而助长了危机之发展。一方面，手工业生产更限于停顿的状态；另一方面，不但西北的商路不通，东南的商路，也被战争遮断了。在这样的情形之下，大批的工商业资本，只有重新回到土地的经营。可是这一个回转，并不是殷代初年的农业之复归，而是在更高的手工业生产的水准之上进行的。因之，它并不是经济的倒退，而是经济的发展。

这一历史的转向，可以说是殷代社会经济之质的变革的起点，即由奴隶制经济转向封建制经济的过程之开始。因为由于这一转向，于是在黄河南北，便出现了不少大规模的庄园，使农业走向更高阶段的发展，而这就替后来西周封建庄园经济奠定了基础。

所谓庄园制度，就是所谓井田（详见下篇）。这种农业经营的组织，是由过去之村落公社脱化而来的。殷代末期的农村，是否有这样的组织之存在，甲骨文中没有显明的记载，只有一个井字，而井字的命意，是否由井田制度而来，也还是问题。但传说中曾有“殷人七十而助”(《孟子》)一语，历来的学者，皆谓七十而助者，实即后来井田制之起源。朱子《集注》云:“殷人始为井田之制，以六百三十亩之地，画为九区，区七十亩，中为公田，其外八家，各授一区，但借其力以助公田，而不复税其私田。”此虽臆测之说，不足为凭，但按之事实，殷代末叶，庄园经济，实有发生之可能。因为如前所述，殷末奴隶已感不足，大规模的奴隶制的农业经营，进行甚为困难，土地贵族，不能不把大块的土地划分为许多较小的区域，把奴隶有计划地编制于这些区域之内，责令他们完成一定量的土地耕种。这在当时奴隶贵族之主观的动念上，是企图借此而更加重对奴隶的剥削；但在客观上，奴隶却因此而得到部分之解放，而出现为后来农奴的前辈。

庄园制的农业经营，提高了土地的生产报酬，利之所在，人必趋之，因而又引起了土地贵族对土地之更剧烈的争夺。在土地的争夺中，残存于农村中的自由民，便像疾风扫落叶一样，最终地被清算了。随着因四周属领叛变而引致的中央政权之衰落，这些土地贵族，便渐渐保持着相对独立的性质，俨然有些后来封建诸侯的神气。这样看来，殷末的社会经济，已经自发地开始了它的变革过程了，因之即使没有周族的侵入，它一定也能从其社会经济自身的矛盾之发展中，完成由奴隶制经济到封建制经济之转化。

第三节　殷代社会关系的决裂——“武王伐纣”、“前徒倒戈”与殷代奴隶国家的灭亡

走向没落的殷代奴隶所有者的政权，到帝辛的末年，便达到最终崩溃的时候了。在当时一方面，征伐东南的战争，仍然继续在进行，朝歌市上，到处都是威风凛凛的将军和束装待发的士兵，粮食的征发和武器的供应，成了当时人民之苦重的负担。另一方面，大批失掉了土地的自由民，像潮水一般成群地涌进了朝歌的城市，因而街头巷尾，到处都是流浪者之群。他们似乎已经得不到国家的恩赐，而以盗窃为生。所以《微子篇》有云：“殷罔不小大，好草窃奸宄。”他们“攘窃神祇之

牺牷牲，用以容，将食无灾”。《泰誓》亦云：“牺牲粢盛，既于凶盗。”同时，当时的奴隶，也恐怕经常发生暴动，《微子篇》所谓“小民方兴，相为敌仇”者，或即暗示这一历史内容。总之，当时的社会，已经是“如蜩如螗，如沸如羹”，临到了暴风雨的前夕。除大奴隶所有者以外之一切社会层，无不企图颠覆奴隶制经济，找出一条新的出路。

正当这个时候，在奴隶所有者集团中，不仅有地方与中央的对立，而且还发生世俗贵族与僧侣贵族之间的斗争。一方面，僧侣贵族要继续保有其神权高于一切的优势；另一方面，王权却在战争中被提高了，世俗贵族要把僧侣放在自己的支配之下。而且在殷末似乎把卜筮之权，都收归王有，这从殷末甲骨文中，“王贞”者渐多于“(僧侣)卜贞”的事实，可以证明。同时，《史记》谓武乙曾有“射天”之事，而《泰誓》中宣布纣的罪状，其中也有说他“郊社不修，宗庙不祀”之语，由此而知殷代的神权，自武乙时代起，即开始低落，到帝辛时，则王权高于一切了。当时的僧侣贵族恐怕已经遭受了很大的抑压，《微子篇》中所谓“咈其耇长，旧有位人”，《泰誓》篇中所谓“播弃犁老”,“囚奴正士”。以上所谓“耇长”，“旧有位人”，所谓“犁老”，“正士”，恐怕都是僧侣贵族，如上所述，他们都被播弃囚奴了。这样看来，奴隶所有者集团内部，也陷于矛盾的交织之中。

同时，当时的贵族，已经达到了透顶的腐化。他们眼看着危机迫切，然而仍群聚在倾宫瑶台，作“靡明靡晦，式号式呼”之痛饮狂醉。当此之时,“车行酒”而“骑行炙”，男女奴隶，裸体相逐,“为北里之舞，靡靡之乐。”正当此时，西北诸氏族，如庸、蜀、羌、髳、微、卢、彭、濮人，在周族的领导之下，组织了一个庞大的殖民地革命的联军，开始对殷代作积极的军事进攻。这个革命的联军，在周武王的统率之下，出了潼关，渡过孟津，浩浩荡荡杀向朝歌而来。当这种紧急警报传到殷王的宫廷时，于是殷代的奴隶贵族才停了歌舞，散了酒席，开始讨论应敌的方策。当时殷代的主力军，都远在东南战场，一时征调不来，于是一致决议，把流落在街头巷尾的大批自由民和朝歌城郊的奴隶，乃至新由淮河流域捕来的俘虏，都一齐武装起来，开赴前敌，这就是所谓“受（纣）有亿兆夷人”的内容。

当殷代奴隶贵族调集和组织军队的时候，西北诸氏族的联军，已经进到朝歌附近的牧野，他们打起“吊民伐罪”的旗帜，号召奴隶的响应。战争在牧野展开了，但是殷代的奴隶大众和零落的自由民，他们痛恨殷代的奴隶所有者的政权已经不是一天，一旦武器在手，而又有强大的外援，于是他们毫不犹豫地倒转戈矛，杀掉了殷代政府所派遣的军官，与西北诸氏族的革命联军合流了。这就是所谓“前徒倒戈，攻于后以北”的历史内容。

现在，殷代的奴隶大众，打开了朝歌的大门，他们和西北的革命联军在胜利的呼号中，冲进了朝歌。现在，奴隶大众怒吼了，绵羊变成了狮子，牛马变成了人，他们粉碎了他们的锁链，捣毁了他们的土牢，打开了巨桥的谷仓，散发了鹿台的宝藏。并且在神的面前，公然地侮辱了他们的主人。

宫殿里燃起了熊熊的烈火，殷代最后的一位奴隶国王，就是那位“长巨姣美”，“筋力超劲”（《荀子》）的帝辛，就用了对自己的焚烧，作为这个奴隶所有者国家最后灭亡之祭奠。

火在焚烧，人马在奔腾，明天的世界，又是历史的新页了。

第五章　殷代的家族关系

第一节　一夫一妻制家族形态的成立与“多父”“多母”之说

家族形态与社会经济的内容是相适应的。蒙昧时代的血族群婚，野蛮时代的对偶婚家族和文明时代的一夫一妻制家族，这是家族发展过程中之三大主要的形态。这三种家族形态之相续地继起，正是特征着历史上三大时代之不同的社会经济的内容。

殷代的家族形态，我以为应该是一夫一妻制的家族。因为一夫一妻制的家族之发生，与私有财产及国家的起源是相适应的。殷代既有私有财产的发生，又有国家的出现，从历史发展的原理上说，在这一时代，必然要产生一夫一妻制的家族。因为家族是社会构成的细胞，断没有整个社会业已向前发展，而作为其细胞的家族，却仍然保持其固有之形态的。

一夫一妻制的家族，是在私有财产对原始的共有制之胜利的基础上所建立的最初之家族形态，其目的就在于生出无可争议的父系的子女，以为他们的父亲之私有财产之法定的继承人。它是私有财产制度在两性关系上之表现形态，正如国家是私有财产制度之政治的表现形态一样。所以只要私有制度一经成立，这个为私有制度服务的一夫一妻制家族，也就跟着完成了它的发育。它替私有财产准备好了无数私人的钱柜，以及因为看守这个钱柜而更被固定之妻，特别是为了承继这种私有财产而生育出的父系的子女。

为了防止家族对氏族的分解，氏族制度曾经尽了不少的努力，如外婚制的施行，都是为了要不使氏族分裂为许多家族。但是历史发展的法则，规定了私有制度对原始共有制度的胜利，因而也就命定了家族对氏族的分解之必然性。一夫一妻制家族，便是氏族社会之最终分解的结果。在殷代，已经出现了国家，当然不是氏族社会，从这一点上看，当时的家族，也应该是一夫一妻制。

但是在殷墟出土的甲骨文中，以及晚近出土之三“商句刀”的铭文中，却有类似“多父”“多母”之记载，学者因有据此判定殷代的家族形态，还是亚血族群婚的。按亚血族群婚，照摩尔根氏的划分，乃属于蒙昧中期与上期的一种家族形态。此种家族形态，一到历史进入野蛮下期，即转化为对偶婚家族了。殷代社会经济，已经进入文明时代，其家族形态，决不致尚属于蒙昧中上期之亚血族群婚，这是可以断言的。

虽然，历史是具体的，我们不能专凭理论以武断事实，但考之事实，殷代尚有“多父”“多母”的现象之说，亦不能成立。

考“多父”之说，大半以三“商句刀”的铭文为最有力之根据。三刀铭文不同，其一列铭祖名曰：“大祖日己，祖日丁，祖日乙，祖日庚，祖日丁，祖日己，祖日己。”其一列铭父名曰：“祖日乙，大父日癸，大父日癸，中父日癸，父日癸，父日辛，父日己。”其一列铭兄名曰：“大兄日乙，兄日戊，兄日壬，兄日癸，兄日癸，兄日丙。”

此外甲骨文中，亦有“多父”及“三父”之记载。

如云:“戊子卜庚（寅）于多父旬。”（《前》一、四六、四）又云:“贞帝（禘）多父。”（《林》一，一一，一八）又云:“庚午卜豊贞，告于三父。”（《林》一，五，五）除“多父”及“三父”之记载外，又有列举“三父”及“二父”之名的记载。如云:“父甲一㸬，父庚一㸬，父辛一㸬。”（《后》上，二五，九）又云:“贞㞢于父庚，贞㞢于父辛。”（《戬》七，一）

以上所录的史料，确系一种真实的史料，但此种史料所包含的内容，是否即能证明殷代尚有多父的事实之存在呢？我以为他们恰恰是否定当时有多父之存在。因为在三“商句刀”的铭文中，其于祖，则有“大祖”与“祖”之分；其于父，则有“大父”、“仲父”与“父”之分；其于兄，则有“大兄”与“兄”之分。在祖辈父辈和兄辈之中，而有“大”“仲”之分，这决不是一种单纯的敬语，这种称呼之出现，正是表现实际所行的血族关系的亲疏及等级之概念的。这种概念，是用以为一个一定的家族形态之构成的基础的。换言之，即殷代的人，已经能够区别出谁是自己直系的亲族，如“祖”若“父”；谁是自己的旁系的亲族如“大父”、“仲父”之类。

而这在“多父”“多母”的亚血族婚家族时代，要认识自己“真正的父”，并从而以这“真正的父”为基础去区别亲族之亲疏等级的关系，是不可能的。因为在亚血族婚家族中，母之诸夫皆为父，父之诸妻皆为母，在父之中，固无所谓“父”与“大父”及“仲父”之分。甚至在对偶婚的家族中，对于“父的概念”亦无此明了。因为在对偶婚家族中，虽然已经认定了母的主夫为主父，但母的“主夫”，不一定就是她的子或女之“真正的父亲”，在当时，母除“主夫”以外，尚有许多“庶夫”，因而当时的子女除“主父”以外，尚有许多“庶父”，而且有时他们“真正的父”，不是“主父”而是“庶父”。所以在这一时代，要把自己真正的父从其他许多父中区别出来，也是很困难。他们只好认定一个“名义上的父”，就算了事。

“父”的概念之明确化，是一夫一妻制家族中体现出来的一种新的伦理。因为一夫一妻制家族已经把婚姻所拥抱的范围，缩小到一男一女的性之结合，而且婚姻的约束，更来得坚固而持久。在这样的家族形态中，“母”只有一个“夫”，从而子女也就只有一个“父”了。

因为“父”的概念明确化，于是父之兄弟，便加上了“大”“仲”等形容词于“父”字之上，以示与“父”有所区别，其“长”于“父”之“父的兄弟”曰“大父”，“幼”于“父”之“父的兄弟”曰“仲父”，而统称之则曰“诸父”，“诸父”者，“父辈”之谓，并非“多父”之意。由此上推以至于“祖”乃至“祖”之“父”亦无不如此。这样看来，殷代的人既于“父”之外有“大父”与“仲父”的称呼，则其家族形态之为一夫一妻制，实无可疑。至于甲骨文中所谓“多父”者，则系“诸父”之谓，而“诸父”者则又伯叔之谓也。证之甲骨文中有“侄”的称谓之出现，如云“己亥卜王，□余弗其子，帚侄子”（《前》一、二五），则又指明殷代时，父之兄弟之子，已不通称为子，而别称为侄。因而又指明父之兄弟不通称为父，而别称为“大父”“仲父”，从而又指明父之兄弟，已不共有他们的妻。一言以蔽之，“侄”的称呼之出现，就是殷代不是亚血族婚家族的最好的证据。

因此，我以为三“商句刀”的铭文，其列举之祖名并非谓一个祖母的“多夫”，而是列举大祖以次之列祖。其列举的父名，亦非谓一个母的“多夫”，而是列举属于祖日乙之子的诸父。这从其列举诸兄的秩序，自大兄以次而皆曰兄，即可证明。我们由此而对于甲骨文中之“三父”或“二父”的列举，又可以了然，盖亦不过列举父辈之名而已。至于吕振羽氏释为某一家系之子孙侪辈共同纪念其祖若父若兄，则于事实亦有未通，即如甲骨文中“父甲一牡，父庚一牡，父辛一牡”，据罗振玉王国维二氏考证，系武丁一人所卜，然则父甲父庚父辛三人，皆为武丁之父乎？所以我以为诸父并列者，其父的命意，即父辈之谓也。

关于多母之说，其根据更为薄弱。其所据之史料，即甲骨文中曾记载祖乙祖丁皆有二配，而武丁且有三配。如祖乙之配曰妣己（《前》一，二四，及《后》上二至三），又曰妣庚（《后》上，二三）。祖丁之配曰妣己（《前》一，一四，同三四、后上、三），又曰妣癸（《后》上、三）。武丁之配曰妣辛（《前》一，一七，同三七、后上、四），又曰妣癸（《前》一，一七，四，后上、四及九、一〇），又曰妣戊（《后》上，四，八）。但是据罗振玉氏根据甲骨文参考，殷代诸帝，除祖乙祖丁武丁外，皆为一配，是则殷代三十一世帝王中，仅有三个帝王为多配，而一配者则占十分之九以上。如果据此而遂谓殷代有多母之事实，则殊嫌武断。固然甲骨文字的发现，截至现在，尚属少数，也许在将来的发现，还可以发现殷代其他帝王亦有数配，但以我的见解，即使殷代所有的帝王皆为数配，而且乃至所有的帝王，皆不仅二配三配而皆有更多之配，亦不能以此而证明殷代有“多母”之事实。盖一人而数配者，乃“多妻”，非“多母”也。“多妻”与“多母”有别，后者为太古时代之现象，而前者则至今尚在流行。如果以“多妻”为“多母”，那便是一个误会。诚然“多母”的时代，一定是“多妻”，但有一个条件，即同时女子也过着“多夫”的生活。至于“多妻”则不然，它不仅存在于太古的社会，而且也一直延长到我们今日的时代。但是到一夫一妻制家族的时代,“多妻”的性质已完全不同了。在这一时代的“多妻”，只是男子片面的特权，这种特权，由于父权的伸展而得到继续享有的保证。至于女子，如果她偶尔记起了太古时代“多夫”的习惯而企图复活，她就要受到前所未有的严酷的刑罚。在这样的“多妻”的时代所生的子女，并不是以他“父的所有之妻”皆为“母”，而只是以其所自出的“父之妻”为“母”。据郭沫若氏云：“殷代祀典，虽先妣特祭……然仅祭其所自出之妣，于非所自出之妣则不及，是其父权系统，固确已成立矣。”（《卜通·序》二页）由此，殷代为“多妻”而非为“多母”，又得到一个确证了。

殷代的奴隶贵族之有多妻的事实，这是毫无疑问的，因为毫无限制而属于主人的年轻貌美的女奴隶之存在，正是一夫一妻制家族开始时期的特殊的性质。因为一夫一妻制是专为约束女子，并不约束男子，而且直至今日，这种特性，还是存在。因此，多妻制的存在，并不妨碍家族形态在名义上之仍然被称为一夫一妻制。在殷代，那些奴隶贵族们，只要不怕污辱自己的身份，任何一个女奴隶，都可以属之于他们的宫廷。实际上，在这一点上，奴隶贵族们也可以忘记自己的身份，而给与他们的女奴隶以荣宠的。甲骨文中已有“妾”字的出现，妾字从辛，从女，就是女奴隶。同时《易》卦爻辞中也有妾、妃、娣等字的出现，这些字汇的出现，就暗示殷代当时的贵族除一个唯一无二的妻之外，还有无数的妃妾。因而我们便可以了然于祖乙祖丁及武丁的所谓“多配”，正是一夫一妻制家族天生的特性。这种特性，通过整个封建时代乃至近代资本主义时代，都继续着它的发展。在中国封建时代的皇帝，哪一个不是后宫佳丽几千人。近代的资本家，哪一个不是在国家保护的娼妓制度之下，得到性的补充。但是我们能因此而说他们不是一夫一妻制家族吗？殷代帝王的“多配”，也就正是如此。

在殷代，结婚的仪式是非常隆重的，这从生在殷末的周族的一位酋长，即历史上所谓周文王的婚典中可以看出。关于周文王的婚典，《诗·大雅》曾作如次之缩写：“文王初载，天作之合。在洽之阳，在渭之涘。文王嘉止，大邦有子。大邦有子，伣天之妹。文定厥祥，亲迎于渭。造舟为梁，丕显其光。”这段速写，把文王怎样把婚姻看作天命，把他的未婚妻看作天赐的女子，又怎样文定厥祥，怎样亲迎于渭，写得有声有色。但是尽管婚姻的典礼如何隆重，他的唯一的目的，却仅在于“笃生武王”这一个私有财产和酋长职位的承继人。除此以外，这位在盛大的亲迎礼中迎接而来的“天之妹”，对于文王，只是一种摆不脱的负担，一种不可不履行的对神对国家及自身祖先的义务，一种对私有财产的承继之实践。因此，这种婚姻的隆重性，并不是出发于性爱的动机，而是私有财产制度的神圣性之反射。所以后来周文王还是娶了一大群的女奴隶作为“不称为妻之妻”，生下了一百个孩子。《诗·大雅》所谓:“太姒嗣徽音，则百斯男。”正是暗射这个历史内容。因为无论怎样多产的女子，在她的一生，决不能生育出一百个孩子出来，因而“百斯男”的反面，就是文王有多妻的存在。

周族是殷代国家的属领，文王又生在殷之末季，他的婚姻形态，当然亦即殷末流行的婚姻形态。这样看来，一夫一妻制并不排除多妻制，反之，正是以多妻为条件。因而所谓一夫一妻制，决不是为和解夫妇而出现于历史，更不是当作最高的婚姻形态而出现的。反之，却是当作男性压迫女性，当作以前历史所未知的两性斗争之宣言而出现的。这种男女两性的对抗，与最初表现的社会对抗是一致的，因为最初的社会压迫，是与男性之压迫女性相一致的。因为它和奴隶制一样，一个人的幸福，是靠别人的苦恼与被抑压以成就的。

殷代的奴隶贵族，就用了对他们的妻的生杀予夺之大权，以保证他们的妻对自己在婚姻上之贞操，而自己却尽量去发挥那种古典婚姻中的优美之点。但是他们的妻，也就即刻找到欺瞒他们的夫之充分的机会，她们把男奴隶当作情人，而获得了对他们的夫之报复。《易·渐》九三云："夫征不复，妇孕不育。"这两句话，正是指明当时的女子，乘着她们的夫不在家的时候，从另外的一个男子怀了孕，因为无法报销，所以只好把孕堕了。这样看来，跟着一夫一妻制的出现，有两种前所未知的社会人格出现：妻的经常的情人与奸妇之夫。男子虽已得到对女子的胜利，但荣冠还是败者泰然承受了。

第二节 一夫一妻制家族形态的发展与原始杂婚制的遗风

一夫一妻制家族，不仅不能排除多妻以及非正式之多夫的事实，而且古代杂婚制的若干残滓，也不能扫除干净。这些杂婚制的残滓，以一种新的形态在一夫一妻制家族中，获得了它发展的方便。

在殷代，女子的"神前献身"，一定是存在的。所谓女子的“神前献身”，就是女子为了脱离古代男子共有的缚束，而获得委身于一个男子之时所行的一种赎罪的行为。这种行为，由女子之限制的委身以行。最初是一年一度地委身于一切男子，以后便改为一生一度地委身于一切男子，最后则由女巫代表她们委身于一切男子，于是女子才最终地从杂婚制中脱离出来。

殷代之有这种杂婚的遗俗，我们可以从传说及甲骨文的记载中找出一些影子。《诗·商颂》谓“天命玄鸟，降而生商”，按玄鸟过去学者皆以为是燕子，近来郭沫若氏谓不是燕子，而是凤凰。但不论是燕子，抑或是凤凰，皆系鸟类，鸟类决生不出人类来。因此，所谓“天命玄鸟，降而生商”者，并不是意味着殷人生于玄鸟，而是在玄鸟来降的时候，殷人便有一次原始杂交的短期之复活。在这一时候，所有的青年女子，都在玄鸟的神庙中，献身于其平时所恋之爱人。殷人于一切鸟类皆无祭，而独于凤凰有祭。甲骨文中有云：“于帝史凤二犬。”（《卜通》三九）又云：“甲戌贞，其湑凤，三羊，三犬，三豕。”（《簠·典礼》一六）假如凤凰就是玄鸟，则殷人实有祭玄鸟之事，亦有祀玄鸟之庙。当此之时，男女毕聚，自由爱恋，毫无拘束，俨然置身于杂交时代的太古社会。《天问》篇中所谓“玄鸟致贻”者，此之谓也。因此，我以为殷人的玄鸟神殿，与巴比伦的迈尼泰（Mylitta）神殿，西亚各民族的阿娜逖斯（Anaitis）神殿一样，同是古代社会中的女子神前献身之所。

这种神前献身的遗俗，到后来便为女巫代表执行了。如前所述殷代已有巫祝，同时，殷代祭祀亦用歌舞如“侑于小乙”、“伐于上甲”者是也。此等以侑以伐的女巫，我以为与阿美尼亚的“阿娜逖斯神”，及科林斯（Corinth）的“阿富罗底神”的巫女及印度神殿的宗教舞女，即所谓“伯家得勒斯”（Bajadares）者同样，都是作为女子神前献身之代表者的身份而出现。但是到最后，当这些女巫揭出了宗教的内幕的时候，她们便从神殿走到卖淫的市场，而成为最初的娼妓。

一年一度的神前献身，在殷代恐怕还在很盛大的举行。这样的集会，恐怕除了男奴隶是除外，此外贵族自由民女奴隶，都可以自由参加。这些贵族和自由民，当着神的面前，拥抱着那些不是他们的妻的女子；同时，那些贵族和自由民的女子，也当着神的面前，热恋着不是她们的夫的男子。而这也就是一夫一妻制家族之“严肃性”的一个“侧面”。

这样的古风，一直到周代，还在追踪着一夫一妻制的家族，成为隐蔽在宗教盛典中的白昼宣淫。《周礼·月令》有云:“是月也（仲春之月），玄鸟至，至之日，以太牢祠于高禖。天子亲往，后妃帅九嫔御，乃礼天子所御，带以弓韣，授以弓矢于高禖之前。”又云:“是月也，耕者少舍，乃修阖扇，寝庙毕备，毋作大事，以妨农之事。”这段记载，正是说明周人亦于玄鸟至之日，相与淫乐于“高禖神殿”之“寝庙”。如此，则殷之“玄鸟神殿”，周之“高禖神殿”，同为女子神前献身之所。

在殷代，女子在结婚以前，或者尚有绝对的性交自由。因为此种遗俗直至周代尚被保存。《周礼》有云:“仲春之月，令会男女，于是时也，奔者不禁；若无故而不用令者罚之，司男女之无夫家者而会之。”又《墨子·明鬼》篇亦云:“燕之有祖，当齐之社稷，宋之有桑林，楚之有云梦也，此男女之所属而观也。”又《法苑珠林·君臣》篇亦云:“燕之有祖泽，犹宋之有桑林，国之大祀也。”这些都说明了女子在结婚前之自由性交，在周代依然为国家法律所允许，而且从周礼“若无故而不用命者罚之”一语看来，似尚带有强制执行之意。不过在另一方面，又已在封建道德之前，遭受裁判。如齐之“观社”，在春秋时已被视为“非礼”(《左》庄二十三年传)，同时宋公享晋侯于楚丘，请以桑林．而荀莹辞之(《左》襄十年传)。

周代既尚有此古风，则殷代当更为盛行。因为女子的贞操，是适应于男子的权力之伸张而逐渐扩大的，最初只限于结婚以后夫妻同住的时期，以后才扩大到结婚以前的时期，更后，又扩大到夫死以后的时期。于是一个女子在未婚以前，即须设定一个假想之夫而为之保持贞操；既婚之后，更须为其现实之夫保持其贞操；夫死之后，亦须为着夫之灵魂而保持其贞操了。但是在殷代一夫一妻制家族，尚在初期的阶段，在当时，男子对女子之贞操的要求，也许尚未扩大到结婚以前的范围；至于夫死以后的贞操，则是封建社会的产物。因此殷代的女子，在结婚之前，一定还能享受那种“男女杂游，不媒不娉”的原始杂交生活。

女子在结婚以前享有自由性交的权利，乃是一夫一妻制家族初期之一种普遍的现象。据史乘的记载，直至汉唐时代中国四裔的若干种族，还是保有此种古风。例如：

“挹娄云，即古肃慎之国也……妇贞而女淫。”（《文献通考·四裔考》三）

“（稽胡）俗好淫秽，女尤甚。将嫁之夕，方与淫者叙离，夫氏闻之，以多为贵。既嫁，颇亦防闲。有犯奸者，随事惩罚。”（《北史》卷九六传八四）

“鲜卑，亦东胡之支也……以季春也，大会饶乐水上，然后配合。”（《文献通考·四裔考》十九）

“突厥……是日（葬日）男女咸盛服饰，会于葬所，男有悦爱于女者，归即遣人聘问，父母多不违也。”（《文献通考·四裔考》二）

“（松外诸蛮）奸淫则强族输金银请和，而弃其妻，处女嫠妇不坐。”（同上七）

“安南……上巳日，男女集会，为行列，结五色采为球，歌而抛之，谓之‘飞驰’。男女自成列，女受驰，男婚以定。”（同上七）

不仅在汉唐时代有之，即在今日西南诸落后种族中，此风犹在盛行。清赵翼《檐曝杂记》有云：

粤西土民及滇黔苗倮，风俗大概皆淳朴，惟男女之事，不甚有别，每春月趁墟唱歌，男女各坐一边，其歌皆男女相悦之词。其不合者，亦有歌拒之，如你爱我，我不爱你之类。若两相悦，则歌毕辄携手就酒棚，并坐而饮，彼此各赠物以定情。订期相会。甚有酒后即潜入山洞中相昵者，其视野田草露之事，不过如内地人看戏赌钱之类，非异事也。当墟场歌唱时，诸妇女杂坐，凡游客素不相识者，皆可与之嘲弄，甚而相偎抱，亦所不禁。

又清魏祝亭《两粤猺俗记》中有云：

仲冬既望（瑶人）群聚“狗头王庙”，报赛宴会。男女杂嚸，……宴毕，瑶目踞厅傍，命男女年十七八以上者，分左右席地坐，竟夕唱和，歌声彻旦，率以狎媟语相赠答。男意惬，惟睨其女而歌，挑以求凰意。女悦男，则就男坐所促膝而坐。坐既，并执柯者将男若女襟带，挈其长短如相若，俾男挟女去。

我之所以不嫌繁琐举出这（么）多的例子，是为了使读者从这些例子，去想像殷代女子在结婚以前之自由恋爱的情景。

总上所述，我以为殷代的家族形态是一夫一妻制家族，但同时有多妻的现象存在，此种多妻者只是奴隶主贵族，至于一般自由民，他们没有剩余的生活资料，养不活比一个更多的妻。为了繁殖劳动力，当时的奴隶，也有结婚的允许，但没有多妻的允许。此外原始杂婚的遗风，在殷代还是保留得很多。但多妻乃至原始杂婚的遗风之存在，并不妨碍殷代的家族之仍为一夫一妻制，因为多妻只是一夫一妻制的副产品，而原始杂婚制的遗风，则只是历史的残滓而已。多妻与原始杂婚的遗风，一直到现在还追踪着一夫一妻制的家族，而成为这种家族之存在的附带条件。在人类史上，没有纯粹的一夫一妻制家族，它总是伴随着通奸与卖淫。中国的一夫一妻制家族，自从殷代起就带着满帆的饱风，向着通奸与卖淫的方向前进，以至于我们的今日。只有在更好的社会中，两性的合理关系，才能在光天化日之下反射出来。

第六章　殷代社会的意识诸形态

第一节　文字的起源及其最初阶段

文字的出现，是文明时代最主要的标志之一。从安阳出土的甲骨片上，我们发现了殷代已有象形文字（插图三九）。这与殷代之社会经济的内容是相适应的。惟今日所发现的甲骨文字，皆系盘庚以后的文字，而殷在盘庚以前，尚有一个悠久的时期，在这一时期中之殷代早期的文字，则至今尚未发现。故今日所发现的中国最古的文字，乃属于盘庚以后的文字。

中国最原始的文字，发生于何时，这个问题的答复，只有待之于将来地下的发掘，我们不敢妄加推断。惟决不始于盘庚时代，则可断言。因为无论从字汇的数目之繁多，与字体的构造之形制，均可以看出今日所发现的

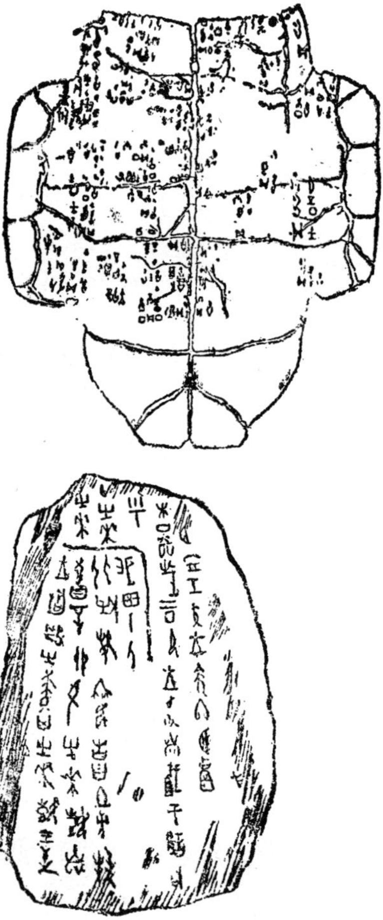

插图三九　殷商的甲骨文字〔上〕刻于龟甲上的文字〔下〕刻于兽骨上的文字

甲骨文字，已经是经过了长期发展以后之文字。

就字汇的数目而言，大抵殷墟文字之数字，约在两千上下。据商承祚《殷墟文字类编通检》云："都凡七百八十九字，'待问篇'字数略同。"按甲骨文字断续出土，散在各地，经过整理研究者，尚不过十之一二，其至今尚埋藏于地下以及毁灭于地层中者，尚不知有若干。以此推测，则殷代末年所应有之字汇的数目，至少当在两千以上。

这样丰富的字汇之出现，决非偶然，而正是说明当时的社会，已经具有非常复杂的内容，需要相当的符号，以指明当时既存之事物与现象。虽然如此，人类亦曾在几十万年的历史时期中，不以文字而以语言指示当时之事物与现象，人类之把语言翻译成文字而用以为表达人类意识之工具，这是需要社会的发展达到了一定的历史阶段，才能实现出来。因为言语只是一种声音，这种声音，虽然也能表达人类的意识，但是究竟是一种不固定的不统一的意识表现形态。而文字则是体现为形象。换言之，文字之主要的任务，是要把仅有声音的言语固定于形象之上，而且把指示同一事物或现象之不同的言语，统一于形象之上。所以文字是言语之定型化、一般化和形象化。自有文字以后，人类才能把自己的思维过程具体地记录下来，因而也才能开始文化的蓄积，从而也才能使人类得以进入有史的时代。

最初的文字，是象形图画的缩写。在象形图画中，牛就是牛的写真，马就是马的写真，它们所描绘的事物或现象，都具有很大的逼真性，所以在任何人的眼中，都能得到同样的认识。但当缩写为象形文字时，则或图其角，或图其头，各有各的缩写之法。而这直到盘庚以后的文字，还是如此。今日所发现的甲骨文字，每一字皆有若干种书法，如“羊”字的书法，竟多至四十五种。要使这各种各样的书法，成为当作人类公认之符号的文字，这当然需要一个长期的发展过程。殷代在盘庚以后，已经出现了两千以上通行的字汇，所以我说这种文字是经过了长期发展以后的文字。

再就文字构成的形制而言，也不是一种最原始的文字。《说文》云：“依类象形谓之文，形声相益谓之字。”甲骨文字中有一大半固为象形之字，但形声之字亦不少，如从水之洹、洋、淮、泛等，从木之藁、树、杞等，从鸟之雇、雉、雞等，从女之妃、娷、媒等，从宀之牢、、寐等皆是也。此外如御字作，则指御马之事，耤字作，则指人耕之事，冤字作，则指冤兔之事，是当时已有指事之字。如祖字作，妣字作，女字作，又皆会意之字。如借月为夕，借日为昼，借水为灾，则假借也。又如于乃等字之用为虚字，则转注也。总之，许书中所谓六书者，在当时之文字的创造中，皆已应用。

按文字的形成，以象形字最为原始，此种文字可以由人类之视觉而直接获得了解。至于形声、指事、会意，尤其假借与转注之字，则非通过人类的思维，便不能了解其意义。故此等文字的出现，乃是人类思维更高发展的结果。此等文字出现以后，则一切无形可象之抽象的思维，亦能获得具体之表现工具了。但这决不是最原始的文字中所能有，所以我说殷墟文字，是经过长期发展以后的文字。

最后就文字的应用而言，当时应用文字的技术，已经有高度的发展。甲骨文中，已有包括六十三字的记事体的作品。例如：

“丁卯、王卜，贞、今日巫九，余其从多田（甸）

于多白（伯）正盂方。𡆥𢍏衣（殷）翌日步，亡𡿧，自上下𩱏示，余受又：不𢀛𢦔□告于𢆶大邑商，亡𢦏在畎，王𠧪曰弘吉。在十月，遘大丁，翌。”（见《甲骨文断代研究》）

这样看来，则《商书》所传《盘庚》三篇及《微子篇》，那样的长篇巨制的作品，在殷代当时，并非没有创作的可能。

不仅如此，在甲骨文中，还有具有文学性的记录，如云：

“癸卯卜，今日雨？其自西来雨？其自东来雨？其自北来雨？其自南来雨？”（《卜通》，三七五片）

这样看来，殷人对于文字应用的技术，已经达到非常纯熟的程度。他们不仅能应用于长篇巨制的纪事，而且能运用于文学性的抒情，这不是经过长期的发展，是决不能一蹴而就的。因为从单个文字的发明到文字的联缀，其间还需要一个历史的时间，在这个时间中，正是由名词的字汇中转化出动词、形容词、副词、前置词及连接词的字汇之时。必须有了这些字汇，文字才能联缀拢来，成为语句，并从而构成所谓“文章”。

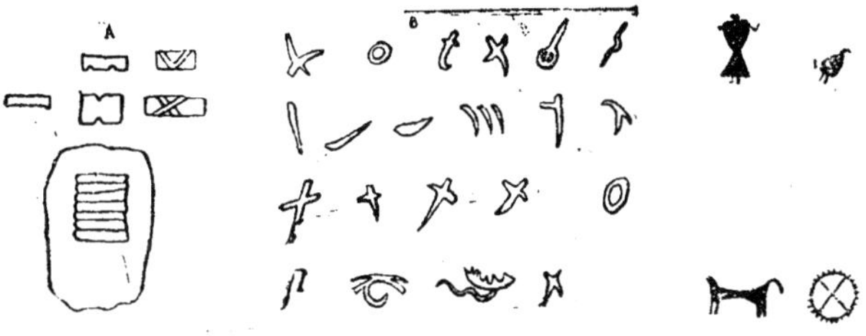

插图四〇　殷以前类似文字之符号及象形图画　左　新石器时代类似原始文字的骨板　中　新石器时代彩陶上类似原始文字的符号　右　新石器时代彩陶上类似原始文字的图画

殷墟所发现的甲骨文片上，皆有钻孔，想见当时此种甲骨文片，必皆有绳贯串，类而为编。近来在甲骨文中，已经发现“册六”二字（《新》一、〇〇四五四A及四四九号），由此而知周书所谓商人“有典有册”，盖系事实。

因此，我以为中国文字的起源，必早在殷墟文字之前，而此等原始阶段的文字，至今还是考古学上的一个缺失。安特生《甘肃考古记》中，谓在甘肃西宁朱家寨，曾发现类似原始文字之骨板（插图四〇左图）。巴尔姆格伦半山及马厂随葬陶器中，谓半山期陶器上绘有类似文字之符号（插图四〇中图）。又辛店期彩陶上的图画，亦颇类象形文字（插图四〇右图）。此外D.J.芬神父《香港舶辽洲史前遗物记》中，亦谓在舶辽洲所发现的陶器上，也有各种类似文字的符号，如G，J，M，N，T，十，七，卜，，D，，，乙等。此外卫聚贤氏谓，在浙江良渚亦发现与殷墟文字不同的黑陶文字。以上各人所举的例子，我们固然不能遂据以为在新石器时代中期以后，即已发明文字的证据，但此种符号，在当时决不是随便乱涂，必然指示着一定的意义，则可断言。例如在舶辽洲所发现之新石器时代的陶器上，凡瓶类则书T，凡上釉杯则书G，即为一证。可惜我们至今已不能完全了解，但是假如将来有更大量的发现，则以类比之法而推求之，亦未始不能求出其命意之所在，但在现在，我们却只有存疑。

不过到夏代，许多象形图画，确已接近于文字的形式，如辛店期陶瓮上之动物画，其兽形鸟形及人形画，与甲骨文字所不同者，仅为繁简之差。如在辛店陶瓮上之兽形作四足，而殷墟文字则作两足，鸟形作两足，而殷墟文字则仅作一足而已。因此，我以为中国文字的起源，当在夏殷之际。

第二节　科学的萌芽——历数的发明

适应于古代社会的经济内容，科学也开始萌芽，这首先是历数的发明，开创了后来天文学的端绪。

根据甲骨文的记载，殷人已经知道把地球绕日一周的时间，谓之一年；又知把月球绕地球一周的时间，谓之一月；又知道把地球自转一周的时间谓之一日。因此，在殷代，已有年分十二月，月分三十日的历法。这种天文学的知识，是依据日月运行的规律所得出来的结论。因为月球有圆有缺，最容易使人得到一种有规律的时间上的概念。即因殷人是依据月球的运行计算时间，所以为调济太阳与太阴在一年中运行之参差，又设为每年十三月的闰年。罗振玉云："卜辞中书十三月者凡四见，殆皆有闰之年也。"实则十三月之见于甲骨文者，不仅三次，其见于前编者有五（一卷四五页，三卷二二页，四卷七页，七卷五页），在大龟四版中，卜旬之版，亦有十三月之文。

殷人又已知按照气候的变化，把一年划分为四时。甲骨文中，已有（春）（夏）（秋）（冬）四字，

并且有系月于时的记载。如“丁酉卜，㱿贞，今春王𠬞人五千正土方，受之又，三月”（《后》上，三一）。“□卜□夏□至，四月”（《前》四、五）。“□卜戌合冬，十月”（《前》八，一一）。以上所举之例，如春三月，夏四月，冬十月，可以确证当时有四时之分。

殷人又依据一月中月球圆缺之变形，把一月划分为三旬，每旬十日。甲骨文中有卜旬之记载，亦有系日于旬之记载，如云：“旬之二日。”（《铁》六）

殷人看见月亮“十五不圆十六圆”，于是有大月与小月之分。董作宾氏于其所著《卜辞中所见之殷历》一文中有云：“在一个残缺不完的卜旬的龟版上，……发见了商代的月份已有了大小建的关系，就是大月三十天，小月二十九天。”

殷人对于时间的划分，已经非常精细。如称当日曰“今日”，当夕曰“今夕”，称次日曰“昱”，称一旬内之未来日皆曰“昱”。称次旬及本旬以后之未来日皆曰“来”。称过去之日皆曰“昔”。

殷人记时，不像我们今日写着某年某月某日，而是某日，在几月，佳几祀。如云：“癸未，（日）王卜贞彭肜日，

自上甲至于多后，衣、王步自畎，在四月，（月）佳（惟）王二祀（年）。”（《前》三，二七）

殷人已用干支记日，以干支相配，每六十日，由甲子至癸亥而一周。近来已经发现一个完整的干支表的骨板，这或者就是殷人当作日历或月份牌使用的。

总上所述，可以看出殷代的历数学，已有相当的发展。这种科学的发展，乃系适应于当时农业上之需要而出现的。盖农业生产与季节极有关系，如春耕、夏耘、秋收、冬藏，都要在一定的气候之下进行，尤其在远古的时代，自然条件对人类的生活演着更大的支配作用。殷代的人，为了农业上的必要，所以特别注重日月的运行，寒暑的推移。于是从“日往则月来，月往则日来，日月相推”之中，发现了年月日。从“寒往则暑来，暑往则寒来，寒暑相推”之中，发现了四时的嬗递。甲骨文中年季两字皆从禾，这就正是历数的发明与农业有关的证明。

至于干支记日，董作宾氏谓与苏米尔人之六十进位有关，郭沫若氏谓与巴比伦之十二宿有关。关于这一点，我以为他们之间，可能有着某种相互的影响，若谓殷代的历数学完全从外国抄袭而来则非也。盖任何种族的人群，只要他们的社会达到以农业生产为主要的生活方法之时，他们必然会注意到攸关着农业的气候、季节，从而自然会产生历数的科学。

除天文历数以外，在殷代，由于战争与商业的进行，又扩大了地理学的知识。甲骨文中有不少方国都邑之名的记录，可以证明。此外如殷人知道将铜中渗锡冶炼青铜，这在冶金学上，也是一个很大的发明。

第三节　艺术——铜器上的镂刻、陶器上的花纹、音乐与舞蹈

艺术在殷代获得了更高的发展，一方面，由于新的艺术工具和艺术材料之发明与应用，提高了艺术实践的程度；一方面，由于当时奴隶贵族之奢侈要求的增长，如宫殿的建筑，装饰品的制造等，又扩大了艺术活动的范围。不过作为殷代艺术发展之最主要的原因，还是由于当时已经有一部分人完全从肉体劳动中被解放出来，而专门从事于精神劳动。这样，就使得艺术与劳动分离，而成为一种专门的职业。但是亦即由于肉体劳动与精神

劳动之分离，中国的艺术，就从这一时代起，开始与现实生活脱节，发展成为一种纯粹享乐性的东西了。

殷代的艺术，最主要的，是表现在青铜器的创造上。殷代的青铜器，有各种各样的形制，已如前述。这些青铜器物，或由陶器蜕化而来，如鼎鬲之属；或由竹编器物蜕化而来，如簋簠之类；或由石器及骨角器物蜕化而来，如兵器之类。其蜕化的痕迹，我们还可以从它们形制的演变过程中看得出来。仅就形制的复杂化与美术化，亦足以表示殷代艺术之最大一步的发展。

殷代的青铜器物上，类皆有富丽、繁缛、细致而精

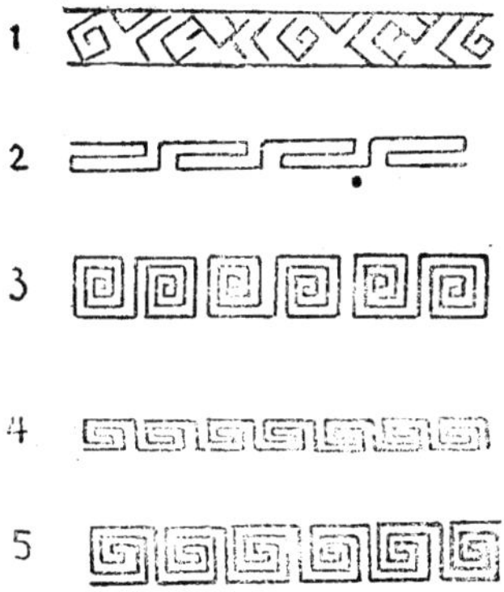

插图四一　殷代青铜器上的回纹之渊源　1. 马厂期陶瓮头部之回纹　2. 辛店期梳状陶瓶颈部之回纹　3. 殷癸鼎上之回纹　4. 周四足方形的饕餮鼎上之回纹　5. 周拱鼎上之回纹

美的花纹之镂刻。其最流行的花纹，则为一种“有方角的螺纹”，即中国金石学家所谓“回纹”或“云雷纹”者是也。考此种螺纹，在中国新石器时代的陶器上，即已有之。惟最初多作圆形，如；如两螺纹相联则作。螺纹之由圆形而变为有方角的形式，如如，则自马厂期文化时代始。到辛店期则有连续的回纹出现（插图四一）。此种圆形的或有方角的螺纹，在新石器时代，多用以装饰陶器之颈部。到殷代，则将此种装饰陶器之花纹，用以装饰铜器，以及其他骨角器物。如殷代的鼎鬲，类皆于器物之颈部辟一“花纹带”，在此“花纹带”内，满缀回纹。又如殷代之犀角残器（《殷墟古物图录》第二图）及象牙残器（同上第四图）皆雕有类似铜器上之回纹。由此而知殷代青铜器上之花纹，亦系以陶器上的花纹为蓝本而加以发展者也。

殷代的青铜器，亦有周身满缀回纹者，如“妇鼎”（见《参加伦敦中国艺术国际展览会出品图说》第一册第四图，以后简称“中艺”）、“文方鬲”（同上第十图），其颈部腹部乃至足部皆满列回纹。“妇鼎”的回纹，皆有三角形外框为其范围，“文方鬲”的回纹，甚为活泼。

插图四二　殷代青铜器上的几何花纹与动物花纹　1. 凤纹　3. 蝉纹　2.4. 回纹

又有“回纹带”之上下边缘饰以圆圈之行列者，如“父己鼎”（同上第七图），更有器之腹部饰以平行之直线纹者，如“父丁簋”（同上第二十七图）。此外，在回纹的间隙中，饰以饕餮纹者，更为常见之例。

在殷代的铜器镂刻中，亦有各种动物画的图案。如“亚方爵”（同上第三十一图）口下作龙纹，腹部作饕餮纹，腹下作鸟纹。如“诸姛方尊”（同上第七十五图），其上龙纹与鸟纹相间。此外如“鸟纹方鬲”（同上第二图）之美丽的鸟纹带，“子京鼎”沿口之美丽的蝉纹带，实为当时动物画中最优美之图案。但此种动物图案之间隙，皆满缀回纹以填补其空白，相互衬托，更为美观（插图四二）。

殷代铜器的耳足及盖，均甚素朴，但间亦有饰以兽形者，如“亚方爵”（见前），两耳作怪鸟形。兽耳纹錇（同上第四十二图），耳作兽形。“父乙甗”（同上第三图），腿作兽形。“诸姛方尊”（见前），腹上饰象首鹿首各四。殷代铜器，大半无棱，但亦间有有棱者，如“亚方爵”四方有八棱。此外殷代的铜器装饰，已发明错金之术。如“父乙鬲”（同上第三图）上的花纹，即系错金的花纹。

总之殷代青铜器上所体现的艺术，直至今日，还被全世界的艺术家认为是古代东方艺术之精髓。它在世界艺术史上的地位，当不在古代希腊之下。对于殷代青铜器上所表现的艺术之研究，这是中国艺术家的任务，我在这里，不过略示其概略，以说明中国艺术之发展过程而已。

殷墟出土的陶器，就质料而论，有灰色粗陶，红色粗陶，黑色细陶，白色细陶及一种高烘加釉的陶。灰色

插图四三　殷代白陶片上的蝉纹

及红色粗陶，乃“仰韶系统”之陶器；黑色细陶为“城子崖式”之陶器，惟白色细陶及高烘加釉之陶，乃属于殷墟所独有。各种在陶器上，均有刻划。粗陶纹饰，至为简陋；而黑陶与白陶，则具有非常复杂而美丽之花纹。花纹的主题，可以分为两类，即动物饰（插图四三）与几何纹，亦有介于二者之间的符号化的动物形。

在这里，我们必须特别指出的，即殷代陶器的两大特征：其一，由绘画而转向雕刻；其二，由施彩而转向上釉是也。按人类之知道上釉，不是一件容易的事情，这种艺术之发明，就证明了当时的人类，已经逐渐认识各种粘土之性质，并深知该项土质之溶解情形，硬度颜色及光泽等。自从上釉的艺术发明以后，于是陶器之本来的颜色，遂不致因外界氧化作用之诱导而改变；同时，其光滑与色泽，又非任何打磨所能望其万一也。我们曾经说过，在中国北方系统的新石器文化中，刻纹陶极其稀少，而上釉，则从未发见。但在广东海丰之新石器遗址中，则以刻陶纹为其陶器之特征，并且也发现深灰棕色及绿色之釉彩陶器。我因此联想到殷代的陶器制作之转化，刻纹与釉彩，与“南太平洋系”人种的制陶艺术，不能说没有关系，甚至刻纹与上釉的艺术，由“南太平洋系”人种传来，亦大有可能。

在殷代的石刻中，据李济报告有“刻作猪，鸟，人像，以作祭祀建筑或装饰的应用；或雕琢成特种花纹，镶嵌于他物作装饰品。”其中最值得注意者，即在殷墟发现一个石刻无首半截人身的造像。在这个人像的两膀上，雕刻着抽象构意之花纹。此种花纹，其命意如何，殊难判断。有谓此种花纹，乃指明当时殷人有纹身之习惯，此种花纹，正当时殷人流行之纹身的花纹。有谓此种花纹，乃系一种作用于宗教之神秘的构意。但我以为这个人像，乃是当时宫殿或神庙的础石，其两肩之间的深入之圆洞，正是当时木柱所借以树立之处，而其花纹，则系为装饰之作用而雕刻也。

在这一时代艺术家，一方面，忙着为活的贵族雕刻食器，礼器及其他装饰品；另一方面，则忙着为死的贵族刻镂冥器。艺术已经开始与大众分别，走入宫廷，走入贵族的府第。艺术的目的，再不是像过去一样是为了大众的生活，而是为了少数奴隶贵族之精神的享乐。因此，中国的艺术，从殷代起，便展开了后来东方宫廷艺术的端序。

从甲骨文中有乂（侑）字与伐字的出现，殷代一定有繁盛的歌舞，可惜直至现在，我们尚没有发现任何与殷代舞蹈有关的雕刻或陶画，以致无从知道其具体的内容。但是在原则上，我们是可以想到的，即当时的歌舞，已经不是发挥人类自己的情绪，而是一部分白粉奴隶，在奴隶贵族的命令之下，作讴歌和舞蹈的献演。因此轧轹和反拨的节奏，哭声和笑声的交响，正是这一时代的歌舞之内容。

适应于当时贵族之精神娱乐的要求，在殷代乐器已有很大的发展。在打击乐器中，有南（郭沫若氏谓南即铃也），有磬（李济氏谓殷墟有石磬发现），有鼓（甲骨文中有壴字）。在管乐中有龢有于（即笙簧之类）。

惟有无弦乐，则不得而知。按打击音乐，在中国发展最早，此类乐器如钟鼓之类，均皆笨重，不易移动，盖适应于定住的农业种族之生活而发生的一种乐器。此类乐器，大半皆系由日用器皿或生产工具转化而来。如南字甲骨文作若，其形象一有盖之盛器。壴字乃系由字转化而来，而字《殷墟书契考释》释为“皿”字，董作宾氏谓为“饭食之用器”。最初或系用兽皮覆于皿上，以后因其能发声，故将兽皮固定于皿上。是为最初之鼓。磬在太古本为石犁，殷代废而不用，故亦转化为乐器。至于管乐与弦乐，则其乐器较便，易于携带，故此种音乐，最适宜于流浪的游牧种族之生活。而且最早的弦乐，必系由弓弦发展而来；最初的管乐，亦或为用以模仿鸟兽之叫声，而用以为诱致鸟兽之工具。从其渊源而言，亦颇与以狩获及畜牧为生的人类之生活有关。依据民俗学考察，管乐在“南太平洋系”人种中最为发展，今日西南诸落后种族的人民，几乎每人皆有一芦笙。郭沫若氏以为殷代乐器中之于（即竽）及龢，乃系由“南太平洋系”人种中传来，我甚同意。按于字甲骨文作干，像两横一直的三根竹管编制而成，以其发音于于，故称

之曰于，因为竹制，故以后又加竹头作竽，而于之本字，则借作虚字了。又龢字甲骨文作或，象以两根竹管平行编排之形，其上之或，则吹孔也。龢之于于，当然系较为进步之管乐，但龢再向前发展，则变为具有更多平行竹管编制而成之乐器，如甲骨文中之龢又作，盖即后来之所谓笙也。《尔雅》云："大笙谓之巢，小笙谓之和。"则和（龢）之为笙，更可证实。

至于当时的乐曲，则有濩有侑，濩为何种乐曲，不得而知，但侑则为宴享之乐，所谓"以妥以侑"者是也。"伐"之为舞，已于前述，此种舞蹈的内容，我们今日已不能详悉，惟从《礼记·乐记》注"一击一刺为一伐"一语看来，则伐舞者乃系手持干戈，作击刺之状态也。

我们由此，可以想见当时殷代贵族，当祭祀的时候，杀牛刑马，沉猪埋羊，牺牲粢盛，陈于神殿，歌童舞妾，列于广庭。当此之时，笙竽并奏，钟鼓齐鸣，于是在"以雅以南"的乐声中，展开"是伐是肆"的舞蹈，而殷代的贵族则在这歌舞之前，开始"以妥以侑"、"式号式呼"的狂欢大宴。

第四节　宗教——上帝的出现、骨卜与龟卜、祖妣同祀

灵魂世界，是人间世界之具体的反映，所以人间世界的任何变动，都影响到灵魂世界的变动。在殷代，人间世界，已经起了一个巨变，以前“万人平等”的氏族社会，到现在，却转化为奴隶所有者与奴隶对抗之古代社会，而且还出现了首御庶极的“人王”。人间世界的这一巨变，即刻影响到灵魂世界的改组，因而以前“万灵平等”的灵魂世界，到殷代，便出现了至尊无上的“上帝”。

甲骨文中有不少关于上帝的记载，但仅称“帝”而不称“上帝”。如：“帝隹癸其雨。”（《卜通》，三六四）“今二月，帝不令雨。”（《卜通》，三六五）“帝令雨足年？贞帝令雨弗其足年？”（《卜通》，三六三）“帝其降堇（馑）？”（《卜通》三七二）“伐吕方，帝受（授）我又（祐）？”（《卜通》三六九）以上文句中之诸“帝”字，虽无“上”字，但其意指“上帝”，实无疑义，据郭沫若氏云：“卜辞中也有一例称‘上帝’的（见《卜通》

三六八），惜乎上下的文字残缺，整个的辞句不明，但由字迹上看来，是帝乙时代的东西，大抵殷代对于‘上帝’的称号，到晚年来，在‘帝’上是加了一个‘上’字的。”（见郭著《先秦天道观的进展》）不论其称“帝”抑或称“上帝”，而在殷代之灵魂世界中，已有“至尊无上之神”的存在，则是非常确切的。此“至尊无上之神”，后来由“帝”而改称“上帝”者，则所以别于“下帝”也。因为殷末国王如帝乙帝辛皆称帝，所以郭氏说：“有了上帝，一定有下帝。”但我以为不如倒转来说：“有了下帝，一定有上帝。”盖“上帝”者“下帝”之幽灵也。

这样看来，“上帝”本来是“下帝”的神格化，他们的关系，正如形之于影，本来是一而二，二而一的关系。但是到后来，又再把它加以人格化，于是“上帝”与“下帝”，俨然各为一人，因而他们的关系，便由形影的关系，一变而为父子的关系。于是人间的帝王以及所有的统治者之群，都是“上帝”的儿子。他们是代表“上帝”来统治这个人间世界的。

“儿子”和“父亲”，虽然是骨肉之亲，但他们却住在两个不同的世界。为了沟通父子之间的消息，于是以前氏族社会中的咒术师，便出现为担任“天人交际”的僧侣。而卜筮遂成为“天人相感”的唯一工具。上帝的命令，由僧侣下达；下帝的要求，由僧侣上闻。于是僧侣便成为当时政治上之主要角色。

据甲骨文所载，殷人的一切行事，如祭，告，𩫖，征伐，田猎，行止，年，雨，霁，瘳，梦，命，旬等几于无所不卜。他们“卜以龟，亦以兽骨。龟用腹甲而弃其背甲，凡卜祀者用龟，卜他事皆以骨。田猎则用胫骨，其用胛骨者，则疆理征伐之事为多，故殷墟所出，兽骨什九，龟甲什一而已”(《殷墟书契考释》)。考龟卜之风，乃殷族独有之风习，此种文化与黑陶文化，为殷族文化之两大特征，前已言之。从城子崖文化遗存中，我们知道此种龟卜乃渊源于骨卜。据李济《城子崖发掘报告·序言》云:“(城子崖)下层兼用牛鹿肩胛骨，上层只用牛肩胛骨。”至于殷墟文化中，则除牛肩胛骨外，兼用龟甲。由此而知殷人卜筮最初系以鹿骨，以后牛鹿骨兼用，更后则仅用牛胛骨，最后则牛肩胛骨与龟版并用，但直至殷之末际，而卜骨仍占十分之九，卜龟仍占十分之一，故知龟卜乃后起之习，而其渊源则蜕化于骨卜也。至于此种贞卜材料之演变，则正表示出殷族由狩猎经济走向农业畜牧经济的过程。在狩猎时代，他们用鹿骨以卜，而且卜有兆而无文字，到农业畜牧经济阶段时，他们便卜以牛骨，以后因为牛已成为普遍之家畜，失去了神秘性，故于贞卜祭祀等富有神秘性之事类，则改用龟卜。

自贞卜成为一种专门职业以后，于是凭借上帝吃饭的僧侣，遂受到奴隶大众的供奉。同时因为他们蓄积着丰富的传统的文化，所以他们便成（为）当时神权政治的指导集团。这些僧侣，把“人间的力量”转化为“非人间的力量”，再以这种“非人间的力量”，行使对人间的统治。他们把一切人对人的榨取，都解释为神的命意，一切都是上帝的意旨，奴隶所有者不过“替天行道”而已。如果不信，有龟甲兽骨上之兆文为证。像这样的“上帝”，当然只是奴隶所有者的“上帝”，而不是奴隶大众的“上帝”。

祖先崇拜，在夏代早已盛行，到殷代，更为发展了。殷代的祭祀，有各种不同的名目，如祊，衣，彡，翌，[illegible]，岁，龠，祭[illegible]，御，烝，[illegible]等，皆系祭祀之名。这些不同的祭祀，皆有不同的性质。其中或连日屡祭，或一岁一祭；或单祭一祖，或列祖并祭；或先祖特祭，或先妣特祭。即因有不同之性质，所以也有不同的仪式，如用牲之种类、数目、方式皆不相同。关于用牲之种类，则或牛或羊或犬或豕，其牛又或牡或牝，或[illegible]，或[illegible]。关于用牲之数目，则或一或二，或三或五，或六或九，或十或十五，或二十或三十，或三十二或三十七，甚至有用羊五十，用牛三百四百者。关于用牲之方式，则或尞，或狸，或沉，或卯，或[illegible]，或兼用尞与“且”，或兼用尞与沉，或兼用尞与卯，或兼用尞与貍，或兼用卯与沉，甚或尞貍卯同时并用。此外，关于用鬯（酒）之数，亦有差等，或六或十或三十，甚或一百。用乐舞亦有分别，或一南，或八南或九南。或伐十人，或伐三十人不等。

据甲骨文所载，殷代贵族祀祖，皆以被祀之祖的生日为祭日，如祭示癸则以“癸日”，祭大乙则以“乙日”，亦有于先后数日举行者，则非常例。祖妣既多，则祭日自繁，所以殷代奴隶贵族，几乎成天为其祖先举行祭日。整个的牛羊犬豕，抬进宗庙；大坛的酒鬯，送到祭坛；成群的僧侣，奔走驰驱于神殿；大规模的乐队和舞队，昼夜供奉于祀典。当贵族们淀牲于水，瘗牲于土之时，一般自由民，则已陷于饥馑线上，而奴隶大众的生活，则比牛马不如。

关于殷代自由民及奴隶祀祖之事，在甲骨文字中，看不出一点踪影。惟《盘庚篇》中有云“予念我先神后之劳尔先”，又云:“古我先后，既劳乃祖乃父。”此所谓“尔先”，所谓“乃祖乃父”，皆系指“畜民”而言，而“畜民”之为自由民，已如前述。故由此而推知殷代当时之自由民，尚有祭祀祖先之允许。惟自由民自己的生活，亦已陷于朝不保夕，又焉得牛羊豕犬酒鬯粢盛以奉祀其祖先呢?故自由民之祖先，亦如其生时一样，仍然只有窃食贵族祭坛上之冷肉而已。

至于奴隶，则以其生时被剥夺了“人格”，故死后亦被剥夺了“鬼格”，所以在殷代，奴隶无祖，而以主人之祖为祖。

三联经典文库

159

中国史纲

（第二卷上：秦汉史）

翦伯赞　著

生活·讀書·新知 三联书店

Chinese Copyright © 2014 by SDX Joint Publishing Company.All Right Reserved.
本作品中文版权由生活·读书·新知三联书店所有。未经许可，不得翻印。

图书在版编目(CIP)数据

中国史纲（第一卷上下、第二卷上下）/ 翦伯赞著.
-- 北京 : 生活·读书·新知三联书店, 2014.1
（三联经典文库第二辑）
ISBN 978-7-108-04672-7

Ⅰ.①中… Ⅱ.①翦… Ⅲ.①中国历史－古代史
Ⅳ.①K22

中国版本图书馆CIP数据核字(2013)第254448号

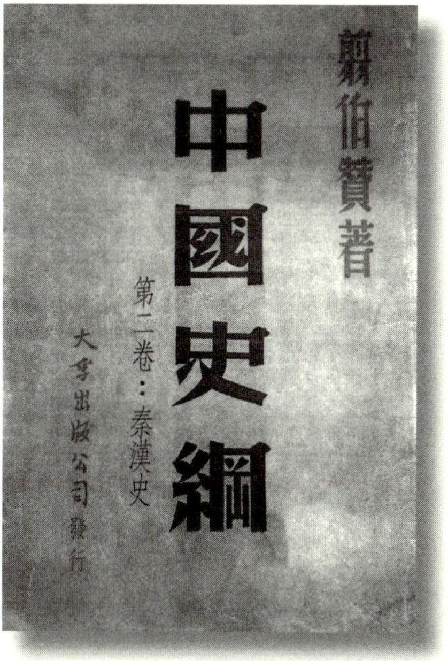

大孚出版公司 1946 年 7 月渝版书影

中國史綱

第二卷：秦漢史

著者　翦伯贊
發行人　周重華
發行所　大孚出版公司
上海餘慶路愛棠新村十三號　電話七九九〇七

有著作權★不准翻印

中華民國三十五年七月渝版

S.1.3000

原书版权页

目次

序　1

五　中期封建社会

第一编　中期封建社会的序幕

第一章　秦族的渊源、建国及其历史形势　17

第一节　秦族的渊源与秦代封建专制主义国家的创立　17

第二节　秦代中国境内各种族的活动　28

第三节　秦代的世界形势　43

第二章　秦代社会经济的构造及其转向　54

第一节　土地所有的关系之改变与农业　54

第二节　生产技术之综合与手工业　66

第三节　经济制度之划一与商业　75

第三章　秦代政权的性质、组织、发展及其灭亡　87

第一节　秦代政权的性质及其组织　87

第二节　秦代社会关系的变化　100
第三节　秦代政权的发展　112
第四节　陈涉、吴广的叛乱与秦代的灭亡　128
第四章　秦代的意识形态及其变化　146
第一节　焚书坑儒与文化思想在血与火之前的大审判　146
第二节　文字的统一与艺术的大综合　161
第三节　神的世界之变动与宗教的新发展　172

第二编　中期封建社会的确立与展开
第一章　西汉王朝的建立及其历史形势　187
第一节　楚汉之争与西汉王朝的建立　187
第二节　大汉族的形成与国内其他各种族的活动　217
第三节　西汉时代世界史的新形势　243
第四节　西汉的世界征服与第一世界帝国的建立　259
第二章　西汉的社会经济构造　292
第一节　西汉的农业　292
第二节　西汉的手工业　335
第三节　西汉的商业都市与国际贸易　367
第三章　西汉政权的性质、组织、发展及其崩溃　434
第一节　西汉政权的性质及其组织　434
第二节　西汉政权的发展　479
第三节　西汉政权的崩溃　526

插图目次

插图一　秦族东徙图　19

插图二　秦代中国形势图　32

插图三　秦代世界形势图　44

插图四　秦代的权　78

插图五　秦代皇帝之玺　97

插图六　秦之罘刻石　163

插图七　楚汉之际割据图　202

插图八　楚汉战争图　204

插图九　汉初异姓诸王割据图　212

插图一〇　汉初同姓诸王割据图　215

插图一一　西汉初的中国形势图　221

插图一二　西汉时西域诸种族分布图　231

插图一三　西汉时西南夷分布图　241

插图一四　西汉时世界形势图　246

插图一五　西汉世界大帝国图　263

插图一六　骆驼通过已干涸的盐泽　268

插图一七　玉门附近古长城的遗址　272

插图一八　指示汉代玉门所指的古垒　273

插图一九　罗布泊中之汉代的古垒　274

插图二〇　库鲁克塔格山麓之汉代古垒　275

插图二一　西汉时的铜器　346

插图二二　西汉时的织布机　358
插图二三　西汉时之彩绢及毛织物（楼兰墓中发见之十锦彩色花丝织物）　359
插图二四　楼兰墓中发见之中国、希腊混合风格的毛织品　359
插图二五　西汉时希腊罗马式图案的地毡　361
插图二六　西汉时的砖瓦　365
插图二七　西汉时的船　366
插图二八　西汉时的银币与铜币　396
插图二九　天山山谷间的森林　407
插图三〇　敦煌西之汉代古垒　408
插图三一　商队通过盐泽的情景　409
插图三二　盐泽南岸所见之冰块和芦苇　410
插图三三　骆驼经过塔什马干沙漠之情景　413
插图三四　和阗沙漠中的沃土　417
插图三五　帕米尔高原之大雪山　421
插图三六　西汉时代海陆商路图　431
插图三七　七国叛变图　495
插图三八　汉代装饰房屋之木雕　510
插图三九　汉代之错金奁　519
插图四〇　鸣鼓巴渝画像（南阳出土）　522

序

一

本书所论述的范围，是秦汉的历史。

秦汉的历史，直至今日，我们还没有看到一部完整的科学的专著，有之，只是以一个章目列于诸家通史之中。

一般地说来，中国历史之科学研究，其自上而下者，大抵皆停止在殷周阶段；其由下而上者，则又皆停止于鸦片战争。自殷周而后，迄于鸦片战争，这两千余年的历史，虽亦曾有若干学者尝作初步之科学的探讨，但历史的具体演进，则尚有待于详细的研究。因此，当我们的研究进到秦汉时代，就要走进中国历史学上的荒原了。

虽然，研究秦汉的历史，已不似研究秦以前的古史，令人感到文献之不足，或竟无文献之可征。秦汉的历史，特别是两汉的历史，已经留下了不少有系统的记录。其中最有名的巨著，是天才的史学家司马迁的《史记》，其次，是班固的《汉书》，范晔的《后汉书》，荀悦的《汉纪》。此外尚有清人姚之骃、汪文台等所辑，谢承、薛莹、张璠、华峤、谢沈、袁山松、司马彪及无名氏等所著诸家的后汉书。这些古典史籍和后来的辑佚，若把它们当作历史，虽班马亦不敢轻许，但当作史料，则上列诸书都是研究秦汉史的最好资料。

《史记》，《汉书》，《后汉书》，自唐以来，即列为正史，历来研究汉史的学者，都用这几部书做根据。迄于清代，对于这几部书之注释疏证、探源索隐、正义考异、辨惑志疑、纠缪刊误之作，已汗牛充栋。我们不能说，这一类后起的著作，对于秦汉史的究明，没有或多或少的贡献，至少对史料之订正，有其一面的劳绩。但是这样寻章摘句的研究，决不能使秦汉的历史显出光明，甚且因为这类著作之支离烦琐、陈说纷纭，反而淆混了原著中之秦汉史的本来面貌。

二

秦汉史之得以从繁复的史料中，理出一个眉目来，这是近年来科学研究的成果。但迄至现在，科学所达到的范围，只是对文献上的史料之批判与分类，而这对于秦汉史的究明，还是非常遥远。但这并不是说，我们不应该从文献的史料中去钩稽秦汉的历史；只是说，如果有了新的考古学上的发现，我们便应该尽可能地运用考古学上所提供的新史料，去订正文献上的史料之伪误，补充文献上的史料之缺失。接收考古学的成果，使考古学与历史学结合为一，这是历史科学的任务。

近三四十年，由于中西考古学者的努力，两汉的遗址和遗物，在中国西北新疆甘肃一带，大有发现，特别是斯坦因氏的发现，最为重要。斯氏在新疆前后考古三次，曾著《和阗荒墟》，《沙漠契丹废墟记》，《亚洲腹部考古记》及《西域考古记》等书，报告其发现。他在于阗附近的尼雅，曾发现汉代精绝的废墟；在罗布泊的沙漠中，曾发现楼兰的古城（王国维氏谓此古城非楼兰）和许多汉代的古垒；在敦煌西北，曾发现汉代极西的古长城遗址。这些新的发现，使两汉的历史，显出了不少的光明。

例如从古长城的发现，即指明汉代的长城并不终止于酒泉，而是伸延到今日敦煌的西北，因而法显《佛国记》中所谓“敦煌有塞”，《晋书·凉武昭王李玄盛传》中所谓“玄盛乃修敦煌旧塞”的记载，由此得到新证。又如从罗布泊沙漠中成列的古垒之发现，即指明汉代自敦煌以西，直达楼兰，沿途都筑有堡垒，以防止匈奴人的侵袭，因而《汉书·西域传》所谓“自敦煌至盐泽，往往起亭”的记载，又得到新证。又如据斯氏的报告，敦煌西北的古长城，不是用砖石砌建，而是用苇秆挟泥土砌筑起来的，因而《后汉书·班超传》中所谓“焉耆有苇桥之险”的“苇桥”，才知道他正确的解释。又如从新疆甘肃一带的遗址中，有用古窣利文、佉卢文、印度文字写的书简之发现，即指明当时塔里木盆地及天山北麓的国际大道上，已有不少“深目多髭髯”的中亚商人，往来贸易，而《史记·大宛列传》所谓武帝“巡狩海上，乃悉从外国客”的记载，又获得了印证。此上的发现，对文献上的史料，都是有力的补充。

此外如从罗布泊沙漠之汉代古钱及其他遗物的发现，竟使西汉时代通达西域的古道由此而再现，并且把当时东西商人所贩卖的商品再呈现于我们的眼前。如从楼兰及于阗附近的汉代住宅遗址之发现，又使我们知道汉代在西域的殖民地官署之建筑的式样，大抵都有一间华美的大客厅，此外有厢房、厩栏、冰窖、监狱和营房，还有幽雅的花园。从那些至今还倒卧或直立在沙漠中之成列的白杨红柳，和各种果树的死干，还可以想见在一千七八百年前绿荫如梦的荫道。从那些死去了的葡萄藤，又可以想见当它们垂着累累紫实的时候，汉代诸帝，还健在人间。在这里留下来的家具，虽然局部腐朽，仍然可以看出富丽的雕刻；留下来的文书，虽然大半破坏，仍然可以看出记录的事件；留下来的炉灶，虽然久绝烟火，仍然可以看出原来的式样。这一切的陈迹，几乎把汉代边疆地区官吏在西域的生活再现出来，而这在文献的历史中，是梦想不到的。虽然这些发现，都只是当时的边疆文化，但这些边疆文化，正是当时中国文化在边疆地区的翻版。

三

除遗址与遗物外，第二个大发现，便是在敦煌和居延所发现的汉简。敦煌汉简，自斯坦因氏发现以后，经沙畹博士考证，已印于斯氏《和阗故迹》中，以后王国维氏又辑其余汇为《流沙坠简》一书。《居延汉简》，自贝格曼发现以后，久经秘藏，最近劳干氏辑为《居延汉简考释》一书（释文四卷，考证二卷）。《居延汉简》较《敦煌汉简》发现为迟，但其数量则较敦煌所发现者多出数倍。敦煌与居延两地所发现的汉简，内容大抵相同，皆系汉代西北边防军留下来的文书、簿籍、信札及经籍之类的东西，因而其所记载，大都皆系屯戍、熢燧、戍役、禀给、器物及边塞杂事之类。这些记载，大半都是文献的历史中记而不详，或根本没有的，所以是一种崭新的史料。

汉代的烽燧制度，从《汉书》和《后汉书》的记载中，是无法考证的，自汉简发现后遂可得而详知其具体的组织和内容。从汉简的记录中，我们知道在两汉时代，自河西四郡，西至盐泽，皆有烽燧的设备。五里一燧，十里一敦，三十里一堡，百里一城塞。此等烽燧，分隶于四郡太守，太守之下，有都尉、候官、彰尉、候长、燧长，以下则为戍卒。举烽的方法，昼夜不同，白昼放烟，夜晚放火。又视敌人数目之多少而有各种不同的暗号，《居延汉简》有一简曰：“五百人以上能举二烽。”同时，汉简中并记载着若干烽燧的名字，晚近王国维氏把这些烽燧的名字，配合考古学上的发现，加以互证，于是敦煌西北沙漠中之汉代的废垒，已骤可得而呼其名（《流沙坠简》后“序”）。假使他日居延一带的汉代废垒，亦能有所发现，则今日《居延汉简》中之烽燧的名字，也就可以考定他们的地位了。

此外，从汉简中，我们还知道许多新的史实。如在戍卒的名册中，对于每一戍卒出生的郡、县、里，都有详细的登记，因知汉代户籍法的严密。在器物的簿籍中，常见的兵器，是弓矢，并常有领取铜矢的记录，因知当时驻防边塞的军队，皆为骑射部队，而且还在使用铜矢。在流水账簿中，常见有购买牛、羊、鸡、豚、姜、酒、肝、肺、舌等食物的日用账，又知当时边防军军官的生活甚为优裕。而且从《居延汉简》中“肉百斤值七百”的记载，又知当时的肉价，每斤只值七个铜钱。此外，如汉简中常有“以邮行”，“以次传行”，及医方的记录，又知当时边防军中有军邮和军医的设备。凡此，都是在文献的历史中看不见影子的。

四

除实物和简牍外，汉代的石刻画像，也提供了不少新的史料。汉代的石刻画像，如武氏祠、孝堂山祠、两城山及武阳石阙等石刻画像，皆传世已久，但并未引起历史家的注意。晚近南阳一带汉墓中，又发现了大批的汉代石刻画像，始有若干学者，开始对石刻画像作艺术的研究。我以为除了古人的遗物以外，再没有一种史料，比绘画雕刻更能反映出历史上的社会之具体的形象。同时，在中国历史上，也再没有一个时代，比汉代更好，在石板上刻出当时现实生活的形式和流行的故事来。汉代的石刻画像，都是以锐利的低浅浮雕，用确实的描写手腕，阴勒或浮凸出它所要描写的题材。风景楼阁，则俨然逼真；人物衣冠，则萧疏欲动；在有些歌舞画面上，所表示的图像，不仅可以令人看见古人的形象，而且几乎可以令人听到古人的声音，这当然是一种最具象、最真确的史料。

例如从石刻画像中楼阁宫室的构图，我们便了然于桓宽所说的汉代贵人之家“兼并列宅，隔绝闾巷，阁道错连，足以游观，凿池曲道，足以骋骛”之语。从石刻画像中的乐舞图像，我们便了然于仲长统所说的豪人之室“妖童美妾，填乎绮室；倡讴伎乐，列乎深堂”之语。看侏儒舞的画像，则《徐乐传》所谓“帷幄之私，俳优侏儒之笑”，如在目前；看戏兽的画像，则张衡《西京赋》所谓“熊虎升而拏攫，猿狖超而高援”之态，跃然纸上；看乐队的画像，则流徽鸣鼓，如闻其音；看战争的画像，则矛梃搏击，如历其境。此外，还有许多描写风俗，记录传说，鼓励道德，宣传信仰的画像，不及备举。总之，这些石刻画像，假若把它们有系统的搜辑起来，几乎可以成为一部绣像的汉代史。

五

上述考古学的诸发现，它们不知吹送了多少新生命到纪传体的秦汉史之中。由于这些新的史料之发现，从前在文献史料中仅能想象，或不能想象，乃至完全不知道的史实，现在已有若干被具体地显现出来了。虽然如此，仅仅依靠今日所有的考古资料，还是不能揭发秦汉史中所有的幽隐，因为这些考古学上的资料，虽然大部分足以资为秦汉史之一般的说明，其中有若干仍有着地方的局限性。如果要把全部的秦汉史从纸上浮凸起来，除非从地层中射出更大的光辉。

著者在本书中，曾努力于考古学的资料之应用，但以考古学发现过于贫乏，在没有考古学资料可以应用的地方仍然不能不从文献的史料中去寻找说明。本书凡四十五万字，附地图二十幅，插图五十幅，著作的体例，和第一卷完全相同。地图和插图，承画家廖冰兄摹绘，这是我应该致谢的。又本书插图，有一部分，系摹绘汉代石刻画像；另一部分，系摹绘斯坦因《西域考古记》中的插图，在插图下面，不再注明。

一年以来，总算又通过了四百余年的历史行程，完成以秦汉史的写作。但我的路程，还是非常遥远。有些读者已经在担心本书的全部工程，不知何年何月才能完成，我自己也这样想，但我可以告诉读者：“不管时代如何苦难，我总是走自己的路。”

翦伯赞　一九四四年七月十五日于巴县歇马场刘家院子

五　中期封建社会

第一编　中期封建社会的序幕

第一章　秦族的渊源、建国及其历史形势

第一节　秦族的渊源与秦代封建专制主义国家的创立

西纪前二二一年，中国的历史，进入了秦代。

秦代王朝，虽然象纸炮一声，轰然而灭，但它却揭开了中国中期封建社会的序幕。中国的历史从这一时代起，就从初期封建制走向专制主义的封建制。

秦代王朝的创立者——秦族，本是夏族的一支，即羌族的苗裔。[1]这个种族，原住鄂尔多斯的原野，大

[1]《史记·秦本纪》云："秦之先，帝颛顼之苗裔，孙曰女修，女修织，玄鸟陨卵，女修吞之，生子大业。"大业是为秦之始祖。按《国语》谓："夏后氏禘黄帝而祖颛顼"，《秦本纪》亦谓"秦之先，帝颛顼之苗裔"，是传说中谓夏与秦同祖也。又《管子·小匡篇》云："（齐桓公）乘桴济河……逾太行，与卑耳之貉，拘秦夏。"是春秋时，秦族尚称秦夏也。又襄二十九年传战国吴公子札聘鲁，鲁使工为之歌，歌至秦，公子札曰："此之谓夏声。"是春秋时，秦之声，尚称夏声也。根据以上各种传说，吾故曰，秦为夏族之一支。夏族原住鄂尔多斯，故秦族始祖，亦当流浪于此。

约在旧石器时代的末期，其族类即溯黄河而西上，缓缓向甘肃西南移徙。到新石器时代早期，或已定住于甘肃西南黄河河谷、洮河河谷一带，开始了植物栽培与动物驯养的生活。[1]但直至此时，秦族并未从羌族中分化出来，所以尚无秦族之名。秦族之从羌族中分化出来，那是有史以后的事（插图一）。

秦族之离开甘肃西南而东徙，约在新石器时代中期，即传说中之“尧舜禹”时代。当时沿渭水而东徙的羌族，除秦族外，尚有其他诸羌之族，其中首先进入中原的是周族。周族入据中原以后，遂称后来东徙诸羌曰西戎，以别于甘肃的诸羌。实则所谓西戎，就是诸羌的

[1] 如《秦本纪》所记，秦之先，为帝颛顼之苗裔。《左》文十八年传云：“颛顼有不才子，不可教训，不知话言，告之则顽，舍之则嚚，傲狠明德，以乱天常，天下之民，谓之梼杌……尧臣舜，投诸四裔。”这一传说，即暗示夏族之一支，徙向边远之地。这一支夏族究竟徙向何处呢？《左》昭九年传云：“先生居梼杌于四裔，以御螭魅，故允姓之奸，居于瓜州。”按瓜州在今甘肃，正史前诸羌分布之地，吾故曰大约在新石器时代初期，秦族即徙居甘肃西南。又《左》昭十年传云：“今兹岁在颛顼之处，姜氏任氏，实守其地。”按“姜”“羌”古为一字，姜氏者，即羌氏，则羌族与传说中之颛顼，又实有关系。

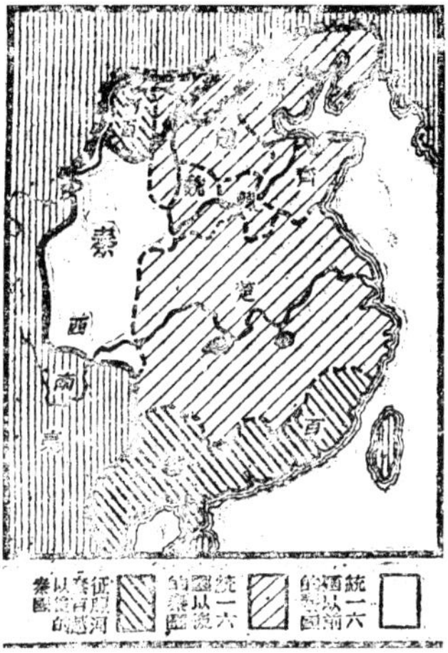

插图一　秦族东徙图

别称。[1]秦族为东徙诸羌之一，故亦称秦戎。[2]大约就在新石器时代中期，秦族的前锋，即已到达陕西境内，

[1]《左》襄十四年传云:“将执戎子驹支，范宣子亲数诸朝曰:‘来，姜戎氏。’”是明言戎为羌也。同书同传又载戎子驹支答范宣子之语曰：昔“惠公……谓我诸戎是四岳之裔胄也。”按《国语》谓四岳姜姓,《周语》曰:“祚四岳国，命以侯伯，赐姓曰姜。”是则四岳之裔胄，皆为羌族，戎为四岳之裔胄，故亦为羌族也。

[2]《管子·小匡篇》云:“西服流沙西虞，而秦戎始从。”是明言秦为戎也。《史记·秦本纪》云:“申侯乃言于孝王曰:‘昔我先骊山氏之女，为戎胥轩妻，生中潏，以亲故归周，保西垂，西垂以其故和睦，今我复与大骆妻，生适子成。申骆重婚，西戎皆服’。”按胥轩、大骆皆为秦之远祖，而称胥轩曰戎胥轩，是秦之族称戎之又一证也。

与东夏之族发生接触。[1]到新石器时代晚期，其族类遂分布于今日陕西西部。[2]

以后，由于殷族在东方之勃兴，占领中原，西服诸羌，秦族亦与诸羌同时沦为殷代奴隶国家的臣属。[3]大约即于此时，秦族即通过奴隶制的文明，走出了历史上之野蛮时代的境界。

即至周族克殷，陕西的诸羌，在周族领导之下，大半先后东徙中原。其残留于陕西的诸羌，即被周族称之曰西戎。秦族之中，也有一部于周初东徙中原。此等东徙中原的秦族，以后在周族封建文化影响之下，

---

[1]《史记·秦本纪》云："（秦之始祖）大业取少典之子曰女华，女华生大费，与禹平水土。已成，帝锡玄圭，禹受曰：'非予能成，亦大费为辅。'帝舜曰：'咨尔费，赞禹功，其赐尔皂游（旒）。尔后嗣将大出。'乃妻之姚姓之玉女，大费拜受，佐舜调驯鸟兽，鸟兽多驯服，是为柏翳。舜赐姓嬴氏。"此种传说，即暗示秦之远祖，已与舜禹发生关系，舜禹是特征东夏之族的传说人物，吾故曰，在新石器时代中期，秦族已与东夏之族发生接触。

[2] 同上书云："大费生子二人……其玄孙曰费昌，子孙或在中国，或在夷狄。费昌当夏桀之时……"按夏桀之时，正值新石器时代晚期之末。

[3]《史记·秦本纪》云："自太戊以下（秦之祖）仲衍之后，遂世有功，以佐殷国，故嬴姓多显，遂为诸侯。其玄孙曰中潏，在西戎，保西垂。生蜚廉，蜚廉生恶来。恶来有力，蜚廉善走，父子俱以材力事殷纣。"按"以材力事殷纣"者，即向殷代奴隶国家纳贡之谓也。

与周族同化。[1]其留在陕西境内的秦族，则沦为周族的臣属。

在周穆王时（前一千年左右），分布于陕甘边境的秦族又有一支东渡黄河，徙于汾河河谷，这就是传说中所谓造父之族。[2]造父之族，其前锋似曾达到淮河流域。[3]但直至周孝王时（前九百年代）秦族的大部分族

---

[1]《史记·秦本纪》云："秦之先为嬴姓，其后分封，以国为姓。有徐氏，郯氏，莒氏，终黎氏，运奄氏，菟裘氏，将梁氏，黄氏，修鱼氏，白冥氏，蜚廉氏，秦氏，然秦以其先造父封赵城，为赵氏。"按以上十四族，其中大半为周代中原之封国。如将梁氏（即梁氏）在渭水下游，后并于秦。蜚廉氏曾"为纣石北方"，并"为坛霍太山"，《地理志》谓霍太山在河东彘县，故与赵氏同在山西，其他如徐、郯、莒、江、黄、终黎（即钟离）皆系春秋时徐淮一带的国名。此等诸族，果如《秦本纪》所云皆系秦族之裔，则其进入中原，当在周初。

又《左传》称女子曰姜、曰姬、曰妫、曰子、曰己、曰嬴，或谓此乃当时女子之别称，实则此种不同之称谓，乃所以别女子之族姓。如于齐则曰姜，于周则曰姬，于陈则曰妫，于宋则曰子，于莒则曰己，于秦则曰嬴。考《左传》于秦之女称嬴以外，于徐亦称嬴，与《史记》合。但此外于怀、于葛之女亦称嬴。如《左》僖十七年传，谓齐侯内嬖如夫人者六人，其一为葛嬴。同十三年传云："秦伯纳五女，怀嬴与焉。"是怀、葛亦当为秦族矣。

[2]《史记·秦本纪》云："缪王以赵城封造父，造父族由此为赵氏。"

[3] 同上书云："徐偃王（徐在淮河流域）作乱，造父为缪王御，长驱归周，一日千里以救乱。"

类，还是与诸戎杂处，游牧于汧渭之间。[1]

到周厉王时（前八百年代），陕甘一带，袭来了普遍的大旱灾，诸戎之族，遂驱其畜群，东向就食，时秦族亦在其内。

周宣王时（前八二七年至前七八二年），周族已感到诸戎的压迫，乃运用以戎制戎的政策，封秦族的酋长秦仲为大夫，使之抵抗其他诸戎。秦仲不久死于火并战争之中，其子继之，仍为周族的西垂大夫，是为庄公。庄公在周族支持之下，继续与诸戎相抗。

周幽王时（前七八一年至前七七一年），陕甘一带，又袭来了空前的大旱，当此之时，诸戎之族，冲破了周族西北的封锁线，闯进陕西的腹部。其中犬戎与申戎，且攻陷西周的首都，杀死幽王于骊山之下。当时秦襄公站在周族的方面，“将兵救周，战甚力，有功。”然而终于不能阻止诸戎东徙的猛潮，所以到平王时周族遂被迫

[1]《史记·秦本纪》云：“秦之祖非子居犬丘，好马及畜，善养息之。犬丘人言之周孝王，孝王召使主马于汧渭之间。”又《师酉𣪕铭》云：“唯（孝）王元年正月，王在吴（虞），格吴（虞）太庙，公族琅厘入佑师酉王呼内史䍙，册命师酉，嗣乃祖啻言，邑人，虎臣，西门夷，㚸夷，秦夷，京夷、卑彂身夷。”以上诸夷，皆系与秦族杂处于陕西境内之诸戎。

放弃陕西，东迁洛邑。据《秦本纪》云："(当时)襄公以兵送周平王，平王封襄公为诸侯，赐之岐以西之地曰：'戎无道，侵夺我岐、丰之地，秦能攻逐戎，即有其地。'与誓封爵之，襄公于是始国。"由此看来，秦族的始建国，乃在西周末叶。[1]

春秋初，陕西全境，已成为诸戎驰逐之场，而秦族于诸戎中，最为强大。他占领了汧渭之间土地肥美的河谷，这里，不但水草丰富，宜于畜牧，而且是周族文化发祥之地，有着繁荣的庄园、农业和手工业的存在。秦族既据有优越的自然条件，又因袭周族的文化遗产，同时，更以其氏族制的历史活力，注入于周代封建文化之中，故在春秋初叶，勃然兴起，征服邻近诸戎，成为当

[1] 秦族建国始于何时，其说不一。《秦钟铭》云："丕显朕皇祖受天命，奄有下国，十有二公。"此"十有二公"之首公，当然为秦族始"受天命"之"皇祖"。但此十有二公之首公，究属秦之何公，尚无定论。欧阳修《集古录》以为《史记》于《秦本纪》云："襄公始列为诸侯，而《诸侯年表》则以秦仲为始，今据"年表"，始秦仲，则至康公为十二公；据"本纪"始襄公，则十二公为桓公。总之，此十有二公之首公，非秦仲即襄公，而秦钟之铸，非共公时即景公时也。"

时西北的一个新兴的力量。[1]他把诸戎的土地，收夺为郡县，诸戎的族类，转化为农奴，逐渐把诸戎的社会经济，推向封建主义的历史边缘，并从而使诸戎之族，在封建地方关系之中，化除其种族的界线，融解于秦族的封建国家之中。所以西周时的诸戎，不复见于春秋中叶以后，这并不是诸戎之族，为秦所灭绝，而是与秦族混而为一了。

秦族就在不断的征伐战争中，建立起一个强大的封建国家。到穆公时，这个国家，便西并诸戎，把它的领土，西展至陕甘边境，北拓至陕西北部。[2]同时又东灭梁、芮，打通进出中原的道路，并进而伸张其势力于中原。有名的城濮之战，正是秦国势力昂扬东进的开始。惟当时晋国强大，仍为秦国东进的阻力，所以到康公之世，秦国

[1]《史记·秦本纪》云："文公以兵伐戎，戎败走，于是文公遂收周余民有之，地至岐。""宁公二年，公徙居平阳，遣兵伐荡社。三年，与亳战，亳王奔戎，遂灭荡社。""十二年，伐荡氏，取之。""武公元年，伐彭戏氏，至于华山下……十年，伐邽、冀戎，初（郡）县之。十一年，初县杜、郑，灭小虢"。"成公元年，梁伯、芮伯来朝。"

[2]《史记·秦本纪》云：缪公"三十七年，秦用由余谋伐戎王，益国十二，开地千里，遂霸西戎。"

便以全力打击晋国。它一败晋于令狐，再败晋于武城，三败晋于羁马，四败晋于河曲，把晋国打得落花流水。降至战国初，韩赵魏三分晋国，秦国的东线，解除了威胁，于是秦国在这一历史间隙中，征服了陕西全境的诸戎，并进而征服甘肃东北及汉中一带的诸羌。[1]从此以后，秦国便以日益高涨的压力，侵陵中原诸国。

秦国之走上新的历史发展阶段，始于孝公时代（前三六一年以后。据《史记·秦本纪》云："孝公元年，河山以东，强国六，与齐威、楚宣、魏惠、燕悼、韩哀、赵成侯，并淮泗之间小国十余。楚、魏与秦接界。魏筑长城，自郑滨洛以北，有上郡。楚自汉中，南有巴、黔中。周室微，诸侯力政，争相并。秦僻在雍州，不与中国诸侯之会盟，夷翟遇之。"由此而知当时秦国已与六国诸侯，形成一种对垒的形势。但是当时中原六大强国的社会内部，已经展开了新旧土地所有者的矛盾斗争，新兴的商人地主，正要求摆脱旧领主的束缚，建立封建主义

[1]《史记·秦本纪》云："厉公二年，蜀人来赂。十六年，壍河旁。以兵二万伐大荔，取其王城。二十一年，初县频阳。""灵公六年，晋城少梁，秦击之。十三年，城籍姑。"惠公"十三年，伐蜀，取南郑。"

的新体制。但当时六国旧领主，根深蒂固，正如百足之虫，死而不僵。秦国为一新兴的国家，并没有传统的历史束缚，所以新兴的地主商人，首先在秦国获得了政权。商鞅变法，正是秦国历史之新的转向的表现。所谓商鞅变法，就是变封建为郡县，变庄园为佃耕，变力役地租为现物地租。[1]由于变法的结果，于是更提高了秦国社会的生产力，由此而超越了六国社会经济的发展。所以史称孝公之世，“民以殷盛，国以富强，百姓乐用，诸侯亲服，获楚、魏之师，举地千里。”

秦国自变法以后，它就变成了六国中新的土地所有者反对旧领主的堡垒，因而以前种族的对立，到孝公以后，便一变而为当时中国社会内部的矛盾对立。一方面新的土地所有者，以秦国为支柱，组织了反旧领主的连横派；另一方面，六国的旧领主，也组织了自卫的合纵派。这两派，在战国中叶以后，展开了剧烈的斗争。所以自孝公以后，秦与六国的斗争，就是新旧土地所有者的斗争。

[1]《史记·秦本纪》云：“（孝公）十二年，……并诸小乡聚，集为大县，县一令，四十一县。为田开阡陌。……十四年，初为赋。”

历史发展的原理，决定了这个斗争的结局，是新的土地所有者的胜利，所以秦自孝公以后，便以压倒之力，东向中原。“当是时，齐有孟尝，赵有平原，楚有春申，魏有信陵，此四君者，皆明知而忠信，宽厚而爱人，尊贤重士，约从离衡。并韩、魏、燕、楚、齐、赵、宋、卫、中山之众，于是六国之士，有宁越、徐尚、苏秦、杜赫之属为之谋；齐明、周最、陈轸、昭滑、楼缓、翟景、苏厉、乐毅之徒通其意；吴起、孙膑、带佗、倪良、王廖、田忌、廉颇、赵奢之朋制其兵。尝以十倍之地，百万之众，叩关而攻秦，秦人开关延敌九国之师，逡巡逃遁而不敢进，秦无亡矢遗镞之费，而天下诸侯已困矣。于是从散约解，争割地而奉秦，秦有余力而制其敝，追亡逐北，伏尸百万，流血漂卤，因利乘便，宰割天下，分裂河山，强国请服，弱国入朝。”这样的事实，就充分地证明了，任何主观的企图，都不足以倒转历史的车轮，秦与六国的斗争，正是一个最好的例子。

据史载，秦至惠王之世：“用张仪之计，拔三川之地，西并巴蜀，北收上郡，南取汉中，包九夷，制鄢、郢。”（《史记·李斯列传》）至于昭王，秦国的势力，遂深入黄河腹部，臣服韩魏，挟制东周，东逼齐鲁，北临燕赵，南窥荆楚，西略巴蜀，伐巫郡，远至于黔中。于是秦国不仅把中原诸国，置于其控制之下，而且伸张其统治于川黔一带之南太平洋系诸氏族中去了。

到秦始皇时，“秦地已并巴、蜀、汉中，越宛有郢，置南郡矣。北收上郡以东，有河东、太原、上党郡。东至荥阳，灭二周，置三川郡。”当此之时，中原六国，已如盛开之花，临于萎谢，而秦国则如暴风雷雨，闪击中原。于是“吞二周而亡诸侯[1]，履至尊而制六合，”在初期封建社会的废墟上建立起一个崭新的封建专制主义的帝国，而中国历史也就随着新兴商人地主之登场，揭开了中期封建社会的幕布。

第二节 秦代中国境内各种族的活动

战国末叶，新兴的秦族，正如一条波浪壮阔的洪流，

[1] 始皇十七年，内史腾灭韩，俘韩王安。十九年王翦、羌瘣灭赵，俘赵王迁。二二年王贲灭魏，俘魏王假。二四年，王翦、蒙武灭楚，楚王昌平君死。二五年，王贲灭燕，俘燕王喜。二六年，王贲灭齐，俘齐王建。于是六国毕，四海一。

自中国的西北，滚滚而东，泛滥于中原。它冲决了中原诸国之封建地方区划的堤防，打通了一切阻碍经济文化和血统交流的障壁，使中原诸文化种族，在它的冲刷与激荡之中，融化混合而凝结为一个整个的种族，即后来所谓汉族。

如前所述，在太古时代，中国的中原，本是一片没有人迹的荒原。到旧石器时代末期，才有诸夏之族和南太平洋系人种之一分支从南北两方徙入。以后殷族、周族、北狄、西戎，遂如潮水一样，后浪接前浪地从四方八面涌进中原。因此，在秦以前，中国的中原，已经沉淀下不少来源不同的种族层，这些不同的种族层，就是后来汉族的胚种。

在殷代，当时分布于中原一带的诸种族，还是各自团结其族类于血缘纽带之上，保持其各自之独立的发展。自周代封建国家创立以后，中原一带区划为无数封区，于是同一种族的人民，分隶于不同的封区之内，反之，许多不同种族的人民，又同隶于一个封区之内。因而向之以血缘关系而结合之种族集团，遂一变而为以地方关系结合之政治集团。这样历史变革的结果，中原诸种族之种族的分野，遂逐渐模糊。以后在春秋战国长期历史发展的过程中，由于频繁的战争与发展的交换，更加强了中原诸种族之血统和文化的交流，因而种族的观念，愈益稀薄了。虽然，自至此时，由于封建地方割据之锁闭，中原诸种族，尚未能融混为一，这一直到秦族之进入中原，才完成他们的混一。所以说，汉族的形成，秦族是一个历史的酵母。

这样看来，所谓汉族者，并不是中国这块历史地盘上天生的一个支配种族，而是自有史以前迄于秦族徙入，中原的诸种族之混合的构成。同样，中国的中原，也不是汉族独有的天下，在史前时代，这里是中国境内诸种族自由进出之地。在殷代，虽然殷族西服氐羌，南征荆楚，但是还有广大的自由世界，供其他诸种族自由以发展。到西周时，周族虽然是支配中原的一个种族，但对其他诸种族，还是保持平等的关系。如称其友族则曰“兄弟方”，称其敌族则曰“不廷方”，而通称则曰“四国多方”，曰“四方大邦小邦”，曰“大国”、“小国”，由此可以想见一般。到春秋时，由于中原诸种族之突出发展，于是始倡“内诸夏而外夷狄”之说。夷狄者，即指分布于中原四周的诸种族；而诸夏者，即指分布中原以内的诸种族。他们说，“夷狄禽兽也，”“封豕豺狼也。”“非我族类，”“誓不与中国。”于是中原文化区域，始被占有诸种族，视同禁脔，排斥其他中原以外的诸种族之进入。战国时，赵筑长城[1]，以御北狄，燕筑长城[2]，以御东胡，楚则南拒群蛮，秦则西拒诸戎，遂展开了中原诸种族与中原四周诸种族之对立的形势。自秦族征服中原以后，中原诸种族融混为一，于是北筑长城[3]，南守五岭，西据巴黔，东抗辽东，关闭了四周诸

[1]《史记·赵世家》云：肃侯“十七年围魏黄，不克，筑长城。”又云：赵武灵王“召楼缓谋曰：‘我先王因世之变，以长南藩之地，属阻漳、滏之险，立长城’。”此赵之南长城。又《史记·匈奴列传》云：“赵武灵王……北破林胡、楼烦，筑长城，自代并阴山下，至高阙为塞。”《正义》引《括地志》云：“赵武灵王长城在朔州善阳县北。”此赵北长城。

[2]《史记·匈奴列传》云：“燕亦筑长城，自造阳至襄平。置上谷、渔阳、右北平、辽西、辽东郡以拒胡。”按造阳在今察哈尔怀来县治，襄平在今辽宁辽阳县北千里之地。是燕之长城已延袤千余里矣。

[3]《史记·蒙恬列传》云：“始皇二十六年……筑长城，因地形，用险制塞，起临洮，至辽东，延袤万余里。”《匈奴列传》亦云：“秦昭王时……秦有陇西、北地、上郡，筑长城以拒胡。”《水经注·河水注》亦云：“始皇令太子扶苏与蒙恬筑长城，起自临洮，至于碣石。”盖秦之长城系连结燕、赵之长城，而西延至甘肃，东展至朝鲜平壤以南。

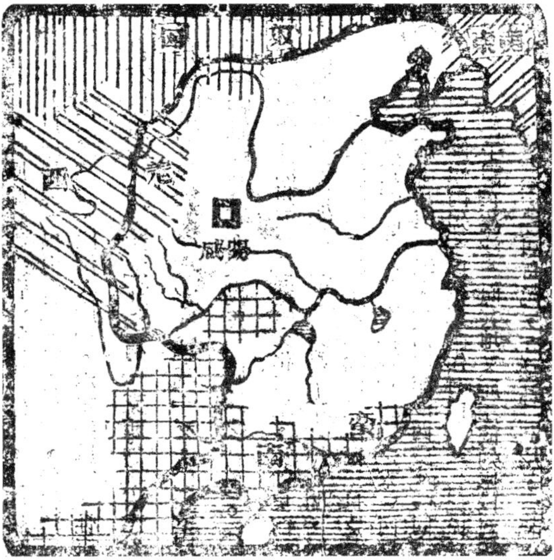

插图二　秦代中国形势图

种族进入中原的大门。

当秦族进入中原，建立大秦帝国的时代，中国境内之其他诸种族，也依据其各自的历史原理，展开其各自的历史发展（插图二）。

当时，游牧于中国北部蒙古高原一带的北狄之族，已经发展为一个强大的种族，是为匈奴。

北狄之族，本系残留于蒙古高原的一部分人种之所分化，而匈奴者，则又北狄诸族之所融混。自蒙古高原大内海涸竭以后，蒙古高原，已变成一片苦寒奇穷之地，虽间有水草，但究竟不大适宜于人类之生存。因此，徘徊于这个荒凉原野的人类，自有史以来，即屡次企图侵入黄河中游的大平原，以转换其生活的环境。西周的猃狁，春秋的诸狄，皆曾作此种历史的尝试。西周的猃狁，曾侵入山陕河北的北部。诗云：“薄伐猃狁，至于太原。”又云：“出车彭彭”，“城彼朔方。”又云：“靡室靡家，猃狁之故，不遑启居，猃狁之故。”足见当时猃狁对中原诸种族的压力之强大。春秋的诸狄，曾由山西侵入河北，并在河北滹沱河上游，建国曰中山，其前锋且进入河南山东。《国语·周语》曰：“狄，封豕豺狼也，不可厌也。”又僖六年传亦曰：“狄无耻，从之必大克。”从者，纵也，即谓纵其横行必可大克。至于战国，燕赵秦皆北筑长城，以阻塞北狄南进的道路，由是北狄的南徙，遭受打击。至于秦代，北狄之族，只有南望长城而浩叹了。

北狄的南徙者，不过一少部分，这一部分已先后融化于中原诸种族中。其大部分族类，则仍然徘徊于蒙古高原，分化为许多氏族，随畜牧而转徙。[1]这些诸狄之族，因为受自然条件之限制，直至周秦之际，依然以畜牧为主要的生产事业，但是各氏族已占领一定的土地，形成各自的部落。[2]因而他们的社会，还是保有浓厚的氏族社会的机构。[3]到秦代，这些诸狄之族，遂融化混合为一个强劲的种族，而以匈奴之名出现于中国史乘。当时匈奴之族占领今日内外蒙古的大部分地方，并南逾阴山渡黄河，侵入今日鄂尔多斯的原野，成为秦代北方之严重的威胁。

当时的羌族，也分化为许多氏族，占领中国西北之广大的世界。

考羌族在殷末曾有一支，在周族领导之下，进入中原，以后继续东徙，是为诸戎。据《后汉书·西羌传》云：

[1]《史记·匈奴列传》云：北狄“居于北蛮，随畜牧而转移。其畜之所多，则马牛羊；其奇畜，则橐驼，驴骡，駃騠，騊駼，驒騱（各种马名）。”

[2] 同上书云：“（北狄）逐水草迁徙，毋城郭常处耕田之业，然亦各有分地。”“其俗，宽则随畜，因射猎禽兽为生业，急则人习战攻以侵伐，其天性也。”“自君王以下，咸食畜肉，衣其皮革，被旃裘。”

[3] 同上书云：“（北狄）贵壮健，贱老弱。父死，妻其后母，兄弟死，皆取其妻妻之。其俗有名不讳，而无姓字。”“不知礼义。”“毋文书，以言语为约束。”

“及平王之末，周遂陵迟，戎逼诸夏，自陇以西，及乎伊、洛，往往有戎。于是渭首有狄、獂、邽、冀之戎，泾北有义渠之戎，洛川有大荔之戎，渭南有骊戎，伊、洛间有扬拒、泉皋之戎，颍首以西有蛮氏之戎，在春秋时，间在中国，与诸夏盟会。”这些被称为西戎的诸羌之族，终于于战国末年，在秦族领导之下，打进中原，建立秦代王朝。自秦族进入中原以后，于是筑长城，西起临洮，阻止他的同族之继续东徙。自是诸羌之族，遂转向西南发展。

徙入中原的诸羌，只是羌族的一支，其大部分族类，则仍然分布于甘肃青海一带，分化为许多氏族。这些氏族，直至周秦之际，还是以畜牧为生，处于历史上之氏族制的阶段。[1]

---

[1]《后汉书·西羌传》云：“（西羌）所居无常，依随水草，地少五谷，以产牧为业，其俗氏族无定，或以父名母姓为种号。十二世后，相与婚姻（亚血族婚）。父没则妻后母，兄亡则纳厘嫂（原始杂婚遗习），故国无鳏寡，种类繁炽。不立君臣，无相长一。强则分种为酋豪，弱则为人附落。更相抄暴，以力为雄。杀人偿死、无它禁令。……果于触突，以战死为吉利，病终为不祥，堪耐寒苦，同之禽兽。虽妇人产子，亦不避风雪。性坚刚勇猛，得西方金行之气焉。”

自有史以前，诸羌之族即有一支西向塔里木盆地移徙。[1]何时到达，不得而知。[2]但在春秋时代，确有(有)虞氏之一支，已经西徙今日于阗一带，文献中称之曰西虞，又称之曰禺氏，“禺”“虞”音近，故禺氏即虞氏之音转。[3]

其南徙者，在史前时代，已达到四川[4]，甚至西藏高原。[5]何时到达，亦无从确考，但在殷以前，四川已有羌族。到战国末，则今日四川西部青海西藏一带，已

---

[1] 今日凉州西北沙井期文化遗址，实即史前羌族西徙途程中寄顿之所。

[2] 至今吾人尚未于甘肃与塔里木盆地之间，发现史前文化遗址，但传说中谓自黄帝下迄尧舜禹皆与西王母有往还献替之事，而传说中又谓西王母之邦在昆仑之丘、流沙之濒，正今日塔里木盆地。是则于传说中之黄帝时代(新石器时代初期之末)，西羌之族，已徙入塔里木盆地。

[3]《管子·小匡篇》云:“西服流沙西虞。”同书《国畜篇》云:“玉起于禺氏。”按虞氏，《左传》作“虞祀”，《穆传》作禺知，以后《史记》作月氏，盖皆虞氏一音之转也。据《逸周书》及《穆传》所云，禺氏原在甘肃东北，而《管子》谓在流沙，而其地又产玉，故知虞氏之一支，已徙于今日之于阗。

[4]《铁云藏龟》一〇五页云:“贞弗其戋羌蜀，”是殷人入蜀以前，蜀已有羌也，故曰羌蜀。

[5] 步达生氏谓甘肃中前人种的头骨与西藏乃种及甘姆斯(KHAMS)人种有许多形状相同。”

布满诸羌之族。[1]

至于甘肃一带的诸羌，在战国末，亦已分化为无数氏族。到秦代，其中月氏一族，崛起于敦煌祁连间，最为强大。所以在秦代，中国西部广大的地域，完全是羌族的天下。[2]

当时东北诸种族，也布满了辽东半岛和朝鲜半岛，形成了许多部落。

考渤海沿岸诸种族，除殷族进入中原，成为后来汉族的一个主要构成部分以外，其余即沿渤海海岸而东北，早在史前时代，即布满辽东半岛南端及朝鲜西部海岸一带。以后，其族类又向北发展，与黑龙江流域诸种

[1]《后汉书 · 西羌传》云："河关之西南，羌地是也。滨于赐支，至乎河首，绵地千里。赐支者，《禹贡》所谓析支者也。南接蜀汉徼外蛮夷，西北鄯善车师诸国。"其地正今日青海以至西藏高原一带（详拙著《吐蕃种族起源考》）。同书同传又云："羌无弋爰剑者，秦厉公时为秦所拘执，以为奴隶，不知爰剑何戎之别也。后得亡归，……（诸羌）推以为豪。……至爰剑曾孙忍时，秦献公初立，欲复穆公之迹。兵临渭首，灭狄獂戎。忍季父卬，畏秦之威，将其种人附落而南，出赐支河曲西数千里，与众羌绝远，不复交通。其后子孙分别，各自为种，任随所之。或为牦牛种，越巂羌是也；或为白马种，广汉羌是也；或为参狼种，武都羌是也。"

[2]《后汉书·西羌传》云："忍及弟舞独留湟中，并多娶妻妇。忍生九子为九种，舞生十七子为十七种，羌之兴盛，从此起矣。"

族合流，分布于辽东半岛之东北，远至北海一带。历两周之世，其族类逐渐繁衍聚为部落。其在今日之热河者曰东胡，其在今日之辽宁者曰秽貉，其在今日之吉林者曰肃慎，其在今日朝鲜半岛之北者曰朝鲜，在半岛之南者有七十八个氏族，而统名曰辰国。[1]此等诸族，巢山处海，世称东夷。据《后汉书·东夷传》云："（东夷）国俗风土，可得略记。东夷率皆土著，喜饮酒歌舞，或冠弁衣锦，器用俎豆。"同书又云："（涉）知种麻养蚕，作绵布。"据此，则东夷文化水准，较之同一时代之北狄与西羌为高。盖东夷既占有辽东半岛及朝鲜半岛肥沃之土地，又地临渤海，其自然条件最为优越，故发展较快。

东夷之族，在春秋时，曾有一小族曰山戎者，侵入河北东北，所谓山戎病燕者是也。到战国时，燕筑长城，西起造阳，东迄襄平，以御东夷之内犯。至于秦代，在吉林境内，代肃慎而起者，出现了挹娄。在辽宁境内的

[1]《后汉书·东夷传》云："韩有三种：一曰马韩，二曰辰韩，三曰弁辰。马韩在西，有五十四国。……辰韩在东，十有二国。……弁辰在辰韩之南，亦十有二国……凡七十八国……皆古之辰国也。"

秽貉之族，已南徙于朝鲜半岛之东部，代之而起者，则有满潘汗。在热河境内，仍然是东胡之族，不过东胡之族，已逐渐强大。至于朝鲜半岛一带，仍为诸辰孳生繁育之地。总之，当嬴秦之世，东北一带，还是东夷的世界。

塔里木盆地诸种族，直至秦代，尚不见于中国史乘。因为这里距中原太远，中间又有匈奴和西羌的梗阻，直到秦代，中国的势力，还没达到这个神话中的“不死之邦”。

然而在远古时代，就有蒙古高原系人种之一分支，逾过天山东麓大自然留下的一个缺口进入这个盆地，分布于今日塔什马干沙漠的东北。以后到新石器时代中期，西羌之族，又循着天山北麓的天然走廊，徙入这个盆地的西南。同时，古代中亚诸种族，也越过帕米尔高原，徙入这个盆地的西北。更后，希腊人又追踪古代中亚诸种族之后徙入这里。所以到秦代，塔里木盆地应该已经布满了各种来源不同的种族。否则汉初的西域三十六国，岂非从天而降！

《汉书·西域传》云：“自疏勒以西北，休循捐毒之属，皆故塞种也。”按疏勒以西北，正今日天山西北伊犁河流域，而塞种者，则希腊人种也。是则在汉初，塔里木盆地之西北，大半多为希腊人种。

同书又云："蒲犁及依耐无雷国，皆西夜类也。西夜与胡异，其种类羌氐。"按蒲犁、依耐、无雷、西夜诸国，皆在帕米尔高原西南山谷之间，此等诸国，其种皆类羌氐，则在汉初，塔里木盆地之西南已满布羌族之裔了。或有人说，此间的诸羌乃月氏之支裔，而月氏之西徙，则在汉初，在秦时，这里尚无羌族。但是我以为西羌的西徙，早在史前时代，据斯坦因《西域考古记》云，在塔里木盆地大沙漠以南所发现的彩陶，与史前甘肃的彩陶，极相类似。而且传说中亦谓春秋时代，虞氏之一支，即已徙至于阗。月氏为虞氏之音转，故月氏之西徙，当亦始于春秋以前。是以当秦之时，这个盆地实有羌族之分布。除希腊人种及羌族以外，则为原始的蒙古高原系人种，即所谓胡也。

总之，在秦代，塔里木盆地，已经有着许多种族在这里汇合，他们分化隔混为许多部落，散布于塔什马干大沙漠周围一带之沙漠田，或以畜牧为生，或以农耕为生，在这个神秘的世界中，展开了光辉的历史活动。

最后说到当时的南太平洋系人种，即所谓南蛮之族。

如前所述，南太平洋系人种之一分支，在旧石器时代末期，即已进入中国东南沿海及西北山岳地带。在新石器时代初期，即传说中的黄帝时代，其西南山岳地带之一支，且深入中原，到达黄河流域。因为遭遇着诸夏南徙的猛潮，于是大部分仍然退回湘鄂川黔交界之处，少部分则残留中原，成为后来汉族构成的一个因素。所以在史前时代南太平洋系人种与蒙古高原系人种，他们几乎是平分中国，完全处于匹敌的地位。

到春秋时，在长江上游兴起了楚国，在长江下游兴起了吴国，但是分布于西南的南太平洋人种，即所谓百濮群蛮，仍然与楚国相抗于鄂西。而分布于东南沿海的南太平洋系人种，且在浙江境内，组成了一个越国与吴国相抗。

到战国时，楚国强大，它一面向西南发展，征服了湘鄂交界处及四川东部的群蛮百濮，一面又向东发展，征服了越国。到战国末，秦国勃兴于陕西，它又征服了四川境内的诸蛮，并且从楚国的手中，夺到了四川东部和湖南西部（黔中）的统治。即因蒙古高原系人种的势力之逐渐南展，于是南太平洋系人种的活动领域，便一天天地缩小了。

虽然如此，直至秦代，中国西南及东南沿海一带广大的世界，还是南太平洋系人种诸种族的自由王国。在秦代，其在东南沿海者，越已散亡，但在浙江南部，出现了瓯越，在福建出现了闽越，在两广出现了扬越。所以在秦代称东南沿海一带曰百越之地，百越者，犹言诸越，言其族属之多也。其分布于西南者，亦分化为无数氏族，这就是后来汉代所谓西南夷。此等诸族，皆椎髻徙跣，断发文身，与蒙古高原系人种的风俗习惯，截然不同。当秦之时，他们或随畜转徙，或耕田有邑聚。或无君长，或有君长，其文化水准颇有出入。总之，在秦代，中国的南部，又别为一世界。

由此看来，当秦族进入中原，中原诸种族融混为一之时，包围于中原四周的诸种族，也正展开其各自之自发的历史活动。当此之时，一方面是中原诸种族鼓其青春健壮的历史活力，向四周膨胀，企图扩展他们的天地，并从而突破加于他们的历史包围；另一方面，是四周诸种族一层一层地把中原文化区域包围得水泄不通，并且不断地向中原压迫，企图闯进中原。即因中原诸种族向四周膨胀，四周诸种族向中原压迫，于是在膨胀与压迫之力的运动中，造成了当时中国史的紧张性，并从而触发了中国史之全面运动。当时的中国正象一个鸡卵，中原诸种，有若卵黄，四周诸种族，有若卵白，卵黄与卵白虽各为一物，而在鸡卵之有机构造上，则是血肉相连的。当秦之时，中国的历史，正在发生一种适当的温度，来孵化这个鸡卵，所以到西汉之初，鸡雏遂破壳而出，是为汉族。

第三节　秦代的世界形势

当秦族进入中国中原，在东方世界激起一个历史浪涛时，西方世界的历史浪花，也正飞溅到中国西部的边境。世界史的运动倾向，似乎在替继起的两汉时代之东西两个世界的历史接触，进行准备工作（插图三）。

在这一时代，一方面希腊帝国已经瓦解，另一方面罗马帝国的势力，尚未达到东方，而中国的势力，也还

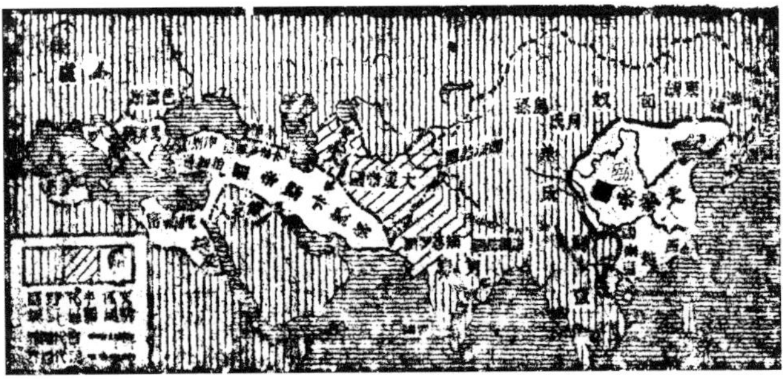

插图三 秦代世界形势图

没有达到西域，中亚一带成了一个逸出于世界史主力支配之外的地方，因而提供了印度的文化之发展以历史的间隙。

早在战国末叶，希腊帝国，已经随着亚历山大之死亡而趋于瓦解。在秦代，出现于希腊帝国废墟之上的，是无数独立的小国。如塞琉卡斯（Seleucus）[1]、托勒密（Ptoleny）[2]、安提娥那（Antigonus）[3]及加伯多西亚（Cappadocia）、本都（Bontus）、俾斯尼亚（Bithynia）

[1] 塞琉卡斯王国，占领旧波斯帝国之大部分领土，其疆域，东起印度河，西迄吕底亚。

[2] 托勒密王国，占领今日埃及北部及塞浦路斯、腓尼基及小亚细亚沿岸。

[3] 安提娥那王国，占领希腊本土。

和柏加曼（Pergamum）等。[1]这些小国，各霸一方，虽仍分据西起地中源东迄印度河这一广大的世界，但是由于各个奴隶贵族集团之腐化与彼此间的矛盾对立，因而早已失去了以往旋转世界史的历史活力。

当希腊帝国瓦解之后，邻近希腊的诸蛮族，纷纷从文化世界之裂隙，侵入希腊帝国的心脏。其自西北而来者为克勒特人（Kelts）[2]，其自东北而来者为安息人及大夏人。这些野蛮种族就象虫蚁一样，践入希腊帝国的尸体，吮吸其脂肪。

当周秦之际，希腊帝国，就象一盏光芒万丈的明灯，渐渐趋于熄灭。虽然，熄灭的只是希腊的政治生命，希腊的文化，则为不朽的创造，直至我们的今日，尚被视为欧洲文化之源泉。因为希腊的文化，是古代巴比伦、亚述和埃及文化的综合，是无数奴隶劳动之升华，所以

[1] 加伯多西亚，本都，俾斯尼亚及柏加曼等国，皆在黑海以南小亚细亚一带。其中柏加曼，历史学家称之曰希腊文明的避难所，因为希腊文明，曾在这里再放光明。

[2] 克勒特人之一支，最初侵入希腊本土之特尔斐。西纪前二二七年，分二支渡博斯海鲁斯海峡，至于小亚细亚，旋侵入托鲁斯附近，是为《圣经》中之加拉太人。

它是人类文化的精髓。当秦之时，希腊帝国虽已瓦解，而希腊的文化，仍然广被于其帝国之疆土；希腊人的语言，仍旧是中亚一带的国际语言；希腊人的艺术、宗教仍旧掩袭着印度，并且逾过帕米尔高原而至于塔里木盆地之西北，与中国羌族的文化发生了接触。所以在后来西汉时代中国人一踏进塔里木盆地，便到处碰到陌生的深目高鼻的塞种人。塞种人者，就是希腊人种。

当希腊帝国瓦解之时，罗马帝国，正如旭日东上，兴起于今日之意大利半岛。到汉代，这个新兴的势力，便继希腊之后，成为西方世界的历史主动力。

如前所述，早在战国末叶，罗马已经展开了开疆拓土的历史行动。它北逐高卢人，拓地至波河流域，南击希腊人，尽有意大利半岛之南端。即因罗马势力之南展，因而引起与北非强大商业国家迦太基的利害冲突，爆发了第一次布匿战争（The Punic Wars）。在这次战争中，罗马胜利地击溃了迦太基，占领了西西里和撒丁尼亚两个谷产丰富的海岛，于是以此为根据而遂掌握地中海上之霸权。

虽然，终秦之世，罗马的势力，并没有扩展到东方，它还是纠缠于与迦太基争夺地中海霸权的战争之中。当秦始皇二十九年，亦即张良狙击秦皇之年（前二一八年），罗马与迦太基又爆发了第二次布匿战争。当时英勇的迦太基人，在其将军汉尼拔的领导之下，沿西班牙海岸而东，越过阿尔卑斯山，侵入意大利。当始皇三十一年（前二一六年，蒙恬伐匈奴之前一年），罗马几为迦太基人所覆灭。迦太基人侵入罗马十五年，在此十五年中，所向无敌。直至汉高帝四年（前二〇二年，项羽死于垓下之年），罗马人才把迦太基人驱逐出境。所以终秦之世，罗马完全在迦太基人的蹂躏之下。

现在，说到这一时代的印度。提起印度就会令人想到佛教。实际上，自古至今，印度就没有甚么武装的扩张，但是作为印度文化之精髓的佛教，几千年来，直至如今，却成为世界上，特别是东方世界大多数人类之信仰。所以印度这个国家，几乎是一个精神的象征。印度的扩张，也就是精神的扩张。而嬴秦之世正是印度精神——佛教，开始展开世界扩张之时。

为了说明佛教的渊源，我们必须对印度的历史作一个简单的回顾。考印度早在史前时代，即有“南太平洋系”

人种分布于此。[1]以后有“达罗毗陀族”的侵入。[2]更后有雅利安人的侵入。雅利安人最初侵入印度河流域，驱逐这里的原住种族薄里色土人。[3]以后大约在西周之初，便由印度河流域向东发展，进入恒河和亚姆纳河流域，在这一带分化为许多部族。[4]大约在这一时代，雅利安人的社

[1] 印度已有新旧石器时代的文化遗物发现，参看 M.R.Panchanan Mitra：*Prehistoric Arts and Crafts of India*（Calcuta University 1920）惟作者谓印度之远古文化，系导源于远古之狄干（Deccan），但我以为与史前南太平洋系文化有关。

[2] 达罗毗陀族大概系由米索不达米亚及俾路支一带而来。其进入印度，比之雅利安人至少早一千年。当此种种族进入印度，其自身的历史，已达到使用金属的阶段。

[3] 雅利安人与薄里色土人争夺印度河流域的斗争，见《梨俱吠陀》叙事中。《梨俱吠陀》称土人为达萨或达修。其意即恶魔也。这个斗争以雅利安人之胜利而结束，他们把土人征服为奴隶或驱逐于遥远之东方。雅利安人进入印度时，他们使用的战斗武器，有弓矢刀剑枪矛战斧兜楯，并有战车。此外，他们有装饰品颈饰腕饰。他们还是处于氏族制阶段，他们的族长称为罗迦，但已经形成了部族及部族联合。他们以农业或畜牧为主要的生产。手工业也相当发达。

[4] 雅利安人之进入恒河及亚姆纳河流域，约在西纪前一四〇〇年到前一〇〇〇年之间。代表这一时代的印度文献有《摩奴法典》（前二三百年间的作品）、《梵天记》（前五百年至前三百年间的作品）、《秘书》（前七百年至前六百年间的作品）及《摩诃婆罗多》、《罗摩耶纳》两大史诗。据说当时占领恒河上游者为苦鲁族、班甲拉二族。占领下游沿岸的，为哥萨拉、维德哈、卡西等族，以后在恒河流域，发展为安加、玛加达、哥萨拉，瓦吉、苦鲁、班甲拉、甘地哈拉、玛罗、色地、瓦萨及其他五国，各据一方，互为雄长。

会，已经进到了奴隶制的阶段，所以反映到宗教信仰上，便产生了建设于阶级制度的原理之上的婆罗门教。[1]

大约在春秋时代（前七世纪至前五六世纪），侵入恒河流域之东方雅利安人，因为与当地的达罗毗陀族发生了血统的融混，形成了一种“混血的雅利安种族”。这种混血的雅利安族，在当时，以哥萨拉与玛加达为中心，发展到比西方雅利安族更高的社会经济的水准，他们建设了城市，组织了国家，在甘地哈拉到亚凡提之间，组成了十六个国家，其势力几乎扩大到全印度。在这样的情形之下，王权大为高涨。同时农业[2]、手工业和商

[1] 所谓婆罗门者，其意即谓创造宇宙之神，中国译之曰“梵”。它的产生，是当时雅利安的奴隶主贵族企图用宗教把身份制度绝对化。例如古代印度有名的叙事诗《罗摩耶纳》中说婆罗门由梵之口而生，刹帝利由肩而生，毗舍由脐而生，首陀罗由足而生。所谓婆罗门者即僧侣贵族，刹帝利者即世俗贵族（国王），毗舍者即农民、手工业者、商人，首陀罗即被征服的土人而转化为奴隶者。这四个等级，正是当时印度社会之现实的内容。

[2] 达维兹（Tw.K.DaviDs）《佛教的印度》关于佛教将成立前印度夏卡族的农村公社的氏族关系，曾有如次之叙述：“氏族由氏族耕地之收获及家畜而生活。村落围绕在耕地之周围，家畜放牧于森林之外。森林为全族公有，农民多属夏卡族人，亦有其他雅利安人。此外也有从事高级的特殊的商人，更有木匠、铁匠、陶匠，彼等皆有其自己之村落。”国王向这些农村公社征收什一税、临时税及牛乳税，并课以一定的徭役。就玛加达及哥萨拉两国的情形而言，土地可以让渡、买卖或租佃。

业[1]也日趋发达，毗舍（第三阶级）出身的新富有者，也日益成长。婆罗门高于一切的身份制之社会基础崩坏了。从这一时代起，东方雅利安族便兴起了反婆罗门反吠陀的运动，这种运动的指导原理之具体的结晶，便是佛教的教理。

传说中谓佛教的创始者为印度的哲人悉达瞿昙（Siddhartha autama），即中国所谓释迦牟尼。这位哲人出生于喜马拉雅山南麓，孟加拉以北，今日尼泊尔边境森林中之释迦族，其时正值中国春秋末叶。[2]释迦族者，亦属于混血的雅利安种，亦即所谓“破门的雅利安”，“非吠陀的雅利安”。[3]这位哲人，是释迦族中的一个世俗贵族[4]，他感于当时婆罗门僧侣贵族的权威过高，于是

---

[1] 据《摩奴法典》所记，当佛教发生时代，印度有六十种职业的分别，足见手工业分工之发达。当时手工业者并有类似欧洲中世纪基尔特之组织。又初期佛教文献中，常有关于商业及商人的记事，足见当时商业亦甚发达。

[2] 传说谓释迦牟尼生于西纪前五五一年，卒于西纪前四七七年（周灵王二十一年至周敬王四十三年），与孔子同时（孔子生于周灵王十五年，卒于周敬王四十年）。

[3] 参看日人木村《印度民族》二八——三五页。

[4] 中译佛典皆谓佛为净饭王太子。梁启超氏谓太子二字，似不甚当。盖净饭、白饭、斛饭、甘露饭，同为迦比罗城右族，释迦牟尼，不过净饭族中之一贵族，非太子也。

创为雅利安真理，主张绝对的自由平等。这种雅利安真理，就是后来佛教之原始的教义。[1]

这样看来，佛教的出现，正是当时东部印度之客观现实的要求，所以不久就在印度曾被抑压的阶级中获得了广大人群的信仰。正当佛教发育成长之时，希腊的骑兵队，在亚历山大的指挥之下，闯入了印度的西北。在武装的保护之下，希腊的文化，流入了印度，直至希腊帝国瓦解以后，希腊文化的东渐，并没有终止。[2]希腊文化之流入印度，当然成为西部印度社会的一个有力的刺激，结果，促进了西部印度社会经济之发展。所以自亚历山大的远征军撤退以后，东方雅利安族，即于印度河流域，建立了国家，以后又扩展至恒河流域，南至于

[1] 原始的佛教无庙宇，无牺牲，对于婆罗门教诸神，并不承认，仅求自我的觉悟。

[2] 犍陀罗为前三世纪印度西北近拍绍河王国。这里正是希腊文化与印度文化汇合之处。此间佛教雕刻甚多，其中有若干石像，一望而识为希腊诸神，如赛累匹斯、埃西和勒斯者，实不少，是知当时希腊诸神已一变而为佛教诸神。如埃西不复为埃西，而为诃利帝母，盖一恶毒女神，而佛度之为善者也。此女神，再传至中国、日本，则曰观音，观音者，救苦救难之神也。

马德拉斯。到周秦之际，阿育王即位[1]，于是统一了印度全境，并将其势力，伸张到今日之阿富汗，印度遂蔚然成为亚洲西南之一泱泱大国。

阿育王时的印度，已转向封建社会。跟着胜利的征伐，世俗贵族的权威高涨；同时跟着农工商业的发达，毗舍阶级也抬起头来。此外大部分奴隶已转化为农奴，首陀罗阶级的贱奴，也获得局部的解放。为了反对共同的压迫者婆罗门僧侣贵族，于是以阿育王为首的世俗贵族，乃以佛教为旗帜，号召各阶级被抑压的人民，反对婆罗门教的阶级制度，因而佛教遂成为印度的国教。当时阿育王曾将佛祖的教义雕于碑碣，遍树国内，至今犹存者，尚有三十五件。此外又多派教士，广播佛教于其所知之世界，如锡兰、缅甸、罽宾、塞琉卡斯及托勒密等处，皆有佛教僧侣之足迹。这样一来，佛教文化，遂成为印度历史的一种活力，把游离于罗马与中国两大历史动力之外的世界转入他的历史支配之下。

总上所述，吾人因知当嬴秦之世，中国、印度和罗

[1] 阿育王生于前二六四年，卒于前二二七年，正中国史上周赧王五十一年至秦始皇二十七年的时期。

马是世界史的三个动力，希腊虽已瓦解，但其文化，仍然在滋长之中。当此之时，罗马文化，尚未东渐，但希腊文化与印度文化的浪涛，则已在冲声中国的西部疆界。人类史正在走向世界的结合，秦代的历史，就在这样一个世界环境中，展开其发展，中国的历史，也就在这样一个世界环境中，走进了中期封建社会。

第二章　秦代社会经济的构造及其转向

第一节　土地所有的关系之改变与农业

秦代的统一，在中国封建社会经济的发展上，曾经引起一个新的变化，但这种变化，并不是推翻封建制的经济，只是把初期的封建制经济向前推进一步，推向"专制主义"的封建制经济而已。从这里，中国的历史便展开了中期封建社会经济的端序。

封建主义这一发展所表现之最主要的特征，是土地所有关系之改变。因为土地所有，是封建社会经济构成中最根本的基础。土地所有的关系之改变，就会引起封建社会经济之全盘的推移，如土地管理机构及土地经营制度等之相应的改变，而这也就会影响到社会关系与政治制度的改变，从而影响到文化思想的内容之转换。

关于土地所有的关系之改变，在中国，也和世界其他文化民族一样，经过了一系列的历史发展阶段。当太古之初，中国的土地，和今日之日光空气一样，是一种人人得而用之、人人并不据而有之的东西。到传说中的“黄帝”、“尧”、“舜”、“禹”以至“夏代”，中国的土地，遂为当时各氏族分别占领，而属于各氏族全体成员之所公有。到殷代，殷代的奴隶主贵族征服了黄河腹部的诸氏族，收夺其土地，于是中国的土地之一部，遂由氏族的所有，转化为奴隶主国家的所有，亦即奴隶主贵族之全体的所有。到周代，周族克殷，没收了殷代奴隶国家的土地并继续收夺当时诸氏族的土地，把这些土地转化为封建国王的所有，再由国王以其名义上所有之土地，分赐于其左右从属，由是中国的土地，遂由奴隶主国家的所有，转化为封建领主之个人的所有。

自春秋末叶起，中国又出现了一种新的土地所有的形态，这就是商人地主的土地所有。如前所述，当春秋之末，由于早期封建都市经济之开始发展，许多商人变为富裕。他们一面乘着封建领主在战争中之疲敝，一面乘着农民在赋役中之贫困，而以高利贷的方法，开始了土地的收夺。惟在春秋之末，此种商人地主之土地所有以与当时之封建领主的土地所有相较，在量的方面，还是占极小的比例。

到战国时，随着都市经济之发展，商人地主的土地所有，日益扩大，甚至影响到封建领主的经济管理机构之改变，如当时许多国家，皆废领邑制而改置郡县。但直至战国末叶，中国的土地，在名义上，还是属于封建领主之所有。例如当时商人地主，虽然占有大量的土地，但仍然必须向其土地所在地之领主缴纳租税，商人地主，仍然是一个被剥削的阶层。

在战国时代二百余年的时代中，从经济方面看，可以说，就是商人地主与封建领主争夺土地所有权的时代，合纵连横的活剧，正是新旧土地所有者的经济斗争之政治的表现。这一斗争，直到秦代，才以商人地主之胜利而结束。

秦以前，商人地主获得土地，完全依靠经济的收买，到秦代代替经济收买的，是武装的收夺。武装的收夺土地，不始于秦始皇，而始于秦孝公，盖秦自孝公，用商鞅变法之后，秦国的政权，已经是商人地主的政权，因而秦国的武力，也就是商人地主的武力，从而秦国所收夺的土地，也就是商人地主的土地。因为秦国势力所及之处，就是土地之封建领主所有的形态之消灭。

具体的历史事实指示吾人，秦自孝公时代起，即接受了商人地主的要求[1]，把秦国的土地，不封赐于贵族为领邑，而以之划分为郡县，由中央政府派遣官吏去统治。[2] 当时秦国的中央政府，实际上，就是商人地主这

[1] 据《史记·商君列传》所记，商鞅本人，并非商人，但他所主张的政策，却代表商人地主的要求。当他初见孝公时，便极力主张政治的革新，以求政治与经济相适应。所谓经济者，即新兴商人地主的经济，他说："是以圣人苟可以强国，不法其故；苟可以利民，不循其礼。"又说："治世不一道，强国不法古，故汤武不循古而王，夏殷不易礼而亡。"当商鞅提出变法的主张时，秦国少数的保守派，如甘龙、杜挚等，曾加以反对。《商君列传》载甘龙之言曰："圣人不易民而教，知者不变法而治，因民而教，不劳而成功；缘法而治者，吏习而民安之。"同传载杜挚之言曰："利不百不变法，功不十不易器。法古无过，循礼无邪。"但是保守派的势力，在秦国究竟很少，所以商鞅的变法得以实行。秦国的贵族，因而不能得到土地的封赐。所以同传又云："商君相秦十年，宗室贵戚多怨望者。"而商鞅卒为保守派所谗，车裂以殉。商鞅虽被害而死，但秦国的经济制度，业已革新，不久惠文君（孝公之子）之世，连横派的首领，亦即商人地主之国际组织的首领张仪入秦，继商鞅之后，掌握秦国的政权，于是秦国的政权遂完全转移于商人地主之手中。

[2]《史记·秦本纪》云："（秦孝公十二年）并诸小乡聚，集为大县，县一令，四十一县，为田开阡陌。

一新兴历史阶层的政府，因而土地之中央政府所有，亦即土地之新兴商人地主之集团的所有。《史记·商君列传》，虽有“封之于商十五邑”的记载，但商鞅相秦十年，皆从政于中央，未尝之国。所以他的封邑，仍然是县一吏，直隶于中央，因而商鞅并不能如中原六国的大夫，领有其封地之土地而臣属其人民。

孝公以后，秦国的武力，在商人地主的指挥之下，继续开疆拓土的战争。他们对于新征服的地方从不以之封赐于其贵族，而列置郡县，仍然由中央政府直接派遣官吏去统治。[1]虽然《史记·秦本纪》曾有“公子通

[1] 据《史记·秦本纪》所载，秦惠文君十年，张仪相秦，魏纳上郡十五县，并不以封赐张仪，仍以为上郡。后元九年，司马错灭蜀，并不以封赐司马错，而置为蜀郡。十三年庶长章击楚攻楚汉中，取地六百里，并不以封庶长章而置为汉中郡。昭襄王二十九年，大良造白起攻楚拔郢，并不以封赐白起，而以为南郡。三十年蜀守张若伐巫郡及江南（湖南西半部），并不以封赐张若，而以为黔中郡。三十五年，佐韩魏伐燕，初置南阳郡。四十八年攻赵，尽有韩之上党，仍以为上党郡。庄襄王元年，蒙骜伐韩，韩献成皋、巩，秦界至大梁，初置三川郡。四年，王齕攻上党，初置太原郡。凡此皆孝公以后，始皇以前，秦国所收夺的土地，其中除蜀及黔中之一部以外，这些土地，皆属于旧的封建领主之所有。但自为秦国兼并以后，皆列为郡县，由中央政府直接派遣官吏去征收租税，这样就把土地之封建领主所有的属性，转化为商人地主之集团的所有了。

封于蜀”之记载，但据《华阳国志·蜀志》云：“秦惠王封子通为蜀侯，以陈壮为相，置巴郡，以张若为蜀国守。”同书《南中志》亦云：“秦并蜀，通五尺道，置吏主之。”由此足见所谓“公子通封于蜀”者，亦不过名义上之封爵而已，至于蜀地，则置郡设吏，仍直隶于中央。

中国的土地之由封建领主所有完全转化为商人地主之集团的所有，直至秦始皇二十六年（前二二一年）才宣告完成。所以在秦始皇元年到二十六年这一时期中，是中国新兴商人地主用武装去收夺旧封建领主的土地的时代。在这一时期中，旧领主虽然也曾经用尽平生之力，以保卫其土地的所有，然而终于在历史决定的命运之下，先后归于失败。到始皇二十六年，秦国并吞了六国，统一了天下，旧的土地所有者，国破家亡。身为奴虏，而新的土地所有者，商人地主，遂完成了土地收夺的历史任务。

土地所有的这一转化，并不引起封建社会的破灭，因为无论是土地之封建领主所有，抑或是土地之商人地主的集团所有，他们同样是土地之名义上的地主所有，因而同样是以剥削土地之直接生产者的农民为其生财之道，所以同样是土地之封建的所有。不过土地所有关系的这一转化，乃是指示中国封建社会之进一步的发展，因为所谓商人地主者，并不是从天外飞来的一种怪物，而是从中国初期封建社会内部的农奴脱胎换骨而来。他们之所以能发育成长，成为一种新的历史力量，正是中国初期封建社会生产力向前发展的结果。

土地所有的关系之改变，必然地要引起土地管理机构之相应的改变，于是废封建为郡县，遂成为秦代历史的必然。当秦代统一天下以后，全国的土地，皆掌握在商人地主的手中，他们讨论如何管理这些土地时，少数保守派，仍然企图把新收夺的土地，还原为封建领主所有的形态[1]，但商人地主的首脑部，却坚持废封建为郡县之主张。[2]最后决定，还是施行郡县之制，把天下分

[1]《史记·秦始皇本纪》载“丞相绾等言：‘诸侯初破，燕、齐、荆地远，不为置王，毋以填之，请立诸王，唯上幸许。”

[2] 同书同传载李斯之言曰：“周文武所封子弟，同姓最众，然后属疏远，相攻如仇雠，诸侯更相侵伐，周天子弗能禁止，今海内赖陛下神灵一统，皆为郡县，诸子功臣，以公赋税重赏赐之，甚足易制。天下无异意，则安宁之术也。置诸侯不便。”

为三十六郡，郡置守、尉、监。[1]

考郡县之制，战国时即已存在，但是当时之所谓郡县，与采邑不同之处，只是郡县的土地，属于领主之直接管理，采邑的土地，属于领主之委托管理而已，因而当时郡县的土地，仍然是封建领主所有的属性。秦代的郡县制则不然，郡县的土地，是扫除了旧领主之政治支配与经济榨取的土地；同时统治这些郡县的官吏，已经不是商人地主的上司，而是他们的政治使用人。所以同样的郡县，因为属于不同的权力，于是具有不同的性质。

随着土地所有关系之改变，土地的经营方法也改变了，这就是庄园制度的废除与佃耕制度的代兴。因为佃耕制度的前提条件，是土地之自由占有，而这正是商人地主土地占有之特征。《文献通考》曰："至秦人尽

[1]《史记·秦始皇本纪》载秦始皇之言曰："天下共苦战斗不休，以有侯王。赖宗庙，天下初定，又复立国，是树兵也。而求其宁息，岂不难哉。廷尉议是。"分天下以为三十六郡，郡置守、尉、监。《史记集解》云："三十六郡者，三川，河东，南阳，南郡，九江，鄣郡，会稽，颍川，砀郡，泗水，薛郡，东郡，琅邪，齐郡，上谷，渔阳，右北平，辽西，辽东，代郡，巨鹿，邯郸，上党，太原，云中，九原，雁门，上郡，陇西，北地，汉中，巴郡，蜀郡，黔中，长沙，凡三十五，与内史为三十六郡。"

废井田，任民所耕，不计多少，而随其所占之田以制赋。”蔡泽言：“商君决裂井田，废坏阡陌，以静百姓之业，而一其志。夫曰静曰一，则可见周授田之制，至秦时，必已扰乱无章，轻重不均矣。”又《通典》亦云：“秦孝公任商鞅，鞅以三晋地狭人贫，秦地广人寡，故草不尽垦，地利不尽出。于是诱三晋之人，利其田宅，复三代，无知兵事，而务本于内，而使秦人应敌于外。故废井田，制阡陌，任其所耕，不限多少。数年之间，富国强兵，天下无敌。”由此可知秦在春秋时代，由于商人地主的土地所有之发展，庄园制度，早已破坏，各国商人，特别是晋国的商人，因为接近秦国，在秦国占有大量的土地，并且把晋国的农民，带到秦国而以为佃户，使之耕种自己的土地。这种情形，自春秋历战国以至于秦初，便大大地发展起来了。《文献通考》曰：“秦始皇三十一年，使‘黔首’（即百姓）‘自实田’。”所谓“自实田”，即自由占有土地之谓也。

即因土地可以自由买卖，自由占有，所以就开始了土地兼并的过程。《汉书·食货志》曰：“及秦孝公用商君坏井田，开阡陌……王制遂灭，僭差亡度，庶人之富者累巨万，而贫者食糟糠。”《通典》亦曰：“自孝公用商鞅计，乃隳经界，立阡陌，虽获一时之利，而兼并逾僭兴矣。”兼并的过程，一天天地发展，到秦初，那些商人地主，特别是那些替他们打平天下的将军们，无不求良田美宅，以为子孙之业。秦国的大将王翦向始皇要求田宅，便是一个最好的例子。[1]此外，所有的地主，无不企图扩大自己的土地，相与为土地兼并之竞赛。[2]《汉书·王莽传》叙述当时土地兼并的情形曰：“秦为无道，……兼并起，贪鄙生，强者规田以千数，弱者曾无立锥之居。”

---

[1]《史记·白起王翦列传》谓秦始皇不用王翦之言，使李信伐楚，卒至大败，乃复起用王翦伐楚。“王翦行，请美田宅园池甚众。始皇曰；‘将军行矣，何忧贫乎？’王曰：‘为大王将，有功终不得封侯，故及大王之向臣，臣亦及时以请池园为子孙业耳。’始皇大笑。王翦既至关，便使还请善田者五辈。或曰：‘将军之乞贷，亦已甚矣。’王翦曰：‘不然，夫秦王怚而不信人，今空秦国甲士而专委于我，我不多请田宅为子孙业以自坚，顾令秦王坐而疑我耶？’”这一记载，其命意虽在描写王翦之明哲保身，但其反面，却暴露当时将军们之兼并土地的事实。

[2]《史记·汉高祖本纪》云：“高祖奉玉卮，起为太上皇寿。曰：‘始大人常以臣无赖，不能治产业，不如仲力。今某之业所就孰与仲多？’”按汉高祖在秦时为泗上亭长，系一小地主，而亦与其兄竞治产业，故知当时大大小小的地主，无不从事于土地之兼并。

由于土地的兼并，大部分的农民遂失掉了土地，沦为大土地所有者的佃户。后来在秦末领导农民叛乱的领袖陈涉、吴广，都是当时的佃农。当时佃农对地主的贡纳，据《汉书 · 食货志》所载："或耕豪民之田，见税十五。"这就是说当时的佃农须向地主缴纳其收获物之一半以为土地之佃租。

不论怎样，佃耕制度较之庄园制度，在农业经营的方法上，总是最大一步的前进。因为在佃耕制度之下，农民与土地所有者的人格隶属关系，较之庄园制度已大为松懈。而且在这种制度之下，如果农民加强其自己的劳动，则由此种过量劳动所产生之价值，将为农民自己之所有。因此佃耕制度，它可能把农民的劳动生产性，刺激并提高到最高的限度，从而发展农业的生产。

秦代农业的生产工具，较之战国时代，已经更为发展。在战国时，据《管子 · 轻重篇》云："一农之事，必有一耜、一铫、一镰、一鎒、一椎、一铚，然后成为农。"在秦代，这些战国时代的农具，当然继续存在，而且必然还有些改进。《淮南子》中曾有"为之耒耜耰锄"一语，按《淮南子》为汉初著作，是则秦代已有耰锄毫无可疑。

“耰”为一种无齿耙，用以平田碎土的；“锄”则系一种除草的农具。这些新的农具之出现，当然要提高当时农业的生产性。

秦代的政府，对于水利，也很注意。据史载秦国曾任用韩国的工程师郑国凿泾水，掘成长三百里的运河，以灌溉田地，把以前认为干旱不毛之地，变为膏腴沃土。这条运河，灌溉四百万亩的土地，每亩收粟一钟，于是国以富强。[1]历史上又载，秦始皇统一天下以后，蜀守李冰又曾经在四川成都大平原中“壅江水作堋，穿二江成都之中”，通行船舶，灌溉田地，于是成都平原，变为一个广大的沃野，而有“陆海”之名。李冰所开凿的运河，至今四川的人民，还赖其利。[2]这种水利事业的发展，当然又要扩大耕地的范围，巩固农业经济的基础。

---

[1]《史记·河渠书》云：“韩闻秦之好兴事，欲罢之，毋令东伐，乃使水工郑国间说秦，令凿泾水，自中山西邸瓠口为渠，并北山东注洛三百余里，欲以溉田。中作而觉，秦欲杀郑国。郑国曰：‘始臣为间，然渠成亦秦之利也。臣为韩延数岁之命，而为秦建万世之功。’秦以为然，卒使就渠。渠就，用注填阏之水，溉泽卤之地四万余顷（一顷为一百亩）。收皆亩一钟，于是关中为沃野，无凶年，秦以富强，卒并诸侯，因名曰‘郑国渠’。”

[2]《文献通考》云：“秦平天下，以李冰为蜀守，冰壅江水作堋，穿二江成都中，双过郡下，以通舟船，因以灌溉诸郡。于是蜀沃野千里，号称陆海。”

总上所述，秦代的农业，由于土地所有关系的改变，佃耕制度的代兴，生产技术的提高，和人工灌溉的推行等，已经获得了进一步的发展，虽然不能解释为普遍全国的情形，但总可以指示秦代农业经济所达到的水准。

第二节　生产技术之综合与手工业

秦代的统一，固然是土地所有关系的改变之结果；同时，也是城市手工业发展到一定的历史阶段以后所引出之必然的历史归结。

如前所述，中国的手工业，早在春秋时代，就开始了从农业中之分离的过程。当时的农奴逐渐从庄园移住领主的城堡，形成一种独立手工业者的集团。但是当时手工业者的生产，只是适应当地领主之奢侈的需要，以及城市附近一定范围内的住民之日用品的供给，因而当时的手工业生产都带有浓厚的地方限制性。

到战国时代，由于领主间的火并战争之持续与扩大的进行，招致了农村的破产。从庄园中被抛掷出来的大批失业农民，都纷纷逃入都市，参加到手工业生产的部门，因而扩大了手工业者的人口。同时，由于长期之经验的蓄积，不断地分工之发展，又提高了手工业的技术的水准。于是城市手工业者，才带着一种独立的性质，而出现于中国的历史。

由于城市手工业之发展，扩大了交换的范围，因而又巩固并紧密了城市与城市间的商业关系，并从而形成了城市经济与农村经济之对立的发展。但直至此时，城市手工业者与商人，和农奴一样，还是封建领主支配之下的一个阶层。

随着城市经济之成长，遂唤起市民从领主支配之下解放出来的热望。在这种热望中，兴起了市民之群（手工业者和商人）与领主之间的斗争。这种斗争，就是战国时代的历史之主要的内容。

反抗自己的领主而斗争的六国国内的市民，他们最好的同盟者，是与六国领主对立的新兴的秦国。秦国的统治者，也乐得在各国市民层的帮助之下，去消灭六国的政权。经过了持久而激烈的斗争，秦国终于在六国的新兴市民层的支持之下，推翻了旧封建领主的统治，建立了商人地主的政权。

这样看来，秦代的统一，城市手工业的发达，是一个主要的历史动力。因为作为秦国政权之主要支持者的商人地主，正是从城市手工业中成长起来的一种新的历史因素；秦代的统一，正是这种新的历史因素之成熟。

惟秦国在征伐六国的战争中，曾经“夷旧制”、“堕名城”，当时的城市经济，遇到了普遍的破坏，手工业者，受到严重的灾难。同时，六国的领主，为了抵抗秦国的侵略，在战争的动员中，许多手工业者，也必然应征入伍，走上战场，遭到很大的伤亡。因此，在秦代，手工业生产，一定要呈现一时的衰落。

但是，在城市的毁灭与战争的动员中，必然要引起当时手工业者之剧烈的移动，这种移动，又必然要使得过去被禁锢于各个封区内的手工业所具有之地方特异性，发生彼此之间的融混，并且由此而走向全面的发展，从而开辟中国手工业生产之新的发展阶段。所以秦代手工业生产之一时的衰落，正犹产妇在生育时所遭受的痛苦，必须经过这一个痛苦的过程，然后新的生命，才能降临人间。

如前所述，冶铁工业，在战国时代，就已经达到相当高度的发展。赵国的卓氏，齐国的程郑，魏国的孔氏，鲁国的曹邴氏，都是当时的“冶铁大王”。但是当时这些冶铁事业，散在各封区之内，由于政治的封锁，相互隔离，因而鼓铸的技术，互有差异。

冶铁事业，是一切手工业生产的原始基础，是当时各国军事武装的原料来源，因此，秦国的政府，有鉴于此，遂决定施行对冶铁事业之有计划的管理政策。据《史记》所载，秦国在征伐六国的战争中，每当征服一个国家时，第一件事，就是把被征服国家的冶铁事业，强制地迁徙到它的大后方或统治力强固的地方。如秦破赵，则迁卓氏于四川[1]，秦破齐，则迁程郑于四川[2]，秦灭魏，则迁孔氏于南阳[3]，这些事实，都不过是一些有名的例子而已。实际上，当时六国的冶铁事业之迁徙于四川南阳一带者，其数必不止此。然而即此

[1]《史记·货殖列传》云：“蜀卓氏之先，赵人也，用铁冶富，秦破赵，迁卓氏……致之临邛，大喜，即山鼓铸。”

[2] 同上书云：“程郑，山东（太行山以东）迁虏也，亦冶铸……富埒卓氏，俱居临邛。”

[3] 同上书云：“宛孔氏之先，梁人也，用铁冶为业。秦伐魏，迁孔氏南阳，大鼓铸。”

已使我们可以看出四川和南阳，是秦代冶铁事业的两个中心区域。而这也就指明了秦代政府对冶铁事业之集中的控制。

秦代政府之集中的控制冶铁事业，其主观上的意图，当然是为了彻底地缴除六国的武装，并从而加强自己的军事装备；但是在客观上，却因为这一种集中政策之执行，使各地的冶铁技术，获得了彼此沟通的机会，提高了冶铁技术的水准。

秦代对于冶铁事业，似乎尚未国营，但是为了生产的统制和征税的必要，国家已经设置管理冶铁事业的专官，名曰“铁官”。司马迁的高祖司马昌，便曾充任过秦王的铁官之职。[1]

秦代政府既专设铁官，管理冶铁事业，则秦代冶铁事业之发达，可以想见。《史记·货殖列传》谓蜀卓氏“富至僮千人”，此“僮千人”如系指“即山鼓铸”之铁工，则当时已有使用一千人左右之大规模的冶铁工场。同书又谓程郑，亦鼓铸，与卓氏埒富，则程郑之富，亦有僮千人，而当时使用千人左右之冶铁工场，又不只卓氏一

[1]《汉书·司马迁传》曰：“（司马昌）为秦王铁官。”

家了。

冶铁事业的发展，具体地指明出秦代手工业生产上对铁的需要量之庞大。实际上，秦代政府经常保持着庞大的常备军，并且不断地进行开疆拓土的战争，如果这些军队所使用的武器，是以铁制为主，则武装这些军队和继续供应战争中的消耗，实需要大量的铁的供给。在战国时，铁制的武器，如铁剑、铁挺、铁矛、铁甲等，就已经出现于战场，到秦代，铁制武器的应用，当然更加普遍了。所以我以为秦代冶铁事业之发展，军事需要的刺激，是一个最大的原因。自然除武器的制造以外，生产工具，如手工业工具、农业工具的制造，铁的应用，也更为普遍了。

由于铁制武器的普遍应用，所以铜制武器渐次被废除。《史记·秦始皇本纪》谓秦始皇“收天下之兵聚之咸阳，销锋铸鐻，以为金人十二，以弱黔首之民。”《三辅旧事》云：“(秦始皇)聚天下兵器，铸铜人十二，各重二十四万斤。”这些所谓兵器，都是被废弃了的铜兵器，散在农民手中，作为民间防御工具而被保存，故秦代政府，销之以铸宫廷之装饰品。如果此种铜兵器，尚未被废除，则秦代统一中原以后，北伐匈奴，南征五岭，尚有继续不断之大规模战争，正需要大量的武器，必不致尽数销毁。自然，我并不是说在秦代，铜兵器已经绝迹，反之，在汉代，征伐匈奴的战争中，还在使用铜矢。我只是说，铜兵器在秦代已经退到次要的地位而已。

据《史记》所载，秦始皇曾铸造重千石或二十四万斤的钟镰和金人，由此又可以推知当时的咸阳，一定有大规模的冶铜和铸铜工场的存在。但是秦代并无铜官，足见冶铜事业，在当时社会生产的部门中，并不占重要的地位。

《史记·李斯列传》曰："夫击瓮叩缶，弹瑟搏髀，而歌呼呜呜快耳者，真秦之声也。"据此，则瓮与缶者，实为秦人之所喜好，而陶器的制造，在秦代还是一种极普遍的手工业。

战车在秦代的战争中，已经逐渐减少了它的重要地位，因为秦始皇为了加强军队的战斗力，曾经尽量地减少以四马拖曳之笨重的战车，而代之以强劲的骑射部队。但是这不是说战车已完全被废除，只是说它的用途，已由战斗方面转向运输方面了。为了运输军队的给养，为了运输各地的商品，车在秦代，还是主要的交通工具。《史记·秦始皇本纪》云："舆六尺，六尺为步，乘六马。"是则秦代已有六马拖曳的车子了。

造船的工业，在战国时代的吴国和齐国，就已经很发展。吴国借船舶之力，以通三江五湖之利；齐国借船舶之力，在近海一带，谋渔盐之利。秦代统一中国以后，当然这些地方的造船工业，还是继续发展。《史记·秦始皇本纪》曾载始皇派遣徐市发童男女五千人入海求仙人的故事。不论此五千童男女，为一船所载或数船数十船所载，当时已有航海船舶之存在，则为事实。船舶而能用于航海，则其制造技术之进步与制造规模之宏大，又可想见。

《汉书·食货志》云："至于始皇……女子纺绩，不足衣服。"据此，则当时纺织，已成为普遍民间之家庭手工业，似无可疑。又《史记·李斯列传》谓秦始皇服"阿缟之衣，锦绣之饰"。同书《货殖列传》亦谓乌氏倮"求奇缯物，间献遗戎王，戎王什倍其价"。按这里所谓"阿缟"，所谓"奇缯"，皆系指丝织物而言。

如上所述，则当时丝织物，已不仅供给新贵族的服用，且当作商品而输出。如此，则当时丝织工业的发展，又可想见。

总上所述，我们因知中国的城市手工业，在周秦之际，虽曾因为战争的蹂躏而遭受一时的破坏，但不久又在原有的生产力水准上，展开了向前发展的倾向。而且从以上所指出的具体史实看来，秦代的手工业生产，较之前代，已经是一种更高的生产力之体现。

秦代的手工业的这一发展，如前所述，最主要的原因，乃是打破了过去城市手工业技术之地方的封锁性。《史记 · 秦始皇本纪》谓："秦每破诸侯，写放其宫室，作之咸阳北阪上。"由此而知秦代的宫室建筑，乃是各国宫室建筑形式的综合。建筑工业如此，其他各种手工业，当亦无不如此。

同上书又谓秦始皇令隐宫徒刑者七十万人分作阿房宫及骊山。此七十万人，当系各国俘虏，或者是他认为危险分子，所以都遭受了隐宫徒刑。但是在这七十万人中，当然有不少是各国的手工业者。这些手工业者在以前，皆各自保守其独特之技术；到现在在政治命令之下，强制他们交换其技术。所以历史上有名的阿房宫，正是春秋战国以来中国手工业技术之综合的结晶。

第三节　经济制度之划一与商业

商业交换的发展，与手工业的发展是相适应的。只有当手工业发展，达到超过自足自给的生产阶段，而以商品出现的时候，才能出现商业交换；也只有商业交换的发展，才能保证手工业的商品生产之继续的扩大。所以手工业的发展，是商业交换发展的前提，反之，商业交换的发展，则是手工业发展的结果。不过，当商业交换发展到一定的程度时，它又反过来刺激手工业生产的发展。

在中国历史上，自春秋以至战国，正是初期封建社会内部的商业交换，追踪着当时手工业生产发展的步骤，走向繁荣的时代。但是直至这一时代之末，这种从各封区中生长出来的商业交换，仍然受着初期封建主义之地方局限性的束缚，如战争的遮断，政治的封锁，以及各国的关税制度不同，货币制度不同，度量衡制度不同，乃至书写契约的文字体裁和转运商品之货车的大小，亦皆不同。这些，当然要使得当时商业交换，感到极大的困难。

政治仍然企图把商业资本的活动，拘束于各自的封区之内；而商业资本的发展，则已达到突破封区范围走向全面活动的程度。政治与经济的背驰，就正是战国末中国社会内部激荡着的一种不可和解的轧轹。但是历史发展的原理，不是经济迁就政治，而是政治服从经济。所以当初期封建主义的政治体制一旦成为商业资本之发展的障碍时，它就必须被废除。六国的灭亡与秦代的统一，正是这一历史原理的现实。

所以当秦代统一以后，首先便废封建为郡县，消灭以前六国的封区界线，从而扫除以前障碍商业交换之发展的领主政治和领主之间的混战。这样，秦代的政府，就创造了商业资本走向全面发展的客观条件。所以当秦始皇统一天下以后，巡行各大都市的时候，到处都得到商人地主的欢迎，到处的商人地主为他立碑刻石，以歌颂他的伟绩。[1]

为了适应商业交换全面发展的要求，秦代政府又把前代各自为政的经济制度，宣布废除，重新确立一种全国一律的新制度。《史记·秦始皇本纪》云："一法度衡石丈尺，车同轨，书同文字。"正是这一史实的说明。

秦代的关税制度，其详无可考。但跟着六国的灭亡，则以前到处可以遇到的国境税，必已撤销，高低不同的税率，必已划一，这是可以想见的。

秦代的币制，据《汉书·食货志》云："秦兼天下，币为二等：黄金以'镒'（二十两为'镒'）为名，上币；铜钱质如周钱，文曰'半两'，重如其文；而珠玉龟贝银赐之属，为器饰宝藏，不为币。然各随时，而轻重无常。"由此，则知秦代实已通行金属铸币。金属铸币，在战国时本已通行，惟当时各国的铸币，轻重大小，形式花纹各不相同，商人换算，极感困难。到秦代便出现

[1] 琅邪刻石词中有云："今皇帝并一海内，以为郡县，天下和平，昭明宗庙，体道行德，尊号大成。"之罘刻石词中亦云："（皇帝）禽灭六王，阐并天下，菑害绝息，永偃戎兵……群臣嘉德，祗颂圣烈。"会稽刻石亦云："六王专倍，贪戾慠猛，率众自强，暴虐恣行，负力而骄，数动甲兵……义威诛之，殄熄暴悖，乱贼灭亡，圣德广密。"

插图四 秦代的权

了通行全国的法定铸币。

秦代曾经统一度量衡[1]，因而商品的长短多少轻重，天下同则（插图四）。秦代的车制，宽皆六尺，因而天下之车，皆可同轨。秦代对于文字的书法，亦已统一[2]，因而天下之人，书同文字。这些制度的革新，对

[1]《考古图》曾载秦权二，其一权铭云："廿六年，皇帝尽并兼天下诸侯，黔首大安，立号为皇帝，乃诏丞相状、绾，法度量，则不壹歉疑者，皆明一之。"又云："元年制诏丞相斯、去疾，法度量尽始皇帝为之者，有刻辞焉。今袭号而刻辞不称始皇帝，其于久远也。如后嗣为之者，不称成功盛德，刻此诏故刻，左使毋疑。"后有"平阳斤"三字。又薛尚功《历代钟鼎彝器铭文款识》亦载秦权铭一则，词与《考古图》所载者同，惟"皆""今"二字，字体与前者稍异而已。据《考古图》云："权各高二寸，径寸有九分，容合重六两。"

[2] 详第四章

于商品交换、商品运输以及合同契约之缔结，都有很大的便利。所以当时商人地主为之颂曰：“皇帝作始，端平法度……器械一量，同书文字。”

一切旧的政治束缚和经济障碍，都被废除了。现在，中国的商人地主，正象羽翼丰满的鸟雀，飞出了窄狭的牢笼，他们欣欣然展开了双翼，开始在广大的天地之间，作自由的翱翔。

在税同率、币同值、车同轨、书同文、度同长短、量同大小、衡同轻重、政令统一、战争熄灭的条件之下，中国的商业交换，便开始走向以全国为规模而活动的历史阶段。

许多旧的都市，又在新的政治局面之下，恢复了过去的繁荣。同时，又生长出许多新的都市，如丽邑、云阳、琅邪、临邛等，都是新兴的都市。《史记·秦始皇本纪》谓：“徙三万家丽邑，五万家云阳。”又谓徙黔首三万户琅邪台下。由此足见这些都市的人口，到秦代已经大大的增加了。至于临邛，则为当时冶铁事业的中心，更为新兴都市中之最繁荣者。

当时秦代的首都咸阳，已经不仅是全国政治的中心，而且也是商业的中心。《史记·秦始皇本纪》谓“徙天下富豪于咸阳十二万户”。由此而知咸阳已为富商大贾麇集之所。我们若以每户五人计之，则十二万户，应为六十万人。此六十万人，皆系新从各地徙入之人口，若再加咸阳原有的人口，则秦代咸阳的人口，当在五十万左右。我们由此又可以想见当时都市规模之宏大。

秦代的政府，一方面有计划地繁荣都市经济，另一方面又执行一种对商业的鼓励政策。例如秦始皇对于以贩卖织物而致富的乌氏倮，则“令倮比封君，以时与列臣朝请”。对于擅丹穴之利而致富的巴寡妇清，则“以为贞妇而客之，为筑女怀清台”。司马迁曰：“夫倮，鄙人牧长；清，穷乡寡妇，礼抗万乘，名显天下，岂非以富耶。”

秦代的商业，在政府的帮助与鼓励之下，很快地就获得了超越前代的发展。秦代的新兴商人，不久便想望着中原以外的市场。

秦在未统一中原以前，早已与四川西北的诸羌之族发生了交易关系。《华阳国志·蜀志》云：“周显王之世，蜀王有褒、汉之地，因猎谷中，与秦惠王遇，惠王以金一笥遗蜀王，王报珍玩之物，物化为土。”此所谓化而为土的珍玩之物，必系陶器。由此而知当秦惠王之世，秦国的商人已经西贾巴蜀。

以后，秦国吞巴灭蜀，尽有今日四川之地，并在四川置郡设治，确立其政治统治，又开河筑坝，展开其经济开发，秦国的商人与四川诸种族的交换关系，自然更加繁密了。

秦代统一中原以后，巴蜀实为秦代政府的大后方，所以当时的重工业，都迁移入蜀，当时的临邛，是重工业的中心，也是商业的中心。据《史记·货殖列传》云，临邛一带的人民“工于市，易贾”。又云：“程郑，山东迁虏也，亦冶铁，贾椎髻之民，富埒卓氏，俱居临邛。”按所谓“椎髻之民”，即南太平洋系人种，即所谓蛮濮之种。由此而知秦代与西南诸蛮，实有繁盛之贸易。

惟当时正在兴发中的商人，并不以此为满足，他们要求更广大的市场。于是开辟商路的战争，继续不断地展开了。

秦代的政府，首先动员了三十万军队，驱逐游牧于今日河套一带的匈奴和西戎之族，打通西北的商路。沿黄河河岸，筑起四十四个县城。[1]又北筑长城，以防御匈奴和西戎的侵袭。于是秦代的商人，在政府武装保护之下，展开了与匈奴和西戎之间的繁盛的贸易。他们用中国出产的丝织物和其他的手工业品交换匈奴所出产的马牛羊之类的牲畜及皮毛。[2]于是“骏良駃騠”得以实于始皇之外厩。同时他们并直接或间接与塔里木盆地诸种族发生贸易的关系，因而始皇得以“致昆山之玉，有随和之宝”。

秦代自灭楚降越以后，中原一带与长江上下游的贸易，已畅通无阻，因而江南的金、锡，得以为用。但是秦代的商人并不以此为满足，他们知道东南沿海一带，出产犀角象齿，翡翠珠玑，于是又大发兵五十万开辟到东南沿海的商路。经过了三年之久的剧烈战争，终于把原住东南沿海一带的南太平洋系诸种族，即所谓百越之

[1]《史记·秦始皇本纪》云：“三十三年……始皇乃使将军蒙恬发三十万人，北击胡，略取河南地。”《汉书·匈奴传》云：“秦灭六国，而始皇帝使蒙恬将数十万之众，北击胡，悉收河南地。因河为塞，筑四十四县，城临河，徙适戍以充之……又度河据阳山北假中。”

[2]《史记·货殖列传》谓乌氏倮以“奇缯物闲献遗戎王，什倍其价，与之畜，畜至，用谷量马牛。”

族，从沿海一带，驱逐到山岳地带，而治有其地。[1]但是秦代对于东南沿海一带，始终只是保持几个据点，并没有建立起全面的统治，所以一旦秦代灭亡，这一带又成为百越之族的世界。

据《史记》所载，这一次南征，有大批的冒险家和商队追随在军队的后面，他们后来就留居在广西、广东乃至今日安南境内，经营商业，与百越之族混种。[2]即因这一条商路的打通，所以秦始皇得以“明月之珠”垂于朝廷，“犀象之器”以为玩好。

秦代的商人，不仅打通了西北西南及东南的大陆交通，并且也曾致力于海洋商路的开辟。《史记 · 秦始皇本纪》谓当始皇东游至琅邪时，“齐人徐市等上书，言

[1]《淮南子 · 人间训》云：始皇“利越之犀角、象齿、翡翠、珠玑，乃使尉屠睢发卒五十万为五军。一军塞镡城之岭，一军守九疑之塞，一军处番禺之都，一军守南野之界，一军结余干之水。三年不解甲弛弩。使监禄无以转饷，又以卒凿渠而通粮道，以与越人战，杀西呕君译吁宋，而越人皆入丛莽中，与禽兽处，莫肯为秦虏。相置桀骏以为将，而夜攻秦人，大破之，杀尉屠睢，伏尸流血数十万，乃发适戍以备之。”（《汉书 · 严助严安传》，亦记此事。）

[2]《史记·秦始皇本纪》云：“卅三年，发诸尝逋亡人、赘婿、贾人，略取陆梁地，为桂林、象郡、南海，以适遣戍。”

海中有三神山，名曰蓬莱、方丈、瀛洲，仙人居之。请得斋戒，与童男女求之。于是遣徐市发童男女数千人，入海求仙人。”我以为这个故事中的徐市等，都是山东滨海一带的商人，所谓三神山者，也许就是今日的日本三岛[1]，徐市等之入海寻求三神山，正是当时海滨一带的商人，企图打通与日本诸岛之商业的通路。因为山东沿海一带的商人，在战国时，就开始了海洋商业的活动，在徐市等以前，也许曾有人到达过三岛，所以徐市等才知道海外有三神山，因而引起他们寻求圣地的热望。但是海洋航行，需要巨大的船舶和其他的费用，而这用私人的力量，很难办到。适逢始皇东游琅邪，故假借求仙之说，企图以此获得国家的帮助。求仙之说，只是一种烟幕而已。至于童男女五千人，如果不是在徐市等商人所组织的探险队，便是一群农民的子女，被徐市等骗到

[1]《汉书·郊祀志》云:“此三神山者，相传在渤海中，去人不远，盖尝有至者，诸仙人及不死之药皆在焉。其物禽兽尽白，而黄金白银为宫阙。未至，望之如云，及至三神山居水下，水临之，患且至，则风辄引船而去，终莫能至云。”又《史记正义》引《括地志》云:“亶洲在东海中，秦始皇使徐福将童男女入海求仙人，止在此洲，共数万家。至今洲上人有至会稽市易者。吴人外国图云，亶洲去琅邪万里。”

海外当作奴隶卖了。

徐市等所领导的航海的商船队，从琅邪出发，经过数年，才回到中国，他们曾否到达日本，不得而知。但即使曾到日本，也没有所谓仙药。所以他们只好向秦始皇扯一个大谎说为大鲛鱼所苦，没有到达蓬莱。如果要他们再去，国家须给他们的商船队以武装。[1]

秦代政府曾否武装徐市等的商船队，史无所记；但为了这个奇异的“大鲛鱼”，秦始皇做梦都在与“海神”斗争。为了征服“海神”，始皇曾亲率射手，带着弓弩和捕捉“大鲛鱼”的工具，巡行山东半岛的海岸，终于在之罘射杀了一条“巨鱼”。他的“占梦博士”说：“这条巨鱼，就是海神的化身。”[2]

不管秦代的商人是否曾经到达日本三岛，而当时的

---

[1]《史记·秦始皇本纪》云：“徐市等入海求神药，数岁不得，费多恐谴，乃诈曰蓬莱药可得，然常为大鲛鱼所苦，故不得至。愿请善射与俱，见则以连弩射之。”

[2]《史记·秦始皇本纪》云：“始皇梦与海神战，如人状。问占梦博士，曰：‘水神不可见，以大鱼鲛龙为候，今上祷祠备谨，而有此恶神，当除去，而善神可致。’乃令入海者赍捕巨鱼具，而自以连弩候大鱼出射之。自琅邪北至荣成山，弗见。至之罘，见巨鱼，射杀一鱼。”

南海、会稽、琅邪、之罘，显然已经是几个海洋贸易的中心城市。秦始皇用了五十万人去远征南海，又亲至会稽望祭海神，移民三万户于琅邪，留恋于之罘者三月。从这些具体事实看来，就表现了秦代政府对于征服海洋之热望。

总上所述，我们因知秦代商人的活动，不仅突破了以前各封区的国境封锁，并且也展开了突破四周诸种族之包围的活动。而这就奠定了后来两汉时代中国商业资本之世界活动的基础。

第三章　秦代政权的性质、组织、发展及其灭亡

第一节　秦代政权的性质及其组织

随着社会经济构造之转向，秦代政权的性质，也因之而改变了。

过去曾经支配中国历史八百余年的封建领主的贵族政治，从战国末叶起，就已经随着土地所有的关系之改变，与都市经济的繁荣，开始发生动摇。而这到秦代，封建领主的贵族政治，便最终地退去了中国的历史，代之而起的秦代的政权，是新兴的商人地主的政权。

从封建领主到商人地主之政权的移转，并不改变政权之封建主义的本质。因为封建政权，是土地所有的属性，封建领主的土地所有，与商人地主的土地所有，在

原则上，同是土地之封建所有，因而建筑于这两种土地所有之上的政权，同是封建的政权。所以这一政权的移转，只是表现由旧的土地所有者之家系的统治，过渡到新的土地所有者之集团的统治而已。

秦国的政权，自孝公任用商鞅推行新政以后，就开始转化为商人地主的政权。从这一时代起，商人地主在秦国，就取得了与旧贵族在法律上的平等。《史记·秦本纪》曰："鞅之为秦施法，法不行。太子犯禁，鞅曰：'法之不行，自于贵戚，君必欲行法，先于太子。太子不可黥，黥其傅师。'于是法大用，秦人治。"这段史实，就说明了过去不上"大夫"的"刑"，而在商鞅时代的秦国，则已及于太子之傅师。又《史记·商君列传》亦谓商鞅"日绳秦之贵公子"，"又杀祝欢而黥公孙贾"。由此而知商鞅的严刑峻法，完全是为了要做到"王子犯法，与商人同罪"。

商鞅虽然为旧贵族所陷害，车裂以殉，但秦国的政权，却由此而移转到商人地主的手中。不久国际商人地主的领袖张仪入秦，又继续掌握了秦国的政权。为了扩大并加强反旧领主的斗争，张仪动员了国际商人地主的力量，要他们从各自的国家内部，进行孤立主义，以拆散六国的联合战线。这样，秦国才得以因利乘便，以展开其各个击破的政策。史称张仪“散六国之从，使之西面事秦”，正是这一历史内容的说明。

继张仪之后掌握秦国政权的人物是吕不韦。而“吕不韦者，阳翟大贾人也”。《史记》谓秦始皇还是这位大贾人的儿子。[1]这样说来，当秦始皇之世，商人地主已经变成秦国的“太上皇”了。

秦始皇是否确系吕不韦之子，无从考证，但他的母亲确系一位风流夫人，她既具有美丽的姿色，又善于歌舞。当始皇的父亲死后，她还是一个“青年的太后”，所以她又恋着吕不韦的舍人嫪毐，并且生了两个不能报账的儿子。后来，这件“桃色案”被始皇所发现，把嫪毐夷了三族，诸嫪毐舍人，皆没其家而流放于四川，两个无罪的孩子，也被杀了，并且把吕不韦也牵连到这件“桃色案”之中，以致饮鸩自杀而死，这大概是千真万

[1]《史记·吕不韦列传》云:“吕不韦取邯郸诸姬绝好善舞者与居，知有身（有身即有胎），子楚（即秦始皇之父庄襄王之名）从不韦饮，见而说之，因起为寿，请之。吕不韦怒，念业已破家为子楚，欲以钓奇，乃遂献其姬。姬自匿有身，至大期时，生子政（即秦始皇），子楚遂立姬为夫人。”

确的事实。[1]

秦始皇是不是吕不韦的儿子，这与秦代政权的性质，并无多大关系。不过始皇的父亲子楚之得以一个“久质于赵”的“庶孽”而能回到秦国继承王位，确是由于吕不韦这位大商人的金钱资助，换言之，是由于商人地主的拥戴。[2]

---

[1]《史记·吕不韦列传》云:“始皇帝益壮。太后淫不止。吕不韦恐觉祸及己。乃求大阴人嫪毐以为舍人，时纵倡乐，使嫪毐以其阴关桐轮而行，令太后闻之，以啖太后。太后闻，果欲私得之。吕不韦乃进嫪毐，作令人以腐罪告之。不韦又阴谓太后曰:‘可事诈腐，则得给事中。’太后乃阴厚赐主腐者吏，诈论之。拔其须眉，为宦者，遂得侍太后。太后私与通，绝爱之，有身。……始皇九年，有告嫪毐实非宦者，常与太后私乱，生子二人，皆匿之……于是秦王下吏治，具得情实，事连相国吕不韦。九月，夷嫪毐三族，杀太后所生两子，而遂迁太后于雍。诸嫪毐舍人，皆没其家而迁之蜀，……吕不韦自度稍侵，恐诛，乃饮鸩而死。”

[2]《史记·吕不韦列传》云:“秦昭王四十年，太子死。其四十二年，以其次子安国君为太子。安国君有子二十余人。安国君有所甚爱姬，立以为正夫人，号曰华阳夫人。华阳夫人无子，安国君中男名子楚，子楚母曰夏姬，毋爱。子楚为秦质于赵，秦数攻赵，赵不甚礼于子楚。子楚，秦诸庶孽孙，质于诸侯，车乘进用不饶，居处困，不得意。吕不韦贾邯郸，见而怜之，曰:‘此奇货可居。’乃往见子楚……乃以五百金与子楚，为进用，结宾客，而复以五百金买奇物玩好，自奉而西游秦，求见华阳夫人姊，而皆以其物献华阳夫人。因言子楚贤智，结诸侯宾客遍天下，常曰:‘楚也以夫人为天，日夜泣思太子及夫人。’夫人大喜。……乘太子闲，从容言子楚质于赵者绝贤，……愿得子楚，立以为适嗣，以托妾身。安国君许之，乃与夫人刻玉符，约以为适嗣。”

从这里，我们又可以看出，当时秦国的国王，不过是商人地主的“奇货”而已。所以当子楚继承王位之后，这位以“往来贩贱卖贵，家累千金”的“大贾人”，遂一跃而为秦国的丞相，封文信侯，食邑万户。到始皇时代，还做了十年丞相，以堂堂的国王，而呼之为仲父。从这里我们又可以看出当时秦国的政权，是不是掌握在商人地主的手里？

吕不韦在秦国执政十余年，他召集了不少的商人地主，收买了不少旧贵族中的叛徒，以与六国诸侯相抗。[1]他替后来秦国的统一事业，打下了强固的基础。所以后来虽然在桃色案中，犯了嫌疑，而秦始皇仍然因为他“奉先王功大，及宾客辩士为游说者众，王不忍致法”。当他贬居河南时，“诸侯宾客使者相望于道，请文信侯”，几乎闹出一个革命来。由此，又足以看出当时商人地主的势力，对秦国政治支配力之强大。

---

[1]《史记·吕不韦列传》云：“当是时（吕不韦之时），魏有信陵君，楚有春申君，赵有平原君，齐有孟尝君，皆下士喜宾客以相倾。吕不韦以秦之强，羞不如，亦招致士，厚遇之，至食客三千人。……吕不韦乃使其客人人著所闻集论，以为八览、六论、十二纪，二十余万言，以为备天地万物古今之事，号曰《吕氏春秋》。”按四公子之客，多鸡鸣狗盗之徒，而不韦之客，则能著论立说，故余以为其必有不少贵族中的叛徒。

继吕不韦之后而执政于秦国者为李斯。李斯不是一个商人地主，而是一个没落的旧贵族[1]，正因为他的没落，所以他才背叛他自己的阶层，而参加到商人地主反旧领主的斗争中。[2]他到秦国的时候，正当秦始皇为了他母亲的桃色案而迁怒于外国商人的时候。秦国的保守派，也就乘机主张驱逐国际商人，所谓"吏议逐客"的"吏"，就是秦国的保守派；"客"，就是外国商人。李斯为了消灭这个反动的政潮，于是向秦始皇上了一篇有名的《谏逐客书》。在这《谏逐客书》中，他先指出许多具体的事实，如商鞅、张仪等（只是不提吕不韦），皆以客而帮助秦国，证明外国商人地主，无负于秦。最后他在结论上说："夫物不产于秦，可宝者多；士不产于秦，而愿忠者众。今逐客以资敌国，损民以益仇，内自虚而外树怨于诸侯，求国无危，不可得也。"由于李斯的谏

[1]《史记·李斯列传》云："李斯者，楚上蔡人也。年少时，为郡小吏。……（后）乃从荀卿学帝王之术。

[2] 同书同传载李斯语曰："诟莫大于卑贱，而悲莫甚于穷困。久处卑贱之位，困苦之地，非世而恶利，自托于无为，此非士之情也。故斯将西说秦王矣。"李斯入秦，即求为吕不韦舍人，参加国际商人地主的政治组织。以后因吕不韦而得见秦王。

书，逐客之议，遂被打消，而秦国也才能继续获得商人地主的支持，完成统一中国的伟业。

这样看来，秦代之统一天下，完全是当时新兴的国际商人地主的力量。中国的历史家，不了解这一事实，以为秦代的统一，完全是秦始皇个人的雄心和力量。实际上，秦始皇继承王位之元年，还不过是一个十三岁的孩童[1]，他的幼年时代，完全浪费于邯郸的羁旅之中，并没有受到应有的政治与军事的教育。他所看到的，是他父亲的贫困和他母亲的歌舞而已。然而当他一旦即位以后，秦国即刻展开了轰轰烈烈的征伐战争，这当然不是秦始皇有这样的志愿和魄力，而是由于其乃祖乃父遗留下来的社会经济基础和庞大的武力，由于吕不韦所领导的国际商人地主之政治集团的财政援助和政治活动。

吕不韦自杀之年，秦始皇也不过是一位二十四岁的青年。为了他母亲的桃色案件，他痛恨外国商人。当时，他几乎受了保守派的包围，走向贵族政治的道路。幸而

[1]《史记·秦始皇本纪》云："始皇……以秦昭王四十八年正月生于邯郸。及生，名为政，姓赵氏。年十三岁，庄襄王死，政代立，为秦王。"

以李斯为首之国际商人地主的政团，阻止了他的这一反动的政治倾向，把他继续推向前进的路上，然后才在他的名字之下，完成商人地主政权的建立。

这样说来，秦始皇岂不也和他父亲一样，只是当时商人的一种“奇货”吗？这也不尽然。当始皇二十几岁的时候，他已经在实际政治生活中，受到了教育，他已经具有一个国王应有的机警和老练。但他并不如后世所想象的他是生长着一幅严肃得可怕的面孔，假如他多少有些母亲的遗传，他应该是一位英俊而又漂亮的青年。[1]即因他的英俊，所以他才能运用国际商人地主的力量，完成统一中国的伟业。

提起秦始皇，便会令人想到专制与独裁。因为秦始皇这个名字，在中国，几乎是专制与独裁的符号。实际上，秦代之专制主义的政治体制，并不是秦始皇个人的属性，而是当时商人地主阶层之集团的属性。

如前所述，中国的商人地主将近一个世纪的斗争，

---

[1]《史记·秦始皇本纪》云：“（尉）缭曰：‘秦王为人，蜂准，长目，挚鸟膺，豺声，少恩而虎狼心，居约易出人下，得志亦轻食人。我布衣，然见我常身自下我，诚使秦王得志于天下，天下皆为虏矣。”

其目的，就是为了打破封建贵族的割据政治，实现一个中央集权的政治。换言之，就是为了要把封建贵族之个别的家系统治转化为各国商人地主之联合的统治。要实现联合的统治，必须要有一个政治的机构，这样便产生了中央集权的政治体制。中央集权的政治，最容易走向专制主义，而专制与独裁，又是分不开的，所以就出现了秦始皇的专制与独裁。由此可知所谓秦始皇的专制与独裁，事实上，就是当时商人地主之集团的专制与独裁。

中央集权的政治组织，首先需要一个健全的中央政府，而中央政府的组织，首先又需要推戴一个元首。所以当秦灭六国统一天下以后，秦始皇就以秦国国王兼军事统帅的资格，向国际商人地主的政治代表，即所谓丞相御史者，提出推选元首的问题。[1]这个元首，当然不会落到别人的身上，当时国际商人地主的政治代表，一致推戴秦王政为第一任的元首，尊称始皇帝，并承认皇

[1]《史记·秦始皇本纪》云："始皇二十六年，秦初并天下，令丞相、御史曰：'……寡人以眇眇之身，兴兵诛暴乱，赖宗庙之灵，六王咸服其辜，天下大定。今名号不更，无以称成功，传后世，其议帝号。'"

帝万世一系，二世三世以至千万世，传之无穷。[1]秦代的王统，虽仅二世而亡，但商人地主在中国的统治，确实“传之无穷”。

照道理说，秦代的皇帝，是商人地主替他加冕，他应该向商人地主负责。但秦代皇帝之玺，却刻着“受命于天”或“受天之命”，表示他不向人间世界的任何人负责（插图五）。这种事情并不奇怪，因为当时的商人地主并没有象近代资本家那样的政治水准，知道组织一种民意机关，来制裁皇帝的行动。他们把大权交给皇帝以后，便不管了。在秦代的官职中，虽然有类似代表商人地主发言的“御史大夫”和“客卿”，但是他们并没执行他们的权力。因此之故，便演成了皇帝的独裁。

---

[1]《史记·秦始皇本纪》云。“丞相（王）绾、御史大夫（冯）劫、廷尉（李）斯等皆曰：‘昔者五帝地方千里，其外侯服夷服，诸侯或朝或否，天子不能制。今陛下兴义兵，诛残贼，平定天下，海内为郡县，法令由一统，自上古以来未尝有，五帝不能及。臣等谨与博士议曰：古有天皇，有地皇，有泰皇，泰皇最贵。臣等昧死，上尊号，王为泰皇。命为制，令为诏，天子自称曰朕。’王曰：‘去泰著皇，采上古帝位号，号曰皇帝。他如议。制曰可。’……制曰：‘朕闻太古有号毋谥，中古有号，死而以行为谥，如此，则子议父，臣议君也，甚无谓，朕弗取焉。自今已来，除谥法，朕为始皇帝，后世以计数，二世三世至于万世，传之无穷。’”

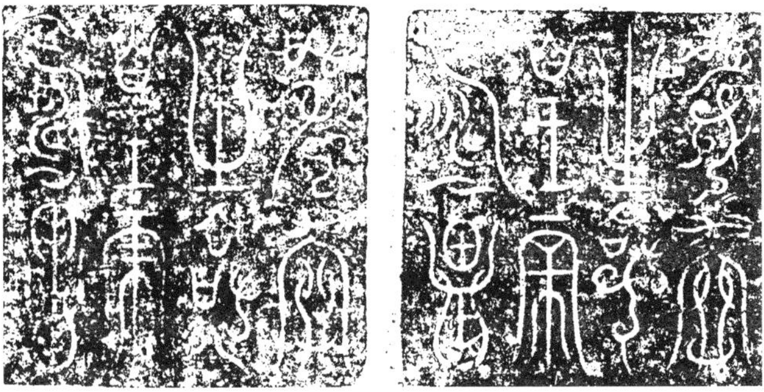

插图五　秦代皇帝之玺

据《史记·秦始皇本纪》云:“始皇为人，天性刚戾自用。起诸侯，并天下，意得欲从，以为自古莫及己。专任狱吏，狱史得亲幸。博士虽七十人，特备员弗用。丞相诸大臣皆受成事，倚办于上。上乐以刑杀为威，天下畏罪持禄，莫敢尽忠。上不闻过而日骄，下慑伏谩欺以取容。秦法，不得兼方，不验，辄死。然候星气者至三百人，皆良士。畏忌讳谀，不敢端言其过。天下之事无大小，皆决于上，上至以衡石量书，日夜有呈，不中呈，不得休息，贪于权势至于此！”

无论怎样的专制魔王，独裁皇帝，他都不能一手揽尽天下之事。为了行使权力，他仍然需要一个御用的行政机构。因此，在秦代，仍然有一个以丞相为首的中央政府的组织。在这个中央政府中，有掌管军事的“太尉”，掌管财政的“治粟内史”，掌管司法的“廷尉”，掌管外交的“典客”或“谒者”，掌管宗庙祭祀的“奉常”，掌管山海池泽之税的“少府”，掌管手工业及土木建筑的“将作少府”，掌管图书文籍的“博士”，掌管皇家教育的“傅”、“师”，掌管爵禄升降的“主爵中尉”，掌管皇家舆马的“太仆”，掌管皇家医药的“侍医”，掌管京师警卫的“中郎”，掌管宫廷巡逻的“卫尉”，掌管皇帝符玺的符玺令。总之，举凡一切行政机构，无不应有尽有。[1]

秦代的皇帝，即以此中央政府为政治的司令台，展

[1]《汉书·百官公卿表》云：“侍中、左右曹、诸吏、散骑、中常侍，皆加官，所加或列侯、将军、卿大夫、将、都尉、尚书、太医、太官令至郎中，亡员。多至数十人。侍中、中常侍，得入禁中，诸曹受尚书事，诸吏得举法，散骑并乘舆车。给事中亦加官，所加或大夫、博士、议郎、掌顾问应对，位次中常侍。中黄门有给事黄门，位从将大夫。皆秦制。”

同上书又谓秦代武功爵分二十等。“爵：一级曰公士，二上造，三簪袅，四不更，五大夫，六官大夫，七公大夫，八公乘，九五大夫，十左庶长，十一右庶长，十二左更，十三中更，十四右更，十五少上造，十六大上造，十七驷车庶长，十八大庶长，十九关内侯，二十彻侯，皆秦制，以赏功劳。”

开其对全国的统治。秦代分天下为三十六郡，每郡置郡守一人，郡丞郡尉各一人副之。郡之下又分县，每县置县令或县长一人[1]，县丞县尉各一人副之。县以下有乡，乡有三老，有秩、啬夫、游徼。乡以下有亭，亭有长。[2]大率十里一亭，十亭一乡，万人左右的户口为一县，若干县为一郡，故亭为秦代最低级的政治单位，亭长为最低级的行政官吏。自皇帝、郡守、县令、三老以至亭长，这样就构成了商人地主对中国全面之层叠式的有机统治。

现在，封建贵族的宫殿，变成为郡守的衙门。农民还是照样把他们的赋税缴纳到原来的地方，但是接收赋税的，已经不是原来的主人，而是商人地主新派来的官吏了。

---

[1]《汉书·百官公卿表》云："万户以上为令，……减万户为长。……尉丞……为长吏，百石以下有斗食佐史之秩，是为少吏。

[2] 同上书云："大率十里一亭，亭有长，十亭一乡，乡有三老，有秩、啬夫、游徼。三老掌教化。啬夫职听讼，收赋税。游徼徇禁贼盗。县大率方百里。其民稠则减，稀则旷。乡亭亦如之。皆秦制也。"

第二节　秦代社会关系的变化

随着秦代政权性质的改变，秦代的社会关系，也有着与之相适应的改变。这种改变，就表现于旧贵族之最终的没落与转化，表现于农民和城市手工业者的隶属关系之移转。

旧贵族之开始没落的过程，已经很久了。不过因为他们始终掌握政权，所以还能苟延残喘。到战国末，随着社会经济之剧烈的变化，这种趋于没落的集团，便开始了分化的过程。

在战国末叶，旧贵族中一部分进步分子，他们看清了自己集团的腐化，六国诸侯的政权，已经陷于不可挽救的灭亡，而新兴的秦国，则以如日方中之势，勃然兴起于西方。他们不愿和自己的集团一同埋葬，而又无法使自己的集团改弦更张，以适应于新的社会经济之发展，所以只好离弃自己的集团，自己的祖国，跑到秦国，去参加那种新的历史事业。象商鞅、李斯，都是这一类人物的代表。

商鞅本是“卫之诸庶孽公子也”，当然是卫国的贵族。他具有满腹刑名之学，抱有改革魏国政治的宏愿，可是魏国保守派的领袖，却因此而要杀他。于是这位抱有新思想的旧贵族，才逃到秦国，开创新政，成为商人地主开国的元勋。

李斯者，少年时曾为楚国的郡小吏，又曾从荀卿学帝王之术，看起来也是楚国的一位没落贵族。他看到楚国贵族，日趋腐化，“度楚不足事，而六国皆弱，无可为建功者”，乃西入秦。他到秦国之后，就加入了吕不韦所组织的商人地主政团而为其舍人，后来帮助秦国完成了并吞六国统一天下的伟业，成为商人地主开创天下的谋主。

旧贵族之转向商人地主方面的，当然不仅商鞅、李斯两人，在吕不韦招降纳叛的活动之中[1]，在李斯威胁利诱的政策之下[2]，当然有不少旧贵族中的进步分子及

[1] 吕不韦招致士，至食客三千。有名的《吕氏春秋》，即为其食客所著成。此书中，天地万物、古今之事，无所不论，这决不是往来贩贱卖贵的商人所能办到，而必须是具有深厚的学术修养的贵族们之集体的著述。以此而知在吕不韦的招贤馆中，必有大批的倒戈的贵族。

[2]《史记 · 李斯列传》谓秦始皇听李斯之计，“阴遣谋士，赍持金玉以游说诸侯。诸侯名士可下以财者，厚遗结之；不肯者，利剑刺之。离其君臣之计。”此所谓“名士”而又与诸侯为“君臣”，当然指旧贵族而言。

动摇分子，投到商人地主的阵营中来。这些旧贵族中的叛徒与败子，到后来都转化为商人地主的政治使用人。治人者被治于人了。

另外有些旧贵族，他们对于自己的集团，自己的国家，确实非常忠实，但感于自己国内贵族集团的腐化，新派的猖狂，他们既无力挽救自己集团的没落，又不愿参加新派的活动，眼看国破家亡就在目前，所以他们就走向了消极自杀的道路。楚国的大诗人屈原，正是这一类人物的典型。

“屈原者，名平，楚之同姓也。为楚怀王左徒。博闻强志，明于治乱，娴于辞令。入则与王图议国事，以出号令；出则接遇宾客，应对诸侯。王甚任之。”这当然是楚国一位当政的贵族。他一贯主张连齐拒秦，保卫祖国。但是当时楚国的新派，却在国际商人地主的政团指挥之下，进行使自己祖国失败的政策，主张绝齐事秦，孤立自己，以便利秦国。所以新派的领袖上官大夫借着“宪令”问题，给屈原以严重的打击，把他从政治舞台上排去而予以流放。屈原被放以后，他一方面怀念祖国的危急，但是他“信而见疑，忠而被谤”，自知无法挽救；另一方面他痛恨新派的嚣张，“变白而为黑”，“倒上以为下”，正如“邑犬群吠”。但是他又无力制裁他们，更不愿“与世浮沉”加入他们的组织，所以结果只有自投汨罗江而死。

象这一类走向消极自杀的旧贵族，虽然不必很多，但也未必只有屈原一人。大抵旧贵族中的忠贞分子，感到自己集团没有出路的时候，都有走向这条道路的可能。

这样看来，早在战国末，旧贵族集团中的一部分进步分子，即已转化到商人地主的方面，另一部分忠贞分子，又已走向自杀的道路，则剩下来的，只是一些腐烂的糟粕而已。所以后来秦国之灭亡六国，就象摧枯拉朽一样，毫不费力，而天下大定。

据史籍所载，在秦国吞并六国的战争中，六国的国王，如韩王安、赵王迁、魏王假、楚王负刍、燕王喜、齐王建等，他们都随着自己国家的破灭，一个跟着一个变成了商人地主的俘虏。自然当六国国王被俘虏的时候，他们近亲的贵族，也必然同时被俘虏，因而六国旧贵族的巨头，大概就在战争中一网打尽了。其余低级的贵族，或在战争中死亡，或亦变为俘虏。历史上谓秦平天下以后，有“隐宫徒刑者七十余万人”。这七十余万人，不是战争中捕获的俘虏，便是战争后逮捕的政治犯，其中当然有不少的旧贵族。

新兴的市民在征服旧贵族之后，把旧贵族囚禁起来，这不仅在中国史上有此事实，世界史上，也有此事实。在今日意大利的都市中，还可以找到十三世纪意大利市民囚禁当时意大利封建贵族的高塔和城堡。不过在秦代，对于旧贵族，除囚禁之外，又把他们流徙到边远的地区去充当苦力。秦代历史上，常有“徙谪实之初县”及徙谪若干家，戍之某地的记载，此所谓徙“谪”当亦系指贵族而言。

当秦定天下以后，残余的旧贵族，他们已经完全失掉了经济的基础和政治的依靠，于是有些便降志屈身，投降新政府。如七十博士，及诸生四百六十余人，都是这一类的人物。有些则迫于弹压，屈于酷刑，隐藏山林，潜心学术。如儒学大师荀卿以及汉初传《诗》之浮丘伯、申公、穆生、白生，传《易》的田何，传《礼》的高唐生，传《春秋》的公羊等，都是这一类的人物。此外，亦有顽固不屈的一些残余贵族，他们始终不肯放弃政治斗争，而又无力揭起反抗之旗，于是隐姓埋名，沉入海底，以进行地下活动，企图作死灰复燃之举。如后来博浪一击的张良，西楚称霸的项羽，以及楚汉相持时代十八个国王中的大多数国王，都是属于这一类的人物。

总之，当秦代统一中国以后，以前的旧贵族，除一部分自动转向商人地主方面者以外，其余不是自杀，便是战死；不是逃亡，便是俘虏；不是囚禁，便是流放。这就是号令中国历史八百余年的旧封建贵族之最后的下场。

其次说到农民。农民已经过着长期的苦难日子了。在庄园制度全盛时代，他们是封建领主的农奴。以后到战国末叶，随新兴的商人地主的土地所有之扩大，他们便有了两重主人，他们一方面是封建领主的农奴，另一方面，又是商人地主的佃户。因此，他们一方面要向封建领主缴纳赋税，另一方面又要向商人地主缴纳地租。土地，变成了双重的所有，农民，也就要交出双重的租税。但是直至秦代吞灭六国的前夕，商人地主对农民，还不能行使超经济强制之政治的收夺，因而农民之第一号的主人，还是封建领主。

秦与六国的战争，是新旧土地所有者为了争夺土地所有权的斗争。无论那一方面的胜利，都不是农民的胜利。但是在这个战争中，冲锋陷阵、效死疆场以致粉身碎骨、肝脑涂地者，不是旧的土地所有者，也不是新的土地所有者，而是没有土地的农民。据《史记·秦本纪》及《六国年表》，自秦孝公至始皇之十三年，秦破六国兵，所斩首虏共百二十余万人，而秦兵之被杀于六国者尚不计。始皇十三年以至秦代统一之年，其间十三年大战中彼此伤亡者亦不计。若总而计之，其数当不下三百万人。上党之役，秦国的将军白起，一次就活埋了赵国的俘虏四十万人，这四十万人的大合葬，是赵国旧贵族的悲哀，是秦国新商人地主的胜利，但同时也是农民死亡的数字。

六国的旧贵族，就在农民的血泊中沉没了；而新兴的商人地主，却用了农民的鲜血，刷红了中国第一任皇帝的宝座。现在，农民所失掉的，是生命，而所得到的，是一个更厉害的新主人。现在，农民已经不是旧贵族的“庶民”，而是新兴商人地主的“黔首”了。

庄园已经完全改作地方政府的衙门，在那里居住着各级的行政官吏。郡守代替了以前的诸侯，县令代替了以前的大夫。此外还有那道貌岸然的“三老”，催租审案的“有秩、啬夫”和随便搜查和逮捕农民的武装“游徼”，以及任意鱼肉农民的“亭长”。一切都改变了，这真是“换朝换国”呵！象这样的世界，真如当时商人地主之所歌颂，是一个“黔首修絜，人乐同则”的世界呵！

现在，在广大的国土之内，布满了商人地主的美丽住宅，农民们都分别地认定自己土地的主人而以土地收获物之一半缴纳新主人以佃耕其土地，或被雇佣而为之耕种其土地。在佃耕制之下，农民当然可以得到更多的机会生产其私有物，惟随着农民创造私有物的程度提高，地租也提高了。而且创造私有物的多少，几乎是提高地租的标准。

农民在前代没有土地，在现在虽然可以购买土地，但这只是永远不能实现的一个幽美的希望。因此之故，最大多数的农民，仍然是无立锥之地。在前代，他们虽然没有土地，但有一个固定的主人，供给他们以土地的使用权，他们世世代代都可以继续耕种那块被给予的土地。现在，主人时常变动，所以时常发生无地可耕的危险。

一言以蔽之，土地还是过去的土地，只是所有关系改变了；农民还是过去的农民，只是隶属关系改变了。

再次说到城市手工业者。城市手工业者和商人，他们同是从农奴中发迹出来的，因而他们同是初期封建社会经济的母胎中孕育出来的一对双生子。而且城市手工业者，还是商人的大哥，因为没有前者的发展，便没有后者的出现。

在初期封建社会的早期，这一对双生的兄弟，还在幼稚时代，他们同在封建领主的隶属之下，过着不自由的日子。但是等到时代进入战国，新兴的商人，便后来居上，他们用了资本的力量，抓住了他大哥的头发，勒逼城市手工业者依照他们的订货单，替他们生产一定的商品。而且以预付订货金的手段，少给城市手工业者的手工业制造品的代价。实际上，战国末叶的城市手工业者，已经变成了新兴商人所雇佣的商品生产者了。不过因为当时商人地主尚未取得政权，所以城市手工业者的捐税，还是送到封建领主的宫廷。同时，商人地主，也还没有权力，强制城市手工业者作无偿的劳动。

战国末叶，是新旧土地所有者的斗争最紧张的时代，当时六国的诸王与秦国的国王，无不在成天地动员人马，转运粮秣，士不解甲，马不弛鞍，时代的紧张，令人吐不过气来。因此，当时各国的城市手工业者，除了日用必需品的生产者以外，大概都被强制征发，无偿地服务于军事必用品的生产。战争的进行，使手工业走向畸形的发展，这对于城市手工业者，已经是一个很大的打击。

在战国末，城市固然是手工业者的根据，但同时也是军事的堡垒，所以当时战争的双方，都集中火力于城市的争夺。在战争的剧烈进行中，随着旧制之夷灭，而城市堕坏者，不知有多少。因此，城市手工业者，又在战争的过程中，蒙受了巨大的灾难。

秦并天下以后，郡有郡守，县有县令，小镇乡聚亦有三老与亭长。他们当然要致力于城市经济之恢复，这从徙民若干户于某郡某县的记载，就可以看得出来。在秦代战争复员的政策之下，那些残余的城市手工业者，又重新从流离失所的状况中，走回了他们原住的城市。

他们从破砖乱瓦中，发见了自己的作坊的遗址，好不容易又才修葺起来，重新开始他们的生产。

雨过天晴，山川如故，一切都没有变更，做铁匠的还是做铁匠，做木匠的还是做木匠，所不同的，只是把捐税送交他们的大哥——商人地主。

最后，我们说到这个新的胜利者商人地主。

商人地主，早在战国时代，他们已经是庞然大物，不可一世。他们高车驷马，周行天下，天子为之筑台避债，诸侯为之分庭抗礼，士为之废文学而事货殖，工为之弃刺绣而倚市门。这如果说他们已经俨然有些候补统治者的神气，或非阿谀之词。虽然，他们在当时，究竟还是诸侯的臣属，天子的庶民。

自从商人地主在秦国抓着了政权以后，他们在新政之下，获得了与贵族在法律上的平等地位。于是过去与皂隶并称的贾竖，遂一跃而为秦国的客卿，相国，乃至皇帝的仲父。他们不但掌握对农民和手工业者生杀予夺的大权，而且招贤纳士，著书立说，交通诸侯，宣战媾和，乃至刑黥太子师傅，左右皇帝，出入宫帏，私通太后。懿欤甚矣！这真是“士别三日，当刮目相看”。虽然如此，这还不过是秦国一国的境况。

到秦并天下之后，中原一统，又北伐匈奴，南征南越，西服巴黔，东降辽东，市场扩大，商路四通。而秦代的政府，又予以保护，加以鼓励，于是商人地主在军事的前导与政治后卫之下，展开了广大无畏的活动，因而由此而致暴富者不知凡几。当时咸阳一城，新迁来的富豪，就有十二万家，而原住于咸阳者尚不计，以天下之大，城市之多，其数当可骇人，而这就构成了一个广大的社会层。

当时的商人，大概都以其利得，购买土地，所以到秦末，便形成富者田连阡陌，贫者无立锥之地的现象。即因商人同时又是土地所有者，所以我们称之为商人地主。这种商人地主，同时又多是政府的官吏，所以他们是商人，是地主，同时又是官僚。正因为商人、地主、官僚三位一体，所以他们才是地上的权力者。

以上就是秦代的社会关系，秦代的政治，就在这种社会关系中向前发展。诗云："高岸为谷，深谷为陵。"我们对于旧封建贵族与新商人地主的社会地位之颠倒，实不胜其感慨。

第三节　秦代政权的发展

战事已经结束了。新政府也在商人地主胜利的欢呼中成立了。现在，邯郸市上的小儿，做了全中国人民的皇帝；贩贱卖贵的商人，出现为咸阳市上的新贵。丞相御史，都已按部就班；郡守县令，都已走马上任。中国的历史，又走进一个新的王朝，新的时代了。

在这个热闹场面的背后，我们同时可以看到一幅凄凉的画图。在那里，是残余的旧贵族走上刑场，送进牢狱，窜向边塞，隐藏山林，逃亡民间。是退伍的农民回到荒凉的农村，是失业的手工业者回到残破的城市。而这一切也就是新朝胜利的表现。

照我们后人想来，象这样的胜利，也就足够商人地主的骄傲了。但是当时的商人地主却具有一种深思远虑。他们一方面看到旧贵族中，还有不少在逃的分子，没有捕获；而投降的旧贵族，又怀着满腹的旧思想，常常“以古非今”，若不彻底地肃清，终是新政府的隐忧。另一方面，农民虽已退伍，但大部分的农民，还保有武器，尤其使新政府感到不安。为了巩固商人地主的统治，新政府感到如何镇压农民可能的叛变及残余贵族可能的反动，是它当前的两个紧急政治任务。

新政府毫不犹豫而且非常彻底地开始它的任务之执行。这首先便是对付农民。

据《史记》所载，秦始皇做了皇帝以后，第一道命令，便是收天下兵器，聚之咸阳，铸为钟鐻、金人十二。这就是强迫所有的农民交出他们的武器。

中国古代的农民，本有一次冬季的军事训练，即所谓“三时务农而一时讲武”。但据《文献通考·兵考》云，到秦代“讲武之礼，罢为角觝”。这就是不许农民有学习战斗技术的机会。

在秦代的农村中，本有武装游徼的设置，但据《文献通考·兵考》云：“秦始皇既平天下，分为三十六郡，郡置材官。”《汉书·刑法志》亦云：“（汉）踵秦而置材官于郡国。”所谓材官者，就是一种武装完备的正式军队。这样看来，秦代的各郡县，除了地方的游徼以外，又有中央派驻各郡县的材官。这种材官的设置，就是加强对农民的武装镇压。

在秦代的农村中，本有亭长、乡三老等的设置，但在后来又把以前施行于秦国境内的什伍连坐法，推行全国。所谓什伍连坐法者，即“令民为什伍而相收司连坐。……告奸者，与斩敌首同赏，匿奸者与降敌同罚”。而这就是借此肃清农民中的不稳分子。

农民既被缴除了武器，又被禁止了冬季的军事训练，再加之以武装镇压与相互连坐，这在新政府看来，此种的措置，似乎很够妥当了。

现在开始对付残余的旧贵族，于是发生了中国史上有名的“焚书坑儒”的事件。焚书坑儒，在客观上是对文化之一般的毁灭，但在当时新政府的主观动念上，却是为了肃清隐藏在政府机构中的残余旧贵族，乃至作为其政治指导原理的旧文化。

具体的历史事实，告诉我们焚书的经过，是为了消灭复古的思想。据《史记》所述，在始皇三十四年的某一天，始皇在咸阳宫，举行一个宫廷的大宴，高级官吏，都在召宴之列。因为投降而做了博士的七十个旧贵族，首先向始皇致敬，表示他们的忠顺。当时有一位从商人出身的仆射周青臣致颂词。他说：“他时秦地不过千里，赖陛下神灵明圣，平定海内，放逐蛮夷，日月所照，莫不宾服。以诸侯为郡县，人人自安乐，无战争之患，传之万世，自上古不及陛下之威德。”这段颂词，表面上是恭维始皇，但实际上是对七十位投降的旧贵族一个尖刻的讽刺。因为他恭维始皇的，就正是吞并六国，消灭旧贵族的功劳。

博士们听了，当然十分羞愧，于是博士中有一位齐人名淳于越者，就针对着周青臣的讽刺作了一个回答。他说：“臣闻殷周之王千余岁，封子弟功臣，自为枝辅。今陛下有海内，而子弟为匹夫，卒有田常、六卿之臣，无辅拂，何以相救哉？事不师古而能长久者，非所闻也。今青臣又面谀，以重陛下之过，非忠臣。”这一段话，虽系是对周青臣讽刺的回答，但同时也是对郡县制度的一个批判，并且企图从始皇个人的利害关系上，去说服始皇，恢复封建的旧制度。

始皇果为所动，把淳于越的建议，交群臣讨论。于是商人地主的领袖李斯不得不说话了。他说：“五帝不相复，三代不相袭，各以治；非其相反，时变异也。今陛下创大业，建万世之功，固非愚儒所知。且越言乃三代之事，何足法也。异时诸侯并争，厚招游学，今天下已定，法令出一，百姓当家，则力农工，士则学法令辟禁。今诸生不师今而学古，以非当世，惑乱黔首。丞相臣斯昧死言，古者天下散乱，莫之能一，是以诸侯并作，语皆道古以害今，饰虚言以乱实，人善其所私学，以非上之所建立。今皇帝并有天下，别黑白而定一尊。私学而相与非法教，人闻令下，即各以其学议之。入则心非，出则巷议。夸主以为名，异趣以为高，率群下以造谤。如此弗禁，则主势降乎上，党与成乎下。禁之便。臣请史官非秦纪皆烧之。非博士官所职，天下敢有藏《诗》、《书》百家语者，悉诣守、尉杂烧之。有敢偶语《诗》、《书》(者)，弃市。以古非今者，族。吏见知不举者，与同罪。令下三十日不烧（者）黥为城旦。所不去者，医药、卜筮、种树之书。若欲有学法令，以吏为师。”

从李斯这一大段话中，我们可以知道，当时那些投降的旧贵族，他们虽然首先向始皇致敬，但他们对于秦代的新制度，还是抱着反对的态度。因为他们生长在旧社会之中，习惯于旧社会的制度，迷恋于旧社会的学说，以为旧的都是好的，新的都是坏的，因而以为“事不师古而能长久者，未之闻也”。他们不知道现在已经不是田氏篡齐、六卿分晋的封建贵族混战时代，而是商人地主一统天下的时代，但是他们对于新政府的每一政令，仍然在背后引经据典加以批评，以动摇新政府的威信。这在李斯看来，这些“不师今而学古”的诸生，当然是一群惑乱黔首的反动派。为了绝灭此种复古思想之传播，所以主张焚燔一切作为此种思想之渊源的古典文献。而对于与思想无关之书类，则仍任其流传。由此看来，李斯之主张焚书，其主观的动念，实为对付残余的旧贵族无疑。

秦始皇批准了李斯的建议。宫廷的盛宴散了，第二天，在天下各地，就到处点燃了焚书之火。不到三十天，中国秦以前的古典文献，都化为灰烬。留下来的只有皇家图书馆内的一套藏书。

书是焚了，但是怀有复古思想的旧贵族，还是在政府的机构中，掌管文化事业。为了肃清这些分子，于是又发生了“坑儒”的惨剧。

据《史记》所载，坑儒的惨剧之发生，乃是由于焚书以后，投降贵族中，有侯生与卢生者，他们看到当时的政治，日益倾向于专制与独裁，他们的首领七十博士，也只是“备员弗用”，一切的政令都出于咸阳宫。这使他们感到也许在明天就会有更严重的事情发生，因而他们就相率逃亡了。逃亡的消息，很快就由商人地主报告始皇。于是皇帝龙颜大怒。他拍案大骂曰：“吾前收天下书，不中用者，尽去之，悉召文学方术士甚众，欲以兴太平，方士欲炼以求奇药。今闻韩众去不报，徐市等费以巨万计，终不得药，徒奸利相告日以闻。卢生等，吾尊赐之甚厚，今乃诽谤我，以重吾不德也。诸生在咸阳者，吾使人廉问，或为妖言以乱黔首。”始皇骂了一大顿，如韩众去不报，徐市等终不得药，这都是自己的儿子不争气，与诸生丝毫不相干。不错，卢生等逃亡时，也曾说了一句讽刺始皇的话，他们说：“象这样的专制魔王，未可为求仙药。”这当然是对于他所领导的海洋探险事业之失败的一个嘲笑，但这也是事实。不图因此而遂获罪于天，得了诽谤的罪名，这真是冤哉枉也。

很明白地，始皇的盛怒，并非偶然，早在卢生等的事件之前，那些所谓“廉问使”就经常向始皇谎报，说诸生无不“妖言以乱黔首”。而这一次正是一个总爆发。

实际上，照我们的推想，始皇也未必就想把诸生活埋，但在始皇盛怒之下，那些御史们，就可以加倍惩处了。据《史记》："御史悉按问诸生，诸生转相告引，乃自除犯禁者四百六十余人，皆坑之咸阳，使天下知之，以惩后。益发谪徙边。"

这四百六十几个诸生，在当时的政府看来，都是一些死有余辜的反动派，但是在我们今日看来，他们都是当时最有学问的知识分子，他们的被活埋，是中国文化的一个大损失。虽然，谁要他们不隐藏山林而要投降新朝呢。文人而无气节，也是取辱招祸的原因。我因此于诸生之被活埋不胜其感慨。

新政府对于旧贵族，在这次大活埋、大流徙之后，接着还有第二次第三次的大屠杀。《文献通考·学校考》云："（始皇）又令冬种瓜骊山，实生，命博士诸生就视。为伏机，杀七百余人。二世时，又以陈胜起，召博士诸生议，坐以非所宜言者，又数十人。然则秦之于博士弟子，非惟不能考察试用之，盖惟恐其不澌尽泯没矣。叔孙通面谀，脱虎口而逃亡，孔甲持礼器发愤而事陈涉，有以也哉。"

新政府对于农民的防范、旧贵族的惩处的任务，都依次执行了。然后在一般的方面，又严刑罚，任狱吏，以制反侧。《汉书·刑法志》云："秦用商鞅，连相坐之法，造参夷之诛，增加肉刑、大辟，有凿颠、抽胁、镬亨之刑。至于秦始皇，兼吞战国，遂毁先王之法，灭礼谊之官，专任刑罚，躬操文墨，昼断狱夜理书，自程决事，日县石之一。而奸邪并生，赭衣塞路，囹圄成市，天下愁怨，溃而叛之。"

实际上，秦代的刑罚尚不仅如上述。其见于《史记》者有榜掠[1]、鬼薪[2]、黥为城旦[3]、谪[4]、籍没[5]、连坐[6]、弃市[7]、

[1]《史记·李斯列传》云："赵高治斯，榜掠千余。不胜痛，自诬服。"

[2]《史记·秦始皇本纪》云："轻者为鬼薪。"《集解》，应劭曰："取薪给宗庙，为鬼薪也。"如淳曰《律说》："鬼薪作三岁。"

[3] 同上传曰："令下三十日不烧，黥为城旦。"《集解》："如淳曰《律说》：'论决为髡钳，输边筑长城。昼日伺寇虏，夜暮筑长城。'城旦四岁也。"

[4] 同上传云："徙谪，实之初县。"《索隐》："徙有罪而谪之。……故汉七科谪亦因于秦。"

[5] 同上传云："自今以来，操国事不道如嫪毐、不韦者，籍其门，视此。"《索隐》："籍没其一门，皆为徒隶。"

[6]《史记·商君列传》云："相收司连坐。"《索隐》："收司，谓相纠发也。一家有罪而九家连举发，若不纠举，则十家连坐。"

[7]《史记·秦始皇本纪》云："有敢偶语诗书者弃市。"

僇[1]、腰斩[2]、车裂[3]、坑[4]、矺[5]、戮尸[6]、枭首[7]、族[8]、夷三族[9]等。象这样的严刑峻法，真是以刀锯鼎镬，待天下之士。商人地主的咸阳宫，现在变成人民大众的阎罗殿了。

新政府的任务，当然不仅在于镇压他的敌人，同时也在进一步去扩展商人地主的天下。为了开辟国际商路，战争的动员令又颁布了。自命为永息兵戎的商人地主，

---

[1]《史记·商君列传》云："六公子僇死于社。"又《李斯列传》云："公子十二人，僇死咸阳市中。"

[2]《史记·商君列传》云："不告奸者腰斩。"

[3]《史记·秦本纪》云："惠文君立，鞅亡，因以为反，而卒车裂以殉秦国。"

[4]《史记·秦始皇本纪》云："诸生……四百六十余人，皆坑之咸阳。"

[5]《史记·李斯列传》云，"十公主，矺死于杜。"《索隐》云："矺与磔同。……磔，谓裂其支体而杀之。"又《秦始皇本纪》云："荆轲刺秦王，秦王觉之，体解轲以循。"

[6]《史记·秦始皇本纪》云："将军壁死，卒屯留、蒲鹝反，戮其尸。"

[7] 同上传云："毐等败走，……二十人，皆枭首。"《集解》云："县首于木上曰枭。"

[8] 同上传云："以古非今者族。"《蒙恬列传》云："公子高欲出奔，恐收族。"

[9]《史记·秦本纪》云："文公二十年，法初有三族之罪。"《集解》："父族，母族，妻族也。"又《汉书·刑法志》云："当三族者，皆先黥，劓，斩左右止，笞杀之，枭其首，菹其骨肉于市。其诽谤詈诅者又先断舌，故谓之具五刑。"在秦代，夷三族者必具五刑。

现在为了追逐利润，杀心又勃发了。刚刚回到田野的农民，又要放下锄头，拿起武器，为着商人地主的利益而走向国际的战场。三十万人北伐匈奴，五十万人南征五岭。田园变为荒野，肝脑涂于异国。[1]

为了防御匈奴的侵袭，万里长城开工了。从甘肃的临洮，东至鸭绿江岸，有三十万以上的农民，在那风雪萧萧的边塞担土垒石，十余年之久。其中也有不少是脸上刻了字的罪犯。

为了便利商人地主的货车往来，到处都在修筑马路。这种马路，在当时叫做驰道。从九原到甘泉一千八百里的山谷之间，到处都是堑山堙谷的工人。[2]不仅这一条马路开了工，据《汉书·贾山传》云："（秦）为驰道于天下，东穷燕齐，南极吴楚，江湖之上，濒海之观

[1]《文献通考·兵考》云："（秦代）大率百人则五十人为农，五十人习战。凡民年二十三，付之畴官，给郡县。一月而更谓卒。复给中都一岁，谓正卒。复屯边一岁，谓戍卒。凡战，获一首，赐爵一级。皆以战功相军长。长平之役，年十五年以上悉发，又非商鞅之旧矣。"

[2]《史记·蒙恬列传》云："始皇欲游天下，道九原，直抵甘泉，乃使蒙恬通道。自九原抵甘泉，堑山堙谷，千八百里。"《始皇本纪》亦云："二十七年（前二二〇年）治驰道。"《李斯列传》亦云："治驰道，兴游观，以见主之得意。"

毕至。道广五十步，三丈而树，原筑其外，隐以金椎，树以青松。”由此看来，则在秦代，全国之内，都有了宽大而平坦的大道了。

早在统一六国的那年（前二二一年）新政府就在咸阳北坂上，盖起一座“殿室复道，周阁相属”的宫殿，这座宫殿，完全是仿效六国宫殿的样式的一种混合建筑。在这座宫殿里，充满了由六国俘虏而来的钟鼓与美人，简直可以称为一个国际博物馆。[1]第二年又在渭水的南岸，建筑了一座信宫和甘泉宫的前殿。[2]于是渭水南北，都布满了宫殿。

为了装点新政府的门面，现在始皇又大发隐宫徒刑者七十万人，开始世界史上无可伦比的阿房宫之建筑。据《史记》所载，阿房宫的正殿，建筑在渭水南岸，那里原系皇家的花园。殿堂东西宽五百步，南北深五十丈，殿内可容一万人，殿前建立五丈高的旗竿，周围有阁道

[1]《史记·秦始皇本纪》云：“二十六年，……秦每破诸侯，写放其宫室，作之咸阳北坂上，南临渭，自雍门以东至泾、渭，殿室复道，周阁相属。所得诸侯美人、钟鼓，以充入之。”

[2]同上纪云：“二十七年，……作信宫渭南，已更命信宫为极庙，象天极。自极庙道通郦山，作甘泉前殿，筑甬道，自咸阳属之。”

可通其他的宫殿。这种阁道，直通到南山。在南山的顶上，建立一座庄严壮丽的高阙，作为这座宫殿的大门。从阿房宫通达渭水的北岸，有一座很美丽的石桥。[1]据说这座石桥长三百六十步，宽六十尺，共有六十八个圆拱，桥的两旁，还装饰着力士孟贲等人像雕刻。由于这座桥梁的落成，咸阳城市，遂成为跨渭水南北的一个大城市。

上述的阿房宫，不过是皇宫的一个正殿，即所谓“朝宫”者是也。实际上，阿房宫的全部规模之大，真是骇人听闻。据《三辅皇图》云：“阿房宫，亦曰阿城，惠文王造宫未成而亡，始皇广其宫规，恢三百余里。离宫别馆，弥山跨谷。辇道相属，阁道通郦山八十余里。表南山之颠以为阙，络樊川以为池。”又《汉书·贾山传》云：“起咸阳而西至雍，离宫三百，钟鼓帷帐，不移而具。”由此看来，自咸阳以东至于临潼，以西至于雍，以南至于南山，以北至于咸阳北坂，这一个广大的

[1]《史记·秦始皇本纪》云：“三十五年……乃营作朝宫渭南上林苑中，先作前殿阿房，东西五百步，南北五十丈，上可以坐万人，下可以建五丈旗，周驰为阁道，自殿下直抵南山。表南山之颠以为阙。为复道，自阿房渡渭，属之咸阳，以象天极阁道绝汉抵营室也。阿房宫未成；成，欲更择令名名之，作宫阿房，故天下谓之阿房宫。

区域内，都是阿房宫的范围。不仅此也，据《史记》云："关中计宫三百，关外四百余。"据此，则当时潼关以外，尚有更多的行宫。又《史记》谓，这些宫殿，都是用"北山的石椁"，"荆楚的木材"建筑而成，特别是四川的木材。当这些宫殿落成之日，四川山上的树木都砍光了。所以后来的诗人杜牧为之赋曰："蜀山兀，阿房出。"

这些宫殿，都"以木栏为筑，以磁石为门"，施以雕刻，涂以丹青，五光十色，极富丽堂皇之大观。在这些宫殿的内部，则夜光之璧，饰于朝廷；犀象之器，列为玩好；郑卫之女，充于后宫；骏良駃騠，实于外厩。一切"娱心意，悦耳目"者，无所不备。

现在，这位阿房宫的主人，他佩"昆山之玉，有随和之宝，垂明月之珠，服太阿之剑，乘纤离之马，建翠凤之旗，树灵鼍之鼓"，真是"自上古以来所未有也"。

现在，在这位阿房宫主人的御前，挤满了国籍不同的美女，她们带着"宛珠之簪"，垂着"傅玑之珥"，穿着"阿缟之衣"，饰着"锦绣之饰"，"佳冶窈窕"，真是人间无比。乐队吹奏起来了，美女开始了大合唱，不是以前秦国的"击瓮叩缶，弹筝博髀"之音，而是"郑、卫桑间，昭、虞武象者，异国之乐也”。阿房宫的主人，在胜利中昏迷了。

现在，那些商人地主中的新贵。他们宫室、车马、衣服、苑囿驰猎，恣其所好。[1]入则“家僮万人”，“食客三千”；出则“从车罗骑，四马鹜驰”[2]，真是威风凛凛，意气扬扬。

至于一般的商人地主。他们亦皆田连阡陌，拥资巨万。“田池射猎之乐，拟于人君。”虽无官爵，可列朝请，虽无战功，而皇帝为之筑台纪念。他们真是时代的骄子，历史的宠儿。

最后，我们来看这个社会的另一面。残余的贵族和无数的俘虏，正在从荆楚，从四川斩伐木材，运输木材，攀山越岭，颠仆于道路之中，为了建筑阿房宫和郦山的皇陵而丧失他们的生命。城市的手工业者，都离开了他们的作坊，走到咸阳，走到郦山，走到琅玡、之罘，走到遥远的会稽，替皇帝修筑宫殿，建造坟墓，雕刻玩好

[1]《史记·秦始皇本纪》云：“嫪毐，封为长信侯，予之山阳地，令毐居之。宫室车马，衣服苑囿，驰猎恣毐。”

[2] 同上纪云：“始皇幸梁山宫，从山上见丞相车骑众，弗善也。中人或告丞相，丞相后损车骑。”

和巨大的纪功碑。广大的农民，已经在商人地主土地兼并的过程中，失去了自己的小块土地和田园。在收缴兵器的命令之下，失去防身的武器；在武装镇压、什伍连坐、严刑峻法之下，失去了起码的自由，在苛捐杂税、军事征发之下，失去了一切生存的物质。现在又在兵役动员、徭役动员的命令之下，走向蒙古沙漠，走向岭南边疆，走向一切指定的地点，去修筑长城，开辟驰道，抵御匈奴和征服南越。

总而言之，这一时的社会，诚如《汉书·食货志》所云："庶人之富者累巨万，而贫者食糟糠。"社会之不调协，已经达到了极点。这种社会的不调协，当然是要出乱子的。

果然，博浪沙中，伸出旧贵族的铁锤，这就是历史上所谓张良博浪一击。这一击，虽未命中始皇，但已碎其副车，总算替残余的旧贵族，吐了一口冤气。[1]果然，

[1]《史记·秦始皇本纪》云："始皇东游至阳武博狼沙中，为盗所惊，求弗得，乃令天下大索十日。"又《汉书·张良传》云："（张良）得力士，为铁椎，重百廿斤，秦始皇东游至博狼沙中，良与客狙击秦皇帝，误中副车。秦皇帝大怒，大索天下，求贼急甚，良乃更名姓，亡匿下邳。"按张良父祖，世为韩相，当然系韩国贵族。

东郡地发现了农民的标语，他们在石头上刻着“始皇帝死而地分”的词句，表示他们对土地要求之渴望。虽然始皇把这块石头附近的农民都屠杀了，但是这并不能解决问题。[1]

博浪的锤击，东郡的刻词，这都是秦代政府走向灭亡的警报。这位轰轰烈烈的秦始皇，就在警报声中死去了，可是他死后的面容，还是带着胜利的微笑。

第四节　陈涉、吴广的叛乱与秦代的灭亡

“山雨欲来风满楼”，正是始皇临死前夕中国社会的情景。所以当始皇“一旦魂断，宫车晚出”，接着便到来了一个暴风雨的时代。这就是爆发了中国史上有名的陈涉、吴广所领导的农民大叛乱。

陈涉、吴广所领导的农民大叛乱之爆发，决不是一个偶然的历史爆炸，而是自始皇兼并天下以来中国社

[1]《史记·秦始皇本纪》云:“三十六年，荧惑守心，有坠星（即殒石）下东郡，至地为石，黔首或刻其石曰:‘始皇帝死而地分。’始皇闻之，遣御史逐问，莫服，尽取石旁居人诛之，因燔销其石。”

会经济发展之必然的归结。我们知道，始皇所接受的天下，是一个久经战争、凋零残破的天下，象这样的天下，如果不在很好的复员政策之下，使之经过长期的休养生息，决不能恢复元气，从而使社会生产力走向更高发展的道路。但是秦代的政府，为了过于积极地实现商人地主的利益，并没有经过必要的复员阶段，马上又在这凋零残破的社会经济基础之上，再展开了更大规模的战争动员与劳役动员。军事的征发，经济的榨取，政治的收夺，以风行雷厉之势，齐头并进，把那患贫血病的社会之最后一滴血液，也抽出来了。匈奴打退了，南越征服了，长城建筑了，驰道开辟了，阿房宫也落成了，可是旧贵族的铁椎也伸出来了，农民的反叛标语也发现了。

然而在始皇时代，始终尚能维持一种表面的平静，这就因为当时统治者内部，还能在始皇的领导之下维持一种和衷共济的局面，因而中央政府尚保有一种强大的力量，从而得以以此为出发点而行使其对全国人民之武装的镇压、政治的迫害、刑罚的威骇以及文化思想的剿灭。但是独裁政治，政治领袖个人对于政治全局的关系，是很重要的，所以当始皇的呼吸一断，统治者内部，便发生了残酷的内乱。沙丘的灵前会议，就正是统治者内部决裂的起点。统治者内部的决裂，当然要削弱统治的力量；为了要用这种已经削弱了的力量，来继续支持其统治，当然要对人民行使其更残酷的压榨。这样一来，秦代的政权，就正象一个患了狂热病的人，在大烧大热之中，归于死亡。

早在始皇时代，秦代统治者内部，即已开始分裂的过程。在当时，显然有三个派别的存在。其一是以扶苏为首的新贵族派。秦代所有的诸公子及公主，都是属于这一派。这一派拥有庞大的国防军队[1]，掌握着边防要塞[2]，在中央，也有相当的势力。[3]其二，是以李斯为首的官僚派。所有出身于商人地主的官僚，都是属于这

[1]《史记·李斯列传》云:“始皇有二十余子，长子扶苏，以数直谏上，上使监兵上郡，蒙恬为将。”又《蒙恬列传》谓“蒙恬将三十万众，北逐戎狄。”是当时蒙恬所将之三十万众，皆受扶苏之监督。故始皇遗嘱，嘱扶苏“与丧会咸阳而葬”，同时又嘱其“以兵属蒙恬”。盖当时扶苏实掌握军队调动的大权，否则始皇遗嘱，即不必说“以兵属蒙恬”。

[2] 沿长城诸要塞，皆为蒙恬的军队驻防。

[3]《史记·蒙恬列传》云:“始皇甚尊宠蒙氏，信任贤之，而亲近蒙毅(恬之弟)，位至上卿，出则参乘，入则御前。恬任外事而毅为内谋，名为忠信，故虽诸将相，莫敢与之争焉。”

一派。[1]这一派拥有雄厚的财政后援，把持中央政府，左右国家大政方针。[2]其三，是以赵高为首的宦官派。所有当时宫廷的“中人”或“内官”，都是属于这一派。[3]这一派包围在始皇的左右，掌握着宫廷的秘密，狐假虎威，狗仗人势，他们是独裁政治的副产物，也是无恶不作的杀人犯。

这三派因为身份不同，主张亦不同。贵族派为了

---

[1]《史记·李斯列传》云：“斯置酒于家，百官长皆前为寿，门庭车骑以千数。李斯喟然而叹曰：‘嗟乎，吾闻之荀卿曰物禁太盛。夫斯乃上蔡布衣，闾巷之黔首，上不知其驽下，遂擢至此。当今人臣之位，无居臣上者，可谓富贵极矣。物极则衰，吾未知所税驾也。”由此而知李斯者，实为当时官僚群的领袖。

[2]如始皇欲逐客，李斯谏之而罢。淳于越主复封建，李斯阻之而止。焚书亦出于李斯的主张。此外一切国家大政，如兼并六国的政略，击匈奴、征南越的决策，尊大臣，盛爵禄，立社稷，修宗庙，平斗斛、度量，一文字，治驰道，兴游观等，皆系李斯的主张（见《李斯列传》）。

[3]《史记·李斯列传》云：“高因内官之厮役也。幸得以刀笔之文，进入秦宫，管事二十余年。”《蒙恬列传》云：“赵高者，诸赵疏远属也。赵高昆弟数人皆生隐官。其母被刑僇，世世卑贱。秦王闻高强力，通于狱法，举以为中车府令。高即私事公子胡亥，喻以决狱。高有大罪（私通宫女？）秦王令蒙毅法治之，毅不敢阿法，当高死罪，除其宦籍。帝以高之敦于（决狱）事也，赦之，复其官爵。”据此则知，赵高在秦宫二十余年，既有宠于始皇，又得幸于公子胡亥，当然为内官的领袖。

企图稳定社会的秩序，从而巩固其万世一系的帝统，所以主张对外采取守势，保存实力；对内与民休息，恢复元气。[1]官僚派则相反，他们为了积极实现商人地主的利益，所以主张对外推行开疆拓土的冒险政策，对内推行残民以逞的暴君政治。[2]宦官派可以说没有主张，但是为了窃权弄势，他们却希望有一个可以随便欺蒙的皇帝。[3]

此三派者，以要求各异，政见不同，始皇时，即常发生明争暗斗。始皇知之，但以三派皆忠于自己，故兼容并蓄，但始皇之属意，则为贵族派的领袖公子扶苏，所以在他未死之前，即授以兵权。到弥留之际，又赐书

[1]《史记·李斯列传》记胡亥矫诏数扶苏之罪曰："今扶苏与将军蒙恬，将师数十万以屯边，十有余年矣，不能进而前，士卒多耗，无尺寸之功（不主张对外冒险也），乃反数上书，直言诽谤我所为（反对对内之暴君政治也）。

[2]一切对外对内的积极政策，皆为李斯所主张，参看《李斯列传》。

[3]《史记·李斯列传》云："（赵高说李斯曰）'皇帝二十余子，皆君之所知。长子刚毅而武勇，信人而奋士（是不可欺蒙玩弄者也），……高受诏教习胡亥，使学以法事有年矣，未尝见过失（正适于君推行之暴君政治）。仁慈笃厚，轻财重士，辩于心而诎于口，尽礼敬士（重士与敬士之士，皆谓官僚也）。秦之诸子（其愚蠢无知，而易于欺蒙玩弄者），未有及此者，可以为嗣，君计而定之。'"

扶苏，嘱其“以兵属蒙恬，与丧会咸阳而葬”，并赐以皇帝之符玺。

始皇死在沙丘途中，当时贵族派没有一人在侧，于是宦官派与官僚派在沙丘开了一个秘密的联席会议[1]，决定秘丧不发，遗嘱缓发，把始皇的尸体与鲍鱼放在一块运到咸阳再说。[2]在灵车的行进中，宦官派领袖赵高提出了重大的政治阴谋，这就是矫诏杀扶苏与蒙恬而拥立胡亥承继帝位，并且压迫官僚派领袖李斯在他们政治阴谋的决议案上签了字。[3]灵车到了咸阳，“乃诈为受始皇诏丞相，立胡亥为太子”，更为书赐扶苏与蒙恬，命其自杀。扶苏信为父命，遂自杀。蒙恬知其伪，不肯死，即以属吏，系于阳周。于是政治阴谋，很迅速而顺利地完成了。

---

[1]《史记·李斯列传》云：“(始皇崩于沙丘)独子胡亥、丞相李斯、赵高及幸宦者五、六人知始皇崩，余群臣皆莫知也。李斯以为上在外崩，无真太子，故秘之。”同传又云：“沙丘之谋，丞相与焉。”

[2]同上传云：“置始皇居辒辌车中。”《始皇本纪》云：“会暑，上辒车臭，乃诏从官，令车载一石鲍鱼，以乱其臭。”

[3]同上传云：“(赵高谓李斯曰)‘今释此(指立胡亥事)而不从，祸及子孙，是为寒心……’于是斯乃听高。”

现在胡亥做了秦代的二世皇帝，赵高为郎中令，宦官派执政了。他们第一个政治任务，当然是以毫不容情的手段，消灭所有的新贵族派，并且同时打击官僚派。因此赵高向二世提供了“灭大臣而远骨肉”的办法。于是首先“杀大臣蒙毅（贵族）等，公子十二人，僇死咸阳市；十公主矺（磔）死于杜，财物入于县官，相连坐者不可胜数。公子高欲奔，恐收族，乃上书曰……‘臣请从死，愿葬郦山之足……’胡亥可其书。”（《李斯列传》）这样一来，秦代的新贵族，都屠杀殆尽了。现在开始把刀锋转向官僚。在“贫者富之，贱者贵之”的原则下，已经开始“除去先帝之旧臣”的工作，仅存的旧官僚，则在“法令诛罚，日益刻深”的情形之下，“人人自危”。这样一来，官僚派也被打倒了。现在，秦代的皇帝，已经不是商人地主的皇帝，而是宦官的皇帝了。[1]

现在灾难要降到农民身上了。阿房宫的建筑，再开了工；匈奴似乎有南向的企图，征兵的命令急于星火，

[1]《史记·秦始皇本纪》记赵高语二世之言曰：“‘天子称朕，固不闻声。’于是二世常居禁中与高决诸事，其后公卿希得朝见。”

迟过限期者处死刑。为了满足皇帝“狗马禽兽”之欲，“郡县转输菽粟刍藁，皆令自赍粮食，咸阳三百里内，不得食其谷”。又以“税民深者为明吏”，“杀人众者为忠臣”。现在普天之下，到处都可以看到开赴边塞的壮丁大队，到处都可以看见开赴咸阳的劳役大队。“刑者相半于道，而死人日成积于市”。这真是到了农民忍无可忍的时代了，果然陈涉、吴广树起了叛乱之旗。

纪元前二〇九年七月的某一天，有九百人左右的一队壮丁，在大风雨中向着今日徐州附近（秦代的沛县）的大泽乡行进，这就是开赴渔阳（今日河北密云县）的戍卒之一队。有两个轮廓分明的队长，这就是中国史上有名的人物陈涉、吴广。这一队戍卒，因为“大雨道不通”，已经是“失期”了，但他们知道秦代的法律，“失期，法皆斩”。

天晚了，而雨更大，队伍在大泽乡驻扎了。死的威胁，压迫着这两位队长发生了叛变的思想，他们说：“今亡亦死，举大计亦死，等死，死国可乎！”于是陈涉吴广，遂决定假借扶苏或项燕的名义，举行叛变。因为扶苏无罪被杀，当时“百姓多闻其贤，未知其死也”。而“项燕为楚将，数有功，爱士卒，楚人怜之，或以为死，或以为亡”。借此二人的名义为天下唱，则响应者必多。

但是陈涉、吴广都是雇农，所谓“瓮牖绳枢之子，甿隶之人”，而目前与诸戍卒又同为“迁徙之徒也”。一旦举义，在群众中，必不能发生信仰，于是不能不玩弄魔术。

第二天早晨，戍卒买鱼烹食，于鱼腹中得帛书，书曰：“陈胜王”。当天夜晚，戍卒们又看见附近丛祠中，夜篝火，有狐鸣，呼曰：“大楚兴，陈胜王。”这些戍卒都是富于迷信的农民，他们深信鱼和狐是不会骗人的。现在陈胜在戍卒心中，已经不是雇农，而是他们的真命天子了。

队伍驻在大泽乡，好几天都没有开动。而且吴广屡次宣言要逃亡，其目的就是要激怒县尉，好假借题目，发动叛乱。县尉果然被激怒了，挺剑而立，笞杖吴广。于是吴广夺剑杀尉，陈涉佐之，连杀数尉。这真是反了呵！

九百个戍卒，已经集合在县署的门首，陈涉在那里慷慨激昂的向他们讲演。他说：

“公等遇雨，皆已失期，失期当斩！借第令毋斩，而戍死者固十六七。且壮士不死即已，死即举大名耳。王侯将相，宁有种乎？”

陈涉的讲演，在九百个戍卒热烈的狂呼中结束了。叛乱的消息，即刻传遍了大泽乡。那里的三老、啬夫、游徼和亭长，一个个都吓得面无人色，农民们在恐怖的空气中，呈现出笑容。

在大泽乡的旷野里，筑起了一个很高的土台，陈涉、吴广站在土台的上面，九百个叛变了的戍卒都袒了右臂，站在土台的前面，许多大泽乡的农民都拿着锄头木棒，围绕着土台的周围。愤怒的情绪，使每一个戍卒和农民的头发，都竖立起来。现在，他们开始了誓师的典礼。没有别的祭礼，就用了县尉的脑袋，当作祭告天地的猪羊。叛乱的戍卒和农民，当场推举陈涉为将军，吴广为都尉。接着便是一阵惊天动地的怒吼，就在叛乱人民的怒吼中，升起了“大楚”的旗帜。

现在叛乱的农民，在陈涉、吴广指挥之下，开始了叛乱的行动。他们很迅速地占领了大泽乡，攻占邻近的蕲县，巩固了叛变的根据地。然后由蕲县而东，展开了他们的攻势，在一个符离的叛卒葛婴的指挥之下，攻陷了铚、酂、苦、柘、谯等诸县。当叛军行进的当中，邻近的贫苦农民，都纷纷起来斩木截竿，自动地加入叛军的队伍。不及一月，陈涉的旗下，便有“车六七百乘，骑千余，卒数万人”了。

现在，大队的叛军，转旗而北，进攻河南的陈县。陈县的秦吏，闻风而遁，叛军在人民的热烈欢迎中，进入了陈县。叛乱的声势，一天天扩大，旬日之间，饥饿的农民，不召而集于陈县者数万人。同时久经逃亡的旧贵族，所谓“豪杰”与“贤人”者，如张耳[1]、陈余[2]、魏咎[3]、周文[4]等，都纷纷投到陈涉的旗下。甚至孔子

[1]《史记·张耳陈余列传》云：“张耳者，大梁人也。其少时，及魏公子无忌为客。……（曾）宦魏，为外黄令。”

[2] 同上传云：“陈余者，亦大梁人也。好儒术。……此两人（张耳，陈余）魏之名士也。（秦）购求，有得张耳千金，陈余五百金。张耳、陈余乃变姓名，俱之陈，为里监门以自食……陈涉起蕲，至入陈，兵数万。张耳、陈余上谒陈涉。涉及左右平生素闻张耳、陈余贤，未尝见，见即大喜。”

[3]《史记·魏豹彭越列传》云：“魏豹者，故魏诸公子也。其兄魏咎，故魏时封为宁陵君，秦灭魏，迁咎为家人。陈胜之王也，咎往从之。”

[4]《史记·陈涉世家》云：“周文，陈之贤人也。尝为项燕军视日，事春申君，自言习兵，陈王与之将军印，西击秦。”

的八世孙孔鲋，也抱着孔子的礼器，往归陈王。[1]这样一来，陈县遂变成了苦难的农民、落魄的贵族以及一切反对秦代暴政者之叛乱的中心。而陈涉则变为反秦斗争的首领。

现在，农民叛乱的野火，到处延烧起来了。据《陈涉世家》云："当此时，诸郡县苦秦吏者，皆刑其长吏，杀之以应陈涉。"如："陵人秦嘉、铚人董绁、符离人朱鸡石、取虑人郑布、徐人丁疾等，皆特起，将兵围东海（今海州），守庆于郯。"又："阳城人邓说将兵据郯"，"铚人伍徐，将兵据许。"此外："楚兵数千人为聚者，不可胜数。"总之，当时的农民，到处发动叛乱以响应陈涉的起义。

为了统一军事的指挥，和展开对秦代政府的攻势，陈涉感到了有组织政府的心要。叛乱的农民都主张陈涉称王，但是旧贵族却反对陈涉自己称王，主张他"遣

[1]《史记·孔子世家》云："鲋，年五十七，为陈王涉博士，死于陈下。"《儒林列传》云："陈涉之王也，而鲁诸儒持孔氏之礼器，往归陈王，于是孔甲（即孔鲋，因孔甲名鲋）为陈涉博士，卒与涉俱死。陈涉起匹夫，驱瓦合适戍，旬月以定楚，不满半岁竟灭亡，其事至微浅。然而缙绅先生之徒负孔子礼器，往委质为臣者，何也？以秦焚其业，积怨而发愤于陈王也。"

人立六国后”，“示天下无私”。[1]结果，陈涉还是在农民拥戴之中，立为张楚王。“以上蔡人房君蔡赐为上柱国。”“朱房为中正，胡武为司过。”以孔鲋及鲁国的诸儒生为博士。农民军的政府，总算草草地成立了。

陈涉本来是雇农出身，并没有受过相当的政治教育和军事教育，他的伙伴，也都和他的知识水准差不多。因此，一切政治和军事的大计，都取决于旧贵族，尤其是张耳与陈余。现在旧贵族开始他们的政治阴谋，这就是企图把农民的武装移转到自己的手中，同时并从陈王的政府中，排除农民派的势力，以移转这个政权的方向。

陈王政府，在以前，曾有一个军事布置。他一方面遣葛婴去联络淮河流域的农民军，以扩大自己的势力；另一方面，也派兵遣将，展开了四方八面的攻势。如“以吴叔为假王，监诸将以西击荥阳”，进攻潼关。“令汝阴人邓宗徇九江郡”，进攻皖北。“令铚人宋留将兵定南阳，入武关”，以配合吴广西攻荥阳的攻势。又“令周市北

[1]《史记·张耳陈余列传》记张耳、陈余对陈涉应王与否之问曰：“夫秦为无道，破人国家，灭人社稷，绝人后世，罢百姓之力，尽百姓之财。将军瞋目张胆，出万死不顾一生之计，为天下除残也。今始至陈而王之，示天下私。愿将军毋王，急引兵而西，遣人立六国后，自为树党，为秦益敌也。”

徇魏地”，进取齐鲁。但是现在旧贵族却借着“立襄强为楚王”之事，使陈涉杀了联络农民军的葛婴，而另派武平君畔为将军，监郯下军。又乘吴广攻荥阳不利，另派陈之“贤人”周文为将军以制吴广，并阴使将军田臧矫陈王令以诛吴广。以后邓宗亦被杀。这样一来，农民的武装，大部分已移转到旧贵族之手。

同时，陈涉在大批旧贵族包围之中，也渐渐腐化了。据《陈涉世家》云：“（陈涉）已为王，王陈。其故人尝与庸耕者闻之，之陈，扣宫门曰：‘吾欲见涉。’宫门令欲缚之，自辩数，乃置。不肯为通。陈王出，遮道而呼涉，陈王闻之，乃召见，载与俱归。入宫，见殿屋帏帐，客曰：‘夥颐！涉之为王沈沈者。’楚人谓多为夥，故天下传之。夥涉为王，由陈涉始。客出入愈益发舒，言陈王故情。或（旧贵族）说陈王曰：‘客愚无知，专妄言，轻威。’陈王斩之。诸陈王故人（农民）皆自引去，由是无亲陈王者。”这段故事就说明了陈涉称王不久，便失掉了农民的信仰。

又据同书所云：“（陈涉）以胡武为司过，主司群臣。诸将徇地。至，令之不是者，系而罪之。以苛察为忠，其所不善者，弗下吏，辄自治之，陈王信用之。诸将（农民将领）以其故不亲附，此其所以败也。”

现在的陈涉，已经不是农民的领袖，而是旧贵族的傀儡了。于是陈余乃说陈涉曰：“大王举梁、楚而西，务在入关，未及收河北也。臣尝游赵，知其豪杰及地形，愿请奇兵北略赵地。”陈王乃以故所善陈人武臣为将军，邵骚为护军，张耳、陈余为左右校尉，予卒三千人，北略赵地；同时令周文率数十万人，西攻潼关；令周市之兵，续向山东推进。

武臣之军，一渡过黄河，于是太行山以东的逃亡的旧贵族，都乘时而起，企图恢复旧政权。所以武臣一入邯郸，便被拥立为赵王。以后韩广北循地，燕贵人豪杰又拥立为燕王。同时齐之贵族田儋，亦自立为齐王，并反击周市之兵。周市返至魏，亦请立魏之贵族公子咎为魏王，陈王许之。这样一来，黄河以北，完全是旧贵族的天下了，这就是司马迁所云“山东诸侯遂并起而亡秦族矣”的历史内容。

进攻潼关之军，已经打破了潼关，西至于咸阳附近之戏的地方。他们等待河北之军，由山西西进以为声援。

可是武臣等忙于自立，不肯西进，而且听张耳、陈余之计，留着秦代，以牵制陈涉，于是进入潼关之兵，遂陷于孤军深入的危险之中。

农民叛乱的消息，早已传到咸阳。赵高为了安定人心，往往故示镇静。惟现在叛军已迫首都，再不能掩饰。为了应付严重的局面，于是一方面借着讨论陈涉之事，召见残余的贵族而尽予屠杀以消反侧，一面借着三川失守的事件，诬陷李斯之子李由（当时为三川郡守）通贼，而将李斯夷三族，以集中政治的权力。然后“令少府章邯，免郦山徒、人奴产子，悉发以击楚大军”。

陈涉所领导的农民军，本系一群愤怒的乌合之众，当然经不起久经战斗的政府军的打击。所以两军一旦接触，而周文即败走出关，退至曹阳。二三月后再败退渑池。在渑池周文的几十万大军，便全部为章邯击溃，他本人也自刎而死。

政府军乘胜东进，以极大的威力，扫荡了南阳、许州、豫南一带的农民军。现在已经进迫陈县之西，消灭了城西张贺之军。陈涉现在处于危急存亡之秋了，他急派武平君畔驰赴徐淮一带去调那里的农民军应援，而农民军首领之一秦嘉不奉命，杀武平君，以抗议陈涉对农民的背叛。

政府军的进攻，其势甚猛，河北的旧贵族所带的农民军，没有一个来应援，于是陈涉被迫放弃了陈县，逃往汝阴，再逃至下城父。在下城父为其御者庄贾所杀。农民叛乱的领袖，死于自己队伍中的叛徒之手，陈王的政府消灭了。

在陈涉死后不久的时候，有一队扎着黑头巾的农民，又再度攻克陈县，杀了叛徒庄贾，重新揭起大楚的旗帜，这就是陈涉的老友吕臣所领导的"仓头军"。但不久又为政府军所败，退出陈县，后来与黥布之兵合并了。

现在，在黄河以南只有秦嘉一军了。而黄河以北，则完全变成了旧贵族的割据局面。秦嘉见陈王已死，乃立楚国的贵族的后裔景驹为楚王，企图与山东一带齐国旧贵族的势力联合，夹攻秦军于定陶，但齐国的旧贵族不愿和他合作。正当此时，楚国贵族项燕之子项籍，已由江东挥兵而北，进抵下邳，沛县的亭长刘邦也揭起了反秦的叛旗。项籍在吞并了淮河流域农民军之后，乃以全力进攻秦嘉，秦嘉战亡，景驹走死。于是项籍与刘邦乃以牧羊儿谓之为楚怀王之孙，而立以为义帝。

现在农民的叛乱结束了，但农民叛乱的野火却点燃了旧贵族的死灰。不久，秦代的政权也就被颠覆了。司马迁曰："然秦以区区之地，千乘之权，招八州而朝同列，百有余年矣。然后以六合为家，殽函为宫。一夫作难而七庙隳，身死人手，为天下笑者，何也？仁义不施而攻守之势异也。"

第四章　秦代的意识形态及其变化

第一节　焚书坑儒与文化思想在血与火之前的大审判

始皇三十四年（前二一三年）的某一天，在秦代首都咸阳市的广场上，纵起了焚书的烈火。接着，这样的烈火，在全国各郡各县各乡各亭都或先或后被点燃了，而且在一个月内，没有熄灭过。在普遍全国的大火中，秦以前的中国古典文献，除自然科学（医药、种树）及神学（卜筮）以外，全部都变成了黑灰。第二年，服务于秦代政府的文化机关中的诸生，又有四百六十余人被活埋，七百余人被屠杀，无数的被流放到边远荒僻的地方。这两件事，历史家称之曰“焚书坑儒”。

“焚书坑儒”，一直到现在，历史家都把他们写在秦始皇的账上，认为这是秦始皇的盛德之累。诚然，这两件千古唾骂的事，都是经过秦始皇的裁可，然后才执行的，这种犯罪的行为，秦始皇实在应该负责。但是具体的史实指示出来，主张焚书的，不是秦始皇，而是儒家的叛徒李斯；主张坑儒的，也不是秦始皇，而是法家的门徒诸御史。因此我以为焚书坑儒，不应该归结为秦始皇对文化的愤怒，而应该归结为当作一个阶层的商人地主对过去文化思想的再审判之残酷的执行。

我们已经说过，从战国到秦代的历史推移，是中国封建社会最大一步的前进。随着社会经济的发展，它要求政治体制的改变，也要求文化思想的改变。当时的商人地主用武装击溃了六国旧领主的贵族政治，建立了崭新的封建专制主义的国家，在这样的国家里面，当然不容许有作为贵族政治指导原理的旧的反动的文化思想的继续流行。然而任何文化思想，只要它已经形成了一种体系，即使失去了它依以形成的社会经济基础，它也不能立即消灭，并且还要以一种残余的形态，发挥其更反动的作用。因此秦代统一天下以后，过去的《诗》、《书》和百家之言，还是继续流行，并且对新政治起着或多或少的影响作用。为了肃清这些反动的复古思想，新商人地主的新政府，不能不开始进行对过去文化思想的再审判。

商人地主的新政府，在原则上已经决定了对过去的文化思想必须再审判，但并不是准备一开始就采取残酷的手段。具体的史实，指示出来，秦代之统一政权的建立，在始皇二十六年，而焚书则在三十四年，坑儒则在三十五年。从二十六年到三十四年，其间有八年之久，在这八年中，秦代政府并不是没有执行残酷手段的权力，但是他们并没有焚书，也没有坑儒。

具体的史实又证明秦代的政府不是一开始就准备对于古典文献，不分青红皂白，非秦者烧；对于知识分子，不问轻重首从，反秦者坑。反之，他们曾经从六国的宫廷和民间搜集了几乎是全部的古典文献，设立了一个大规模的皇家图书馆。同时，又从旧贵族中，征聘了七十位老学者，授以博士之官。此外，又从旧贵族中召集了至少两千以上的知识分子，置于七十位博士的领导之下，而命之曰诸生。新政府交给这七十位博士和两千以上的诸生的任务，就是要他们在皇家图书馆里进行古典文献的审查工作。新政府希望这些博士和诸生能够对古典的文化思想作一次甄别和清算的工作，指出某些文献是不利于新政府的，某些文献是于新政府有帮助的。然后以政府的力量，禁止那些不利于新政府的书籍流行，奖励那些有利于新政府的书籍，使之广播民间。诚如始皇自己所云："吾前收天下书，不中用者尽去之，悉召文学方术士甚众，欲以兴太平。"因此之故，新政府不但对于七十位博士，优礼备加，经常召宴于咸阳宫中，即对于诸生，亦常"使人廉问"，"尊宠之甚厚"。这样看来，秦代政府，原来的意思，是企图对过去的文化思想作一次彻底的清算，然后从批判中建立一种新的文化思想的体系。

但是这些博士和诸生，都是旧时代的学者，他们满肚子都是旧的文化和复古的思想，他们看到古典的文献，特别是主张维持旧社会秩序的儒家经典，都是好的；而这种儒家的经典在新政府看来，又是最反动的。所以审查了八年的结果，大概就是去掉了过去时代认为异端的杨、墨学说。但他们不知道杨朱的学说，正是商人地主文化思想的开山老祖，而墨子学说中反对旧贵族的一部分，也是商人地主愿意接受的。因此，审查就没有得到结论。

不仅如此，这些博士和诸生，并且渐渐用旧的文化思想，“以非当世，惑乱黔首”。其初，还不过“入则心非，出则巷议”，不敢公开批判政府的新设施。以后博士淳于越竟敢在御前会议中当众批判新制度的不合理，提出了恢复旧制度的议案。这当然超出了商人地主政府的容忍，于是才由李斯建议颁布了焚书之令。因为审查没有结果，所以在焚书令中，只把商人地主所需要的医药卜筮种树之书除外，一概付之一炬。

虽然如此，皇家图书馆的藏书，即所谓“博士官所职”者，并未焚毁，同时博士七十人及诸生数千，并未撤职。不过“博士七十人，特备员弗用”，而诸生则已置于“廉问使”的监督之下了。在“偶语诗书者弃市”的皇皇禁令之下，现在商人地主的政府，已经双脚踏在文化的胸膛之上，准备刺下最后的一刀了。在这样严重的形势之前，当时的诸生不得不逃去咸阳，象逃去地狱一样。同时也难免不对商人地主的专制与独裁政治，背后发出怨言。这样一来，大批的诸生便以“妖言”、“诽谤”之罪，而遭受了活埋和自动机的屠杀。

虽然如此，皇家图书馆的图书，还是未烧，博士官还是未废，诸生也还有未被活埋、被屠杀的。但到这时，皇家图书馆的图书，想必已经被封存了，而博士官与诸生，则不过被当作新政府之文化装饰品而已。据《史记·叔孙通列传》所载，当陈涉起义以后，二世尚有召博士及诸生入对之事。因为诸生出言不逊，所以叔孙通前曰：“诸生言皆非也。”以此而知博士及诸生，在秦末尚有遗孑。至于皇家图书馆的图书，并未毁于商人地主焚书之火，而是毁于旧贵族项羽毁灭咸阳之役。

由上所述，我们因知焚书坑儒，并不是秦代政府预定的计划之执行，而是逐渐演进出来的。这种惨案之发生，一方面固然是由于出身于旧贵族的智识分子之顽固与反动；另一方面也是由于新兴的商人地主的政权，已经开始动摇，他们感到有用强力控制文化思想的必要。但是商人地主不知道文化是历史的幽灵，是社会的魂魄，它存在于典籍，也存在于人民的生活之中，它有它的物质性，也有它的精神性，能够用火烧掉的，只是它的物质的形象，至于文化的精神，则不是人间任何暴力所能消灭的。所以秦代虽曾普遍地焚烧秦以前的典籍，而至今我们尚能得秦以前的典籍而读之。秦代虽曾大规模坑儒，而汉初还是有许多传经的大师出现。

商人地主之痛恨儒家的哲学，由来已久。因为儒家哲学，主张把历史停止在贵族政治之前，而商人地主则要把历史向前推进一步，推到他们自己的面前。早在秦孝公时，秦国的商人地主就有一种反儒的倾向。《史记》记商鞅见孝王，首说以帝道，“其志不开悟矣”。再说以王道，“而未入也”。最后说以霸道，于是孝公“不自知厀之前于席也，语数日不厌”。此所谓帝道与王道者，即儒家的政治理论，而所谓“霸道”者则为商人地主之现实主义的政治理论。所以商鞅由此而知秦国的政治倾向，“难以比德于殷周矣”。换言之，即难以走向复古主义的路线了。

自孝公以至于始皇，秦国的执政者，如张仪、樗里疾、甘茂、魏冉、范雎、蔡泽、吕不韦、李斯等，其间或为商人地主，或不是商人地主，但都不是儒者，而皆系功利主义者或法治主义者。随着反贵族政治的武装斗争之日趋激烈，反儒的文化斗争，也必然更趋尖锐。

《盐铁论·毁学篇》云:“李斯之相秦也，始皇任之，人臣无二，而荀卿为之不食，睹其(将)罹不测之祸也。”这就证明了当时秦国反儒的空气，极为紧张。但是荀卿不知道他的学生，已经背叛了儒家，而且建议始皇，要他用财帛和利剑，去威胁和利诱他的同道。

在焚书坑儒之前，当时的儒者，已经遭受了极大的压迫。《荀子·尧问篇》云:“为说者曰，孙卿不及孔子，是不然。孙卿迫于乱世，鳅于严刑；上无贤主，下遇暴秦；礼义下行，教化不成；仁者绌约，天下冥冥；行全刺之，诸侯大倾。当是时也，知者不得虑，能者不得治，贤者不得使，故君上蔽而无睹，贤人距而不受。然则孙卿(即荀卿)怀将圣之心，蒙佯狂之色，视(示)天下以愚。诗曰，‘既明且哲，以保其身’，此之谓也。是其所以名声不白，徒与不众，光辉不博也。”以荀卿当世大儒，其门徒李斯又为秦国丞相，人臣无二，尚且佯狂自保，示天下以愚，始能得保首领，其他儒者所感到的压迫，可以想见。同书《成相篇》云:“世之儒，悉大愚。”由此而又知当时儒者之所以自处，实亦至为可悲。

虽然，当时有不少的儒者，虽在威胁利诱之下，还是没有忘记他们前辈的教训，所谓“贫贱不能移，富贵不能淫，威武不能屈”。他们始终不投降秦代，去做他的博士之官，或加入诸生的队伍，去帮助政府焚毁他们前辈的著作。他们或则隐逸山林，白首穷经，如荀卿、浮丘伯、伏生、田何等学者；或则怀抱志气，等待时机，如孔鲋及鲁国的诸儒；或则隐姓埋名，致力于反秦运动，如张良[1]、陈余[2]、郦食其[3]、陆贾[4]等。至于叔孙通之辈的博士，则荀卿之所谓“贱儒”也。他们貌为“禹行而舜趋”，实则“无廉耻而嗜饮食”者也。他若诸生之流，则为荀卿之所谓“无礼义而唯权势之嗜者也。”

当儒家学说被秦代政府视为“私学”[5]时，而法家学说，则由异端一跃而为“官学”，焚书令中有云：“若

[1]《史记·留侯世家》云：“（张良）尝学《礼》淮阳。”

[2]《史记·陈余张耳列传》云：“（陈余）好儒术。”

[3]《史记·郦生陆贾列传》云：“（郦食其）好读书（足见当时尚有书可读）……（欲见沛公）骑士曰：‘沛公不好儒……未可以儒生说也。’”

[4] 同上书云：“（陆贾）时时前说称《诗》《书》。”

[5]《史记·秦始皇本纪》记李斯之言曰：“人善其所私学，以非上之所建立。”又曰：“私学而相与非法教，人闻令下，则各以其学议之。”此所谓“私学”，我以为即指儒家学说而言。因为在秦代，法家者言，已成官学，而墨家学说亦为显学了。

欲有学法令，以吏为师。”由此可知当时法学者流，都已做了秦代的官吏，反之，当时的官吏，且非学法令不可。因为当时所谓法令，就是用以巩固商人地主权利的工具，实在就是商人地主的“权利宣言”。所以上自贵族[1]下至黔首，人人都应该学习。法家学说，当时谓之刑名。会稽刻石有云“秦圣临国，始定刑名”，此之谓也。

法家学说，始于申不害[2]而韩非发展之。[3]其最早的渊源，则本于杨朱的学说，司马迁谓其归本于黄老，实为大谬。盖法家者言与杨朱的个人主义同为商人地主的意识。所不同者，只是后者是他们初期的意识，而前者则是他们发展了的意识。因为当杨朱之时，商人地主的主要要求，是反对封建领主的榨取，所以表现为“拔（商人地主的）一毛以利（封建领主之）天下不为也”的个人主义。到韩非时代，商人地主已在用武装夺取政

---

[1]《史记·蒙恬列传》谓公子胡亥尝学狱法于赵高。

[2]《史记·申不害列传》云：“申子之学，本于黄老而主刑名，著书二篇，号曰《申子》。”

[3]《史记·韩非列传》云：“韩非者，韩之诸公子也。喜刑名、法术之学，而其归本于黄老。”

权，因而他们便不仅是消极地反对封建领主的榨取，而是积极地要求巩固他们既得的权利，提高他们社会的身份。这样就出现了法治主义。法治主义者，就是用法律巩固商人地主的权利，承认商人地主的身份。

假如杨朱的“个人主义”，是商人地主反对封建贵族的“集团主义”之意识的表现；则韩非的“法治主义”，便是商人地主反封建贵族的“人治主义”之意识的表现。《史记·韩非列传》云：“韩非疾治国不务修明其法制，执势以御其臣下。富国强兵，而以求人任贤。反举浮淫之蠹，而加之于功实之上。以为儒者用文乱法，而侠者以武犯禁。宽则宠名誉之人，急则用介胄之士。今者所养非所用，所用非所养。悲廉直不容于邪枉之臣，观往者得失之变，故作《孤愤》、《五蠹》、《内外储》、《说林》、《说难》十余万言。”从这段记载看来，韩非之主张法治，完全是反对封建贵族的人治。他反对当时贵族“执势以御臣下”，所谓“执势”者，即以个人的喜怒，乱作威福。反对“儒者以文乱法”，反对“侠者以武犯禁”，利用“刑不上大夫”的特权，而任意破坏社会的秩序。反对国家养着大批无用的名誉之人（贵族），反对邪枉之臣（家臣）陷害廉直之人（大概指商人地主）。他认为这一切弊害，都是从人治主义发生，要消除这些弊害必须有上自贵族下至庶人共同遵守的法律。所以韩非著书十余万言，发表他的主张。象这样的法治主义，当然是削弱贵族的权力，所以“韩王不能用”。但在商人地主统治之下的秦国，则早已实行。所以“人或传其书至秦，秦王见《孤愤》、《五蠹》之书曰：‘嗟乎！寡人得见此人，与之游，死不恨矣。’”由此足见当时秦国对于法治主义的推行之热烈。假如韩非不是韩国的贵族，而秦国又不正进攻韩国，则韩非必不致死于秦国。

即因法家学说，是商人地主的意识形态，所以当秦代统一天下以后，商人地主便把这种学说现实化了。以前的法家理论，到秦代便变成了法律条文；以前法家的门徒，到秦代，便都变成了推行法治主义的官吏。因而法家学说，便成了秦代的官学。

墨翟的学说，在秦代所处的地位怎样呢？照焚书令看来，墨学也在被烧之列。但据《荀子·成相篇》云：“世无王，穷贤良，暴人刍豢仁糟糠。礼乐灭息，圣人隐伏，墨术行。”据此则墨学在秦代还是一种允许流传的合法学说。

墨学在秦代之允许流行，并不足怪，因为墨学是反映农民的意识，所以反儒的精神，非常浓厚。[1]固然农民的反儒，与商人地主的反儒，其出发点不同，打击点亦不同，但在原则上反儒一点，则是相同的。

除反儒一点外，如墨子反对封建割据，主张“一同天下之义”的大一统主义；反对封建混战，主张息灭干戈；反对“亲戚则使之”的封建贵族政治，主张“不党父兄，不偏富贵，不嬖颜色”的贤人政治。这些，都符合于商人地主的意识。只有兼爱一点与商人地主的自私

[1]《墨子·公孟篇》反对儒家的学说曰：“儒之道，足以丧天下者四政焉：儒以天为不明，以鬼为不神，天鬼不说，此足以丧天下。又厚葬久丧，重为棺椁，多为衣衾，送死若徙，三年哭泣，扶后起，杖后行，耳无闻，目无见，此足以丧天下。又弦歌鼓舞，习为声乐，此足以丧天下。又以命为有，贫富、寿夭、治乱、安危，有极矣，不可损益也。为上者行之，必不听治矣；为下者行之，必不从事矣。此足以丧天下。”按《墨子·天志·明鬼》，表现这种学说之浓厚的迷信色彩，但这种迷信，正是反映当时农民的落后性。至于反对“送死若徙”的“厚葬”，反对“三年哭泣”的“久丧”，反对“弦歌鼓舞”的“声乐”，更是农民意识的表现。因为只有生、无以养的农民才反对把物质埋在土里，只有劳、不得食的农民，才反对用久丧逃避劳动，只有穷愁困苦的农民才反对一部分人的弦歌鼓舞，但是他们又不相信他们没有翻身的日子，所以又反对定命之论。

自利的意识，恰恰相反。但诚如《管子·立政篇》所云："寝兵（非攻）之说胜，则险阻不守；兼爱之说胜，则士卒不战。"因而墨子兼爱之说，仍然是商人地主瓦解敌人军队最好的宣传品。因此之故，墨学在秦代便变成了显学。

据《吕氏春秋》所载，当秦惠王时，大批的墨者，麇集秦国。如墨者巨子复䵍，即常住秦国，其子杀人而惠王赦之，足见复䵍为惠王所信任。[1]墨者田鸠亦曾往见惠王，以为只有秦国才能行其道。[2]墨者唐姑果，并为惠王所信任，而东方之墨者谢子亦曾往谒惠王。[3]按惠王时，正值商鞅变法之后，商人地主已经取得了秦国的政权，他们正展开对六国旧贵族的武装攻势。即因如此，所以当时墨者中的急进分子，都纷纷跑到秦国，参

[1] 见《吕氏春秋·去私篇》。

[2] 见同上《首时篇》。

[3] 同上《去宥篇》云："东方之墨者谢子，将西见秦惠王。惠王问秦之墨者唐姑果。唐姑果恐王之亲谢子贤于己也，对曰：'谢子东方之辩士也。其为人也甚险，将奋于说，以取少主也。'王因藏怒以待之。谢子至，说王，王弗听。谢子不说，遂辞而行。'……惠王失所以为听矣。……此史定所以得饰鬼以人，罪杀不辜，群臣扰乱，国几大危也。……今惠王之老也，形与智皆衰耶？'"

加商人地主反旧贵族的斗争。他们不知道这个斗争的结局，还是不能实现他们的理想，所以到后来，又参加陈涉所领导的农民叛乱，反对商人地主的专制政治。[1]

至于老庄学说，在战国时，即已失去其社会基础。到秦代，在中国的中原，更找不到一个地方，实现他们那种“小国寡民”的理想社会。因之，遂一变而为消极者的慰安之道、遁世者的假托之词，如在秦末许多政治犯野心家都借“黄老之术”以隐蔽自己。《史记》谓曹参“其治要用黄老术”，田叔“学黄老术于乐巨公所”，陈平“少时本好黄帝、老子之术”，皆其例也。

总之，在秦代随着新旧土地所有者的政权之交替，在文化思想上，也引起了一个很大的变化，最主要的就是儒家学说跟着旧贵族的政权之崩溃而遭受摧残；法家

[1]《盐铁论·褒贤篇》云：“戍卒陈胜……奋于大泽，不过旬月，而齐鲁儒墨缙绅之徒，肆其长衣……负孔氏之礼器、《诗》、《书》，委质为臣。”又《淮南子·汜论训》云：“（汉）高皇帝，存亡继绝，举天下之大义，身自奋袂执锐，以为百姓请命于皇天。当此之时，天下雄俊豪英暴露于野泽，前蒙矢石，而后堕溪壑，出百死而给一生，以争天下之权，奋武厉诚，以决一旦之命。当此之时，丰衣博带而道儒墨者，以为不肖。”由此而知秦汉之际，墨者实曾参加反秦的斗争。

学说跟着商人地主的政权之建立而勃然高扬。此外墨家学说，因为在反旧贵族一点上与商人地主的政治倾向相符合，因而也得以流行。至于老庄学说，则因为已经失去了它的社会基础，已经不发生政治作用了。

第二节　文字的统一与艺术的大综合

历史上说中国的文字，经过秦代的改造，然后才“书同文字”。

关于秦代对文字的改造，许慎《说文·叙》有云：“七国（之时），田畴异亩，车涂异轨，律令异法，衣冠异制，言语异声，文字异形。秦始皇初兼天下，丞相李斯乃奏同之，罢其不与秦文合者。斯作《仓颉篇》，中车府令赵高作《爰历篇》，太史令胡母敬作《博学篇》，皆取《史籀》大篆，或颇省改，所谓小篆者也。是时，秦烧灭经书，涤除旧典，大发吏卒，兴戍役，官狱职务繁，初有隶书，以趋约易，而古文由此绝矣。自尔秦书有八体：一曰大篆，二曰小篆，三曰刻符，四曰虫书，五曰摹印，六曰署书，七曰殳书，八曰隶书。”

照许慎的说法，在战国时，中国文字的形体是不统一的。秦并天下以后，乃以秦国的原有文字为标准，取消那些与秦国文字不同的文字。当时的著作家所用的文字，都是根据过去的《史籀》与“大篆”而加以省改的“小篆”。以后因为政府公文繁忙，又把“小篆”加以省改，而出现了最初的“隶书”。但是虽然政府公文已经改用隶书，而“大篆”、“小篆”仍然并存，为一般著作家通用的文字。此外，因为用途不同，而又有各种体裁的文字，同时并行。如用于符传的“刻符”，用于旛信的“虫书”，用于印玺的“摹印”，用于签题的“署书”，用于铭刻兵器的“殳书”。合而计之，在秦代通行的文字，共有八种体裁，故曰“秦书八体”（插图六）。

由此说来，则秦代的新文字，乃是根据《史籀》与“大篆”省改而成，最初改为“小篆”，以后又再改为“隶书”，而“隶书”者则为秦代最进步的文字，亦为秦代最通行的文字。一切政府的公文命令、法律以及民间的合同契约，大概都是规定应用“隶书”。至于以前的古体文字，则仅以残余的形态，当作一种艺术的性质，而应用于一切不急之务的铭刻。因而所谓“书同文字”的

插图六 秦之罘刻石

文字，大概就是指的隶书。

许慎把“大篆”与《史籀》并提，则二者当系两种不同的古体文字。《汉书·艺文志·小学家》，首列《史籀》十五篇。自注云：“周宣王太史，作大篆十五篇。”则二者又似为一事。但同书同篇又云：“《史籀篇》者，周时史官教学童书也，与孔氏壁中古文异体。”则二者又似仍为两事。清人马国翰辑逸，以为《史籀》者，即《说文解字》中之籀文。但王国维《史籀篇疏证》则谓所谓《史籀》者，非书体的名称，乃书籍的名称。其文字，即周秦间西土的文字，此种文字，在春秋战国间，通行于秦国。籀非人名，亦非周时史官所作，而系秦人所创。

以上诸说，我以为王说甚为合理。因为文字是言语的图形化，言语异音，文字一定也是要异形的。周秦两族，在原始的种属上虽同为羌族之裔，但周族进入中原，早在殷末，当时中原一带，已有殷代的象形文字流行。周代的文字，就是承继殷代的象形文字而加以发展。这种发展的痕迹，我们至今尚能从刻于甲骨上的殷代文字与刻于铜器上的周代文字之间，找到其演进的过程。惟周代后来分裂为无数的封区，以后又兼并为六个大的封建王国，由于地理的隔离，政治的封锁，因而形成了言语文字之地方的分化。在文字向前发展的途程中，于是以前同一形体的古体字，到后来演化为各种不同的形式。关于这一点，我们可以从周金中同一文字而有各种变体，获得证明。固然周金中之文字的变体，不完全是地方的差异，还有因时代前后而发生的差异，但地方的差异，也是有的。

秦族为羌族中之后进，属于诸戎之一。《左》襄二十四年传记戎驹子之言曰：“我诸戎，饮食衣服不与华同，贽币不通，言语不达，何恶之能为。”由此而知早期的秦族，其言语与中原诸国亦当不通。但是秦在诸戎中，与周族接触最早，故受周族的文化影响，亦先于诸戎。秦族何时才有文字，无从考证，但在春秋时则确已有了文字。从共公或景公所铸之秦公钟铭文之字体看来，皆与当时中原诸国通行之字体无异。我所以说秦族至迟在春秋以前，已有文字。至于所谓《史籀》上之文字，则或系一种更为原始的文字，此种文字，在东方诸国，已废而不用，而在后进于文化的秦国，则仍然流行，因为愈原始的文字，愈具有现实的形象，所以愈能成为低级文化的种族所接受。但这种所谓《史籀》者，也决不是某一个人创造出来的，而是古代遗留下来。因为一种符号，要被人类共同了解它的命意，这决不是一天两天的时间，一人两人的同意，而是要有悠久的时间过程，通过大众的承认。

因此，我以为秦代对文字的统一，大概就是把金文中同一字之不同写法，依秦人的习惯的写法而使之统一。同时对文字的改造，就是把金文简略化，使之便于书写和雕刻。但是这也不是秦代政府的命令所能办到，而是当时文字的演进，已经达到了统一化、简单化的阶段。自然由于秦代的统一，政令的一统，交通的发达，消灭了过去地方的特异，也是中国文字走向统一、走向进步的原因。

《石索》中曾载秦泰山石刻、之罘石刻、琅邪石刻及绎山石刻等，其中除之罘石刻字体较为粗壮，其余皆笔致细健。我们从这些石刻残字，尚可以窥见当时文字体裁之一般。

文字的统一与进步，是文化发展的前提。但是在秦代，一方面由于时间过于短促，另一方面由于焚书坑儒的文化政策，文化并没有获得顺利的发展。当时的文化研究者，个个都处在朝不保夕的危险之中，时时都有"弃市"的可能，哪里还有心思去著述呢？虽然，我们从当时许多纪功碑上的刻词中，还是可以看出秦代文学的体裁。在纪功碑的刻词中，往往应用四字的语句，间亦杂以不规则之长短句，而且皆有不规则之押韵。因此，我以为这种赞扬天皇圣明的颂词，就是后来汉赋的渊源。

秦代的艺术，也可以说，对过去具有地方色彩的艺术，作了一个综合。如前所述，“秦每破诸侯，写放其宫室，作之咸阳北坂上”，而且把各国诸侯的钟鼓，也搬到咸阳宫中，因知当秦代破灭六国时，虽在戎马倥偬之际，对于艺术品的搜集，亦甚注意。秦代政府不仅图绘了六国宫室的图样，并且也没有忘记把六国诸侯宫廷中之优美的雕刻、绘画、乐器以及善于歌舞的美人当作胜利品而俘虏到咸阳。这些艺术品的集中，当然就提供了艺术的综合以一种具体的范本，从而开创了艺术走向统一发展的前途。

阿房宫是秦代艺术最大的结晶，也就是六国艺术之最大的综合。不但宫殿的式样，是各国建筑之复合，即建筑上所应用的许多装饰材料，也是从各国掠夺来的现存的东西，加以改造或仿制。我们可以想象在当时的阿房宫中一定有着很多精巧的雕刻和美丽的壁画。据王子年《拾遗记》所云，秦始皇时有骞霄国人烈裔来献画。“含丹青以漱地，即成魑魅群物之象。以指画地，长百尺，直如绳墨。方寸之内，画成岳渎列国；又画成龙凤，骞翥如飞，不可点睛，点或飞去也。”按骞霄乃西域之一国，西域艺术，在秦时已受希腊艺术之影响，而西域艺术家，已来到秦国宫廷，则当时阿房宫中，岂不已有希腊作风的壁画吗？但是此事出于《拾遗记》所记，不尽可信。惟从秦代瓦当上所作之飞鸿状看来，真有些“骞翥如飞”的神气。而西蜀丹青以为彩，又为《史记》所示，则阿房宫中之有彩绘的装饰，实无可疑。可惜被项羽一火烧掉，今无可考。

虽然我们从秦代的瓦当中，还可以看出阿房宫，是六国艺术的综合。秦瓦之类例，见于《石索》者，有瓦当十六种，及平瓦一种。瓦当中有“卫”字瓦数种。又《长安志》谓“瓦作楚字者，秦瓦也”。这些“卫”字瓦及“楚”字瓦，如非是拆毁卫、楚的宫殿而来，即系模仿卫、楚瓦当而制。以常理推之，既有卫式楚式的瓦当，当然也有其他各国之特式的瓦当。再进而推论之，既有各国特式的瓦当，当然也有各国特式的其他的建筑用的东西。不过《石索》所载瓦当，是否确为秦瓦，尚待考证。但据《石索》所记其中所载瓦当，皆系可信之物。并谓瓦当中之一种，其上有“维天降灵，延元万年，天下康宁”字样者，系出自阿房宫遗址。又谓瓦当中有“蘭沱宫当”字样者，系秦兰池宫之瓦，而兰池者，即始皇三十一年微行咸阳遇盗之处，其地在咸阳东二十五里。又谓瓦当中上有“延年”二字，下作飞鸿形者，乃秦鸿台瓦，而鸿台者筑于始皇二十七年，高四十丈，上起观宇，帝常射飞鸿于台上。又谓瓦当中之“极”字瓦，乃秦极庙之瓦当。此种考释，是否正确，尚待考证，姑妄志之，以待后来发现之互证。

秦代另一巨大之艺术建筑，则为秦始皇的陵墓。墓在今日陕西临潼县郦山之麓。据说这座陵墓所占的面积，周围有五里余，又据日人关博贞氏的实地考查，谓其面积约二十万方尺。当时为了建筑这座陵墓，曾经动员了七十余万工人，掘出一条大隧道，通到郦山的中间，然后在山的中间，发掘出一个宽二十万方尺的大洞穴。再开凿三条运河，引渭水通到洞穴之内，这大概是为了运输建筑材料。在这个凿洞开河的工程完了之后，七十余万工人，便从洞穴走上山顶做覆土的工作。他们在山顶上堆起高五十余丈的三个坟头。而在墓穴内部，则换了一大批艺术家从事墓穴内部的装饰工作。据《始皇本纪》云:“下铜而致椁，宫观百官，奇器珍怪，徙藏满之。令匠作机弩矢，有所穿近者辄射之。以水银为百川江河大海，机相灌输，上具天文，下具地理。以人鱼膏为灯，度不灭者久之。”象这样的墓穴装饰的艺术，至今尚令人惊叹。那些奇器珍怪的雕刻，天文地理的绘画，都是当时艺术家的精心杰作。可惜那些优秀的艺术家，也和当时的儒者，陷于同样的悲运。他们后来几乎全部都被二世活埋在这大墓穴里，作了秦始皇帝的殉葬人。

铜器的铸造和镂刻，在秦代并没有特殊的发展，这也许是时间过短的原故。但秦代的铜器，无论在形制上与刻纹上，都有其独特的风格。从秦代之夔龙粟文卣、雷文豆、人面夔龙雷文鼓所表现之形制与花纹看来，已与周代不同。在形制方面，器稍薄，且由庄重稍变为自由。在花纹方面，秦代的铜器，多作密集之蟠螭纹、虺纹、夔龙纹等，其动物多作相互交组之形，或于细线底纹上，置大形花纹，与周代平而无高低者不同。

总之，随着统一帝国之形成，秦代的艺术，已转向巨型的形象之创造。如排列于阿房宫前的重千石（或云二十四万斤）的十二个铜像和钟鐻（鹿头龙身的怪物），装饰渭桥的力士孟贲等巨型的人像石刻，耸立在郦山陵墓上的一丈三尺高的巨型石兽，卧伏在昆明池水中的巨大的石鲸，美丽的织女与牵牛的石雕，以及李冰在蜀郡所刻用以镇压山川的石牛，这些巨大的形象之创造，都是秦代统一帝国的威严之象征。

秦国原来的本土音乐，大概很简陋，《史记·李斯列传·谏逐客书》中有云："夫击瓮叩缶，弹筝博髀，而歌呼呜呜快耳目者，真秦之声也。"但在统一天下以后，则"弃击瓮叩缶而就郑卫，退弹筝而取昭虞"。而"郑卫桑间，昭虞武象者，异国之乐也"。由此看来，则秦代在音乐上，也作了一个综合。

同上书又云："必秦国之生而后可，则是……郑卫之女，不充后宫，……必出于秦然后可，则是……随俗雅化，佳冶窈窕赵女不立于侧也。"由此看来，则当时各国的歌儿舞女，已经充满了秦国的宫廷，而歌舞在秦代也必然有一次大的融合。

第三节　神的世界之变动与宗教的新发展

宗教是人类现实生活之最高的抽象，任何时代的宗教，都是从当时现实的社会经济中蒸发出来的幽灵。秦代的宗教，也是一样。当秦国的社会经济，尚处于游牧部落的阶段时，它的宗教，便是原始的多神教。当秦国统一天下以后，它的宗教，便是以上帝为首的多神教。到秦代商人地主表现其对海洋商路的开辟之热望时，它的宗教，也就出现了海外神仙之说。所以从原始的多神教到以上帝为首的多神教，再发展到海外神仙之说，这样的宗教发展，正是秦代社会经济发展的步程之具体的反映。

首先，我们说到秦国的原始多神教。

据史籍所载，秦当襄公之世，其时秦族尚游牧于陕甘边境，他们就以少皞之神为其种族之神，而称之曰白帝。并且建立一个神庙，曰西畤，祠祀白帝。[1]据传说“白

[1]《史记·秦本纪》云:“(襄公)乃用骍驹(赤毛黑鬃之马)、黄牛、羝羊各三，祠上帝西畤。”《封禅书》云:“秦襄公既侯，居西垂，自以为主少皞之神，作西畤，祠白帝。其牺用骍驹、黄牛、羝羊各一。”

帝冠白文”[1]，他本来是一只白虎，后来被西方诸种族当作图腾，而奉为西方之神。[2]秦族系西方种族之一，所以也奉祀白虎。

秦族也祀蛇神。据说当秦族东徙于汧渭之间以后，他们的酋长文公，有一天梦见一条巨大的黄蛇自天下垂于地，其口止于鄜衍。史官告诉文公说，这就是上帝的化身。所以他们又建立一座鄜畤，祭祀这个蛇神。[3]

据传说，秦族在文公时曾于丰水之岸建立一座“怒特祠”，祭祀一个奇异的牛神。[4]又于陈仓建立一座神

[1]《御览》引《乐纬》叫图征。

[2]《史记索隐》引《春秋纬文耀钩》云：“西宫白帝，其精白虎。”

[3]《史记·秦本纪》云：“（秦文公）十年，初为鄜畤。”《封禅书》曰：“秦文公东猎汧渭之间，卜居之而吉。文公梦黄蛇自天下属地，其口止于鄜衍。文公问史敦，敦曰：‘此上帝之征，君其祠之。’于是作鄜畤，用三牲，郊祭白帝焉。”

[4]《史记·秦本纪》云：“（秦文公）二十七年，伐南山大梓，丰大特。”《正义》引《括地志》云：“《录异传》云：‘秦文公时，雍南山有大梓树，文公伐之，辄有大风雨，树生合不断。时有一人病，夜往山中，闻有鬼语树神曰：秦若使人披发，以朱丝绕树伐汝，汝得不困耶？树神无言。明日，病人语闻，公如其言伐树，断，中有一青牛出，走入丰水中。其后，牛出丰水中，使骑击之，不胜。有骑堕地复上，发解，牛畏之，入不出。故置髦头，汉、魏、晋因之。武都郡立怒特祠，是大梓牛神也。”

祠，祭祀一个奇异的雉神。[1]宣公时，又于渭水南岸，建立一座密畤，祭祀青龙之神。[2]这些牛鬼蛇神、虎精、雉怪之出现于秦人的祭坛，当然不是偶然的凑巧，而正是反映当时秦族之狩猎畜牧生活的内容。

自秦族占领了汧渭之间肥美的河谷以后，秦族的诸神，也占领了这一带的天空。以前周族诸神的神祠，如吴阳武畤，雍东好畤，皆废无祠。[3]反之，秦族诸神的

[1]《史记·秦本纪》云:"秦文公十九年，得陈宝。"《索隐》云:"《汉书·郊祀志》云:'文公获若石（之物）云，于陈仓北坂城祠之。其神来，若雄雉，其声殷殷云。野鸡夜鸣，以一牢祠之，号曰陈宝。'又臣瓒云:'陈仓县有宝夫人祠，岁与叶君神会祭于此者也。'苏林云:'质如石，似肝。'"

又《正义》云:"《括地志》云:'宝鸡神在岐州陈仓县东二十里故陈仓城中。'"《晋太康地志》云:"秦文公时，陈仓人猎得兽若彘，不知名，牵以献之。逢二童子，童子曰:'此名为媦，常在地下，食死人脑。'即欲杀之，拍捶其首，媦亦语曰:'二童子名陈宝，得雄者王，得雌者霸。'陈仓人乃逐二童子，化为雉。雌上陈仓北坂为石，秦祠之。"《搜神记》云:"其雄者飞至南阳，其后光武起于南阳，皆如其言也。"又《封禅书》云:"作鄜畤后九年，文公获若石云，于陈仓北坂城祠之。其神或岁不至，或岁数来。来也常以夜，光辉若流星（磷火），从东南来，集于祠城，则若雄鸡，其声殷云。野鸡夜雊，以一牢祠，命曰陈宝。"

[2]《史记·秦本纪》云:"宣公四年作密畤。"《封禅书》云:"秦宣公作密畤于渭南，祭青帝。"《史记索隐》引《春秋纬文耀钩》云:"东宫苍帝，其精为龙。"苍帝即青帝，青帝即青龙精。

[3]《史记·封禅书》云:"自未作鄜畤也，而雍旁故有吴阳武畤，雍东有好畤（女神庙），皆废无祠。"

神祠，则从此兴盛。[1]当时秦族畜牧事业，已很发达，每当赛神驱鬼之时[2]，大批的牛羊，抬进神庙。据说秦德公有一次用三百条肥牛做牺牲，在鄜峙祭白帝。[3]这大概因为白帝是他们种族神的原故。当时秦族在祭祀时，皆无俎豆之具，埋瘗牛羊，以为献祭。当祭礼已毕之时，这些披发野祭的秦戎，便在神的面前，饱食牛羊，开始展开狂热的歌舞乃至自由爱恋的活动。

到灵公时，又作吴阳上畤祭黄帝，作下畤，祭炎帝。[4]这在当时也不过与以前的白帝青帝配配颜色而已，然而不图黄帝竟因此而变为中国首御庶姓人王，这真是秦人始料所不及的事情。又据传说云，黄帝者，中央之

[1]《史记·封禅书》云："秦德公既立，卜居雍，后子孙饮马于河，遂都雍。雍之诸祠自此兴。"

[2]《史记·秦本纪》云：德公"二年初伏。"《集解》徐广曰："初伏祠社，磔狗邑四门也。"《汉旧仪》云："伏者，万鬼行曰，故闭不干求也。"磔狗邑四门，即所以驱万鬼也。此俗至今苗徭尚有之。

[3]《史记·秦本纪》云：秦德公"以牺三百牢祠鄜畤"。

[4]《史记·封禅书》云："秦灵公作吴阳上畤，祭黄帝（这是黄帝第一次以神的资格，走上祭坛，在此以前他不过是战国诸子百家假托的人物，用以对抗儒家所假托的尧、舜，所以在当时，不为搢绅先生所道，以其出于异端之口也。但是后来的人，一方面信奉儒家学说，同时又尊崇异端所假托的黄帝，这真是令人不解）。作下畤，祭炎帝。

神，其精为北斗星。炎帝者即赤帝，南方之神，其精为朱鸟。[1]则秦人所祀之黄帝与炎帝，实为北斗神与鸟神。星的移动与鸟的来去，都是来表示季节的标志，如此，则此种神灵之出现，又正是反映当时秦国农业经济的发展。

总之，在秦并天下以前，秦族诸神，还是带着一种部落的性质。白帝的权威，虽然日渐高涨，但他无论如何，不过是西方诸神之霸，在名义上，还是臣属于周人的上帝。传说中谓秦缪公曾经梦见过一次上帝，但这个上帝，不是白帝，而是周人的上帝。因为他代表的，不是秦缪公，而是周惠王。[2]

秦并天下以后，秦国的国王，升任为全中国的皇帝，白帝也就同时由统治西方之神，升任为统治全天国的上帝。何以知其然也？历史上说过，当秦代灭亡时，天上也起了革命，当时赤帝之子刘邦把秦代的上帝一剑斩成两段，而这位被斩的上帝，正是白帝。

---

[1]《史记索隐》引《春秋纬文耀钩》云："南宫赤帝，其精为朱鸟……中宫大帝（即黄帝），其精北斗星。"

[2]《史记·封禅书》云："秦缪公立，卧病五日不寤，寤，乃言梦见上帝。上帝命缪公平晋乱。史书而记，藏之府，而后世皆曰秦缪公上天。"

自从白帝升任上帝以后，秦族的诸神，已经再不拘束于汧渭之间的狭小的天空了。随着秦国的领空权之扩大，他们也就占领了整个的天空，并且也和地下的秦代帝国一样，组织了以上帝为首的中央政府和具有全国规模的地方政府。何以知其然也？有秦代政府的祀典为证。

据《封禅书》所记，秦有八神，一曰天，二曰地，三曰兵，四曰阴，五曰阳，六曰月，七曰日，八曰四时。此八神者，他们之所职掌，皆系带有全国性的政务。而且其享受祭祀之地，皆集中在山东半岛一隅的地方。[1]因此，我以为这大概就是咸阳政府的倒影。

又据《封禅书》云："雍有日、月、参、辰、南北斗、荧惑、太白、岁星、填星、二十八宿、风伯、雨师、四海、九臣、十四臣，诸布、诸严、诸逑之属，百有余庙。"这些诸神，大概就是中央政府诸官吏的幽灵之表象。

又据《封禅书》云秦代政府对于其所统治的名山大

[1]《史记·封禅书》云："八神：一曰天，主祠天齐，天齐渊水，居临淄南郊山下者。二曰地，主祠泰山、梁父。……三曰兵，主祠蚩尤，蚩尤在东平陆监乡，齐之西境也。四曰阴，主祠三山。五曰阳，主祠之罘。六曰月，主祠之莱山，皆在齐北并渤海。七曰日，主祠成山，成山斗入海，最居齐东北隅，以迎日出云。八曰四时，主祠琅邪……在齐东方，盖岁之所始。"

川、渊、泽，乃至小山小川，都有一定的祭祀。[1]此等遍布全国的山川渊泽之神，又正是秦代守土的郡守与县令之具体的象征。

此外有相当于三老的“社神”[2]乃至相当于亭长的“最小鬼之神”[3]。至于那些投降的贵族的灵魂，在天上也有安插。如“于湖有周天子庙”，而雍管庙的社主，就是“故周之右将军”。

在以上一切诸神中，以“上帝为尊”，以前与白帝并祀的青帝、黄帝、赤帝，现在都降为白帝的臣属。[4]但是最得西北一般农民之信仰的，还是那位古典的雉

---

[1]《史记 · 封禅书》云:“及秦并天下，命祠官所常奉天地名山大川鬼神，可得而序也。于是自殽以东，名山五，大川祠二。曰太室（太室者嵩高也）。恒山，泰山，会稽，湘山；水曰汉曰淮。……自华以四，名山七，名川四：曰华山，薄山（薄山者，襄山也），岳山，岐山，吴岳，鸿冢，渎山（渎山，蜀之汶山）。水曰河，祠临晋；沔，祠汉中；湫渊，祠朝那；江水，祠蜀。……泾、渭，皆非大川，以近咸阳，尽得比山川祠。……汧、洛二渊，鸣泽、蒲山、岳嶓山之属，为小山川，亦皆岁祷塞泮涸祠。”

[2]《史记 · 封禅书》云:“（在秦代）社亳有三社主之祠。”

[3] 同上书云:“其在秦中，最小鬼之神者，各以岁时奉祠。”

[4]《史记·封禅书》云:“唯雍四畤，上帝为尊。”雍四畤者，即以前分祀白帝、青帝、黄帝、赤帝者也。

神。[1]

现在秦代帝国的政治组织，照样搬到天上去了。一个帝国，变成了两个帝国。一切神灵的祭祀，都按照等级进行。皇帝祭上帝，郡守县令祭其所属的山川之神，三老祭社神，亭长及百姓祭“最小鬼之神”。[2]祭祀的举行是很繁多的，据《封禅书》所记：“春以为岁祷，因泮冻，秋涸冻，冬赛祠，五月尝驹，及四仲之月月祠，陈宝节来一祠。”各时的祭祀所用的牺牲也不同，据上书云：“春夏用骍，秋冬用駵，畤驹四匹，……”此外又依神灵的等级而增减其牺牲。此其大概也。

因为皇帝祭上帝，所以秦始皇遂有封禅之事。封者，山巅之祭：禅者山麓之祭，而同为祭上帝或祭天之祭。祭上帝，一定要在泰山之巅，这是古来传下来的习惯。据说在秦始皇以前，登泰山之巅祭上帝者，已有七十二个帝王。古代帝王祭上帝为甚么一定要封于泰山？这大概因为先秦之人他们的眼界不出黄河腹部，以当时人的

[1]《史记 · 封禅书》云：“其光景动人民唯陈宝。”陈宝者，雉神也。

[2]《史记 · 封禅书》云：“诸此祠，皆太祝常主，以岁时奉祠之。至于他名山川诸鬼及八神之属，上过则祠，去则已。郡县远方神祠者，民各自奉祠，不领于天子之祝官。

地理知识，泰山就是天下最高的山，所以孔子曰：“登泰山而小天下。”因为泰山是最高的山，泰山之巅，当然最接近于上帝之居，所以祭上帝，必封泰山。从泰山巅上下来，在梁山再祭，谓之禅梁父，而统名之曰封禅。封禅者，就是封而又禅，或祭而又祭的意思。这种祭典，就是下帝与上帝会见的祭典。

据史籍所载，秦始皇在他受天命之第三年，他带了齐鲁儒生博士一大群，东巡狩，至于泰山之麓。他和诸儒生商议，要到泰山巅上去见上帝，他要开条道路通到山巅，好让他的车子通过。诸儒生都是旧脑筋，他们以为“古者封禅，为蒲车（车轮用蒲草包裹），恶伤山之土石草木，扫地而祭，席用菹秸”。这就是要始皇不必大举开山通道，伤了鲁国的地脉龙神。始皇认为诸儒生之言“乖异，难施用”，于是把他们完全斥退，不要他们参加典礼，他自己还是开了车道，“自泰山阳，至巅”。他是否见到上帝，不得而知，但他在泰山巅上，确曾刻石纪功，自颂圣德，后来又“从阴道下，禅于梁父”，完成了他的封禅大典。

因为始皇上泰山的途中，遇着一阵大风雨，所以后来鲁国的诸儒，就替他大造谣言，说“始皇上泰山，为暴风雨所击，不得封禅”，此岂所谓无其德而用事者耶？

秦始皇不仅曾封泰山、禅梁父，而且南至湘山，东至会稽，祭祀他帝国的山川之神，而这在以前是不允许的。例如楚昭王病，卜者谓系河神作祟，要他去祭河神。昭王说：江汉睢漳是楚国所应该祭的，河与我们相隔太远，它管不着我们，因此不听卜者之言祭河神。然而现在秦始皇不但祭河，而且登会稽，望祭海神了。这就表示了宗教在秦代之发展，已经反映出统一帝国的规模。

最后，说到神仙方士。

随着秦代商人地主寻求海外金银地的热望之高涨，于是海外三山的神仙世界也出现了，同时，那些自告奋勇去到海外三山向神仙求不死之药的齐燕方士也出现了。

毫无疑义，所谓海外神仙，实即商人地主追逐金银之幻想。他们很想有这样一个天国，在那里以黄金白银为宫阙，以满足其无底的贪欲。

但是神仙之说，并不始于秦代，在战国时，就已经发生了。庄子所谓“真人”就是仙人。因为他所说的真人也是“乘云气，御飞龙，而游乎四海之外”，不居在中国本土。而且餐风饮露，不必吃饭就可以活；入水不湿，入火不热，任何刑罚也不得死。又如列御寇“御风而行，泠然善也”。他当然也是神仙之流的人物。

神仙之说，发生于战国时代，决非偶然，这正是当时没落的贵族感于时代之压迫，而又无力反抗，他们厌恶现社会，然而普天之下，莫非王土，他们又逃不去现社会，于是幻想在中国境外有这样一个自由的世界，在这个世界里的人民，上不归上帝管，下不归天子和诸侯管，他们悠游于海外，不受任何权力的支配，过着极端自由平等和幸福的生活。一言以蔽之，他们是一种不死之人，也是一种自由之神。《楚辞·远游篇》云：“悲时俗之迫阨兮，愿轻举而远游；质菲薄而无因兮，焉托乘而上浮；……免众患而不惧兮，世莫知其所如。”又云：“仍羽人于丹丘兮，留不死之旧乡。”这正是没落旧贵族走途无路时之奇想。

这种幻想的神仙世界，对于追求金银的商人却具有极大的引诱性，因此当时齐燕沿海一带的商人，便开始向海外寻求这个幻想的神仙世界。据说当时有宋毋忌、正伯侨、充尚、羡门高等燕人，“为方仙道，形解骨化”，这大概就是流落海外了。自此以后，接踵而往海外者，遂大有其人。《封禅书》曰：“燕齐海上之方士，传其术不能通，然则怪迂阿谀苟合之徒自此兴，不可胜数也。自威、宣、燕昭使人入海求蓬莱、方丈、瀛洲……盖尝有至者。”所以“至秦始皇并天下，至海上，则方士言之，不可胜数”。由此看来，则所谓神仙之说，乃渊源于没落贵族之幻想，而发展于商人之海外市场的寻求。所以当时的方士，皆系齐燕沿海之人。至于所谓不死之药者，则不过商人欺骗秦始皇的一句话，所以始终没有得到，而始皇还是死了。

神仙世界，也是农民所想望的，因此，到后来便发展为道教，而成为几千年来中国农民之信仰。

第二编　中期封建社会的确立与展开

第一章　西汉王朝的建立及其历史形势

第一节　楚汉之争与西汉王朝的建立

在秦末陈涉、吴广“叛乱”的火焰中，“天下云集响应，赢粮而景从”者，固然都是“斩木为兵，揭竿为旗”的农民；但同时六国残余的旧贵族，所谓“山东诸侯”者，也乘时并起，企图利用农民叛乱的力量，推翻秦代王朝的统治，恢复各自的政权。当此之时，沛县的一个亭长刘邦也揭起了反秦的旗帜，企图夺取政权。经过了四年的斗争，刘邦肃清了农民叛乱，削平了旧贵族的力量，在秦代社会经济的基础上，再建立起商人地主统一的政权，是为西汉。

刘邦本来是一个小地主，所以他才能做到沛县的亭长。他的父亲和诸兄，都善治产业，但他却“好酒及色”，

“不事家人生产”，因此，他在他父亲眼中，是一个“无赖”之子。他青年时代，因为服徭役，曾经到过咸阳，有一天，看见秦始皇御驾出游，于是“喟然太息曰：‘嗟乎！大丈夫当如此也。’”因而历史家说他少有大志。后来刘邦做了亭长，益发无赖。他交通沛县县吏萧何、曹参，鱼肉人民，武断乡曲。据史籍所载，他“常从王媪、武负贳酒”，不给值，而勒令王、武两家“折券弃债”。又常戴“竹皮冠”，到处逮捕农民，诬良为盗，勒索财物。并且强占吕氏之女以为妻，而使之“居田中耨”。但是历史家却说他“仁而爱人，喜施，意豁如也”。

不仅此也，刘邦本来出身于一个小地主的家庭，但是历史家却凭空替他谎造一部贵族的谱谍，说他是帝尧的后裔。[1] 刘邦本来是他父亲太公的儿子，但是历史家

[1]《汉书·高帝纪·赞》曰：“《春秋》晋史，蔡墨有言，陶唐氏既衰，其后有刘累，学扰龙，事孔甲，范氏其后也。而大夫范宣子亦曰：‘祖自虞以上为陶唐氏，在夏为御龙氏，在商为豕韦氏，在周为唐杜氏，晋主夏盟为范氏。’范氏为晋士师，鲁文公世奔秦，后归于晋，其处者为刘氏。刘向云战国时，刘氏自秦获于魏，秦灭魏，迁大梁，都于丰。故周市说雍齿曰‘丰，故梁徙也’。是以颂高祖云：‘汉帝本系，出自唐帝，降及于周，在秦作刘，涉魏而东，遂为丰公。’丰公盖太上皇父，其迁日浅，坟墓在丰鲜焉。……由是推之，汉承尧运，德祚已盛。”

却硬要诬蔑他的母亲，说他不是人种，而是人龙混种。[1]刘邦本来又不会魔术，但是历史家却硬要替他制造一些神话，说无论天晴落雨，他头上都经常有一朵云跟随着他。[2]从这些地方，历史家就找出了刘邦之所以由亭长而皇帝的历史根据。因此后来的开国之君，都企图证明自己不是人种。

据说刘邦微时曾经斩过一条蛇，这即使有之，也是一种极平常的事，但后来刘邦做了皇帝，于是那些陛下的赞颂人，便把斩蛇的故事神话化，说刘邦所斩的那条大蛇，就是象征秦代政权的白帝之化身；而斩蛇的刘邦，则是象征汉代政权的赤帝之子。

刘邦到底是一个小地主出身，他多少要顾及自己的身家性命，他虽然野心勃勃，但并不敢公然造反，只是“隐于芒、砀山泽岩石之间”。后来他看见陈涉已

[1]《史记》《汉书》“高帝纪”皆云：“高祖……父曰太公，母曰刘媪，其先刘媪常息大泽之陂，梦与神遇，是时雷电晦冥，太公往视，则见蛟龙于其上，已而有身，遂产高祖。”

[2]同上两书皆云：“（高祖）隐于芒、砀山泽岩谷之间，吕后与人俱求，常得之。高祖怪问之，吕后曰：‘季所居上，常有云气，故从往，常得季。’”

经高举叛旗，到处的农民蜂起响应，秦代的天下，大有土崩瓦解之势，于是投机的心思，触发了他的冒险性，因而才沟通沛县的县吏萧何、曹参和另一个屠狗者樊哙，劫杀沛令，占领沛县县城，自立为沛公。然后祭神衅鼓，在沛县的城楼上，揭起了赤色的旗帜。而这就是《淮南子·氾论训》所云："高皇帝存亡继绝，举天下之义，身自奋袂执锐，以为百姓请命于皇天"之开场。

刘邦集团第一次大规模的出击，是进攻丰邑，但当时丰邑为雍齿所据，雍齿在魏国旧贵族的支持之下，死守丰邑，于是刘邦只好回到沛县。

当此之时，陈涉已败死，秦代政府的大军，在章邯指挥之下，正在扫荡黄河以南的农民军。黄河以北，则完全为旧贵族所割据，"燕赵齐魏，皆自立为王"，刘邦进不能有所攻取，退亦无以自存，于是《史记》书曰："沛公病。"恰好当时秦嘉立景驹为假王，于是刘邦乃投到秦嘉的旗下。

与刘邦同时，又有许多冒险家乘时奋起。其中有贵族，如项梁、项羽、张良[1]，有官僚，如陈婴[2]、吴芮[3]，也有流氓，如黥布[4]、彭越[5]。他们都是一时的雄俊豪杰，集兵秣马，以争天下之权。其中最为强大者，则为项羽。

项羽，是楚国大将项燕的后裔[6]，是一位没落了的贵族公子。当项燕被杀于秦将王翦之时，项羽还不过七八岁。其叔项梁（即项燕之子），教他学书，不成，去

---

[1]《史记·留侯世家》云："张良者，其先韩人也（其大父及父，世为韩相）。……陈涉等起兵，良亦聚少年百余人。景驹自立为楚假王，在留，良欲往从之，道遇沛公……遂属焉。"

[2]《史记·项羽本纪》云："陈婴者，故东阳令史，居县中，素信谨，称为长者，东阳少年杀其令，相聚数千人，欲置长，无适用，乃请陈婴，婴谢不从，乃强立婴为长。"后以兵属项羽。

[3]《汉书·吴芮传》云："吴芮，秦时番阳令也。……天下之初叛秦也……因率越人，举兵以应诸侯。

[4]《汉书·黥布传》云："黥布，六人也，姓英氏。少时，客相之，当刑而王。及壮，坐法黥……布以论输骊山，骊山之徒数十万人，布皆与其徒长豪桀交通，乃率其曹耦，亡之江中，为群盗。陈胜之起也，布乃见番君（即吴芮），其众数千人。"后来黥布与另一蒲将军，皆以兵属项羽。

[5]《汉书·彭越传》云："彭越字仲，昌邑人也，常渔巨野泽中，为盗。陈胜起，……岁余，泽中少年百余人，往从越，请仲为长。……乃行略地，收诸侯散卒得千余人。"

[6]《史记·项羽本纪》云："项籍者下相人也，字羽。……其季父项梁，梁父即楚将项燕，为秦将王翦所戮者也。项氏世世为楚将，封于项（河南项城县）故姓项氏。"

学剑，又不成。项梁责之，项羽说：“书足以记姓名而已，剑一人敌，不足学，学万人敌。”于是项梁乃教以兵法，但亦未能深入。适于此时秦代政府，通缉项梁，于是项羽随着项梁，亡命吴中。他在吴中，即以为地方王办徭役和丧事为生，因此他结识了不少吴中下层社会的青年。秦始皇游会稽，车驾经吴中，项羽叔侄，也在观众之列。当项羽远远望见始皇时，他向项梁说：“彼可取而代也。”但是后来的历史家，并没有说项羽少有大志。当陈涉首义之年，项羽正是二十四岁的一位青年公子，他身长八尺余，力能扛鼎，才气过人，真是一位少年英雄，但是历史家并没有说他是人龙混种。

当陈涉叛乱的消息传到江南的时候，项羽叔侄，也以为“此亦天亡秦之时也”。国仇家怨，一时交集，于是项羽手刃秦代的会稽守，在大江以南，高举叛旗。他听说陈涉已死，秦兵东出，乃慷慨誓师，率领江东子弟八千人渡江而北，企图迎击秦军，发泄积愤。大军疾速地行进，没有遇到抵抗。沿途的农民，本来思念楚国，听说是项燕的儿子和孙子造了反，大家都愿意加入，用不着陈涉的篝火狐鸣，也用不着刘邦的白帝赤帝，凭着项燕的招牌，就足以号召楚国的人民来加入他的队伍。所以当他的大军，进至东阳的时候，陈婴便投到他的部下。渡过淮河以后，黥布、蒲将军也加入了他的集团。等到军临下邳之时，已经有六七万人了。

项羽军临下邳之时，秦嘉已立景驹为楚假王，军于彭城之东，刘邦也在秦嘉麾下“养病”。秦嘉有抵抗项羽北进的倾向，于是项羽击破秦嘉之军，秦嘉败亡，景驹走死。项羽的军队继续北进，攻陷胡陵，长驱入薛，于是一面遣别将进攻襄城，一面在薛县召集一个紧急的军事会议，讨论组织政府的问题。当时刘邦也以“别将”的资格，参加了这个会议。此外还有楚国的一位遗老范增，也自告奋勇，列席这个会议。[1]范增在会议中慷慨陈词，他说:“夫秦灭六国，楚最无罪。自怀王入秦不返，楚人怜之至今，故楚南公曰:‘楚虽三户，亡秦必楚也。’今陈胜首事，不立楚后而自立，其势不长。今君起江东，楚蜂起之将，皆争附君者，以君世世楚将，为能复立楚之后也。”于是决议立楚后以资号召。结果从民间求得一牧羊儿，谓为楚怀王之孙心，立以为楚怀王。

[1]《史记·项羽本纪》云:“居鄛人范增，年七十，素居家，好奇计。”

军事行动，继续进行，楚军很快就与齐军联合夹击山东西南的秦军。在战争的进行中，齐将田荣，忽然撤退齐国的军队，回国举行政变。田荣驱逐齐王假，而另立齐国贵族田儋之子田市为齐王。齐王假逃到楚军，其相田角、角兄田间逃入赵军。田荣要求楚、赵杀其逃王与逃相，楚、赵皆不允，以是齐、楚、赵之联合破裂，齐军从此不肯与楚军并肩作战。但是楚军仍然单独与秦军战斗。项羽与刘邦的军队，由山东定陶而西，西略地至雍丘（汴州），大破秦军，斩李由（李斯之子）。可是这时秦国的主力军，在章邯的指挥之下，猛攻定陶，项梁即败死于定陶之役。

项梁死，楚军遂失掉了重心，一时各路出击的楚军，如项羽刘邦的军队，乃至吕臣所领导的苍头军，都纷纷向东撤退，集中彭城附近。当此之时，秦军以项梁既死，楚地不足忧，于是章邯乃尽调河南之军，渡河而北，进攻赵军。当时赵国赵歇为王，陈余为将，张耳为相，皆走入巨鹿城。章邯使其将王离围巨鹿，而自以大军殿其后，日夜进攻，巨鹿危在旦夕。巨鹿一破，则秦军后顾无忧，可以长驱而下齐楚了。

赵军向楚军告急的羽书，就像雪片飞来。当时楚怀王总想与齐军联军救赵。有宋义者，为楚军中之亲齐派，于是决定以宋义为上将军，项羽为次将，范增为末将，出兵救赵，企图因宋义的关系而使齐国出兵。大军行进到了安阳（非今日之安阳，大概系今日商丘一带），留四十六日不发。时“天寒大雨，士卒冻饥”，而宋义则“遣其子宋襄相齐，身送之无盐，饮酒高会。”并且下令军中曰：“猛如虎，狠如羊，贪如狼，强不可使者，皆斩之。”

宋义显然在和齐国进行政治阴谋，而项羽则以其叔父新死于秦，急图报复，于是数宋义之罪而杀之，自为上将军，引兵渡河，破釜沉舟，以示决死。当时“诸侯军救巨鹿下者十余壁，莫敢纵兵，及楚击秦，诸将皆从壁上观。楚战士无不以一当十，楚兵呼声动天，诸侯军无不人人惴恐。于是破秦军。项羽召见诸侯将，诸侯将入辕门，无不膝行而前，莫敢仰视。项羽由是始为诸侯上将军，诸侯皆属焉”。当此之时，秦将王离被俘，苏角被杀，涉间自焚，秦军大溃。楚军现在乘胜逐北，由三户渡过漳河，以雷霆万钧之力，再闪击章邯之军于汉水之上。当时章邯一面因损兵折将，不见信于秦代政府，另一面孤军远战，自度不能久持，于是率其残军二十余万，投降项羽于洹水之上。从此以后，秦代的军主力，所谓“河北之军”，遂全部消灭。

当项羽与秦代主力军激战于巨鹿之时，怀王和刘邦在项羽的胜利之前吓昏了，于是开始了政治的阴谋。他们一面密派政治使节，驰赴咸阳，与赵高进行妥协谈判；一面派遣“大人长者”刘邦，收集陈涉、项梁的散卒，“扶义而西”。他们知道秦代政府的军队，已经倾其所有开赴河北，大河以南及潼关以内，只有少数的地方军队，不足一击。而且既与赵高有政治的默契，秦军一定不会抵抗。因此怀王与刘邦向诸将宣言，“先入关者王之”。

现在，刘邦的军队，打起“除秦苛法”的旗帜，由盱眙出发，由昌邑而西，经过今日之开封、中牟、新郑、河阴、洛阳、宛县，进抵武关。一路之上，遇城不攻、攻亦不拔；逢敌不战，战亦不胜，真可谓兵不血刃而长征千里，这就是历史家所谓“扶义”之师。至若项羽以堂堂之旗，正正之鼓，叱咤风云，以闪击敌人者，在历史家看来，那却是“僄悍猾贼”。

当“扶义”之师，进抵武关之时，刘邦再“遣魏人宁昌使秦”，刘邦的使者到达咸阳以后，果然赵高立时发动政变，杀了二世，以响应刘邦的“扶义”之师。所以《史记·高祖本纪》记其事曰：“使者未来，……赵高已杀二世，使人来，欲约分王关中。”

刘邦用了陆贾三寸之舌，袭破了武关，于是由汉中一路扶义而北，至于蓝田。他以为赵高一定到蓝田欢迎他，而不知赵高已为秦诸公子子婴所诛死，所以在蓝田仍不能不“益张疑兵旗帜”，才通过最后一关。

大约在十月，“沛公兵遂先诸侯至霸上”。咸阳新经大政变，又空虚无以为守，于是子婴不得不“素车白马，系颈以组，封皇帝符玺，降轵道旁”，以迎降“他的亭长”。刘邦才知道赵高死了。

现在“扶义”之师，进了咸阳。咸阳本是刘邦旧曾到过的，但当时他不过是一个服徭役的工人队长，恐怕连阿房宫的大门，都不敢正视。而现在则大摇大摆走进阿房宫中，这真使他不胜今昔之感。于是他喟然而叹曰：“大丈夫当如是也。”

阿房宫中的一切，美人，钟鼓，珍宝，玩好，对于这位小地主出身的亭长，都是第一次看见。特别是那些娇冶窈窕的郑卫之女，最足以使这位“好美姬”的“长者”惊心而动魄。因此，这位“长者”，就想“止宫休舍”，在阿房宫里，做几天现成的皇帝。

咸阳城里，烧杀淫掠，已经闹得不成世界了，于是张良才劝刘邦还军壩上。一面出示安民，一面派兵把守潼关。现在潼关已经有兵守驻了，各郡各县都贴出了皇皇的文告。其词曰：

“父老苦秦苛法久矣，诽谤者族，偶语者弃市。吾与诸侯约，先入关者王之，吾当王关中。与父老约法三章耳：杀人者死，伤人及盗抵罪。余悉除去秦法，诸吏人皆案牍如故。凡吾所以来，为父老除害，非有所侵暴，无恐。且吾所以还军壩上，待诸侯而定约束耳。”

这个政治宣告，就是中国史上有名的“约法三章”。实际上约法三章的内容，就是保护商人地主的生命财产乃至其政治上的地位。这样一来，“秦人大喜，争持牛羊酒食，献飨军士”。现在刘邦变了质，他由小地主一变而为大地主的领袖了。

阿房宫中的美人珍宝，钱粮户口的册籍，大批地运往壩上的军中，但是历史上却说：“（沛公）封秦重宝财物府库，还军霸上。”我们真不理解，这位在山东时“贪于财货，好美姬”的亭长，何以一入咸阳，便变成一个“财物无所取，妇女无所幸”的圣人。

刘邦正准备以子婴为相，改组秦代的政府，再建商人地主的政权，以拒旧贵族之军。不幸这个政治阴谋被他部下的一个旧贵族曹无伤派人告诉了项羽。曹无伤的报告，大概说：“沛公欲王关中，使子婴为相，珍宝尽有之。”

当时项羽业已扫平河北，正率诸侯联军，如张耳的赵军、臧荼的燕军、田都的齐军、吴芮的越军以及自领的楚军和秦代的降军降将等，浩浩荡荡渡河而南，进抵新安。他听到这个消息，大为震怒，于是决定入关问罪。正当出发之时，忽盛传秦降卒有不稳的消息，于是采取紧急的措置，很迅速地解除了秦降卒的武装。但是历史家却大书曰：“项羽坑秦降卒二十余万于新安城南。”

现在项羽率领四十万大军，进了潼关，至于戏西。当时刘邦军霸上，两军相距四十里。诸侯之将，以刘邦投机取巧，背盟通敌，皆欲伐之。刘邦知阴谋败露，而力不足以抗诸侯之兵，乃与张良、樊哙及从者百余骑，驰诣项羽军中，当面谢罪。在鸿门的宴会中，项羽的“参谋长”范增屡屡示意项羽，嘱杀刘邦，而项羽不忍。于是刘邦得逃席亡归自己军中，而嘱张良以从阿房宫偷出的白璧及玉斗各一双，分别献于项羽与范增，作为谢礼。项羽收了白璧而范增则椎碎玉斗，叹曰：“唉！竖子不足与谋，夺项王天下者，必沛公也，吾属今为之虏矣！”

几天以后，项羽的大军，进了咸阳。咸阳的一切，在项羽眼中，几乎都是仇恨。为了楚怀王之入秦不返，为了项燕项梁之死于秦军，忠孝之心，压迫他开始一个痛快淋漓的犁庭扫穴之举。于是杀了子婴，烧了阿房宫，掘了始皇墓，并且也屠杀了不少的贪官污吏和商人地主。这一个烧杀，真是替被抑压了几十年的旧贵族，大大地吐了一口冤气。而项羽的大军，也就在咸阳的大火中，转旗而东，出了潼关，回到彭城。然而历史家却说项羽“大掠而东”，但是我以为即使是“大掠”，也是“第二次”。

现在诸侯将都跟着项羽回到彭城。彭城的军事会议开幕了。一致公推项羽为西楚霸王，而尊楚怀王为义帝。但以义帝曾参与刘邦通秦的阴谋，遂决议徙之长沙。后来在赴长沙的途中，被他的柱国共敖杀了，然而历史家却大书曰：“项羽弑义帝。”

项羽既被推戴为西楚霸王，于是分剖天下，以赏有功。当时一共封了十八个国王。[1]

---

[1] 刘邦首义有功，仍封为汉王，王巴蜀汉中，都南郑。惟因刘邦有不稳的倾向，不能不予以防备，因三分关中，王秦降将，以距汉王，而蹙之于汉中。“立章邯为雍王，王咸阳以西，都废丘。长史欣者，故为栎阳狱掾，尝有德于项梁；都尉董翳者，本劝章邯降楚。故立司马欣为塞王，王咸阳以东至河，都栎阳。立董翳为翟王，王上郡，都高奴。

河南郡，本属魏地，但“瑕丘申阳者，张耳嬖臣也，先下河南郡，迎楚河上，故立申阳为河南王，都洛阳。”而“徙魏王豹为西魏王，王河东，都平阳”。

“韩王成，因故都，都阳翟。”但“赵将司马卬，定河内，数有功，故立卬为殷王，王河内，都朝歌。”

赵本有王，但“赵相张耳素贤，又从入关，故立耳为常山王，王赵地，都襄国”，同“徙（故）赵王歇为代王”。

“当阳君黥布，为楚将，常冠军，故立布为九江王，都六。”

“鄱君吴芮，率百越，佐诸侯，又从入关，故立芮为衡山王，都邾。”

“义帝柱国共敖，将军击南郡，功多。因立敖为临江王，都江陵。”

燕本有王，但“燕将臧荼，从楚救赵，因从入关，故立荼为燕王，都蓟”。而“徙（故）燕王韩广为辽东王”。

齐将田荣本已拥立田市为济南王，但“齐将田都从共救赵，因从入关，故立都为齐王，都临淄”，而“徙（故）齐王田市为胶东王”。又“故秦所灭齐王建孙田安，项羽方渡河救赵，田安下济北数城，引其兵降项羽，故立安为济北王，都博阳”。

这样一来，天下大局，又回复了战国时代的局面，商人地主的政权消灭了，旧贵族的政权复活了。这在中国史发展的过程中，当然是一个历史的逆转。历史的逆转，在整个历史向前发展的运动中，只是一个回旋，所以项羽的封建，在中国史上，不过是一幅滑稽的插画而已（插图七）。

项羽的封建，很快就破灭了。最初是齐将田荣首乱

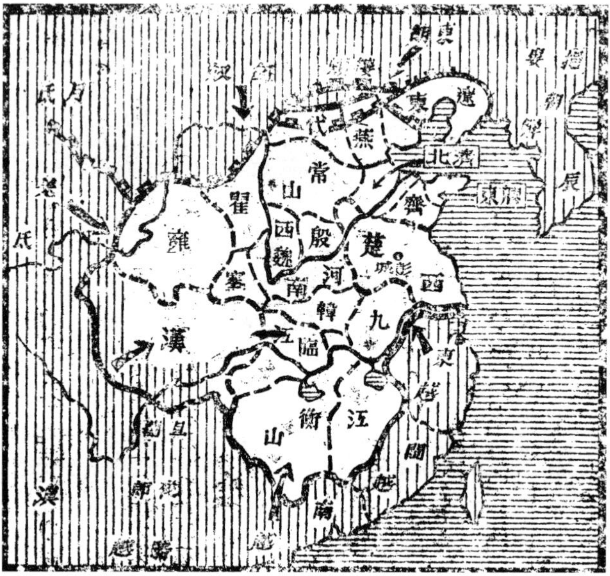

插图七　楚汉之际割据图

于山东，驱杀了项羽派到山东去的三个国王，而自为齐王。接着便是彭越背楚联齐，据梁地以反项羽。同时赵将陈余也驱逐了项羽派到赵国去的常山王张耳，迎故赵王歇复为赵王，而自为代王。于是顷刻之间，大河以北，遂非复项羽之所有了。

为了维持新的封建秩序，项羽不能不以全力讨伐田荣的叛乱。田荣不久就败死于山东的平原，可是他的兄弟田横，也是一个至死不屈的英雄，他又再立田荣之子田广为齐王，继续与项羽为敌。而彭越往来游击于山东河北河南交界处一带，遮断项羽的粮道，威胁项羽的后方，尤使项羽感到最大的疲劳。

正当项羽纠缠于山东讨伐战争之时，刘邦遂乘机而起。以汉中为根据，展开了两路出击。一路由将军薛欧、王吸指挥出武关，因王陵之兵于南阳，以击楚之南境。一路由大将军韩信指挥，出故道，进攻陕北。出武关之军，被楚军阻于淮河以南，遂不得进。但出故道之军，却胜利地击灭了雍王章邯，降塞王欣、翟王翳，占领了陕西全境。于是乘胜而东，又击降河南王申阳，击破韩王昌，占领山西、河南交界处一带的地方（插图八）。

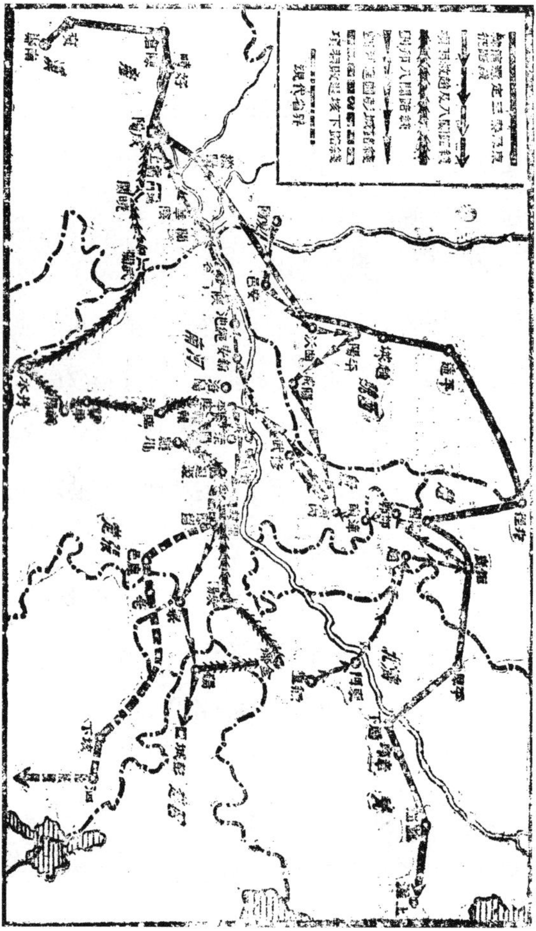

插图八　楚汉战争图

不久刘邦的汉军，进了洛阳。于是刘邦“袒而大哭，为义帝发丧”，临丧三日，“杖然后行，扶然后起，”示天下以忠。然后向诸侯发布新的政治号召曰：“天下共立义帝，北面而事之，今项羽故杀义帝于江南，大逆无道。寡人亲为发丧，诸侯皆缟素。悉发关内兵，收三河士，南浮江、汉以下。愿从诸侯王击楚之弑义帝者。”

现在刘邦劫五诸侯兵五十六万人，打起替义帝复仇的旗号，从洛阳出发，东击项羽。当时楚军皆在山东战场，所以刘邦的军队，没有遇到抵抗，就进了楚都彭城。刘邦到了彭城，再不是“袒而大哭”，而是“收其货宝美人，日置酒高会”。

项羽的军队从山东来了，只有三万人。不到半天，便把刘邦的五十六万大军，杀得落花流水，投入睢水而死者，即有十余万人，睢水为之不流，刘邦落荒而走，仅以身免，一直逃到他的内兄周吕侯（吕泽）的军中，才喘过气来。不但所收的项羽的“货宝美人”来不及带走，而且自己的父母妻子，反为项羽所掳。这就叫做“赔了夫人又折兵”。

刘邦退至荥阳，收集残兵败将，“萧何亦发关中老弱未傅（未成年之人）悉诣荥阳，”于是军容再振。乃筑甬道通于河岸，以取敖仓粟，欲死守荥阳。但楚军进围荥阳，于是而有“纪信替死”，刘邦始得逃出危城，潜渡黄河，逃至修武。

当项羽追逐刘邦之时，彭越又从东击楚，以是项羽不得不回兵而东，讨伐彭越。等到击走彭越以后，而刘邦又已渡河而南，复取成皋，军于广武。于是楚汉两军，俱临广武而军相持不下。现在天下大势，已由群雄割据一变而为楚汉对峙的局面。

当此之时，韩信之军，已由山西，出井陉（娘子关），灭赵破齐降燕，尽有黄河以北之地，韩信自为齐王，大有由山东南向击楚之势。同时，黥布已举皖北之地，背楚投汉，虽被楚军击溃，但在刘邦支持之下，又重整旗鼓，成为项羽后方之最大的威胁。此外彭越已再入梁地，往来游击于山东西南一带，经常截断楚军的补给线。正当此时，刘邦的主力军，亦集结于郑州以西之广武。这样的形势，很明显地可以看出，当时的项羽，一方面，已经不能控制自己的后方；同时，又陷于三面作战的危险之中了。

反之刘邦则拥有广大的后方，以三河为外库，以巴蜀汉中为内府。因此得以转关内之粟，收三河之士，以补给前线，充实军备。同时，据成皋之粟，因巩洛之险，进可以战，退可以守。除此以外，又拥有庞大的同盟军，大河以北，淮水以南，都是他的势力范围。所以当时的刘邦，已经争取了战略上的绝对优势。

在这样的形势之下，项羽自然想用速战速决的方法，解决刘邦，然后以全力去平定黄河以北。反之，刘邦则企图拖长战争，避免与项羽作主力的决战，而运用他的同盟军，去削弱项羽的力量，然后乘其敝而攻之。所以当时项羽屡次向刘邦挑战，而刘邦深沟高垒，始终不肯与战。据说有一天，项羽“为高俎，置太公（刘邦的父亲）其上，告汉王曰，今不急下，吾烹太公。”但是刘邦的回答是：“幸分我一桮羹。”当时项伯很聪明，他告项羽曰：“想做皇帝的人，是不要父母的。”所以“为天下者不顾家”，至今尚传为美谈。

据说又有一天，项羽通知刘邦，要与他个人决斗。项羽说：“天下匈匈数岁者，徒以吾两人耳，愿与汉王挑战，决雌雄，毋徒苦天下之民父子为也。”但是刘邦的回答，却是“吾宁斗智，不能斗力”。

项羽因刘邦避战，于是又回到东战场，指挥讨伐彭越的战争，而留大司马曹咎死守广武。同时并进行与韩信的妥协谈判，企图解除北顾之忧，从而撤散刘邦与韩信的联合战线。当时韩信，雄据黄河以北，对于楚汉之争，确有举足轻重之势。诚如蒯通之言：“当今两主之命，县于足下，足下为汉则汉胜，与楚则楚胜，”若韩信能“两利而俱存之”，则可成三分天下，鼎足而峙之局。否则乘楚汉之敝，两败俱伤之际而南下，并可成统一之业。可惜韩信犹疑不决，而刘邦已击溃曹咎之军，项羽驰赴西战场，而谈判遂以终止。

刘邦用战争打击了韩信的动摇，巩固了河北的阵地。于是一面对项羽发动和平攻势，派侯公说项羽谓只要项羽释回他的父亲和妻子，愿以鸿沟为界，中分天下。另一方面，却积极动员他的主力军和同盟军，准备对楚军作最后的总攻击。同时并买通西楚的大司马周殷，从内部发动叛变，以响应汉军的进攻。

当时项羽因与韩信的和平谈判未成，彭越在北，黥布在南，刘邦在西，已处于三面作战的环境之中，于是接受了刘邦的建议，释还太公和吕后，“引兵解而东归”。

刘邦的总攻击令发布了，于是刘邦之军，由广武东击，韩信、彭越之军，由山东南击，黥布、刘贾之军，由寿春北击。同时周殷从西楚内部叛变，“以舒屠六”，举九江之兵，以响应刘邦的攻势。于是项羽被围于今日亳州境内之垓下。

夜已深沉了，在项羽的军幕中，点燃了巨大的蜡烛。四面皆有楚歌之声，于是这位三十岁左右少年英雄，开始结束他自己光辉灿烂的历史。

虞姬在侧，骏马在门，项羽在痛饮美酒。酒酣，项羽慷慨悲歌，虞姬和之。其歌曰：“力拔山兮气盖世，时不利兮骓不逝，骓不逝兮可奈何！虞兮虞兮奈若何！”项羽的眼泪滴下来了，卫士们都垂下头。

楚歌的声音更逼近了，蜡烛快熄灭了。骏马在长嘶，卫士们都拔出了雪亮的刀剑，大概就在这个紧急的时候，虞姬就与项王永别了。同时，项王也就跃上了他的骏马，带了八百名骑士，冲出了千军万马的重围。在项王军幕中留下来的，是酒，是泪，是血，是美人的幽灵，是英雄的歌声。

汉将灌婴的追兵渐渐迫近，而项王在阴陵迷失了道路。于是项王毅然引兵而东，东至今日临淮境内之东城，期与汉军作最后之一决，但当时从者只有二十八骑了。项王谓其从曰："吾起兵至今八岁矣。身七十余战，所当者破，所击者服，遂霸有天下。然今卒困于此，此天之亡我，非战之罪也。今日固决死，愿为诸君决战，必三胜之，为诸君溃围。斩将刈旗，令诸君知天亡我，非战之罪也。"

现在，项王与其骑大呼驰下，一声叱咤，汉军人马，无不倒退，项王纵横驰逐于汉军中，斩汉将、都尉各一员，杀数十百人。复聚其骑，亡其两骑耳。乃谓其骑曰："如何？"骑皆伏曰："如大王言。"

现在项王走至乌江之滨，乌江的亭长，权船以待，劝项王渡江。但是项羽笑曰："天之亡我，我何渡为。且籍与江东子弟八千人渡江而西，今无一人还，纵江东父老怜而王我，我何面目见之。"乃下马，以其骏马赠与乌江亭长。于是这一位"一声叱咤，千人皆废"的少年英雄，就用了带着敌人鲜血的宝剑，自刭而死了。

司马迁曰："羽非有尺寸，乘势起陇亩之中，三年，遂将五诸侯灭秦，分裂天下，而封王侯，政由羽出，号为霸王，位虽不终，近古以来，未尝有也。”司马迁之言是也，余于项羽亦不胜其钦佩，但可惜他是贵族的后裔，决定了他走向历史的反动方向，因而终于辗杀于历史前进的车轮之下，实为可悲。虽然如此，他仍不失为封建社会中一个典型的英雄。他的英勇、坚强、慷慨、坦白和丰富的情感，都是英雄的本色。即因他具有这样的性格，所以他才能领导起一个倒转历史的运动，而且也终于一手把历史的车轮倒转了。至于他之必然失败，则诚如他自己所云：“此天之亡我，非战之罪也。”“战”也者，即主观的创造；而“天”也者，则为客观的倾向。项羽的失败，不在他主观创力的不强；而正是由于他违反了历史发展的客观倾向。垓下的悲歌，乌江的浩叹，正是中国初期封建的历史贵族之最终的悲剧，从此以后，这一个残余的社会层，遂永远退出中国的历史舞台了。

项羽既死，旧贵族的势力，几乎全部消灭了。只有山东的旧贵族在韩信秘密支持之下，不降刘邦。于是刘邦回军山东，召降鲁国贵族，并进而解除韩信的武装，奠定了山东半岛。现在刘邦在同盟军推戴之下，经过了三推三让之后，即皇帝位于山东曹州境内的汜水之上，国号曰汉。然后大封功臣。徙韩信为楚王，都下邳。立彭越为梁王，都定陶。故韩王信为韩王，都阳翟，徙衡山王吴芮为长沙王，都临湘。淮南王黥布，燕王臧荼，赵王张敖，皆如故。这种封拜，不过是对于同盟军的占领，予以承认而已。实际上，上述诸人，封亦王，不封亦王也（插图九）。

插图九　汉初异姓诸王割据图

现在刘邦由山东经洛阳回到了长安，于是大宴功臣，大赦天下。但是当时的所谓功臣，多半是流氓出身，他们并不懂甚么朝拜皇帝的仪式，他们喝醉了酒，就拔剑击柱，说刘邦封赐不平。当时有一位投降汉代的秦博士叔孙通，他曾经看见过秦始皇的派头，对于这样拔剑击柱的情形，有些看不惯，于是自告奋勇，愿替新朝起朝仪。他奉到了刘邦的命令，去征聘鲁国的儒生，结果征来了三十余人，其时有两位儒生，不肯来，并且把叔孙通大骂一通。他们说：“公所事者且十主，皆面谀以得亲贵，今天下初定，死者未葬，伤者未起，又欲起礼乐。礼乐所由起，积德百年而后可兴也。吾不忍为公所为，公所为不合古，吾不行，公往矣，无污我。”叔孙通碰了一个大钉子，只好说了一句：“若真鄙儒也，不知时变。”就带着那三十几位投降新朝的儒生回到咸阳，然后在咸阳郊外，用草作人，导演朝仪，教了群臣，又教皇帝。教了一个多月，群臣也知道如何磕头呼万岁，刘邦也知道了当群臣向他磕头呼万岁的时候，他应该如何不动声色，就像没有看见一样。适逢长乐宫成，于是就正式演试一次，果然味道不错。于是刘邦不觉高兴地说了一句："吾乃今日知为皇帝之贵也。"从此以后，那位以儒冠为溺器的马上英雄，也觉得那些下流儒者，颇有用处，因而叔孙通及其弟子，也都得到了一官半职。不过那两位不投降的儒生，则自误前途，潦倒终生。

山东真是出圣人的地方，不但儒生不奉诏，武士也不投降。田横耻见刘邦，而自刎于洛阳，令其二客从刘邦之使者，以其头诣刘邦。刘邦封其二客，为都尉，二客以王者之礼葬田横之头以后，封还刘邦之封，同时自刎于田横之墓旁。同时，田横之士五百人，闻田横死，亦全体自杀于孤岛。于是刘邦大惊，知道天下也还有宁死而不向他屈膝的人物，乃叹曰："嗟乎！有以也夫！起自布衣，兄弟三人更（相为）王，岂不贤乎哉？"

即因鲁两生与田横及其二客与五百壮士的事件发生，因而使刘邦对旧贵族有些不放心，于是把楚国的贵族昭、屈、景、怀，齐国的贵族田氏，强制移徙于关中，加以软禁。

现在摆在这位新皇帝面前的任务，就是如何消灭他的同盟军的领袖，即所谓异姓诸王。于是臧荼、韩信、陈豨、卢绾、韩王信、彭越、黥布，这一大群所谓"功狗"，几年之间，都加以叛变之罪，斩尽杀绝。这就是韩信所谓“狡兔死，走狗烹”。也就是历史家所谓汉高祖“仁而爱人”。

代替“功狗”的，是他自己的子弟，如封刘贾为荆王，刘交为楚王，刘恒为代王，刘长为淮南王，刘建为燕王，刘濞为吴王。在所有诸王中，只有长沙王不姓刘，而是姓吴名芮（插图一〇）。

现在的天下，已经是刘家的天下了。于是皇帝置酒

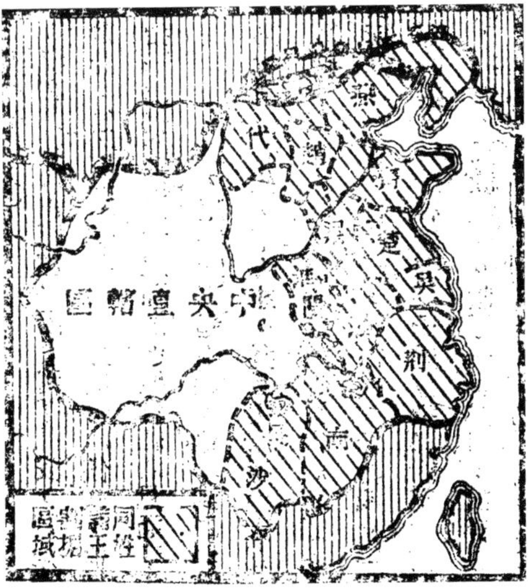

插图一〇　汉初同姓诸王割据图

未央宫中，正殿当中，摆着三张宝座，中央坐的是太上皇，左边是高帝，右边是吕后，下面跪着的，是文武百官。高帝手奉玉卮，为太上皇寿。他说："始大人常以臣无赖，不能治产业，不如仲力，今某之业所就，孰与仲多。"那位乡下老头儿，笑得合不拢嘴来。下面的文武百官在高呼："万岁，万岁，万万岁！"但是隔了三年，高帝就死了。

汉十二年十月，高帝特别回到他的故乡沛县，这主要地是要让沛县的人看看，他现在的威风已经不是当年了。他在沛县，大宴故人父老子弟，在宴会中，他吃醉了酒，于是自己敲着一个装有弦索的竹筒，唱起歌来，叫一百廿个沛县的儿童和他合唱。歌曰："大风起兮云飞扬，威加海内兮归故乡，安得猛士兮守四方。"高了兴不觉得就抱起竹筒跳舞起来，想起了从前买酒无钱的日子，不觉泣下数行。

高帝在同乡的热烈欢送会中，离开了沛县，回到长安。第二年三月，他就死了。

第二节　大汉族的形成与国内其他各种族的活动

秦汉之际，在中国黄河的腹部，的确表演了几幕有声有色的历史活剧。但从当时中国史的全面运动看来，这种历史的活剧，只是中原种族的历史的运动。除此以外，中原以外之四周的诸种族也不是停篙住桨，专看中原种族的把戏，而皆各据其自己的历史原理，展开其自己的历史运动。为了要了解西汉时代中国史的发展，我们就必须看看中原以外的中国境内其他诸种族之同一时代的活动。

这里，首先要作一个简单的回顾，即我们应该回想到在秦代，中国这个地理领域内所呈现的一幅历史的全景是怎样的一种轮廓。我们已经说过，在当时一方面，是沉淀于中原的诸种族，已经融化为一个混成的种族，展开其向四周之历史的扩展；另一方面，是四周诸种族，或分化而为许多氏族，或混合而为几个部族，甚至形成一个种族，他们从四周展开其向中原文化区域之历史的压迫。中心的膨胀与外围的收缩，就是秦代历史运动的姿态。

在秦代，中原种族，也曾经用尽平生之力，冲破了东南方面的蛮族包围，伸张其势力于大陆尽头之处；可是其他几方面，还是紧紧地被蛮族所包围。在当时，我们若是站在万里长城的高处，向西北一望，一定可以看到，在广漠的蒙古高原之旷野，到处都是“褐巾而裘”的匈奴人之帐幕。在天山北麓，洮河河谷，青海草原，四川西部及康藏高原一带，到处都是“披发野祭”的诸羌之部落。又若“海滨之东”，则为“夷秽之乡”；巴蜀以南，皆系蛮濮之地。这些地方，都是“四方之无君者”自由生聚之地。是知当秦之世，四徼之外，六合之内，还有不少的种族，游离于中原种族的历史支配之外。秦代的历史，只是把以前“作为许多历史碎片”的中原诸种族，糅成了一个整个的历史个体，它并没等到以这个“个体”为“中心”，而展开其“运转四周诸种族”的“中国史的全面运动”，这个“当作中国史中心动力”的“中原种族”，就由陈涉振臂一呼，粉碎为无数相互对抗的碎片了。

非常明白，陈涉、吴广的“叛乱”与跟着而来的楚汉之争，是中原种族由一个“整个的历史个体”，破裂为无数的“历史碎片”；再由这些无数的“历史碎片”之相互的对抗与合并，而又结合为两个对立的“历史单位”。因此，当时中原种族之历史活动的表现，是由向外扩张，转向对内火并；是“整体的破裂”与“分子的游离”。这样，“作为中国史膨胀”的一点“热力”，便在分子的游离中，发散殆尽了。

虽然如此，秦汉之际，中原种族的大分裂，并不是中原种族之“种族的再分裂”，而只是一种“政治的爆炸”。因为当时的每一个历史碎片，都不是“血统的集团”，而皆系“政治的集团”。所以秦汉之际的纷乱，并不是种族与种族的对抗，而是同一种族内部的各种社会因素之反拨与倾轧。政治性的反拨与倾轧，与血统的同不同，没有很大的关系。而且它也决不能使已经融混了的血统，再走向纯粹的血统。一言以蔽之，政治的分裂，只是瓦解种族的政权，并不瓦解种族的本身。所以一到汉代统一的种族政权成立以后，中原种族又团结为一个整然的“历史个体”了。

可是在西汉初叶，前有所谓“异姓诸王”之乱，继有“刘吕之争”，复有“七国之叛”，中原种族的历史活动，仍然是向着“离心的方向”发展。因而这个“历史个体”，还是不能起着“运转四周诸种族”的“中心作用”。这一直到汉武帝时，随着中原种族社会内部的轧轹之消解，与商人地主的政权之确立，中原种族，又才凝结坚固，而且在其内部之蓄积着充分的热力，再展开更有力的历史扩张。

所以从秦末直至汉武帝初年（前二〇六年到前一三五年），这七十年的历史，从中国境内诸种族之全面的历史活动的方面看，是中原种族走向萎缩的历史；同时，亦即四周诸种族缩小其对中原文化区域之包围的历史。当此之时，呈现于我们面前的一幅中国史画图，一方面是中原种族中的许多英雄，在黄河南北的大原野，前蒙矢石，后堕溪壑，攻城陷邑，斩将刈旗，以争天下之权；另一方面，是中原以外的四周诸种族，把他们锋利的刀剑，指着那些“为百姓请命于皇天”的内战英雄们之后脑（插图一一）。

我们现在暂时离开中原，去看看这一时代四周诸种族的活动。

首先看看北方的匈奴。

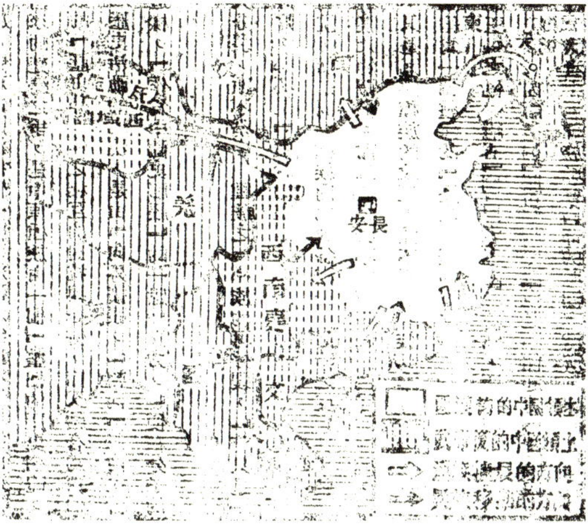

插图一一　西汉初的中国形势图

匈奴在秦代即已形成一个强大的种族，占领了今日内外蒙古广大的草原；并且南逾阴山渡黄河进入河套。秦代政府，为了抵御匈奴，曾派蒙恬以三十万人北击，逐之于河套之外，然后因山筑城，因河为塞，于四十四个要害之地，驻屯庞大的边防军，以阻止匈奴之南进，于是匈奴遂稍稍北徙。

到秦末，蒙恬死，边防军失掉了统帅。同时，中原爆发了农民叛乱。秦代政府把防守匈奴的边防军全部撤回，开赴国内战场，镇压内乱。于是北门大开，匈奴的骑兵，又重新回到万里长城的脚下，并且再度侵入河套以内。[1]

降至楚汉之际，刘邦项羽的目光，都注视着阿房宫中的宝座，眼角余光，也不会射到长城以外。于是匈奴单于冒顿，得以乘间展开其征服事业。当此之时，匈奴“东击东胡”，“灭东胡王”；“西击走月氏；南并楼烦、白羊河南王，侵燕、代”。其领土东至辽东，远及朝鲜边境；西有天山北麓，远及塔里木盆地之东北；南并察、绥、热河、宁夏，远及山西、河北之北部。至于漠北及天山以北、阿尔泰山一带，则系其族类原来分布之地。像这样一个庞大的征服，匈奴之族，当然一跃而为北部中国之主人。然而其所以至此者，诚如《史记》所云：“是时，汉兵与项羽相距，中国罢于兵革，以故冒顿得自强。”

当时匈奴把他庞大的领土，划分为中部及左部、右部。中部由单于直辖，统治山西北部，北至蒙古。左右两部，各派类似总督的官吏一人，曰左右贤王。左王居

[1]《史记·匈奴列传》云：“蒙恬死，诸侯畔秦，中国扰乱，诸秦所徙適戍边者皆复去，于是匈奴得宽，复稍度河南，与中国界于故塞。”

东方，辖河北以东热河辽东。右王居西方，辖陕西以西甘肃西北，至于塔里木盆地之东北。[1]

单于庭是匈奴的中央政府，单于则为中央政府的首领。单于为匈奴语“撑犁孤涂单于”之简称，其意即伟大的天子。单于之下，有其直属的臣僚，左右贤王之下，亦有其各级官吏，分别统治其所征服的各氏族。这些各级官吏，都领有几千至万余人以上的骑射部队，以为征收贡纳及镇压殖民地反叛之用。据史籍所载，当时匈奴有二十四个万人长，在每个万人长之下，又各有千长、百长、什长等各级的军官。[2]这样，就构成了匈奴的统治机构。

当时匈奴单于为孪鞮族所世袭，其贵官，则皆由呼衍族、兰族、须卜族所世袭。此四族者，匈奴种族中之

[1]《史记 · 匈奴列传》云：“诸左方王将居东方，直上谷以往者，东接秽貉、朝鲜。右方王将居西方，直上郡以西，接月氏氐羌。而单于之庭直代、云中。”

[2]《汉书 · 匈奴传》云：“（匈奴于单于之下）置左、右贤王，左、右谷蠡，左、右大将，左、右大都尉，左、右大当户，左、右骨都侯”。“左、右贤王，左、右谷蠡最大国。左右骨都侯辅政。”“自左、右贤王以下至当户，大者万余骑，小者数千。凡二十四长，立号曰万骑。”“诸二十四长，亦各自置千长、百长、什长、裨小王、相、都尉、当户、且渠之属。”

贵族氏族也。[1]其骑射部队的士兵，则大概由这几族中的自由民所组成。[2]至于战争的俘虏，则以为奴隶。[3]奴隶有时亦用于杀戳[4]，但大部分皆分配于贵族。匈奴的贵族，很快就变成了庞大的奴隶及畜群之所有者。当汉高帝向他父亲说："今某之业所就，孰与仲多"之时，假如冒顿单于在座，我想他一定举酒和高帝碰杯，曰："今某之业，所就孰与君多？"这岂不令满朝文武哄堂大笑吗？

匈奴既拥有庞大的土地、奴隶、畜群，而又拥有强劲的骑射部队，遂弯弓跃马，南向中原。当刘邦追逐"功狗"陈豨、卢绾于燕、代之时，匈奴冒顿的势力亦已南及燕、代。所以陈豨、卢绾皆曾派遣使节求救于匈奴[5]，

---

[1]《汉书·匈奴传》云："单于，姓挛鞮氏。"又云："其大臣皆世官，呼衍氏、兰氏，其后有须卜氏，此三姓，其贵种也。"

[2] 同上书云："士力能弯弓，尽为甲骑。"

[3] 同上书云："其攻战，斩首虏，赐一卮酒，而所得卤获，因以予之（私有财产的存在）。得人以为奴婢。故其战，人人自为趋利，善为诱兵以包敌。"

[4] 同上书云："单于……送死，有棺椁金银衣裳，而无封树丧服。近幸臣妾（奴隶）从死者，多至数十百人。"

[5]《汉书·韩彭英卢吴传》云："（陈）豨使王黄求救匈奴，（卢）绾亦使其臣张胜使匈奴，言豨等军破。胜至胡，故燕王臧荼子衍，亡在胡。（衍劝胜主张燕亦）与胡连和……胜以为然，乃私令匈奴兵击燕。"

以后陈豨的残部，多亡入匈奴，而刘邦的总角之友卢绾则率其所有的军队，全部投降匈奴了。[1]

同样，当刘邦企图解决韩王信之时，韩王信“恐诛，因与匈奴约，共攻汉，反，以马邑降胡，击太原”。高祖亲征，信亡入匈奴，而高祖却被匈奴围困于今日大同附近之白登，是谓“白登之围”。内战中胜利的英雄，在外战中却失败了。若非陈平献美人的秘计，汉代的太祖高皇帝，其不为匈奴之俘虏者几希。

惠帝三年（前一九二年），冒顿单于写了一封词语亵嫚的情书，给新寡的吕后，其中有云：“两主不乐，无以自虞，以其所有，易其所无。”假如翻译不错，这对于堂堂大汉的太后，当然是一个很大的侮辱。但是当时汉代朝廷，对于这个侮辱的答复，是送给冒顿单于一位漂亮的公主，是谓“和亲”。

文景之世，冒顿死，其子老上，孙军臣，相继为匈奴单于，仍继续冒顿之南进政策。当时，中国的公主，

[1]《汉书·韩彭英卢吴传》云：“（汉）使樊哙击绾，绾悉将其宫人家属，骑数千，居长城下候伺……高祖崩，绾遂将其众亡入匈奴。匈奴以为东胡卢王。”据同书云：“卢绾，丰人也，与高祖同里……同生日……及高祖、绾壮，学书，又相爱也。”故曰：“刘邦的总角之交卢绾。”

仍然一个跟着一个送到匈奴的单于庭，但这并不能停止匈奴马蹄的南进。到文帝后元六年（前一五八年）匈奴大举入寇陕北，迫近长安，前锋部队，已驰逐于甘泉宫殿的大门之前。汉代首都附近如细柳、棘门、壩上，都已划为战区。象这样的严重威胁，一直继续到武帝的初年。

我们再看看这一时代的西羌。

如前所述，诸羌之族，在秦以前，除周族进入中原以外，其余皆分布于广大之西部的中国。战国末叶，东徙的诸羌，即所谓“西戎”，又融混于秦族之中，先后同化于中原种族之中。其余分布于甘肃的诸羌之族，后来被秦代政府，把他们关在万里长城之外，阻塞了他们继续东进之路，所以在秦代，他们只有转向甘肃的西南与西北两个方向发展。史称当时诸羌“各自为种，任随所之”。其中，如居于甘肃西南者为参狼种，武都羌是也。徙于四川西北者，为白马种，广汉羌是也。徙于川康边境者，为牦牛种，越嶲羌是也。徙于甘肃西北者，为大月氏种，月氏羌是也。留于青海东北者，为研种，湟中羌是也。

到楚汉之际以至汉初，此等诸羌，乘着中原种族之纷乱，遂得以自由繁息，逍遥化外。

当此之时，其分布于四川西北（今日松潘）一带之“白马种”，已分化为几十个氐族，散布于这一带的山谷溪河之间[1]，开始了农业畜牧的定居生活。这些氐族，因为与南太平洋系的群蛮杂居，发生了血统和文化的融混，所以“其俗不与中国及羌、胡同”。[2]这一支“羌蛮混种”的羌族，历史家称之曰“氐族”，亦即今日松潘的土人之祖先。

其分布于今日西昌一带之牦牛种，因受南来的蛮族之压迫，似已沿金沙江而西入康藏，故西藏至今尚有与牦牛有关之人种起源的传说。[3]这一支羌族，在西汉时

[1]《史记·西南夷列传》云:“自冉駹以东北，君长以什数，‘白马’最大，皆‘氐类’也。”

[2]《文献通考·四裔考一〇》云，“在冉駹东北，广汉之西，其种非一，或号青氐，或号白氐，或称蚺氐，此盖中国人即其色服而名之也。……土地险阻，有麻田，出漆、蜜、铜、铁、椒、蜡……其俗语不与中国及羌、胡同……俗能织布，善种田，畜羊、豕、牛、马、驼、驴、骡。”

[3] 近人冷亮氏《西藏上古史之探讨》一文中有云:“一日，王后于牧场假寐，梦耶拉香博山神化一白人，与伊缱眷，醒则枕畔有一‘白牦牛’倏忽而逝。八月后，后产一血团，大如拳，微颤动。弃之不忍，抚之则口目俱无，遂置牛角中，以裤掩之。数日后，则出一婴孩，因名之曰‘格普月利吉’，其意即牛角中之子’也。”（见《边政公论》三、四期合刊，民三十年十一月份）

的发展，不知其详。

其分布于甘肃西北的月氏羌，在诸羌中最为发展。楚汉之际，已占领天山北麓一带的土地，自凉州以西，张掖、酒泉，西至敦煌，都是月氏羌的势力。他们拥有很多的畜群，和十几万人的骑射部队，成为西部中国的一个强大势力。[1]到汉初，匈奴勃兴，于是月氏与匈奴两大种族的势力，相与角逐于甘肃之西北，结果，月氏族失败。大约在文帝前八年至后元三年之间（前一七二年到前一六一年）月氏羌遂沿天山北麓西徙于今日伊犁一带。他们把伊犁一带的希腊人，逐之帕米尔高原以南，而占有其地。可是月氏羌到伊犁以后，又遭受匈奴别种乌孙族之压迫。因而在武帝建元二年至元光六年之间（前一三九年到一二九年），月氏族又再向西徙，逾过帕米尔高原，至于妫水流域，西击大

[1]《汉书·西域传》云："大月氏，本行国也。随畜移徙，与匈奴同俗。控弦十余万人，故强，轻匈奴。本居敦煌、祁连间。"《文献通考·四裔考一〇》云："湟中月氏胡，其先大月氏之别也，在张掖、酒泉地。"由此而知月氏胡最初亦居青海，后徙祁连山北麓。

夏而臣之。[1]大夏原是希腊人在中亚所建立的一个殖民的国家，自月氏羌入据大夏以后，于是希腊的统治者，遂被迫南入罽宾（今巴基斯坦北部及克什米尔一带），中间经过濮达、高附诸地（今阿富汗境），迤逦而下，月氏羌又踵而蹑其后，至于罽宾。因此“南君罽宾”之塞王（希腊统治者）不久又见逐于月氏，而月氏羌遂于妫水流域，建国曰大月氏。[2]历两汉之世，皆甚强大。

月氏羌并未全部西徙，尚有一部分始终停留于天山北麓一带山谷之间，后来与汉族同化。[3]

---

[1]《汉书·西域传》云：“至冒顿单于攻破月氏，而老上单于杀月氏（王），以其头为饮器，月氏乃远去，过大宛，西击大夏而臣之，都妫水北。”按大宛在今日新疆伊犁一带。大夏即巴尔卡（Balkh），在今日印度之北。同上书乌孙条亦云：大月氏西与大宛，南与（塔里木盆地）城郭诸国相接，本塞地（希腊殖民地）也。大月氏西破走塞王（希腊统治者），塞王南越县度（今帕米尔高原），大月氏居其地。后乌孙昆莫（昆莫者乌孙国王之称）击破大月氏，大月氏从西臣夏而乌孙昆莫居之。故乌孙民有塞种、大月氏种焉。

[2] 同上书云：“大月氏西君大夏，而塞王南君罽宾。”罽宾者，即迦释弥罗，在今之巴基斯坦北部及克什米尔一带。

[3]《文献通考·四裔考一〇》云：“月氏王为匈奴冒顿所杀，余种分散，西逾葱岭。其羸弱者，南入山阻，依诸羌居止。及汉将军去病破匈奴，取西河池，开湟中，于是月氏来降，与汉人错居。”

其分布于青海东北的研种羌则分化为封养、牢姐诸部族，向北移徙，到景帝时。其一部分族类，已布满甘肃西南，封锁了中国的西门。[1]

现在我们再看看当时天山南北一带诸种族的状况。这里就是汉代所谓西城之一部（插图一二）。

先看天山以南。天山以南是四周环以高山的一个大盆地，北有天山，南有昆仑山，西有帕米尔高原，东有天山，只有东北留了一个缺口，通达蒙古高原及甘肃西北。这个缺口就是古代蒙古高原的人种和后来的羌族到达这个盆地的通路。

这个盆地，据斯坦因考察，东西九百哩，南北三百三十哩。早在秦汉以前之古代，这里的大内海即已干涸。在汉代，这里已经是一望无涯的流沙，惟当时必有很多河流从昆仑山和帕米尔出发，灌注于大沙漠之中，特别是于阗河，北会葱岭河，汇成一条由西而东横贯沙漠的塔里木河。这条河，流到这个盆地的东部，汇为波涛三

[1]《文献通考·四裔考一〇》云："景帝时，研种留河，率种人求守陇西塞，于是徙留河等于狄道、安故，至临洮、氐道、羌道。"

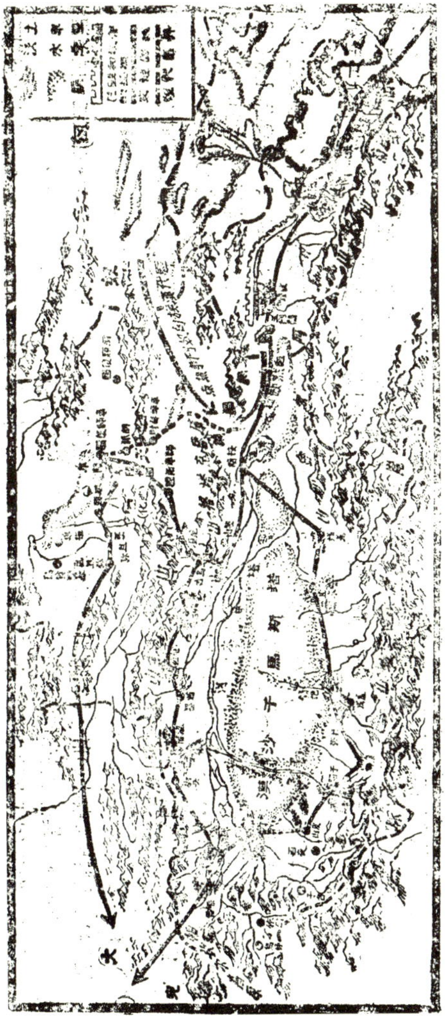

插图一二　西汉时西域诸种族分布图

百里的蒲昌海，而这就是今日已经干涸了的罗布泊。[1]即因有塔里木河的灌溉，所以这里的许多沙漠田，都非常肥美，特别是今日之吐鲁番盆地。因此，这里，虽在内海涸竭以后，仍然是原始蒙古种的后裔及羌族生存繁衍的天国。

到西汉初，居住于这个盆地的种族，已经分化为许多部落，分布于大沙漠的南北。其在大沙漠之南，自楼兰沿昆仑山北麓而西，至于莎车，凡十国，是谓“南道诸国”。[2]自莎车以西南，分布于帕米尔高原山谷之间者凡八国，是谓“葱岭诸国”。[3]南道诸国与葱岭诸国其种皆羌氐。[4]其在大沙漠以北，自疏勒沿天山南麓而

[1]《汉书·西域传序》云：“(西域)南北有大山，中央有河，东西六千余里，南北千余里，……其河有两源，一出葱岭山，一出于阗。于阗在天山下，其河北流，与葱岭河合，东注蒲昌海。蒲昌海，一名盐泽者也。去玉门、阳关三百余里，广袤三百里，其水亭居，冬夏不增减，皆以为潜行地下，南出于积石，为中国河云。”

[2] 南道十国：“沿昆仑北麓由东而西，曰楼兰、且末、婼羌、小宛、精绝、扜弥、戎卢、渠勒、于阗、莎车。

[3] 葱岭八国：曰皮山、乌秅、西夜、子合、无雷、蒲犁、依耐、难兜。

[4] 见上篇。

东，至于狐胡，凡十二国，是谓“北道诸国”。[1]北道诸国，其族类，皆系原始的蒙古种，其徙入这个盆地，早在有史以前的时代。沙漠南北的诸国，其人口，多者八万人，少者千人左右，但皆以种植畜牧为生，有城郭庐舍，故统称之曰“城郭诸国”。葱岭诸国由于耕地面积的限制，其人口最多者如难兜不过三万一千人，最小者如依耐则仅有六七〇人，除难兜以外，大概都过着随畜转徙的游牧生活。

现在我们再看天山以北，这里一直到西伯利亚的极南边，都是大山大谷，山谷中间，有不少的湖泊，也有小溪河，这是蒙古西北的山岳地带。在阿尔泰山与天山之间，有一块很大的平原，是为准噶尔高原。这里，气候润湿，水草肥美，最适宜于畜牧。所以自古以来，这里就是原始的蒙古人游牧之地。以后古代中亚的牧人，更后希腊的殖民者就挤进了这块高原。汉初大月氏西徙，曾在这里寄顿，又留下一些羌族的苗裔，所以这里的种族，也很复杂。西汉初叶，分布于这一带的种族，也分

[1] 北道十二国：沿天山南麓自西而东曰疏勒、尉头、温宿、姑墨、龟兹、乌垒、焉耆、尉犁、危须、渠犁、山国、狐胡。

化为许多部落。[1]其中最大者为乌孙，[2]有人口六十三万，军队十八万，实为这个高原的一个支配势力。

此外，尚有岭外四国，曰大宛、捐毒、休循、桃槐，亦列入西域诸国之内。其中大宛最大，有人口三十万，军队六万。

以上就是汉初天山南北一带诸种族分布的大概情形。在当时，我们若是站在天山顶上，南北一望，我们可以看到塔里木盆地中的塔什马干沙漠之周围，已经布满了许多定居的部落。一座一座的城郭，都挤满了人群，一片一片的沙漠田，都种植了谷物。美丽的塔里木河，就象一条碧绿的玉带，贯通这一望无涯的雪白的沙漠，成为这个盆地的人民之生命的圣水。我们又可以看见，在准噶尔高原，有不少的城郭，也有不少的帐幕，有农

[1] 天山以北十五国：乌孙、车师前国、车师后国、车师都尉、车师后城长国、蒲类、蒲类后国、西且弥、东且弥、乌贪訾离、劫国、卑陆、卑陆后国、郁立师、单桓。车师之分裂，在宣帝时，到宣帝末，乌孙亦分裂为大昆弥小昆弥两部。

[2] 乌孙种属，学者不一其说。据《汉书·西域传》云，乌孙原来亦居天山北麓，后为月氏所逐，徙居伊河，则其原始种属，当系蒙古种。惟据颜师古注云，乌孙人之容貌青眼赤须，故俄国学者多谓乌孙为突厥种。余以为乌孙为蒙古种、羌族及中亚人之混种。

田，也有畜群。这是一个如何美丽而平静的世界呵！谁知霹雳一声，匈奴的蛮骑，从蒙古高原，飞腾而来，冲进了准噶尔高原，并从天山东麓的缺口，驰入塔里木盆地的东北。于是征服了这一带的种族，收为殖民地。[1]自是以后，我们到处都可以看见匈奴的“僮仆都尉”[2]向这一带的种族掠夺粮食畜群乃至人民。历史的浪涛，打进这平静的天国了。

现在再看看这一时代的东夷。

自秦代向东扩展，至于鸭绿江岸，今日辽宁南部沿渤海一带的诸夷之族，一部分同化于中原种族，另一部分则向更远的东北移徙。秦末，中原大乱，燕、齐、赵人，避乱而徙往辽东者数万口。汉初，“燕王卢绾反，入匈奴，（燕人卫）满亡命，聚党千余人，魋结蛮夷服而东走出塞，渡浿水（鸭绿江），居秦故空地上下鄣。”（《史记 · 朝鲜列

[1]《汉书·匈奴传》云:“故罚右贤王，使至西方求月氏击之，吏卒良，马强力，以夷灭月氏，尽斩杀降下定之，至楼兰、乌孙、呼揭及其旁二十六国，皆已为匈奴。”

[2] 匈奴置僮仆都尉（奴隶总管）于焉耆、危须、尉犁等处，往来诸国，赋敛其粮食、马、牛、羊、旃罽之属。故当时塔里木盆地实为匈奴之府，而这里的三十余万人民，实为匈奴之奴隶。

传》）所以辽宁南部，东至鸭绿江仍然是中原种族的势力。

当此之时，东夷之族，也分化为许多部族或种族。其分布于今日沈阳以北者曰夫余。分布于鸭绿江北岸者曰高句丽。分布于吉林境内沿北海一带者曰挹娄、沃沮，分布于朝鲜半岛之东者曰涉、曰貉，之西者曰朝鲜，之南端者曰辰韩、弁韩、马韩，是谓三韩。此外分布于黑龙江流域的诸夷，则已形成两个强大的种族，曰鲜卑、曰乌桓。鲜卑分布于辽宁之北，西至热河；乌桓则分布于热河南部，是为东胡。

在西汉初，诸夷中，东胡最强盛，西向蒙古发展，威胁匈奴，后为匈奴冒顿击败，“虏其民人及畜产”，于是自热河而东，东至鸭绿江岸，都沦为匈奴的属领了。

最后，我们说到这一时代的南蛮。

首先说到东南沿海一带的百越之族。如前所述，秦代曾经征服百越之地，置为会稽、闽中、南海、桂林、象郡。当时百越之族，或在秦代地方政府统治之下，输纳租税，或退入山岳地带，继续与秦代政府对抗。

秦末，中原大乱，百越之族，群起叛变，也可以说是殖民地的革命。当陈涉倡义之时，福建、浙江一带的越族，在其酋长无诸及摇的领导之下，投入吴芮的旗下，参加反秦的战争。以后又帮助刘邦打击项羽。所以西汉王朝建立以后，不能不承认他们的独立，而封无诸为闽越王，封摇为东海王。前者统治福建，后者统治浙江南部。[1]到景帝时，浙江的越族又参加吴王濞之叛，后其王为汉政府所收买，又击杀吴王于丹徒。但福建的越族，则始终对汉代政府保持对立的态度。

同时，分布于今日两广一带的越族，在秦末，也叛变了。当时秦之南海尉任嚣适病死，于是龙川令赵佗出现为当地革命的首领，驱逐了两广的秦令，自立为南越王。[2]到汉吕后时，因汉对南粤施行铁器的封锁，又发兵进攻湖南的南部，大败汉兵。[3]由是南越日益强大，

[1]《汉书·两粤传》云："及诸侯畔秦，无诸、摇率粤归番阳令吴芮，所谓番君者也，从诸侯灭秦。……汉击项籍，无诸、摇帅粤人佐汉。汉五年，复立无诸为闽粤王，王闽中故地，都冶（今闽侯县）。孝惠三年……乃立摇为东海王，都东瓯（今浙江永嘉县），世号曰东瓯王。"

[2] 同上书云："南粤王赵佗，真定人也。……秦二世时，南海尉任嚣病且死，召龙川令赵佗……行南海尉事。嚣死……佗即击并桂林、象郡，立自为南粤武王……高祖已定天下，……遣陆贾立佗为南粤王。"

[3] 同上书云："高后时，有司请禁粤关市铁器……佗乃……发兵攻长沙（郡）边，败数县焉。"

“因此以兵威财物赂遗闽粤、西瓯骆，役属焉，东西万余里，乃乘黄屋左纛，称制与中国侔。”文景时，虽与汉代政府保持和平，但仍然不降服汉代政府，俨然是南部地区的一个独立王国。

现在再看看西南山麓地带的蛮族，这一带的蛮族，汉代称之曰西南夷。西南夷者，就是春狄、战国时代的群蛮和百濮。他们在战国时，尚占有川、黔、滇全境及湘之西北，鄂之西南。秦代吞巴、并蜀、灭楚，于是川、湘、鄂的诸蛮，遂相率避入深山穷谷之中，与鸟兽处，而不肯投降。但他们仍然在艰苦的环境中，继续其族类的繁殖。至于滇黔一带的高山大泽，则仍然是南蛮的天下。

秦汉之际，王纲解纽，散布于今日湘西一带的“五溪蛮”又“时为寇盗”。[1]此外如散布于宜昌东北一带的“沔中蛮”，散布于川东恩施一带的“廪君蛮”[2]，散

[1]《文献通考·四裔考五》云：“长沙、黔中，五溪蛮皆是（盘瓠种）也。……汉兴……时为寇盗。”

[2] 同上书云：“廪君种，不知何代，初巴氏、樊氏、瞫氏、相氏、郑氏五姓，皆出于武落钟离山。其上有赤黑二穴，巴氏之子生于赤穴，四姓之子，皆生黑穴，未有君长，共立巴氏子务相，是为廪君。从夷水下至盐阳，廪君于是君乎夷城，四姓皆臣之，巴、梁间诸巴皆是也。”

布于万县巴县一带的“板楯蛮”[1]，也获得了一时的解放。其中分布于川北阆中一带的板楯蛮之一分支，且为刘邦所招致，参加了楚汉的战争。[2]由此而又知当时刘邦的汉军之中，有百越之兵，也有南蛮之兵。

至于分布于云、贵及四川西部的诸蛮，到汉初，已分化为几百个氏族。其分布于今日滇、缅交界处一带者有几十个氏族，哀牢[3]最大。其分布于云南中部者有几

---

[1]《文献通考·四裔考五》云：“板楯蛮，秦昭王时，有一白虎于蜀巴、汉之境，伤害千余人。昭王乃募有能杀虎者，赏邑万家。时有巴郡阆中夷廖仲等，射杀白虎，昭王以其夷人，不欲加封，乃刻石盟要复夷人，顷田不租，十妻不算，伤人者论，杀人得以赕钱（贝货）赎死，盟曰：‘秦犯夷，输黄龙一双；夷犯秦，输青酒一钟。’夷人安之。至汉高帝为汉王，发夷人还伐三秦，秦地既定，乃遣还巴中，复其渠帅罗朴督鄂度夕龚七姓，不输租赋。余户乃岁入賨钱口四十。巴人呼赋为賨，谓賨人焉。代号为板楯蛮夷。”

[2] 同上书云：“阆中有渝水，其人多居水左右，天性劲勇，初为汉前锋，数陷阵。”（此记载亦见《华阳国志·巴志》）

[3]《华阳国志·南中志》云：“永昌郡，古哀牢国。哀牢山名也。其先有一妇人名曰沙壶，依哀牢山下居，以捕鱼自给。忽于水中触有一沉木，遂感而有娠，度十月产子男十人。后沉木化为龙，出谓沙壶曰：‘若为我生子，今在乎？’而九子惊走，惟一小子不能去。陪龙坐，龙就而舐之……因名曰元隆，犹汉言陪坐也。……哀牢山下复有一夫一妇产十女，元隆兄弟妻之，由是始有人民，皆象之，衣后着十尾，臂胫刻文（文身）。元隆死，世世相继，分置小王，往往邑居，散在溪谷。绝域荒外，山川阻深，生民以来，未尝通中国也，南中昆明祖之。”

十个氏族，滇（今昆明县）最大。其分布于云南西部者有几十个氏族，嶲与昆明（今大理县）最大。其分布于贵州南部者有几十个氏族，夜郎（西江上游）最大。其分布于贵州北部者有几十个氏族，且兰（今平越县）最大。其分布于四川西昌境内者有几十个氏族，邛都（今西昌县）最大。其分布于成都西南者有几十个氏族，徙（今天全县）与筰都（今清溪县）最大。其分布于成都西北者有几十个氏族，冉駹（今茂县）最大。他们与白马羌错居于今日松潘境内[1]。所以《史记·西南夷列传》说："西南夷君长以什数。"（插图一三）

由此可知当西汉之初，今日川、滇、黔、湘、鄂一带的山溪河谷与高原之间，已经布满了南蛮之族。在当时，我们可以看到在云南中部（滇）、贵州西南（夜郎）

[1]《文献通考·四裔考六》云："冉駹……其俗土著，或随畜迁徙……其山（汶山）'有六夷'、'七羌'、'九氐'，各有部落。其王侯颇知文书。"又《华阳国志·蜀志》云："汶山郡，本蜀郡北部冉駹都尉……北接阴平。有六夷、羌胡、羌虏、白兰、峒九种之戎，牛马、旄毡、班罽、青顿、毞毲、羊羖之属……多冰寒，盛夏凝冻不释。故夷人冬则避寒入蜀，……夏则避暑返落，岁以为常。"由此可知今日四川松潘一带的主人，实为羌蛮两族之混种。

插图一三　西汉时西南夷分布图

和西昌（邛都）一带，有许多蛮族的村落、市聚，有许多“椎髻左衽”的蛮人在这些地方耕种稻田。[1]在大理一带（嶲与昆明），有许多“编发”的蛮人，驱着畜群，游牧于山谷之间，他们还不知道何谓“君长”。[2]在成都西南一带（徙与筰都），有许多“被发左衽”的蛮人，或耕田或畜牧，或相与言笑辩论，谈吐风生。[3]在今日松潘一带（冉駹）的山溪之间，有不少蛮人和羌人的石室，其高十余丈。在那里，有畜群，也有麦田，更有奇异的无角的旄牛，其重千斤。此外也有马、鹿和五角羊，出没于丛林之间。[4]在贵州的西北（且兰）丛密的竹林

[1]《汉书·西南夷传》云：“南夷君长以十数，夜郎最大。其西，靡莫之属以十数，滇最大。自滇以北，君长以十数，邛都最大。此皆椎结，耕田，有邑聚。”《文献通考》亦云：“自夜郎、滇、邛都，人皆椎髻左衽，邑聚而居，知耕田。”

[2] 同上传云：“其外西自桐师以东，北至叶榆，名为嶲，昆明。编发，随畜移徙，亡常处，亡君长，地方可数千里。”

[3]《文献通考·四裔考六》云：“筰都……其人被发左衽，言语多好譬类。居处略与汶山夷同。

[4] 同上书云：“冉駹……其俗土著，或随畜迁徙……（其）土气多寒，虽在盛夏，冰犹不释。皆依山居止，累石为室，高者至十余丈，为邛笼。又土地刚卤，不生谷粟麻菽，唯以麦为资，而宜畜牧。有旄牛，无角，一名犝牛，肉重千斤，毛可为毦。出名马。有羺羊，可疗毒。又有食药鹿。鹿麑有胎者，其肠中有粪，亦疗毒疾。又有五角羊。”

之中，也有不少蛮人的村落。此外，我们也可以看到，湖南西部的蛮人，正在走出深山，袭击秦代的吏民，四川东北的蛮人，正在走向陕北，为刘邦“还定三秦”的前驱。

总括以上所述，我们可以看出，当汉高祖削平天下，统一中原，得意洋洋，击筑高歌之时，四周诸种族，已经把中原文化区域包围得水泄不通了。以后历惠帝、吕后下迄文景之世，这种由四方八面而来的蛮族包围，并且一天天地缩小。在这些蛮族中，最成为中原种族之威胁的，是北方的匈奴。因为他们具有强大的武装，而又接近中原种族政权的中心。因此，西汉时代，在西北一带，便形成了中国历史的紧张形势。而这就展开了后来武帝以至昭、宣之世西汉与匈奴在中国西北的激烈斗争。

第三节　西汉时代世界史的新形势

现在我们再看看西汉时代的世界。

如前所述，在秦代，希腊帝国就已经由腐烂而趋于瓦解，它已经消失了运转西方世界的历史活力。但是在当时，自希腊半岛南至埃及北部，东至印度河流域，东北至苏联所属之土耳其斯坦，这一片广大的西方世界，还是希腊人的天下。

在当时的西方世界中，除了罗马人与迦太基人在意大利半岛进行大规模的战争以外，自地中海而东，东至中央亚细亚一带，都没有很大的风浪。特别在中央亚细亚一带，除了残余的希腊奴隶贵族为了争夺殖民地的统治权而引起之小小的纠纷以外，就只有从希腊和印度缓缓而来的文化暗流相互激荡，有时这种文化的余波，拍击着帕米尔高原的山麓，散出一些小小的浪花，但不久也就消灭了。

在当时，分布于黑海里海东北一带的伊兰种族，他们都很安分地在那里过着游牧的生活，而散布于北欧一带的日耳曼人，也还不成为文明世界的威胁。象这样的情形，就正是秦代的西方世界之画图。

到西汉初，地中海忽然翻起了巨大的浪涛，而这就是罗马在意大利半岛的勃兴。当西汉统一中原之年（前二〇二年）罗马便驱逐了迦太基人，统一了今日之意大利半岛。在惠帝五年（前一九〇年）罗马的骑兵，遂第一次驰入亚洲大陆，击败塞琉卡斯帝国于玛革尼西亚（Magnesia），而驱之于小亚细亚及托鲁斯山外。文景之世，罗马便征服了马其顿、希腊，并南征非洲，灭迦太基而屠之。到武帝元光二年（前一三三年）罗马遂占领了小亚细亚的大部分土地，被称为希腊文明最后避难所的柏加曼王国也被灭亡了，这样，罗马便从迦太基人的马蹄蹂躏之下一跃而成为地中海上的命令者。

耸立在希腊半岛的一座文明的灯塔，现在，被罗马的狂飙吹灭了。虽然在意大利半岛又擎起一盏新的明灯，但它的光辉，还不能照射到亚洲方面，因而在西汉之初，整个的中央亚细亚，便变成了一片黑暗的世界。现在我们看，在这广大的黑暗世界中，呈现出一幅可怕的历史画面。但是并不是在这里出现了鬼怪精灵，而是野蛮种族的大出动。野蛮种族的大出动，是历史的命令，历史命令希腊人把它优美的文化，委脱在中央亚西亚的原野，又命令这些野蛮种族去分食希腊文化的成果，就用这样的方法，来扩大文明的世界，从而提高整个世界史

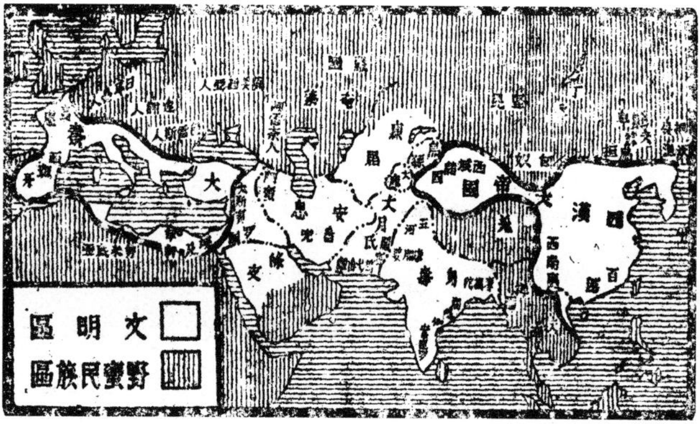

插图一四　西汉时世界形势图

的水准（插图一四）。

现在阿剌伯人的马队，从麦加山上出发了。[1]他们越过了阿剌伯的沙漠，占领苏格纳底斯河西南一带的地方，建立了自己的国家，这就是中国史上所谓条支。[2]

与阿剌伯人的出动同时，游牧于里海东南的伊兰族

[1]《后汉书·西域传》云："条支国，城在山上，周回四十余里，临西海。海水曲环其南及东北，三方路绝，唯西北隅通陆道。"按此所谓在山上而又临西海之城，系今日之麦加。

[2] 汉之条支，唐称大食。条支与大食皆波斯语 Tazi 之译音。

之一支，即阿萨息斯人[1]也由伊兰高原的北麓，长驱南下，侵入塞琉卡斯帝国的腹部，占领今日伊朗（即波斯）的地方，建立了一个很大的国家，这就是中国史上所谓安息。[2]

正在这个时候，分布于中国甘肃西北的羌族之一支，即月氏羌，因遭受匈奴的压迫，也开始了西进的行程。这个种族，控弦十万，由敦煌出发，西至伊犁，越过冰雪皑皑之帕米尔高原的大雪山，象一条瀑布一样，奔腾而下，灌注于中央亚细亚的东南。他们沿途扫荡希腊人的势力，从伊犁一直到布哈剌（Bukhara）。

[1] 余以为安息者，即阿萨息斯之音译，而阿萨息斯者，则为原住于伊兰高原北麓，里海东南的一个游牧种族，盖雅利安人种之一分支也。阿萨息斯族曾经长期沦于叙利亚的统治之下，以后，当狄奥多托背叛叙利亚而独立之年，阿萨息斯人亦杀叙利亚守将而自建帕提亚王国（Parthian Empire）。所以当阿萨息斯进入伊朗以前，已经在叙利亚的文化影响之下，具有相当的文明，因而在其建国于伊朗以后，便发展为一有货币、有文书的城市国家。

[2]《汉书·西域传》云："安息国王治番兜城……北与康居，东与乌弋山离、西与条支接……以银为钱，文独为王面，幕为夫人面，王死，辄更铸钱。有大马爵，其属小大数百城，地方数千里，最大国也。临妫水，商贾车船行旁国。书革，旁行为书记。"

最后，消灭了希腊人在东方之唯一避难所大夏王国。[1]驱逐了大夏的国王，而据有其地，分其地为五，各置属地总督，即所谓“五翖侯”[2]者是也。是为中国史上的大月氏。

现在，残余在中央亚细亚东部的希腊人，开始最后的逃亡了。他们大部分向南逃亡，经过濮达、高附（今阿富汗境）南入罽宾（今俾路支），即征服罽宾而占有其地。所谓“塞王南君罽宾”者，正是记录了这一历史事实。[3]据佛藏中《那先比丘经》所载，前一五〇年（景

[1] 大夏，即唐之吐火罗，其地在今日阿姆河南（阿姆河古称妫水，或乌浒河）。中国史关于大夏的史实，记载不详。《汉书 · 西域传》仅云：“大夏本无大君长，城邑往往小令长，民弱畏战，故月氏徙来，皆臣畜之。”据西史所载，则大夏者，实即巴克特里亚（Bactria）。其建国始于狄奥多托第一（Diodotor Ⅰ）。狄奥多托第一者，叙利亚帝国东方属地巴克特里亚之总督也。于纪元前二四九年（秦庄襄王元年）宣布独立，建立巴克特里亚王国。自铸钱币，面镂王像。前一二六年（武帝元朔三年）为大月氏所灭。故张骞西使之大夏，实即西史上所称之巴克特里亚。

[2]《汉书 · 西域传》谓大月氏有五翖侯。一曰休密翖侯，治和墨城。二曰双靡翖侯，治双靡城。三曰贵霜翖侯，治护澡城。四曰肸顿翖侯，治蒲茅城。五曰高附翖侯，治高附城。凡五翖侯，皆属大月氏。

[3] 罽宾治循鲜城，东至乌托，东北至难兜，西北与大月氏、西南与乌弋山离接。其疆域凡印度河迤南迤东各地皆其所辖，实有今克什米尔及阿富汗一部分之地。其详参看《三国志 · 魏书》引《魏略》文。

帝七年）在印度的恒河流域，尚有一希腊国王名弥兰者，皈依佛教，是则当时又有一批希腊人徙入印度，融混于印度人种之中。其余的希腊人则北徙于帕米尔高原之西北，今日苏联所属费尔干（Ferghana）一带，建立大宛[1]、休循、捐毒等小国。[2]这些北徙的希腊人，以后即融混于伊兰人种和蒙古人种之中了。

分布于今日中国之西北，西至里海、黑海以北，北迄于北海之滨的伊兰种族，也形成了他们的国家或部落。如在今日吉尔吉斯一带有康居[3]，在黑海及高加索

[1]《汉书·西域传》云："自宛以西至安息国，虽颇异言，然大同自相晓知也。其人皆深目多须髭。善贾市，争分铢。"故曰大宛为希腊人。按西域人称希腊人伊雅安（Zaon），伊雅安者即耶宛（Yavan）之转音，而大宛者，即耶宛之音译也。

[2] 同上传云："休循国王，治鸟飞谷，……民俗、衣服类乌孙，因畜随水草，本故塞种也。"又云："捐毒国王，治衍敦谷。……衣服类乌孙，随水草，依葱岭，本塞种也。"盖自大月氏西徙，"塞种分散，往往为数国，自疏勒以西北，休循、捐毒之属皆故塞种也。"塞种者，即希腊人也。

[3] 同上传云："康居国王，冬治乐越匿地，到卑阗城（夏居番内）。"又谓康居有小王五："一曰苏龙鬒王，二曰附墨王，三曰窳匿王，四曰罽王，五曰奥鞬王。有户十二万，口六十万，胜兵十二万。"

山之北，有奄蔡[1]，在奄蔡之北有严国[2]。其中以康居、奄蔡两国最为强大。

此外，自黑海以西北，西至欧洲北部，则为日耳曼人的天下；自吉尔吉斯以东，东至西伯利亚之南部，贝加尔湖一带，则布满了匈奴的别种，如坚昆、丁零等。这些蛮族都在盘马弯弓，大有转而南下之势。至于这一时代的印度，即汉人所谓身毒，则已处于月氏人与希腊人的压迫之下了。

以上是西汉中叶以前西方世界的形势。当此之时，假若我们登帕米尔高原而西望，我们所看到的，是罗马的文化圈在扩大，是野蛮人的骑兵在驰逐，是希腊人在走下历史的舞台。但是同时我们也可以看到在黑海与里海之北的广大原野中，有不少的游牧种族，他们驱着可爱的畜群，在那里唱着原始的牧歌。就在这个时候，中国有名的冒险家张骞到了中亚细亚。

西方世界的历史活剧，继续演进。自西汉中叶迄于

[1]《汉书·西域传》云："康居西北可二千里，有奄蔡国，控弦者十余万人，与康居同俗，临大泽无崖，盖北海云。"

[2]《后汉书·西域传》云："严国，在奄蔡北，属康居，出鼠皮以输之。"又谓有"粟弋国，（亦）属康居，出名马、牛、羊、葡萄众果。"

西汉之末，这里的世界，又大大不同了。

罗马帝国还是以全力去扩展它对人类的统治，当西汉武、宣之世，中国的远征军把大汉帝国的国旗插在中央亚细亚的原野之时，罗马的骑兵，也在远征北非，他们先后征服了密勒托和埃及，在金字塔上，升起了罗马帝国的国旗，以后又展开不断的征服战争。到西汉中叶，罗马竟拥有地中海周围所有的地方，成为一个包括欧亚非三洲的大奴隶（制）国家。这一个庞大的国境，至今还给予意大利法西斯以强烈的刺激。[1]

可是罗马的繁荣，本身就包含着一种矛盾，这就是奴隶与奴隶主的对立。自宣帝时，下迄西汉之末，罗马的内部，遂陷于奴隶暴动以及由此而引致的贵族内乱之中。

纪元前七十三年（宣帝本始元年），在今日已经死灭的维苏威（Vesuvius）火山口，爆发了世界史上有名

[1] 当一九三四年我游历罗马时，在罗马街市两边的墙壁上，到处都可以看到古代罗马帝国的地图。他们把古代罗马帝国的疆域，当作一个历史范本，以刺激人民侵略的热情。

的斯巴达卡斯（Spartacus）所领导的奴隶大暴动。[1]这个暴动，终于在克拉苏（Crassus）和庞培（Pompeius）的大军镇压之下归于失败。两万以上的奴隶，在罗马市的光天化日之下，遭受了残酷的凌刑，钉死于阿匹安（Appian）道上的奴隶，数里不绝，这就是古代罗马的文明。

---

[1] 斯巴达卡斯所领导的奴隶大暴动，始于七十四个角斗士（斯巴达卡斯亦在内）的逃走。当时罗马的奴隶主贵族，最喜看奴隶角斗，或奴隶与猛兽角斗，他们看着奴隶悲惨地死去，以为快乐。此种角斗场的遗址，近世颇有发现。一九三四年，我曾经徘徊于罗马城中之古代角斗场的遗址，场作椭圆形，周逾四分之一英里，保存尚完整。可以看出它的结构，在场之四周，环列石磴，自下而上，若阶级然。所以支承之者，有拱顶通路、支柱拱门等。拱门上下相垒，共有四层，相邻两拱之间有一柱，底层有多利亚式圆柱八十。第二层有爱奥尼亚式圆柱八十。第三层有科林多式圆柱八十。最上层有科林多式壁柱八十。此层壁柱上每隔一室，开一大窗，共有窗四十。结构如蜂窠，中藏阶级，通至高处座位，以上是角斗场构造的大概。我去游历的那天，正值阴雨绵绵，回想古代奴隶之惨死于此者，不知多少，顿觉奴隶的悲号，观众的掌声，交响于前，为之凄然者久之。当时七十四个奴隶，大概是被指定在这样的角斗场中角斗，但他们这七十四个奴隶，不愿以自己的生命供奴隶主贵族之欢乐而牺牲，于是从角斗场逃去。以斯巴达卡斯为领袖，造起反来。参加的奴隶，有一万以上，以后更有大批奴隶投入暴动集团，士兵也加入暴动。罗马的奴隶主贵族，虽然爱好角斗之戏，但这样大规模的角斗，却有些害怕，所以大兴剿灭之师。但是暴动的奴隶，据维苏威火山口与官军相抗，历二年之久，才被消灭。

血的屠杀，并不能制止奴隶暴动之继续兴起，这种暴动，一直到罗马奴隶国家的灭亡为止，并没有中止过。与奴隶暴动同时，北欧的日耳曼人，也不断地掠高卢而南下，渐渐成为罗马帝国的威胁。在内乱与外患的交迫中，而庞培、克拉苏这些屠杀奴隶的“英雄”们，又相互火并，篡弑相承，虽然如此，罗马的历史，并未因此而失去其活力，它仍然在血泊中继续其发展。所以到新的胜利者屋大维（Octavius）的时代，罗马的历史，又放出了新的光辉。

虽然如此，在整个的西汉时代，罗马人始终未曾把这个帝国的版图，推广到米索不达米亚之东；即在米索不达米亚的统治，亦不巩固。虽然罗马的将军克拉苏曾一度东征幼发拉底斯河，但为安息人所大败；虽然庞培曾一度进入中亚，但仅及里海西岸而还；虽然凯撒曾一度以北伐日耳曼之师，西循黑海、里海，但并未建立罗马的统治。在亚历山大时代象绵羊一样驯服的中亚诸蛮族，在罗马人看来，都是狮子了。因此，在西汉时代，罗马的历史动力，虽然震撼着中亚，但并没有把中亚诸蛮族的历史，卷入罗马历史的运动之中。

安息之于罗马，正犹波斯之于希腊。但希腊征服了波斯，而罗马则未能征服安息。据西史所载，罗马亦曾企图征服安息，但克拉苏所率的罗马军，并不如大流士所率的希腊军之强劲，而所攻击的敌人，则又非过去的波斯人可比，而系一种善于骑射的阿萨息斯人[1]，所以克拉苏的远征军，便于前五三年（宣帝甘露元年）的卡里（Carrhae）之役，一败涂地，死者二万，被俘而东者一万人。

大月氏之于天竺，亦正犹希腊之于印度，但亚历山大的希腊军，仅及印度河而止；而贵霜王所率领的月氏军，则越印度河而南，并且在这里建立了月氏人的统治。贵霜王者，月氏五翎侯之一，大约在西汉末叶，他兼并了其他四个翎侯，集中了大月氏的政权，于是自立为国王，号曰贵霜王。当时西汉的势力，已经退去中亚，安息正与罗马相峙，因而贵霜王乘间展开了对西南的征伐。当时大月氏的军队，西侵安息，南取高附，又西南侵入阿富汗、俾路支等地，灭濮达、罽宾。蔚然成为威

[1] 当时安息使用一种响箭。其弓由五块以上之兽角拷合而成，与弹簧相类，拨弦有声，发射甚疾，弓短而硬，箭离弦后，平进直发，射程既远，发声亦宏。

临中亚东南之大国。[1]

至于中亚的西北，如大宛、康居等国，他们在西汉中叶以降，皆臣属于西汉，到西汉末叶，又转入匈奴的支配之下了。

以上就是西汉中叶以后的西方世界的动态。当此之时，假若我们又再登帕米尔高原而西望，则我们所看到的，又是一种不同的景象。我们可以看到金字塔上飘扬着罗马的国旗，凯撒与埃及女王姑娄巴在热烈的恋爱；罗马竞技场的大角斗，维苏威火山口的奴隶大暴动；日耳曼人从北欧南下，罗马人从南欧北征；安息的响箭队，驰逐于卡里的战场，成群的罗马士兵，被俘而东；大月氏的骑兵南向而驰，南君罽宾的希腊人，逃入印度。西汉帝国的远征军在中亚的进出，大宛、康居的人民之遭受蹂躏。总而言之，当时的西方世界，是罗马势力的东展，中国势力的西进，而大月氏与安息两大势力，则屹然横亘于中亚，成为东西两个世界的历史交流之障壁。虽然如此，在当时，东西的文化，已经突破了这种障壁，

[1]《后汉书 · 西域传》云："月氏为匈奴所灭，遂迁于大夏，……后百余岁，贵霜翖侯丘就却，攻灭四翖侯，自立为王，国号贵霜。侵安息，取高附地（高附，在大月氏西南，原属安息），又灭濮达、罽宾，悉有其国。"

象一种幽灵一样，相互拥抱着了。

现在我们要离开这西方的世界，回到东方，再看看中国东南的海洋世界。

在秦代还被当作神仙世界的海外三岛，到西汉便以倭国之名而通于中国。《汉书·地理志》云：“乐浪海中有倭人，分百余国，以岁时来献。”《后汉书·东夷传》云：“倭在韩东南大海中，依山岛为居，凡百余国，自武帝灭朝鲜，使驿通于汉者，三十许国。”

当时倭人尚在氏族制时代，所谓百余国者，即百余部族，部族各有首领。故《后汉书》曰：“国皆称王，世世传统。”[1]当时中国所知之最大部族为邪马台族，故《后汉书》曰：“其大倭王居邪马台国。乐浪郡徼去其国万二千里，去其西北界拘邪韩国七千余里。”

这些倭人的氏族，其人种皆属于南太平洋系，他们都是在史前时代由中国东南沿海，经台湾、琉球迁徙而去的。故其风俗习惯与中国东南沿海的百越之族，大抵

[1]《汉书》谓当时“倭人分百余国”，日本文献中亦有此传说。《神代纪》中有“大国主神……其子凡一百八十神”之传说。《神武纪》中亦有菟田兄弟、矶城兄弟及其八十枭帅和葛邑的赤铜八十枭帅之传说。这些都是说明当时日本有许多以血缘为基础而构成的氏族部落。

相同。[1]他们之通于中国，大概经由朝鲜之乐浪，再由辽东陆行。故《文献通考·四裔考》曰："倭人初通中国也，实自辽东而来。"

---

[1]《后汉书·东夷传》云："倭地大较在会稽东冶之东，与珠崖、儋耳(今琼州岛，相近，故其法俗多同。土宜禾稻、麻纻、蚕桑，知纺绩为缣布。出白珠、青玉，其山有丹土。气温腝。冬夏生菜茹，无牛马虎豹羊鹊。其兵有矛、盾、木弓，竹矢或以骨为镞。男子皆黥面文身，以其文左右大小，别尊卑之差。其男衣皆横幅结束相连。女人披发屈紒衣如单被，贯头而著之；并以丹朱坋身，如中国之用粉也。有城栅屋室，父母兄弟异处，唯会同男女无别。饮食以手，而用笾豆。俗皆徒跣，以蹲踞为恭敬。人性嗜酒，多寿考，至百余岁者甚众。国多女子，大人皆有四五妻，其余或两或三，女人不淫不妒。又俗不盗窃，少争讼。犯法者没其妻子，重者灭其门族。其死停丧十余日，家人哭泣，不进酒食，而等类就歌舞为乐。灼骨以卜，用决吉凶。行来度海，令一人不栉沐，不食肉，不近妇人，名曰'持衰'。若在涂吉利，则雇以财物；如疾病遭害，以为持衰不谨，便共杀之。"按文身徒跣，好歌喜舞，衣若单被，贯头而著，乃当时南太平洋系人种之通习。《汉书·地理志》记粤地之俗云："民皆文身断发"，又云："儋耳、珠崖郡，民皆服布如单被，穿中央为贯头"，至于使用的武器，亦极相同，当时的百越之族，"兵则矛、盾、刀、木弓弩，竹矢或骨为镞。"若"食以手而用笾豆"之习，云南的摆夷至今还是如此。关于古代倭人好歌舞事，《日本风土记》香岛条亦有此记载，如云："年别，四月十日，设祭注酒，卜氏之族尉，男女聚会，积日累夜，歌舞燕乐。"此种风习，今中国的苗、瑶尚保有之。日本所发现的史前文化中有刻纹陶，有大石环，凡此皆南太平洋系人种的文化之特征，近来在中国西南亦发现之。又郭沫若氏告著者谓从日本古画中可以看出古代倭人皆着单衣，冷则加多，有多至十余重者。又谓古代倭人之居，四周皆仅有垂帘。凡此又皆证明倭人系来自热带。惟骨卜之风，则系后来由渤海沿岸诸种族传入，由此而又知古代倭人与中国之交通，当早在西汉以前也。

据说近来在日本博多湾沿岸，发见许多汉代的铜剑、铜锋；在筑前国筑紫郡春日村大字须玖及系岛郡怡土村大字三云，发见瓮棺，内多中国古镜、璧玉之类；又在系岛郡小富士村的沿海遗迹中，并发现王莽时代的货泉。[1] 如果这些遗物真是汉代的遗物，则在汉代中倭之间，已经有着交通往来。

最后说到西汉时代的南洋。

南洋群岛，爪哇一带，本来是南太平洋系人种发源之地，早在史前时代，自南洋群岛，北至马来半岛以西至于印度南部沿海，以东至于中国西南及东南沿海，远及日本，都布满了南太平洋系人种的族类。惟汉以前，此种散布于海岛上之种族，尚不为中国所知，故不见于中国史籍。到汉代，南洋与中国之海道已通。广东之徐闻、合浦，已成当时海洋贸易的口岸，故南洋的情况，遂写上了中国的历史。《汉书·地理志》云：

"自日南障塞、徐闻、合浦（按皆今县名），船行有五月，有都元国；又船行可四月，有邑卢没国；又船行

[1] 见日人木宫泰彦《中日交通史》。惟此种遗物，著者并未及见，是否为西汉时物，当待考定。

可二十余日，有谌离国；步行可十余日，有夫甘都卢国；自夫甘都卢国，船行可两月余，有黄支国。民俗略与珠崖相类……黄支之南，有已程不国，汉之译使自此还矣。”

以上所记之南洋诸国，“自武帝以来，皆献见”；其中黄支国，在王莽时，曾献生犀牛。惟以上的记载，仅示我们以远近的概念，并未指明船行的方向，因而使我们无从以之与今日之地理相推证。梁启超氏谓“汉代黄支，即《大唐西域记》中西印度境之建志补罗国（Kanchipura）”，但亦未言其所以然。近人亦有谓黄支，在今日之婆罗洲者，皆系测度之假说。总之，我们所可得而确知者，汉代的译使，已达到一年以上的海程以外之地。其终点已程不国，当在今日新嘉坡以西。

第四节　西汉的世界征服与第一世界帝国的建立

中国的中原种族，在四周诸种族的历史抑压中，过渡了将近一个世纪的时代。在这个时代中，从四周袭来之强大的历史压力，把中原种族紧紧地封锁在黄河流域的狭隘世界之中，过着一种被囚禁的生活。

四周的云雾太浓厚了，这使得中原种族看不见中原以外的中国，更看不见中国以外的世界。因此，尽管四周诸种族称帝称王，他们也知道得不很清楚；尽管西方世界的历史浪涛，拍击着帕米尔高原的山麓，他们更是毫无所知；至于在洪涛巨浪的东南大海中之有人类的活动，恐怕他们做梦也没有想到。

将近一个世纪的时间，很快地过去了，不久便到了汉武帝的时代。在这一时代，中原种族，已经在长期的历史抑压中，发展成为一个坚强而有力的历史个体，于是他便在中国境内，起着核心的作用，展开了空前的历史膨胀。这在中国历史上，便是汉武帝之“勤远略”。

汉武帝之所以要勤远略，而且能够实现他的勤远略，固然是适应当时中国商人地主开辟商路的要求；换言之，所谓勤远略者，就是当时中国商业资本之历史的冲锋（以后再详论）。但是如果站在种族活动的侧面看，则是中原种族的历史活动之世界的扩张。

如前所述，在汉初，由于匈奴的南侵，在中国的西北，形成了一种紧张的形势；到武帝时，这种紧张的程度，达到了爆炸点，于是从这里展开了中原种族与匈奴之种族斗争的大活剧。

中国的大冒险家张骞[1]之出使中亚，可以说是中原种族的历史扩张之序幕。据史载建元二年（前一三九

[1] 关于张骞的生平，《汉书·张骞传》记载不详，但云："张骞，汉中人也。建元中为郎。"其少年时代的生活，并无一字提及。据其本传所云，他曾经两次出使西域，一次出使云南。无论西域或云南，皆为当时中国人所不知道之世界，而张骞毅然"以郎应募"，想见其为一富于冒险性之人物。本传谓"为人强力，宽大信人，蛮夷爱之"，当非颂语。他第一次出使，是武帝建元二年出发，元朔三年回国（前一三九年至前一二七年），经过了十三年的异国生活。所负使命系寻找大月氏共击匈奴。不幸道出天山北麓，为匈奴所俘，囚禁十年，虽"予妻，有子"，"然持汉节不失"，并且毫不灰心，终于横断沙漠，越过葱岭找到了大月氏，达成他的政治任务。其坚忍不屈，忠于祖国的精神，如此可以概见。第二次出使，是元狩元年出发（前一二二年），大概当年就回来了。这次的目的，是企图从四川、云南打通一条通达印度的路，虽然为蛮族所阻，但中国由此才第一次知道云南的情形。第三次出使是元狩二年出发，元鼎二年回国（前一二一年至前一一五年），共经七年的时间。这次出使的目的，是招抚中亚诸国。他带了随员三百余人，马各二匹，牛羊以万数，赍金币帛值数千巨万。迫乌孙王派遣翻译，随副使数十人，多持金帛，分道赴大宛、康居、大月氏、大夏、安息、身毒、于阗、扜弥等国，进行招抚。前一一五年骞回国，岁余卒。又岁余，骞所遣赴各国副使，皆与各国之使者同至汉庭朝贡。自是中国始通于塔里木盆地，远至中亚。故史家曰，中国之通西域，张骞实有凿空之功也。张骞于第一次出使回国之后，即进封博望侯，以后又以卫尉领兵与李广俱击匈奴，更后又拜中郎将。他是一个冒险家，又是一个天才的外交家，同时又是一员战将，真可谓中国史上出类拔萃之人物也。张骞在其所到之国，不仅详细记录他们的山川形势，户口军备，而且也记录他们的经济状况乃至风俗习惯。这种细密的头脑就是他成功的原因。所以张骞死后，"诸后使往者，皆称博望侯，以为质于外国，外国由是信之。"由此，可以想见张骞在西域的威望之符于远人也。

年），武帝派遣张骞出使中亚寻找被匈奴人所驱逐而西徙的大月氏，希望他们回来，共同打击他们世仇匈奴人。从汉廷通达塔里木盆地以至更西的世界，天山北麓是一条天造地设的自然走廊，张骞西使，必须经过这里；但当时的天山北麓，却为匈奴人所占领，所以张骞曾一度为匈奴所掳，囚居十年。后来张骞从匈奴逃去，经大宛、康居，终于到达了大月氏。当时大月氏已建国于今日之布哈剌，不愿回到沙漠的故乡来复仇。张骞的直接政治使命，算是失败了，但中国却因此而第一次知道中原以外，还有广大的西方世界并从而开辟中国史上政治和经济之新的时代。

张骞在外国，整整十三年，后来取道塔里木盆地回国，复为匈奴所掳，囚一年，逃回长安。出国时，同行者百余人，归来时，只剩下一个同伴了。他回国以后，对于他所经过的塔里木盆地诸国以及中亚诸国，如大宛、康居、大月氏、大夏，乃至安息、条支、身毒等国，都有详细而确实的报告。中国之知道在包围它周围的蛮夷世界以外，还有开化的种族，就是由于张骞的报告。[1]（插图一五）

[1]《汉书·西域传》及《西南夷传》，就是根据张骞的报告写出来的。

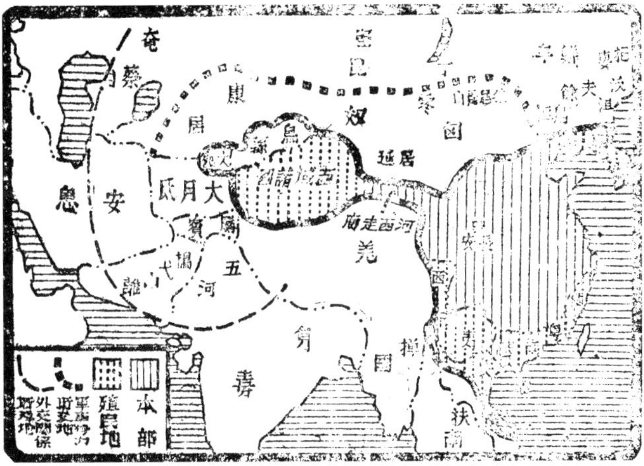

插图一五　西汉世界大帝国图

张骞在西纪前一二七年之发现西域，其对于当时中国人的刺激，就正象后来一四九二年哥仑布之发现美洲对于欧洲人的刺激是一样的。他无异告诉中国的商人，金银地不在海中的三岛，而在塔里木盆地，在更远的中亚。因此，从此以后，中国对匈奴的战争，与其说是为一种政治的原因，不如说是为了打通到中亚的商路而斗争。

西汉与匈奴的战争，从武帝元光二年（前一三三年）就开始了。当时西汉政府尚不知道匈奴领有广大的西北，他们企图一举而歼灭匈奴，但是失败了。[1]到张骞回国，于是战争的进行，更加积极，因而才有卫青等六将军之大规模的出击。[2]战争总算得到了报偿，匈奴经过了这一次打击之后，势已疲敝。到元狩二年（前一二一年），西汉的将军霍去病又从甘肃东北大举出击，深入沙漠两千里，于是匈奴的势力，才从天山北麓一带撤退出去。[3]以后在元狩四年（前一一九年）匈奴又经过卫青、霍去病的痛击[4]，到元鼎二年（前一一五年），自今日甘肃凉

[1]《汉书 · 匈奴传》云："武帝即位……汉使马邑人聂翁壹，间阑出物，与匈奴交易，阳为卖马邑城以诱单于，单于信之，而贪马邑财物，乃以十万骑入武州塞。汉伏兵三十余万马邑旁，御史大夫韩安国为护军将军，护四将军，以伏单于。单于既入汉塞，未至马邑百余里，见畜布野而无人牧者，怪之。……时雁门尉史……知汉谋……具告单于，单于……乃引兵还。……自是后，匈奴绝和亲。"

[2] 同上传云："汉复遣大将军卫青，将六将军，十余万骑，仍再出定襄数百里击匈奴。"

[3] 同上传云："汉使骠骑将军霍去病将万骑，出陇西，过焉耆山千余里……其夏，骠骑将军复与合骑侯数万骑，出陇西、北地二千里……昆邪王杀休屠王，……降汉。汉已得昆邪，则陇西、北地、河西益少胡寇。

[4] 同上传云："（汉）令大将军（卫）青，骠骑将军（霍）去病中分军；大将军出定襄，骠骑将军出代，咸约绝幕击匈奴。单于闻之，远其辎重，以精兵待于幕北，与汉大将军接战。……汉兵……围单于，单于……遂独与壮骑数百，溃汉围西北遁走。……骠骑封于狼居胥山，禅姑衍，临瀚海而还。是后匈奴远遁，而幕南无王庭。"

州以西、西至玉门[1]一带的地方，遂为西汉所有，因置酒泉、武威二郡，以统治其地。

匈奴虽然退去了天山北麓，但他们仍然统治着蒙古国北天山以北的世界，并支配着塔里本盆地东北一带的诸部落国家。因而他们的小组骑兵，经常从天山缺口南入楼兰一带，遮击汉代派往西国的使节和商队。同时塔里木盆地诸小国的酋长和臣民，也仗着匈奴的靠山，往往拒绝供应汉朝使节的给养，并且趁火打劫，掠夺汉代的商人。于是而有西汉与匈奴争夺天山东麓自然的缺口

[1] 王国维氏《流沙坠简序》中考证汉初的玉门原在敦煌之东。王氏之言曰："玉门一关,《汉志》系于敦煌郡龙勒县下，嗣是《后汉书·郡国志》及《括地志》、《元和郡县志》、两唐书《地理志》、《太平寰宇记》、《舆地广记》，以至近代官私著述，皆谓汉之玉门关在今敦煌西北。惟《史记·大宛列传》云:'太初二年，贰师将军李广利伐大宛，还至敦煌，请罢兵，益发而复往。天子闻之大怒，而使使遮玉门曰：军有敢入者，辄斩之。贰师恐，因留敦煌。' 沙畹博士据此，以为太初二年前之玉门关，尚在敦煌之东，其徙敦煌西北，则为后日之事。其说是也。按《汉志》酒泉郡有玉门县，颜师古注引阚骃《十三州志》谓:'汉罢玉门关屯，徙其人于此。' 余疑玉门一县，正当酒泉出敦煌之孔道，太初以前之玉门关，当置于此；阚骃徙屯之说，未必确也。嗣后关城虽徙，而县名尚仍其故，虽中更废置，迄于今日，尚名玉门。古人有误以玉门县为玉门关者，后晋高居晦《使于阗记》云:'至肃州后，渡金河，西百里出天门关。又西百里出玉门关。' 高氏所谓玉门关，实即自汉迄今之玉门县也。"

之战争。结果，西汉把匈奴的势力，从塔里木盆地之东北一带驱逐出去，巩固了对这个盆地的统治。[1]

大汉帝国的势力，一天天地西展，现在欲更进一步夺取天山以北的准噶尔高原，因而又送了一位美丽的公主远嫁于乌孙王，欲结乌孙以夹击匈奴，于是而有细君的出塞。[2]

---

[1]《汉书·西域传》鄯善国云："（汉使者赴西域，）楼兰、姑师当道苦之，攻劫汉使王恢等……（元狩三年，前一一八年）于是武帝遣从骠侯赵破奴，将属国骑及郡兵数万击姑师。王恢数为楼兰所苦，上令恢佐破奴将兵……掳楼兰王，遂破姑师。"

[2]《汉书·西域传》乌孙条云："始张骞言乌孙本与大月氏共在敦煌间，今乌孙虽强大，可厚赂招，令东居故地，妻以公主，与为昆弟，以制匈奴。……乌孙远汉，未知其大小，又近匈奴，服属（匈奴）日久，其大臣皆不欲徙。昆莫年老，国分不能专制，乃发使送骞，因献马数十匹报谢。其使见汉人众富厚，归其国，其国后乃益重汉。匈奴闻其与汉通，怒欲击之。又汉使乌孙，乃出其南，抵大宛、月氏，相属不绝。乌孙于是恐，使使献马，愿得尚公主，为昆弟。……汉元封中（六年，前一〇五年），遣江都王建女细君为公主以妻焉。赐乘舆服御物，为备官属宦官侍御数百人，赠送甚盛。乌孙昆莫以为右夫人。匈奴亦遣女妻昆莫，昆莫以为左夫人。公主至其国，自治宫室居，岁时一再与昆莫会，置酒饮食，以币帛赐王左右贵人。昆莫年老，言语不通。公主悲愁，自为作歌曰：'吾家嫁我兮天一方，远托异国兮乌孙王，穹庐为室兮旃为墙，以肉为食兮酪为浆，居常土思兮心内伤，愿为黄鹄兮归故乡。'"后昆莫令公主改嫁其孙。由此看来，当时的乌孙王，真是"左右为难"呵！

汉代既拉拢了乌孙，又想再进一步臣属大宛。大宛远在帕米尔高原以外，原是那些“深目高鼻”而“多须”的希腊人在中亚西北之最后的避乱所，他们在那里栽种葡萄，畜养马群以为生。[1]虽然也经常看见汉代来往中亚的使节，知道东方有个大汉国，但他们长期地处于匈奴人的支配之下，所以对待大汉的使者并不如对匈奴使者之尊敬。西汉政府为了此事，久已不快，适逢武帝派到大宛索取名马的使者为大宛所杀，于是而有太初元年（前一〇四年）李广利讨伐大宛之师。中国的远征军，现在进到中亚了。[2]

李广利的远征军需要横纵盐泽，盐泽者，即今日已经干涸了的罗布泊。罗布泊的地理情形据马可波罗说：“这一片沙漠，据说由这一头骑行到那一头，要一年以上，此处较狭，横越过去也要一个月，全是沙丘沙谷，

[1]《汉书·西域传》大宛条云：“大宛左右以蒲陶为酒，富人藏酒至万余石，久者至数十岁不败。俗嗜酒。马嗜目蓿，宛别邑七十余城，多善马，马汗血，言其先‘天马’子也。”

[2] 同上传云：“上遣使者持千金及金马，以请宛善马。宛王以汉绝远，大兵不能至，爱其宝马，不肯与。汉使妄言，宛遂攻杀汉使，取其财物。于是天子遣贰师将军李广利，将兵前后十余万人伐宛。”

插图一六　骆驼通过已干涸的盐泽

找不到一点可吃的东西，但是骑行一日一夜以后，便可以得到淡水，足够五十到一百人连牲口之用，多了就不行。”（插图一六）在这样地理环境中进军，当然艰苦万状，所以李广利进到大宛以前，军队的给养早已完了。到大宛后，围攻一城，即大败而回，回到敦煌只剩下十分之一二的人马了。[1] 为了保持中国在中亚的声威，于

[1]《汉书·李广利传》云：“太初元年，以广利为贰师将军，发属国六千骑及郡国恶少年数万人以往，期至贰师城取善马，故号‘贰师将军’。故浩侯王恢使道军，既西过盐水，当道小国各坚城守，不肯给食，攻之不能下，下者得食，不下者数日则去。比至郁成，士财有数千，皆饥罢。攻郁成城，郁成距之，所杀伤甚众……引而还。往来二岁，至敦煌，十不过什一二。”

是而有太初三年（前一〇二年）李广利再征大宛之师。这一次的远征军，却从前一次的失败中得到了教训，他们灵敏的组织力，克服通过盐泽的困难，因而得以直捣大宛国都，杀其王，降其国，掳其名马，痛饮其葡萄酒，全胜而回。[1]

为了保卫这一条新征服的天山北麓的大自然的走廊及塔里木盆地的统治，西汉政府，很快地就采取了妥善的措置。它一方面派遣大队的骑兵，搜索蒙古沙漠中之残余的匈奴势力，于是而有赵破奴远出令居之师。[2]另一方面，又开始了巨大无比的边防工程之建筑，这就是

[1]《汉书·李广利传》云："赦囚徒扞寇盗，发恶少年及边骑，岁余而出敦煌六万人，负私从者不与，牛十万，马三万匹，驴橐驼以万数，赍粮，兵弩甚设。天下骚动，转相奉伐宛，五十余校尉……益发戍甲卒十八万酒泉张掖北，置居延、休屠，以卫酒泉。而发天下七科适，及载糒给贰师。转车人徒相连属至敦煌。而拜习马者二人为执驱马校尉，备破宛择取其善马云（其规模之大如此）。……（及围宛）宛贵人……共杀王（降）。"

[2]《汉书·匈奴传》云："乌维立三年……汉遣故太仆公孙贺将万五千骑出九原二千余里，至浮苴井，从骠侯赵破奴万余骑，出令居数千里，至匈奴河水，皆不见匈奴一人而还。"

把秦代的长城由令居向西延展，直达今日敦煌之西[1]，于敦煌西北筑关曰玉门关，以为中国极西之大门。[2]而

[1] 王国维氏《流沙坠简·序》中有云："案：秦之长城，西迄临洮，及汉武帝时，匈奴浑邪王降汉，以其地为武威、酒泉郡，后又分置张掖、敦煌郡，始筑令居以西，列四郡据两关焉，此汉代筑城事之见于史者，不言其讫于何地也。其见于后人记载者，则法显《佛国记》云：'敦煌有塞，东西可八十里，南北四十里。'《晋书·凉武昭王传》云：'玄盛乃修敦煌旧塞，东西二围（东西疑东北之讹），以防北虏之患；筑敦煌旧塞、西南二围，以威南虏。'案：唐《沙州图经》，则沙州有古塞城、古长城二址，塞城周回州境，东在城东四十五里，西在城西十五里，南在州城南七里，北在州城北五里。古长城则在州北六十六里，东至阶亭烽一百八十里入瓜州常乐县界；西至曲泽烽二百一十二里；正西入碛，接石城界云云。'李暠所修，有东西南北四围，当即《图经》中之古塞城。法显所见，仅有纵横二围，其东西行者，或即《图经》中之古长城，而里数颇短。盖城在东晋之末，当已颓圮，而《图经》所记，东西三百里者，则穷其废址者也。此城遗址，《图经》谓在州北六十二里。今木简出土之地，正直其所，正唐沙州，《图经》所谓古长城也。前汉时，分置三都尉于此，都尉之下又各置候官。由西而则首玉门都尉下之大煎都候官、玉门候官。次则中部都尉所属之步广候官、万岁候官。又东则宜禾都尉所属各候官。又东入酒泉郡，则有酒泉西部都尉所治之西部障，北部都尉所治之偃泉障。又东北入张掖郡，则有张掖都尉所治之遮虏障，疑皆沿长城置之。今日酒泉、张掖以北长城遗址之有无虽不可知，然以当日之建置言之，或宜如是也。"

[2] 王国维氏于上引序文中对于玉门之西徙有曰："其西徙之年，史书不记，今据斯氏所得木简，则有武帝太始三年已有玉门都尉护众文书（屯戍残第一页）。其时关城当已西徙于此，是岁上距太初二年不过十岁，是其西徙，必在李广利克大宛之后（太初四年），西起亭障至盐泽之时也。"又汉及新莽时玉门都尉所有版籍皆出于此，可为《汉志》玉门关之铁证，不独与古书所记，一一吻合而已。"

且沿新筑的长城，列置堡垒，驻屯戍兵，亭障相望，一直达到今日新疆东部的白龙堆。[1]

汉代的长城与秦代的长城不同，秦代的长城，是一种防御的工具，而汉代的长城，则是一种前进政策的工具。在汉代长城的西展，是与汉代武装征伐的西进相配合的。汉代的统治者，几乎想把长城向西伸延，接上天山，但是结果没有完成他们的理想，所以在长城极西的终点与天山东麓之间，留下了一个很大的缺口，这个缺口，就成为以后匈奴种族进出于塔里木盆地的孔道。

汉代新筑的长城，早已颓废了，但敦煌西北玉门附近的一段古长城废址（插图一七），已由斯坦因发现了。据斯氏报告，他所看见的古长城不是用砖石建筑的，而是："用苇草捆在一定的间隔，同泥层交互砌成的一道正规的城墙，全部经过盐卤渗透之后，坚固异常。墙外面同内部成捆的苇秆成直角形，还放有别的苇秆，捆扎得很仔细，细如束柴，砌成堤形。苇秆束一致长八呎，

[1]《汉书·张骞传》云："（元封二年）酒泉列亭障至玉门矣。"《西域传》云："（太初三年）自敦煌西至盐泽往往起亭。"又《匈奴传》云："太初三年……汉使光禄徐自为出五原塞数百里，远者千里，筑城障列亭至庐朐。而使游击将军韩说、长平侯魏伉屯其旁，使强虏都尉路博德筑居延泽上。"

插图一七　玉门附近古长城的遗址

厚约八吋。”斯氏又说从保存得很好的一段墙，可看出其厚达八呎，高达七呎，因有盐卤之浸透，墙壁已成半化石的状态。

汉代的工程师，用苇秆和泥土建筑长城，没有其他的原因，只是就地取材而已。因为在甘肃西北沙漠地带，除芦苇外，没有其他的建筑材料，这种苇秆，当时西域的人民，早已用以为建屋及架桥材料。斯坦因氏曾在于阗附近的尼雅废墟发现若干汉代房屋，都是用苇秆夹泥以为墙。《后汉书·班超传》中亦谓“焉耆有苇桥之险”，此又以苇秆夹泥架桥之证也。

在汉代沿长城全线西至罗布泊沙漠，直达库鲁克塔

插图一八　指示汉代玉门所指的古垒

格山麓，皆列置堡垒烽燧，即《汉书》上所谓亭障，以为瞭望敌人及传达烽火信号之用。据汉简载，汉代沿长城的烽垒，布列甚密，大概五里一燧[1]，十里一墩，三十里一堡，百里一城塞。由于亭障烽燧万里相望，于是在中国的西北，筑成了一条坚强的防线。

汉代的烽垒遗迹，近来斯坦因氏已大有发现。据斯氏报告，他曾于敦煌西北“沿伸张出去的长城西段的光石子高原边上，发见很多距离不等而完整的古垒，屹然耸立（插图一八）。这些古垒，无论是用土砖或用泥造，都很坚固。大概基部方达二十呎左右，往上逐渐缩小，

［1］《居延汉简考释》卷二：“第二十二燧南致十七燧二十一里。”

插图一九　罗布泊中之汉代的古垒

这在以前是一种小瞭望台，有雉堞作保护。大多数的台顶，只能用绳索攀缘上去，至今在砖墙上还可以看见托足用的孔穴遗痕。”（《西域考古记》一二四页）

斯氏又在罗布泊沙漠发现了若干古代废垒（插图一九），其建筑式样及所用的材料，与在敦煌所见者相同。斯氏曾于沙漠中发现一座有城墙的小堡，据他考察，“这是中国的使节军队从敦煌到有人烟的楼兰地方的第一个休息的驿站。墙垣用苇秆和泥相间仔细筑成，与古长城的建筑同。其年代在中国第一次向塔里木盆地军事进展之后极为相合”（同上书一〇九页），正汉武帝时所筑也。

斯氏又“在库鲁克塔格山麓发现古代障塞遗址，绵

插图二〇　库鲁克塔格山麓之汉代古垒

延百余哩（插图二〇），这些古堡其中有很大的，构造的形式与甘肃沿长城所发见者完全相同。此种堡垒，显然是西纪前一百年左右，其时汉武帝通西域因筑长城建障塞，以保护从敦煌到楼兰的通路。”（同上书一九五页）

敦煌西北古长城的废垒，因为有敦煌汉简的记录之互证，经王国维氏的考证，已可骤得而呼其古代之名了。[1]敦煌以东，则至今尚无所发现，但我相信，将来

[1] 王国维氏《流沙坠简·跋》云：“（敦煌烽燧）自东徂西，首利汉燧，为斯氏图中敦三十四之地。次万岁显武燧，即敦二十六之地。而万岁扬威燧之即敦二十七，吞胡燧之即敦二十八，可得由是决之矣。次平望青堆燧，即敦二十一乙之地，平望朱爵燧即敦十九之地，次玉门，即敦十四。次则玉门所属诸燧，当谷即敦十三，广新即敦十二，显明即敦八。又次则凌胡燧即敦六乙，厌胡燧即敦六丙，而广武之为敦六，步昌之为敦六甲，广昌之为敦六丁，亦可由是决之矣。由是沙漠中之废址，骤得而呼其名，断简上之空名，亦得而指其地。”

一定是可以发现的。假使有人在居延一带，作有系统的考古，则居延汉简中之诸烽燧的名字，又可以归还他们原来的主人了。

汉代对于烽燧，有着极系统而严密的组织。据汉简所示当时的烽垒之管理，依其地望之所在，分隶于河西四郡的太守。太守之下，置都尉，都尉之下，置障尉、候官、候长、燧长，这样就构成了边郡烽燧之层叠的管理组织。燧长之下，则为戍卒，每一燧有戍卒三人至三十人不等，亦有多至百人者。此等戍卒担任守望举烽，以及采伐举烽用之薪柴及修理烽燧堆的任务。[1]

举烽的种类有三：一曰燔积薪，二曰举苣火，三曰放烽烟。大概白天放烟，夜晚举火，而且依敌人之远近多少而放烟举火，亦有各种不同之信号。如《居延汉简》有曰："虏守亭障，不得燔积薪，昼举亭上烽一烟，夜举离合苣火，次亭燔积薪如品约。"又云："五百人以上能举二烽。"又云："口传言，举二苣火燔一积薪。"此其例也。

汉代的烽燧堆，近亦由斯坦因氏发现。斯氏在敦煌

[1] "二月庚辰曰，卒四人，其一人常候，其一人候，其二人积薪十日，率日致□□□薪二里。"（《敦煌汉简·戍役》十三）

西古长城线下看到一座一座的烽燧，还是凛然存在于沙漠之中。据斯氏的报告：“在许多烽燧处，看到一些断续的奇异的小堆，一般皆排成十字交叉之五点形或直线形，彼此相距不远。仔细考察，其底部宽约七呎至八呎，高一呎至七呎不等，皆系芦苇束作十字形交叉而建成。芦柴束初放时插野白杨树枝以为支持之用，时间稍久，即不需要了。经盐质浸润后，芦柴束已成半化石状态，但理其纤维，仍柔软如故。芦柴束的大小与用以建筑长城者相同，初以为系备不时之需，嗣于离长城较远之烽燧中，亦见此物，且屡见有经火烧而化为炭化合物者，于是恍然大悟，此种堆积的芦柴，显然是备作举烽燧之用的。”（《西域考古记》一三二页）斯氏的判断，甚为正确，盖汉简中常有卒几人积薪若干日，或若干束的记载，足以证实其说也。

从汉简的记录中，我们知道当时边防军的给养，如谷物布帛之类，都是从内地运去的。为了安放这些给养，当时沿长城线都有仓库的设置，这从汉简中有“仓长”、“仓佐”的官名之出现，可以证明。此种仓库的遗址，斯坦因氏已在玉门关东五哩之地发现了。据斯氏报告：

“在商道旁边长城后面有一很庄严的遗址，有三间相联的大厅，全长在五百六十呎左右……坚厚的砖墙，至今有些处所，还有二十五呎高，只开几个孔穴，显然是作为流通空气之用。外墙之内有内墙，四角有碉楼。建筑的奇特，使我们猜想，这或者是用作沿长城线军队驻屯移动及官吏和政治使节取道碛路时供给一切的仓库。后来在内墙一角，发现了许多中文木简，简上说到从敦煌沙漠田运送粮食以及积储衣物等等，于是把这个猜想充分证实了。”《西域考古记》一三五页）

为了传达军事情报命令及政府公文，沿长城线又有军邮的组织。汉简中关于往来文书，皆有登记，如《居延汉简》中有:“酒泉大尹书一封”，“书一封，张掖太守章”等记载。当时邮送文书，有缓急之别，其急者则“吏马驰行”，通常的文书，则“以邮行”、“以亭行”。更有一种传观的情报，则“以次传行”，自某处至于某处，如“广田以次传行至望远止”(《居延汉简》）即其例也。此种驿站的遗址，斯坦因氏在古长城线边也发现了。(参看《西域考古记》一二七页）

在汉简中有关于医药的记载，我们又知当时边防军

中有医药的设备。当时装药的木箱，斯坦因氏也在古长城线边发现了，其一箱盖书云："显明燧药函"。(《西域考古记》一二九页)

从汉简的记录中可以看出当时各烽燧皆备有武器，而主要的武器是弓矢。弓有六石弩、三石弩，矢有槀矢、宝矢、郫矢、铜镞各种。此外有剑盾、革甲、马跤、曲旃之类的军用品。除武器外，又有斧、锯、椎、凿、锄、臿、绳索、户扃、梧、著、尊、盘、案、衣箧之类的劳动工具及日用工具。

当时边防军军官的生活，也很舒服。据汉简所示，他们头戴蓝冠，身穿官裘，足登革履。《居延汉简》的日用账中有："买牛百斤治脯"，"入小畜鸡子五枚"，"雄鸡一，雌鸡二"，"酒二石"，"曲十石"，以及购买猪肉、猪舌、猪肺、猪肝、猪胃及胡豆、生姜等的记载，又知当时的军官的营养是非常丰富的。从"肉百斤值七百"的记载，又知当时的肉类，每斤只卖七个大钱，无怪他们可以饱餐猪牛之肉也。

总上所述，我们因知在汉武帝开河西四郡、筑长城、列亭障的这一历史标题之下，是包含着丰富的历史内容，这种内容由于汉代遗址、遗物与汉简之发现，已经呈现了光明。明乎此，我们才知道汉之世界征服的胜利进军，并不是偶然的。

自从打通了天山北麓的天然走廊以后，于是中国派赴塔里木盆地及中亚诸国的政治使节，蹈着张骞的足迹而西者，“相望于道，一辈（即一批）大者数百人，少者百余人”。同时，被西方称为“丝绸人”的中国商人，也络绎于途，万里不绝。西汉帝国的声威，不久便广蔽于中亚乃至罗马文明的中心了。中国向西发展的急先锋，无论政治使节或商人，都是打的大汉帝国的旗帜，都是自称为大汉帝国的臣民，因而西方诸国，亦以“汉人”称之。“汉人”者，大汉帝国之人民，乃言其国籍，并非指其种属，后来，习而久之，中国的中原种族，亦以“大汉族”自命，实则所谓“大汉族”者，乃系中国境内诸种之混合的构成，在中国原始的种族形成中，并没有甚么“汉族”。[1]

---

[1] 汉人者犹今日之言英人、法人、苏联人也，但英人为撒克逊族，法人为条顿族，苏联人则有无数种族，而并无所谓英族法族苏联族也。但汉族在中国，已成一习用之名词，本书以后亦沿用之。

西汉的声威，虽已远及中亚，但匈奴仍然封锁中原通达中亚之天山北麓的大道，并常与龟兹、楼兰等国遮杀汉使，于是而又有昭帝元凤四年（前七七年）傅介子刺杀楼兰王之事。[1]但是问题还是没有解决，所以到宣帝本始二年（前七二年），乃大发兵与乌孙夹击匈奴于天山之北，于是匈奴始衰。[2]而同时汉朝也占领了天山东麓之南的吐鲁番盆地，在塔里木盆地中树立了自己的经济基础。[3]

匈奴既不能南入黄河流域，又从塔里木河流城被驱逐出来，生活环境，日益艰难。到宣帝五凤元年（前五

[1]《汉书 · 傅介子传》云："傅介子，北地人也，以从军为官。先是龟兹、楼兰皆尝杀汉使者……至元凤中，介子以骏马监求使大宛，因诏令责楼兰、龟兹国。介子至楼兰，责其王教匈奴，遮杀汉使：'大兵方至。王苟不教匈奴，匈奴使过至诸国，何为不言？'王谢服，言匈奴使属过。……介子至龟兹，复责其王，王亦服罪。"以后介子再至楼兰，因刺楼兰王。

[2]《汉书 · 常惠传》云："（本始二年）汉大发十五万骑，五将军分道出……以惠为校尉，持节护乌孙兵，昆弥自将翎侯以下五万余骑，从西方入，至右谷蠡庭，获单于父行及嫂居次、名王骑将以下三万九千人，得马牛驴骡橐佗五万余匹，羊六十余万头。"

[3]《汉书·郑吉传》云："郑吉，会稽人也，以卒伍从军，数出西域，由是为郎。吉为人强执，习外国事，……至宣帝时，吉以侍郎田渠犁，积谷。"

七年)，五单于争立，国内大乱[1]。后来五单于为呼韩邪单于所并，但其兄呼屠吾斯亦自立为郅支骨都侯单于，兄弟内战，而匈奴遂分南北。宣帝甘露二年(前五二年)，南匈奴呼韩邪款五原塞，降于汉；而北匈奴则远徙吉尔吉斯西北一带。[2]到元帝建昭三年(前三六年)，大汉的西域校尉陈汤与都护甘延寿远征康居，斩郅支单于，传首京师，于是北匈奴益西。大概在纪后四世纪初，他们便出现于欧罗巴的原野了。

南匈奴既降附，北匈奴又西走，自是汉朝西北无敌人，而中原通中亚的商路，遂得畅通无阻。惟自元帝时(前四八年)起，西汉的政权，逐渐腐化，政治的力量，已不能维持其庞大的属地之统治。从此以后，对属地，便采取了放任政策。虽然如此，成帝时(前三二年到前七年)尚有罽宾康居入贡。哀帝时(前六年到前一年)

[1] 匈奴五单于：(一)呼韩邪单于(左部稽侯),(二)屠耆单于(右部日逐王),(三)呼揭单于(四方呼揭王),(四)车犁单于(右奥鞬王),(五)乌藉单于(右部乌藉都尉)。

[2]《汉书·匈奴传》云："郅支单于，以为呼韩邪降汉，兵弱不能复自还，即引其众西，欲攻定右地(曾西破乌孙，北破呼揭、坚昆、丁令，并都于坚昆)。……会康居王数为乌孙所困……使使至坚昆，通语郅支。郅支素恐，又怨乌孙，……遂与康居相结，引兵而西。"郅支遂至康居。

“西域佩汉印绶者”尚有“三十六人”。直至王莽始建国五年（西纪一三年），焉耆杀汉都尉但钦，中国在塔里木盆地的统治，才最终的结束。以后中原大乱，天山南北一带的地方，又再转入匈奴的手中，汉朝与西域不通者六十年。

西汉帝国，在西北方面与匈奴的战争，继续到一百年之久。但是与对匈奴的战争平行地发展，西汉政府同时又曾发动了对百越、群蛮、东胡、西羌的征服战争，而且即因在这些征服战争中，很容易地获得了胜利，然后它才能以全力昂扬西进。

早在开始西进政策之前，西汉的水军，就在浙南登陆，占领了今日钱塘江以南的地方，开始了对东南沿海一带百越之族的武装征服。他们把今日浙江南部的东粤之族，强制移居于江淮之间，而占有其地，以为进攻福建的“闽粤”之军事的据点，自是东越遂虚。[1]

在征服东粤后之第三年，西汉政府，又发动了远征闽越的战争。大军两路并进，一路出浙江，一路出江西，

[1]《汉书·两粤传》云:“建元三年（前一三八年），闽粤发兵围东瓯，东瓯使人告急……天子遣（严）助，发会稽郡兵浮海救之。……汉兵未至，闽粤引兵去。东粤请举国徙中国，乃悉与众处江淮之间。”

以向福建。当时闽越之王郢，发兵拒险，以与汉人战，不幸种族内部，发生了叛变，杀其王以降于汉。汉天子认为“首恶”已除，遂树立傀儡，使其拒南越。自是汉族的势力又侵入福建。[1]

元鼎四年（前一一三年），汉代开始对南越的征服。军事的压迫与政治的诱降，双管齐下。一方面，各路大军在路博德统率之下迫近南越的边境，另一方面，成群的政治使节，同时出现在南越的宫廷。在这样威胁利诱的形势之下，南越的国王，开始动摇。但是即于此时，南越的首相，杀了国王，再组织抵抗汉人的政府，汉人的诱降政策失败了。跟着诱降政策的失败，便是武装的进攻。[2]

---

[1]《汉书·两粤传》云：（建元）六年（前一三五年），闽粤击南粤，南粤守天子约，不敢擅发兵而以闻。上遣大行王恢出豫章，大司农韩安国出会稽，皆为将军。兵未逾岭，闽粤王郢，发兵距险。其弟余善与宗族谋……钬杀王……天子诏罢两将军兵……立丑（无诸之孙）为粤繇王。……余善以杀郢，威行国中……（立）为东粤王。”

[2] 同上传云：“元鼎四年，汉使安国少季谕（南粤）王（及）王太后（使）入朝，令辩士谏大夫终军等宣其词，勇士魏臣等辅其决，卫尉路博德将兵屯桂阳，待使者。王年少，太后中国人，安国少季往，复与私通，国人颇知之，多不附太后。太后恐乱起，亦欲倚汉威，劝王及幸臣求内属。即因使者上书，请比内诸侯，三岁一朝，除边关，于是天子许之。……相吕嘉……数谏止王，王不听……吕嘉乃遂反……攻杀太后、王，尽杀汉使者。”

第二年（前一一二年）大规模的南征开始了。当时汉代的大军，五路出发：两路出湖南，下湘水；一路出江西，下赣水；一路出贵州，因夜郎兵下西江；一路出福建因闽兵，沿海而西。除福建一路，中途持两端以外，其余四路，都胜利地攻到了广东。他们会师番禺，“从火烧城”，并以水军擒杀南越国王及首相于海中。自是广东、广西，西南至今日安南之东北，皆为汉朝之郡县，而这一带的百越之族，遂得沾染大汉帝国的“王化”。[1]

福建一带的闽越，虽曾经征伐，但并未完全降服，因而元封元年（前一一〇年），又有东征之师。当时大军分道入闽越，杀其国王，降其种族，徙其族类于江淮

[1]《汉书·两粤传》云：“元鼎五年秋，卫尉路博德为伏波将军，出桂阳，下湟水；……主爵都尉杨仆为楼船将军，出豫章，下横浦；故归义粤侯二人为戈船、下濑将军，出零陵，或下离水，或抵苍梧；使驰义侯，因巴蜀罪人，发夜郎兵下牂柯江，或会番禺。……楼船居前，至番禺……纵火烧城……城中皆降伏波。（相）吕嘉、（王）建德，以夜与其属百人亡入海……遣人追……得建德，……。南粤已平，遂以其地为儋耳（海南岛南部）、珠崖（海南岛北部）、南海、苍梧、郁林、合浦（广东徐闻）、交阯（安南北宁）、九真（安南清华）、日南（安南河靖）九郡。”

之间，于是史家书曰："东粤遂虚"。[1]

早在建元六年（前一三五年）大汉的势力，即已深入西南。当时武帝以唐蒙为中郎将，将千人，食重万余人，从四川莋关，南入贵州之西南，招降夜郎及其旁诸蛮部落，而以犍为郡。嗣后，张骞使大夏见邛杖，又知自中国西南有通身毒之路，自是汉代寻求身毒的使节，不绝于西南道上，但皆被阻于且兰而不得通。及汉攻南越，令发南蛮兵，而且兰拒命，并杀汉使者及犍为太守，于是汉代政府乃以征伐南越之师，西征云贵四川诸蛮。到元封二年，遂平西南夷。自是南蛮在中国之最后根据地，都变成了大汉帝国的郡县。[2]

---

[1]《汉书·两粤传》云："上遣横海将军韩说出句章，浮海从东方往；楼船将军（杨）仆出武林，中尉王温舒出梅岭；粤侯为戈船、下濑将军出如邪、白沙，元封元年冬、咸入东粤。……故粤建成侯敖，……杀余善，以其众降。……诏军吏皆将其民徙处江淮之间，东粤地遂虚。"

[2]《汉书·西南夷传》云："汉乃发巴蜀罪人尝击南粤者八校尉击之（且兰），会越已破，汉八校尉不少。中郎将郭昌、卫广，引兵还，行诛隔滇道者且兰，斩首数万，遂平南夷为'牂柯郡'。夜郎侯始倚南粤（他们本是同族），南粤已灭，还诛反者（为甚么一定要顺汉），夜郎遂入朝，上以为夜郎王（本来就是夜郎的酋长）。南粤破后，及汉诛且兰、邛君，并杀莋侯（莋侯并未阻滇道，亦未倚南粤反），冉駹皆震恐，请臣置吏。以邛都为'粤巂郡'，莋都为'沈黎郡'，冉駹为'文山郡'，广汉西白马为'武都郡'。……元封二年，天子发巴蜀兵，击灭劳深、靡莫（难道他们也妨害了汉族的生存），以兵临滇，滇王始首善，以故弗诛。滇王离西南夷，滇举国降，请置吏入朝，于是以为'益州郡'。"

羌族在西汉时代，处于匈奴、汉族及南蛮三大势力之间。向北发展，则阻于匈奴；向东发展，则阻于汉族；向南发展，则阻而南蛮。在这种历史压力之下，其一部分族类，则西徙中亚；其另一部分，则南徙青海西藏；又一部分，则先后同化于南蛮。其原来散布于甘肃西南一带的诸羌之族，至此其势力已甚微弱。虽然如此，当汉族与匈奴展开争夺西方世界的战争之时，羌族也演着一个穿插剧情的角色。武帝时，先零羌与封养牢姐种，他们团结起来，与匈奴联合，夹攻汉军。[1]宣帝时，又进攻金城，企图截断中原通达西域之路，于是而有赵充国讨伐诸羌之役。当时赵充国胜利地击溃诸羌，屯田临羌，置金城属国以处降羌。[2]至于元帝，陇西诸羌，又

[1]《文献通考·四裔考》一〇云："武帝征伐四夷，又西逐诸羌，乃渡河湟，筑令居塞。初开河西，列置四郡（酒泉，武威，张掖，敦煌），通道玉门，隔绝胡（匈奴）羌。于是障塞亭燧出长城外数千里。时先零羌与封养牢姐种，解仇结盟，与匈奴通，合兵……围抱罕。汉遣将军李息将军讨平之，始置护羌校尉统领焉。"

[2] 同上书云："宣帝时，诸羌又相与解仇，寇攻金城。帝遣后将军赵充国将兵讨之。充国欲以屯田于临羌，东至浩亹，务威信，招降罕开及劫掠者，解散虏谋，乃击之。……诏罢兵，独充国留屯田……初置金城属国，以处降羌。"

曾一度叛变，经冯奉世将军的讨伐，也就平息了。自是以后，诸羌慑伏。

最后，说到汉代之东北征伐。西汉初年的势力，仅及于辽东，辽东以外，都是东夷的世界。到元封二年(前一〇九年)，武帝便开始了对朝鲜的政治进攻，他派遣使臣涉何去招降朝鲜，但朝鲜王右渠不奉诏，并派人刺杀了为汉使作向导的朝鲜官吏。汉代的诱降，显然失败了，于是以涉何为辽东东部都尉，准备对朝鲜的军事进攻。但是朝鲜却先发制人，他们发兵攻辽东，杀了涉何，于是而有元封三年征伐朝鲜之师。当时汉兵海陆并进，终于征服了朝鲜，夷其地为真番、临屯、乐浪、玄菟四郡。[1]但是西汉政府始终没有伸张其势力于辽东半岛之东北，因而这里就成为东胡族最后的自由天地。

总上所述，我们因知西汉至武帝时，简直在战争中

---

[1]《汉书·朝鲜传》云："(元封三年)秋，遣楼船将军杨仆从齐浮渤海，兵五万，左将军荀彘出辽东，……(朝鲜王)右渠发兵拒险。左将军卒，多率辽东士。兵先纵，败散，还走。……楼船将齐兵七千人，先至王险(城)。右渠城守，窥知楼船军少，即出击楼船，楼船军败走。……(后)两将不相得……(天子)使故济南太守公孙遂往正之……并两军，急击朝鲜……遂定朝鲜，为真番、临屯、乐浪、玄菟四郡。"

疯狂了。当时，西汉征服的地区，固不仅“西荡河源，东澹海漘，北动幽崖，南耀朱垠”，而且远度龙堆，横绝沙漠，西越葱岭，威震中亚，历身热、头痛、悬度之险，服大宛、康居、奄蔡之王，受月氏、安息、罽宾之贡，接身毒、条支、大秦之光。当此之时，“天兵四临，幽都先加；回戈邪指，南越相夷；靡节西征，羌僰东驰。是以遐方疏俗，殊邻绝党之域，自上仁所不化，茂德所不绥，莫不跣足抗首，请献厥珍”。这真是“圣风云靡，英华浮沈，洋溢八区；普天所复，莫不沾濡”。呜乎！“盛哉乎斯世”！

自武帝以至昭宣之世一百年间，汉族在中国，正象一个太阳，其他诸种族，则象环绕着这个太阳的一些行星。因此其他诸种族，虽然各有其自己运行的规律，但从中国史之全面运动看来，这些诸种族，还是以汉族的历史为中心而规定其运动的方向。中国史再不是一些碎片的自由活动，而是在一个历史动力的运转之下，展开了全面的发展与统一的运动了。

大月氏，是中国历史运动压抑中，第一次抛出去的一块历史碎片，也可以说是中国这个太阳系统中的一颗流星，这颗流星，降落在中亚，象陨石一样，落在妫水流域。然而它在妫水流域，却大放光明。匈奴人把大月氏抛掷到中亚，大月氏人又把希腊人抛掷到印度、到费尔干，希腊人又再降落在印度文化中，降落在中国文化的边缘。同时大月氏又把阿萨息斯人逼向西走，于是而罗马人又不幸地领略阿萨息斯人的响箭。

北匈奴是中国历史运动压抑中，第二次抛掷出去的一块历史碎片，也就是中国这个太阳系统中第二颗流星。这颗流星后来降落在欧罗巴的原野，成为四世纪西欧历史的动力。

至于武、昭、宣时代，中国军队在中亚之出现，那已经不是流星，而是太阳光芒的照射。当此之时，汉朝的文明光辉，已经把西藏青海除外之今日的整个中国，照得通明，并且通过天山北麓之颈形的狭管，在天山南北，射出它的光辉。这种光辉，渐渐向中央扩大它的照射，大约在里海黑海之南，便与罗马帝国的光辉交光连彩，呈现出一种奇异的美景，这就是东西两个世界的历史运动之交流，亦即世界史的运动，走向统一的表征。

匈奴的狂飙吹过了，西汉帝国的光辉也黯淡了。汉代的历史，已经到了黄昏时代，四周的诸种族，又象云雾一样，渐渐升起。中国史的运动，又从向外扩张，转向对内火并。这就是西汉末年的历史画图。

一切都过去了，但是汉族与蛮族的势力之消长，却在西汉史上，画出了一条永远不能磨灭的曲线。

第二章　西汉的社会经济构造

第一节　西汉的农业

一　土地再分配、农民复员与农村秩序的恢复

农民对土地的渴望，已经太久了。早在秦始皇的时代，他们便在石头上，刻出了“始皇死而地分”的标语。始皇死而二世立，但地仍未分。

土地的饥饿，唤起了秦末农民的大叛乱。叛乱的农民，捣毁了秦代商人地主的政权；但没有等到解决土地分配的问题，叛乱便转变了性质。

农民叛乱，虽没有主动地解决土地问题，但在客观上，它却解除了土地问题的严重性。因为在叛乱中，一方面，农民用了自己的死亡，减少了人口的数量；另一方面，旧的土地所有者，随着政权之崩溃，又抛出了大

量的土地。即因人口的减少与土地的开放，于是土地问题的严重性，便自然而然地松懈了。

具体的史实，指示出来，当秦汉之际，海内溃叛，天下大倾，攻战杀伐，将近十年。陈涉之起，巨鹿之击，新安之坑，咸阳之屠，彭城之战，荥阳之峙，以至垓下之围，乌江之役，其间农民之前赴矢石、后堕溪谷而死者，其数当有数百万人。同时，地主之死于非命者，亦当不少。汉兴，高祖削夺功臣，平乱定叛，七八年间，战争未尝休息，农民之死于刀兵者，又不知多少。加以大兵之中，又益之以荒年，“米石五千，人相食，死者（又）过半”。[1] 所以到西汉初，“大城名都，民人散亡，户口可得而数，裁十二三；是以大侯不过万家，小者五六百户”。[2] 又如高祖平城之围，史称其“率中国兵”，而为数不过三十万。由此可以想见当时人口萧条之一般。直至平帝时，休养生息历二百年之久，而人口总数尚不过五千九百余万人。[3] 若二百年中，人口增加两倍，则

---

[1]《汉书 · 食货志》

[2]《汉书 · 高惠高后文功臣表 · 序》

[3]《汉书 · 地理志》记平帝始元二年（纪元二年）人口总数为五九五九四九七八人。

西汉初的人口总数，不过千万左右而已。在相反的方面，因旧地主之死亡而开放的土地，又不知有多少。

所以摆在西汉新政府面前的任务，已经不是如何解决土地缺乏的问题，而是如何处分这一份庞大无比的历史遗产；换言之，就是如何分配土地。

土地的分配，很快地就开始了。

第一份，当然是西汉的皇家。据史籍所载，西汉的皇家，不仅是全国土地之名义上的所有者，而且并拥有大量的私有地。此种属于皇家的私有地，在当时称之曰公田。这种公田，多系由没收秦代皇家、贵族和大官僚的土地而来，故大半多在渭水流域一带。但除此以外，全国各地之山陵、陂泽、湖沼，以及所有的无主荒地，都在公田名义之下，归于皇家之所有。这些公田，由国家专设农官以掌管之，收其米粟，或课其租税，以为皇家的“私奉养”。当时西汉的公田，大概分别归属于水衡、少府、太仆、大农各司所管理，所以《史记·平准书》云：“水衡、少府、大农、太仆各置农官，往往即郡县没入田田之。”《汉书·百官公卿表》亦谓，西汉官职中，有农监、都水、农都尉，《昭帝纪》中有稻田使者，大概这就是经营公田的田官。又桓宽《盐铁论》有云："是以县官开园池，总山海，致利以助贡赋；修沟渠，立诸农，广田收，盛苑囿，太仆、水衡、少府、大农，岁课诸入，田收之制，池籞之假，及北边置任田官以赡诸用。"由此而知当时的公田，除一部分用作皇家的苑囿、牧场、猎围及墓地之外，其余则大半租给农民，以取其利。到后来，有时也以公田赏赐功臣[1]，有时甚至以苑囿附近的闲地租给农民[2]，至于其他散布于郡国的公田，亦有委诸地方官代管，而征其收益者；但到更后，则多为势家所侵没。[3]

第二份，是西汉的新贵族和新官僚。他们除由黄帝赐以"汤沐邑"、"各为私奉养"[4]以外，又任意强占农

[1]《汉书·苏武传》云："武以始元六年至京师……拜为典属国，秩中二千石，赐钱二百万，公田二顷。"

[2]《汉书·宣帝纪》云："地节三年冬十月诏曰……流民还归者假（即租也）公田。"《元帝纪》云："初元元年三月丙午，以三辅太常郡国公田及苑可省者，振业贫民。"又云："二年三月，诏罢水衡禁囿，宜春下苑、少府佽飞外池，严籞池田，假与贫民。"

[3]《盐铁论·园池篇》云："今县官之多张苑囿、公田、池泽，公家有障假之名，而利归权家。"

[4]《汉书·食货志》云："自天子以至封君汤沐邑，皆各为私奉养。"

民的土地。例如萧何便利用丞相的地位和权势，“强买民田宅数千万”，后来人民向皇帝控告，皇帝也不过一笑而已。[1]据史载，当时“萧何买置田宅，必居穷僻处。曰：‘后世贤，师我俭；不贤，毋为势家所夺。’”由此，足见势家夺田，已成当时的普遍现象；而且其收夺所及，已深入穷僻的地方，因而当时的土地收夺者，又顾虑到他日的被收夺。

第三份，便轮到前秦的旧地主。这里所谓旧地主，当然不是秦代的显贵，而是旧的商人地主层，但其中也有不少是在秦代有爵位的。据史籍所载，汉高祖即位之五年，诏令天下，凡以前因农民叛乱而逃亡于山泽的旧地主，现在天下大定，允其“各归其县，复故爵田宅”；并得与新朝的地方官“亢礼”。[2]在这个诏令之下，于

[1]《史记 · 萧相国世家》云：“客有说相国曰：‘…… 上所为数问君者，畏君倾动关中，今君胡不多买田地，贱贳贷以自污，上心乃安。’于是相国从其计，上乃大悦。上罢布军归，民道遮行上书，言相国贱强买民田宅数十万。上至，相国谒，上笑曰：夫相国乃利民，民所上书，皆以与相国。曰：君自谢民。”

[2]《汉书 · 高帝纪》五年五月诏曰：“民前或相聚保山泽，不书名数，今天下已定（农民叛乱已平），令各归其县，复故爵田宅。”既有田宅而又有故爵之民，当然是旧地主。同诏中又曰：“异日秦民爵公大夫以上者，令丞与亢礼。”

是所有的旧地主，都官复原职，田归故主了。

第四份，亦即最后的一份，似乎应该轮到退伍的官兵。所以在分配土地的诏令中，也曾经提到“诸侯子及从军归者，甚多高爵，吾数诏吏，先与田宅及所当求于吏者亟与”。但是分到退伍的官兵之时，土地已经不多了，除了所谓“诸侯子”和高级军官，得到了一些田宅以外，其余大批退伍的士兵，则“久立吏前，曾不为决”。

土地就这样分配完了，现在的问题，是怎样把残余的农民再编制于土地之上，使土地与劳动力联系起来，重新繁荣农业经济，培养租税泉源，并从而巩固新政权的经济基础，而这就是复员的问题。

在劳动力不足的条件之下，当然不是怎样把农民从土地上排除出去，而是怎样把农民从战场上、从流浪中招回到土地上来。因而新政府便下了解散军队的命令，令“兵皆罢归家”。但是劳动力似乎还感不足，于是新政府又再下解放贱奴的命令，令“民以饥饿而自卖为人奴婢者，皆免为庶人”。

在农民复员以后，政府遂命令各郡各县的地方官，清查户口，编造户籍，以为征收赋税，分派徭役的根据。

所以在西汉时，各郡各县，皆有户口统计。[1]西汉称户籍曰“名数”，故汉书上常有“占名数”于某处的记载。颜师古曰：“占，度也，自隐度家之口数而著名籍也。”

西汉的户籍以里为单位，这从汉简关于戍卒的名籍之记录可以看得出来。从汉简中我们可以看出当时对于戍卒，除登记其所属郡国，并记其出生之“里”，以及其身材长短及皮肤色泽。[2]对戍卒如此，对一般农民亦当如此，这是为了把农民束缚于土地所行的一种政策。在西汉时，一个人，从甲地徙向乙地，极不容易。迁徙者，一方面要在原住地注销户籍；另一方面，又要在新迁地登记注册。例如元帝时，孔霸从鲁国移居长安，便要“徙名数于长安”。又如成帝时陈汤想从山东移居长

---

[1]《汉书·张敞传》云：“山阳郡户九万三千，口五十万以上，讫计盗贼未得者七十七人，它课诸事，亦略如此。”由此可知其户口调查之精密。

[2]《居延汉简》名籍类对于戍卒的籍贯，皆记其里，如：“戍卒淮阳郡招阳里阵贤。”“戍卒赵国邯郸郡县蒲里董平。”“戍卒张掖郡昭武（县）便处里丈夫薛褒。”“戍卒魏郡繁阳宜岁里公乘李广宗。”“戍卒梁国睢阳欚里张竖。”“河南洛阳缑氏西槐里李实。”“荥阳宜秋里杜宣。”“居延西道里张图。”“汉中郡安阳永虎里褒益寿。”皆其例也。此外，如：“河内郡温西故里丈夫苏罢军，年三十五，长七尺三寸，黑色。”则并记其身材长短与肤色矣。

安，亦必须向政府请求。[1]又如元帝时，宪王请徙外家张氏于自己的封国，并须呈准皇帝。[2]此外，大臣名家之徙居长安者，皆须“从名数于长安”。[3]至于一般农民，如欲迁徙，更非政府批准不可了。[4]由是，农民遂被束缚于土地之上，成为土地的附庸了。

现在土地都插上了标牌，新旧地主都回到了原籍或新籍，而农民们也只得找出那生了锈的锄头，重新去做佃农或雇农。暴风雨过去了，又是一片蔚蓝的天色，当农民们走向田野去的时候，从身上的创伤，回想过去大泽中的起义，他们觉得正象一场大梦。

二　技术提高与农业生产性的向上

农村的秩序恢复以后，社会生产力，又一天天向上发展，因而促成了农业生产工具的进步，从而又提高了

[1]《汉书·陈汤传》云：“(成帝时)，解‘万年与汤议曰……子公(汤字)妻家在长安，儿子生长长安，不乐东方，宜求徙。’”

[2]《汉书·宣元六王传》云：“元帝即位……宪王上书，请徙外家张氏于国。”

[3]《汉书·叙传上》云：“成帝之初……大臣名家，皆名数于长安。”

[4]《汉书·景帝纪》云：“间者，岁比不登，……夭绝天年，朕甚痛之。郡国或硗狭，无所农桑系畜；或地饶广，荐草莽，水泉利而不得徙，其议民欲徙宽大地者听之。”由此足见若无政府明令，当时农民虽饿死硗狭之地，亦不得自由徙于丰饶之乡也。

农业生产的技术。

首先是铁制农具的发展。西汉的农民，除了承继前代已有的农具如钱、镈、耜、铫、镰、椎、铚之属的历史遗产以外，又新发明两种农具。其一为钁，其一为锸；前者为一种劚田之器，后者为一种起土之器。此等农具，除柄以外，皆系铁制。故当时的“铁器者，农民之死生也”。

虽然，西汉时代的制铁业，为政府所经营，贪官污吏，居为奇货，价值既昂，购买不易，所以贫苦的农民，往往也被迫而使用木制的农具，甚至就用他们的双手，代替除草器。[1]不过，象这样的情形，只是一种例外而已。

其次，是牛耕的推广。中国的牛耕，早在春秋末叶，甚至西周时代，即已创始，经战国秦代以至西汉，当然更加推广了。在西汉时引用牛耕的地方，已不限于中原一带，并且扩展到边疆了，特别是西北边疆。史载西汉在西北一带，曾经发动大规模的屯田运动，这样就在西

[1]《盐铁论》云：“今县官作铁器多苦恶，用费不省，……盐铁贾贵，百姓不便。贫民或木耕手耨，土耰啖食，铁官卖器不售。”

北一带，引进了牛耕的农业。《昭帝纪》云：“非丞相御史所请，边郡受牛者勿收责。”应劭曰：“武帝始开三边，徙民屯田，皆与犁牛。”此种记载，即西北有牛耕之证。又《居延汉简》中有“积二十九人养牛”，“徐士有力牛九”以及许多“牛车”的记载，亦足证当时西北有很多的牛群。大概此种牛群，用以拖车，也用以耕田。

又据史籍所载，当文帝时，南越王赵佗，不惜发动战争以争取牛和铁的输入，则当时南越一带，也似乎已知牛耕，否则他们不会把牛和铁器，看得如此重要。

惟史籍又载，直至武帝时，江南的农民，还是火耕而水耨，至今日皖北、庐州一带的人民，则直至后汉时，尚不知牛耕。据此，则西汉的牛耕，尚未普及于江南。总之，在西汉时，牛耕实为一种支配的耕种方法，而在某些地方之有人耕的并行，亦系事实。

当时牛耕的方式，据《汉书·食货志》云：“亩五顷，用耦犁，二牛，三人。”由此看来，当时的耕种是以二牛三人为一组，二牛各挽一犁，其三人，则二人执犁，一人在前导牛，两犁平排并耕，犁耦而进，故曰耦犁。当时三人之力，用二牛，可耕种五顷之田，五顷，即五百亩，是平均每人之力，可耕种一百六十亩以上的土地。这就大大地超越了以前一家耕种百亩的水准。

到武帝时，南征北伐，大部分的耕牛，都被征发为远征军的食用，如李广利，两次征大宛，便曾带去牛十万头，即其一例。耕牛虽然减少，而军粮更需要得迫切，所以当时武帝的搜粟都尉赵过便发明了“三犁共一牛”的新耕种方法。[1]这种方法，只要一牛挽犁，一人执犁，则三犁并进；一牛一人，一天可以种田百亩。[2]这种方法，当然是因为牛的缺乏而压迫出来的。

这种三犁共一牛的犁，形制不一，“有独脚、两脚、三脚之别异”。[3]其式样，据《农政全书》云：“两柄上弯，高可三尺；两足中虚，阔合一垅。横桄四匝，中置耧斗；其所盛种粒，各下通足窍。仍旁挟两辕，可容一牛。用一人牵傍，一人执耧，且行且摇，种乃自下。”[4]由此看

---

[1] 明徐光启《农政全书》云：“前汉赵过又增其制度，三犁一牛，居世因之。”

[2] 同上书云：“武帝以赵过为搜粟都尉（等于今日之粮食部长），教民耕殖，其法三犁共一牛，一人将之，下种挽耧，皆取备焉，日种一顷。”

[3]《农政全书》自注云：“耧之制不一，有独脚两脚三脚之异。”

[4] 按徐光启氏所述西汉之犁，其上有耧，与《三国志》所载皇甫隆所发明的“耧车”，无多差异。论者多以耧车之制始于三国，以三国以前之文献，无耧车之记载也。但余以为三国时的耧车，或系西汉时具有挽耧的犁之发展。

来，西汉之犁的构造，已经非常精巧。其最为奇特者，即于犁上置有装种子的斗，斗通于两足，两足中空，因而种子可以利用犁之摇动由斗经两足而下，落于耕过的泥土中。这样，一面进行耕地的工作，同时又完成了播种的任务。这样的犁，可以说，它已经是一种耕种和播种的复合机了。《汉书·食货志》所谓“其耕耘，下种田器，皆有便巧”，大概就是指的这种巧妙的犁而言。

当武帝时，因为牛的缺乏，有若干地方，又由牛耕回复到人耕。《汉书·食货志》云:“民或苦少牛，亡以趋泽，故平都令光教过以人挽犁，过奏光以为丞，教民相与庸挽犁，率多人者，田日三十亩，少者十三亩，以故田多垦辟。”由此而知在西汉时，牛耕虽然是支配的耕种方法，但是由于牛的缺乏，人耕还是同时并行。

再次，则为水利事业的发展。中国之知道引用自然的水源以进行人工灌溉，早在西汉以前。如魏引漳水溉邺，以灌河内之田；秦穿郑国渠引泾水以溉斥卤之地四百余顷；又穿二江于成都之中，以溉蜀郡。但当时水利事业，不过如此，到汉代，便更为发展。

据史籍所载，文帝时，蜀郡太守文翁穿煎洩口溉灌繁田千七百顷。[1]武帝时，水利事业，一时蓬勃发展。如穿渠引渭水，起长安，并南山，下至河，长三百里，溉田万余顷。[2]穿渠引汾水溉皮氏；引河水溉汾阴、蒲阪。[3]穿渠引洛水至商颜下，溉重泉以东万余顷。[4]穿六辅渠，以益溉郑国傍高仰之地。[5]穿渠引泾水，起谷口，入栎阳，注渭中，长二百里，溉田四千五百余顷。[6]除此以外，"朔方，西河，河西，酒泉，皆引河及川谷以溉田。而关中，成国玮渠引诸川，汝南引淮，东海引

---

[1]《通典》云："文帝以文翁为蜀郡太守，穿煎湔口，溉灌繁田千七百顷，人获其饶。"

[2]《汉书·沟洫志》云："孝武元光中……时郑当时为大司农……引渭穿渠，起长安，旁南山下，至河三百余里……渠下民田万余顷，又可得以溉，此损漕省卒而益肥关中之地，得谷。上以为然，令齐人水工徐伯表发卒数万人，穿漕渠，三岁而通。……渠下之民，颇得以溉矣。"

[3] 同上书云："后河东守番系言……穿渠引汾，溉皮氏、汾阴下，引河溉汾阴，蒲阪下，度可得五千顷。故尽河壖弃地，民茭牧其中耳，今溉田之，度可得谷二百万石以上。……上以为然，发卒数万人，作渠田。"

[4] 同上书云："其后严熊言：临晋民愿穿洛以溉重泉以东万余顷，故恶地，诚即得水，可令亩十石。于是为发卒万人穿渠，自征引洛水至商颜下。"

[5] 同上书云："元鼎六年……倪宽为左内史，奏请穿凿六辅渠，以益溉郑国（渠）傍高卬之田。"按此渠之穿，后郑国渠一三六年。

[6] 同上书云："后十六岁，大始二年，赵中大夫白公复奏穿渠，引泾水，首起谷口，尾入栎阳，注渭中，袤二百里，溉田四千五百余顷，因名曰白渠。"

巨定，泰山下引汶水，皆穿渠为溉田，各万余顷。佗小渠披山通道者，不可胜言也。”[1]《汉书·沟洫志》记白渠之歌曰：“田于何所，池阳、谷口；郑国在前，白渠起后；举臿成云，决渠为雨。泾水一石，其泥数斗；且溉且粪，长我禾黍；衣食京师，亿万之口。”我们由此可以想见当时水利事业的盛况，以及水利事业对于农业生产的利益。

除大规模的“穿渠引水”以外，西汉时代的人，又知道“掘堰储水”[2]，“凿井出水”[3]，“筑堤节水”[4]，总之他们已能有计划地运用各种的方法以利用自然的水源，控制自然的水源，进行人工灌溉。

[1] 见《史记·河渠书》。

[2]《文献通考》引公非集刘氏《七门庙记》云：“予为庐州从事，始以事至舒域，观所谓七门三堰者，问于居人，其田溉几何？对曰：凡二万顷。考于图书，则汉羹颉侯信始基，而魏扬州刺史刘馥实修其废。”

[3]《汉书·沟洫志》谓引洛水至商颜下时，“岸善崩，乃凿井，深者四十余丈，往往为井，井下相通行水，水隤以绝商颜，东至山领十余里间，井渠之生自此始。”

[4]《汉书·循吏传》云：“元帝建昭中，召信臣为南阳太守（略）行视郡中水源，开通沟渎，起水门堤阏凡数十处，以广溉灌，岁岁增加，多至三万顷。民得其利，蓄积有余。信臣为民作均水约束，刻石立于田畔，以防分争。”

更次，西汉时，对于土壤及施肥的方法，也有相当的进步。由于经验的蓄积，当时的人民，已经知道依于土壤所含之不同的矿质含量而分土壤为九种。同时，又知道使用兽骨为肥料。他们把各种兽骨，如马、牛、羊、犬、豕、麋、鹿、狐、貆等兽骨，剉成碎片，以这种骨片一斗，加雪水三斗，用火煎煮，三沸以后，然后取其汁，以浸种子，或以肥田。种子经过相当时期之浸肥后，才取出莳种，谓之浸种法。除兽骨肥料外，人类及动物的排泄物，也被利用为肥料。

最后，西汉时对于种植的方法，也有了进步。《齐民要术》引汉代农学家氾胜之之言曰："凡耕之本，在于趣时和土。……凡麦田，常以五月耕，六月再耕，七月勿耕，……五月耕，一当三；六月耕，一当再；若七月耕，五不当一……如是，田虽薄恶，收可亩得十石。"由此可知当时对于耕田的时间，也颇有研究。他们之所以要在五、六月耕田，而不在七月，是因为当四月割麦以后，五、六月时，麦根尚未死，故即其未死而翻耕之，使没入泥土中，腐化而为肥料，所以薄恶之田，每亩亦可收获十石。若七月耕，则麦根枯槁，已不能分泌出肥料来了，所以说七月五度耕，不及一度耕。

当时种地，系用一种区种法。所谓区种法，即将一亩之地——长十八丈、宽四丈八尺——区分为十五町（町，垅也），町与町之间，皆有一条行人道，十五町之间，有行人道十四。每町宽一丈五尺，长四丈八尺；道宽一尺五寸，长如町。町上作横沟，沟宽一尺，深一尺，沟与沟之间的距离，亦一尺。计一町之地，共作沟二十四道。这种沟，即种植农作物的地方，沟与沟之间的径，则为堆积从沟中除去的草穰之地。农作物种在沟中，夹沟为两行，中间相去五寸，两边去沟边各二寸五分。[1]但这种区分法，也不过是一种大概的原则而已，实际上，当时的土地所有者，决不能把自己的土地，完全划成这样整整齐齐的长方形，其间难免不夹杂着别人的土地，或间以山陵与川泽，而使之不能如此规矩。但町、道、沟、畔的长短宽窄，以及农作物的种植地位，则大概是接近

[1]《齐民要术》述氾胜之的区种法云："以亩为率。令一亩之地，长十八丈，广四丈八尺。当横分十八丈，作十五町，町间分为十四道，以通人行。道广一尺五寸，町皆广一丈五寸，长四丈八尺。尺直横凿町作沟，沟一尺，深亦一尺。积壤于沟间，相去亦一尺。尝悉以一尺地积壤，不相受，令弘作二尺地以积壤。种禾黍于沟间，夹沟为两行，去沟两边各二寸半，中央相去五寸，旁行相去亦五寸。一沟容四十四株，一亩合万五千七百五十株。"

于上述的区分。

关于农作物的种植方法，依于其种类之不同，其栽种的距离及覆土的厚薄，亦各不同。据《齐民要术》云："种禾黍，……令上有一寸土，不可令过一寸，亦不可令减一寸（令相去五寸，沟容四十四株，一亩合一万五千七百五十株）。凡区种麦，令相去二寸一行，一沟容五十二株，一亩凡九万三千五百五十株，麦上土令厚二寸。凡区种大豆，令相去一尺二寸，一沟容九株，一亩凡六千四百八十株。区种荏，令相去三尺。胡麻相去一尺。区种，天旱常溉之，一亩常收百斛。"

由此又知当时的主要农产物，是禾、黍、麦、麻、大豆之类。但除此以外，农民往往于其农舍附近有一块小小的园地，种植蔬菜、果树、桑树或其他的树木，并且也畜养鸡豚牛羊之类的家畜。[1]而这就算是当时农民的副业。

---

[1]《汉书·循吏传》云"（龚遂治渤海），……劝民务农桑，令口种一树榆，百本䪥，五十本葱，一畦韭，家二母彘、五鸡。民有带持刀剑者，使卖剑买牛，卖刀买犊。曰何为带牛佩犊？春夏不得不趋田亩，秋冬课收敛，益蓄果实菱芡。"又同书《东方朔传》云："泾渭之南……有秔稻梨栗桑麻竹箭之饶，土宜姜芋，水多蛙鱼。"

以前需要休耕一年或两年才能再耕种的土地，即所谓一易之地或再易之地，现在由于技术的进步，已经改为“一亩三圳”制的耕种方法了。所谓“一亩三圳”制，就是将一亩之地，分为六等分，以三分为圳，三分为垅，圳垅相间，故曰三圳。圳广尺深尺，长终亩，与区种法之沟同，农作物即种于圳内，亦与区种法同。其不同者，即此种圳垅必须每年更易，今年为圳者，明年必须易以为垅，后年又以垅为圳。换言之，即今年种圳，明年种垅，后年又再种圳，如此每年更代，以休息土地，故曰代田。[1]这样，就使得以前需要整个休耕的土地，一变而为局部的休耕了。

最后，则是新的植物种属由外国移入，如葡萄、苜蓿来自大宛，胡椒来自天竺，石榴来自安息；此外，如胡麻、胡豆、胡桃、胡葱、胡瓜、胡荽、胡蒜、红竺花及酒杯藤等，都由张骞及其以后的政治使节或商人取其种实，移植中国。这些新的植物种属，在当时的农产物

[1]《汉书·食货志》云：“赵过能为代田，一亩三圳，岁代处，故曰代田。……广尺深尺曰圳，长终亩，一亩三圳，一夫三百圳，而播种于圳中。苗生叶以上，稍耨垅草，因隤其土以附苗根。……垅尽（即垅上之土尽隤于沟中）而根深，能风与旱。”

中，虽尚不占重要的地位，但中国的农产物中，却添加了这些前所未有的新奇的物种，这也是值得大书而特书的。

总之，由于铁制农具的发达，牛耕的推广，水利事业的盛兴，施肥方法及耕种方法的进步，西汉时代的农业，已蓬勃地发展起来了，特别是关中（今陕西）、巴蜀和汉中，在当时，几乎是西汉时代的谷仓。因为关中之民"有先王遗风，好稼穑，务本业"。而其地又"为九州膏腴"，"沃野千里"。蜀地亦"沃野千里，土壤膏腴，果实所生，无谷而饱"。至于山东、河北、河南一带，农业亦极兴盛，惟屡遭河决之患，往往成灾。[1]

生产技术的进步，西汉的农民，便能克服以前所不能克服的自然条件给予农业上的若干困难和制限。他

[1] 西汉二百余年中，黄河决口七次。第一次文帝十二年（前一六八年）十二月，河决酸枣，东溃金堤。第二次武帝元光三年（前一三二年）春，河徙顿丘。第三次同年夏，复大决于瓠子（今滑县）。第四次宣帝本始二年（前七二年），河决宣防（即瓠子塞口）。第五次成帝建始四年（前二九年）秋，大水，河决东都金堤，泛滥豫、兖，凡灌四郡三十二县。第六次，成帝鸿嘉四年（前一七年）河大溢。第七次，王莽始建国三年（西纪一一年），河决魏郡，泛清河以东数郡。

们不但已能发挥土地之更大的生产性能，从而提高土地生产的报酬，并且也能耕种前所不能耕种的高仰干燥之地，扩大土地耕种的面积。不但中原一带的荒地，渐次开垦，就是西北一带许多穷荒不毛之地，也被屯垦了。据《汉书·地理志》所记，西汉至平帝二年，已有："提封田一万万四千五百一十三万六千四百五顷，其一万万二百五十二万八千八百八十九顷，邑居道路，山川林泽，郡不可垦。其三千二百二十九万九百四十七顷，可垦不可垦。定垦田八百二十七万五百三十六顷。"象这样一个庞大的垦田的数字，就是农业生产技术提高的结果。

随着生产力的向上，农业的发展，人口也增殖了。据《汉书·地理志》所记平帝时的户口统计为："民户千二百二十三万三千六十二，口五千九百五十九万四千九百七十八。"若以这个人口数字，与上述之垦田数字相除，则当时，每户可得田六十七亩一百四十四步有奇，每口可得田一十三亩二百零八步有奇。但事实上决没有这样公平的均田制度。因为人口的分布，并不是与耕地面积平均的：有些地方人口密集，有些地方人口稀疏。西汉时，人口大半密集于司隶、豫、冀、兖、青、徐六州，即今日山东全省，河南东北，河北南部，苏皖北部，陕西中部，尤以山东、河北、河南交界处一带，人口最为密集。[1]这六州所占的土地面积，仅及全国土地面积八分之一，而人口则占百分之六十八以上。又如豫州一州，占当时全国土地面积仅及百分之二，而人口则占百分之十三以上；反之，比豫州面积大一倍的豫章，则人口比豫州反少二十倍以上。此外长江以南，东南沿海，西南山麓地带，以及西北凉州，东北幽州，人口皆非常稀疏。故决不能以口量地。而且最主要的，是在土地自由买卖的私有制度之下，更无计口授地之可能。因之人口的增殖，是农业生产繁荣的结果，而同时又必然要成为农业生产衰落的原因。

三　土地兼并与农民离开土地的过程

随着农业生产技术的发展，土地报酬的提高，土地在社会经济中所占的比重，也加大了。所以和农业生产技术平行地发展，便开始了土地兼并的过程。

汉自高祖以后，历惠帝、吕后、文、景以至武帝之世，土地兼并，即以日益剧烈之势，向前发展。例如淮南王

[1] 参看《汉书·地理志》。

安的子女，“擅国权，夺民田宅，妄致系人”。[1]衡山王“数侵夺人田，坏人冢以为田”。[2]田蚡之兼并，竟及于旧势家窦婴之田。“婴大望曰：‘老仆虽弃，将军虽贵，宁可以势相夺乎？’”[3]灌夫陂池田园遍颍川，颍川儿歌之曰：“颍水清，灌氏宁，颍水浊，灌氏族”。[4]公孙贺“倚旧故（故为丞相），乘高势而为邪，兴美田以利子孙宾客，不顾元元（元元即百姓）”。[5]以上所举，皆系贵族官僚之例。此外商人地主也同时进行兼并。《货殖传》曰：“田农拙业，而秦扬以田农而甲一州。”南阳宁成“仕不过二千石，贾不至千万”，“乃贳贷陂田千余顷，假贫民，役使数千家，数年，会赦，致产数千万”。[6]所以《汉书·食货志》曰：“至武帝之初，……罔（网）疏而民富，役财骄溢，或至兼并，豪党之徒，以武断于乡曲。宗室有土，公卿大夫以下争于奢侈，室庐车服，僭上亡限，

[1]《汉书·淮南王安传》

[2] 同上《衡山王传》

[3]《汉书·窦田灌韩传》记田蚡使籍福请窦婴城南田事。

[4] 同上传灌夫条。

[5]《汉书·公孙贺传》。

[6]《汉书·酷吏传》。

物盛而衰，固其变也。”

即因土地兼并之风太盛，所以当时董仲舒向武帝建议，主张“限民名田，以赡不足，塞并兼之路”。所谓“限民名田”者，就是限制人民占田数量，不使超过法定的限度，故又曰限田。限田政策，在武帝时虽曾施行，但当时拥有超过法定数量之土地者，并非可以绳以国法的普通百姓，而是目无国法的贵族势家和豪富的商人。反之，执行限田法令的是地方官，而地方官，则大半出于贵势权要之门，他们既迫于权势，又贪于贿赂，不敢检举，亦不愿检举。所以结果限者自限，而占者自占，土地兼并，仍然挂着满帆饱风，向前飞驶。

西汉的土地问题，到武帝时，已经发展到很严重的程度，其程度的严重，大有使土地问题自己所具有的弹动力，冲开活塞而爆发为农民叛乱的可能。但是在当时，活塞并没有冲开，这当然不是历史的例外，而是从另一虚隙，把土地问题的严重气压，慢慢地泄出去了。这个虚隙，就是汉武帝时开始的世界征服战争。

在这个征服世界的战争中，一方面，把从中原一带土地上被排除出来的失业农民，都吸收到远征军中，开赴边塞绝域，减少了要求土地的农民；另一方面，因防守边塞而引起之军屯和民屯，又将自陕甘以西，西至塔里木盆地一带的处女地开辟出来，增加了大量的耕地面积。即因失掉了土地的农民之从中原被抛去，和新的耕地之被提供，于是土地问题的严重性，暂时松弛了。

屯田的主观动机，固然不是当时的统治者，已经意识到土地问题的严重性，企图以此去缓和由此而引起之危机，但在客观上却发挥了这种效果。当时的屯田，完全是由于军事上之必要而进行的一种经济措置。如前所述，中国自秦以来，北方的匈奴，就成为中原地区严重的威胁，到汉初，更为厉害。此种游牧种族，精于骑射，来去无常，因此自秦至汉必须驻扎庞大的边防军，以保卫西北边疆。然而边塞之地，皆系一片荒原，从未种植五谷，因而庞大的边防军所需要的大宗粮饷，必须由遥远的中原运去。以当时交通条件之不便，运输的困难，可想而知。据《汉书·食货志》云:“道路之远，输将之难，率以数十倍而致其一。”所以“边防之食，未易给也”。为了解决边防军的粮饷问题，文帝时，晁错首先建议屯田。他主张移民实边，一面当兵，一面屯田，在要害的地方或通河流的地方，筑起城堡，建好房屋，准备农器，然后将因饥饿而犯罪的“罪人”、“囚徒”，因无可出卖而出卖自己身体的“奴婢”，以及因无田可耕而自愿徙边的百姓，连同他们家属，徙居边塞。缓则耕种城堡附近的土地，急则据城堡以为守御。为了使这些徙边者安心开垦起见，其男奴之无妻，及女奴之无夫者，政府并允其互为姻婚，生子生女，世世戍边[1]，这样，便不仅可以因田致谷，因地为粮，而且可以因民为兵，因屯为守。既可免输将之难，又可减戍卒之数，真是缓急相应，攻守咸宜。

西汉的屯田，始于文、景，而盛于武帝。在武帝时，屯田的扩展和长城的延长，同是前进政策的工具，在当时，大概汉兵所及之处，同时也就展开了大规模的土地垦殖事业，是谓军屯。军屯者，就是利用边防军队，就

[1]《汉书·晁错传》记晁错对屯田之建议曰：“陛下（文帝）幸忧边境，遣将吏发卒以治塞，甚大惠也。然远方之卒，守塞一岁而更，不知胡人之能。不如选常居者，家室田作，且以备之。……要害之处，通川之道，调立城邑，毋下千家。……先为室屋，具田器，乃募罪人及免徒复作令居之。不足，募以丁奴婢赎罪及输奴婢欲以拜爵者。不足，乃募民之愿往者，皆赐高爵，复其家，……其亡夫若妻者，县官买予之。”

其屯戍区域，或远征军队，就其占领区域，从事垦殖。军屯一年以后有了积谷，再徙中原失业贫农前往军屯之地，“就蓄积为本业，益垦溉田”，成为永业。[1]所以军屯往往为民屯的先锋。但这也不是绝对如此，在汉代军屯也往往继续下去，并不改变为民屯。因此在西汉时，西北的屯田是军屯与民屯的杂错。惟不论是军屯抑或是民屯，此种军民，在本质上，同是中原的失业农民。而其垦殖的结果，则同为扩大当时的耕地。故其经济上的意义，实异途而同归。

西汉的军屯，自武帝元狩四年卫青、霍去病大败匈奴以后，便开始进行。当时西汉政府，曾以吏卒五六万人渡河垦田。[2]以后又命令自陕北西至甘肃西北沿边塞

[1]《汉书·西域传》云:“(武帝)征和中，……搜粟都尉桑弘羊与丞相御史奏言:‘故轮台以东，捷枝、渠犁皆故国。地广饶水草，有溉田五千顷以上，处温和，田美，可益通沟渠，种五谷，与中国同时熟。……臣愚以为可遣屯田卒，诣故轮台以东，……益种五谷。……田一岁，有积谷，募民壮健有累重(累重即眷属也)敢徙者诣田所，就畜积为本业，益垦溉田。稍筑列亭连城而西，以威西国，辅乌孙为便。’”

[2]《史记·匈奴列传》云:“令大将军青、骠骑将军去病中分军，大将军出定襄，骠骑将军出代，……是后匈奴远遁，而漠南无王庭。汉度河，自朔方以西至令居，往往通渠，置田官，吏卒五六万人，稍蚕食，地接匈奴以北。”

一带的六十万边防军，各就其自己的防地垦田。[1]更后，即在打通了天山北麓的通道以后，又将军屯扩展到今日新疆东北吐鲁番盆地一带。[2]此外，在今日青海的东北，也有中国的军屯。[3]从历史记载看来，自武帝以至昭、宣之世，西汉在西北一带的军屯，已经非常发达，直至元帝初元元年，西汉的戊已校尉，还在车师一带，继续保有一块屯田区域。

与军屯平行，民屯也大规模进行。据《汉书·武帝纪》载，武帝元朔二年“募民徙朔方十万口”。元狩四年“关东（潼关以东）徙贫民（于）陇西、北地、西河、上郡、会稽，凡七十二万五千口。”元狩五年又“徙天下奸猾吏民于边”。元鼎六年“分武威、酒泉地，置张掖、敦

---

[1]《史记·平准书》云：“初置张掖、酒泉郡，而上郡、朔方、西河、河西开田官，斥塞卒六十万人戍田之。”

[2]《汉书·西域传》云：“自敦煌西至盐泽（盐泽即今新疆东部之罗布泊），往往起亭。而轮台、渠犁，皆有田卒数百人，置使者校尉领护。”

[3]《汉书·赵充国传》记其屯田奏曰：“计度临羌东至浩亹，羌虏故田及公田民所未垦，可二千顷以上。……愿罢骑兵，留弛刑应募及淮阳、汝南步兵与吏士私从者，合凡万二百八十一人……分屯要害处。”又荀悦《汉纪》记赵充国言屯田十二事，其一云：“分步兵九校吏士各万人留屯田以为武备，因田致谷。”按赵充国屯田湟中，始于宣帝神爵元年。

煌，徙民以实之。”又《汉书·匈奴传》云：“汉已得昆邪，则陇西、北地、河西，益少胡寇。徙关东贫民处所夺河南地，新秦中以实之。”同书《地理志》云：“自武威以西，本匈奴昆邪王、休屠王地。武帝时攘之，初置四郡，以通西域，鬲绝南羌、匈奴。其民或以关东下贫，或以报怨过当，或以悖逆无道，家属徙焉。”以上所举，不过荦荦大者，小的谪戍及移徙尚不知有多少。但由此也可以看出当时移民实边的规模之大，竟有一次达七十万人之多者，可谓“盛矣”。

由以上文献所示，我们又知当时所移之民，皆系“关东贫民”，“关东下贫”、“奸猾吏民”、“报怨过当”者，“悖逆无道”者，“囚徒”、“罪人”、“奴婢”以及所谓“郡国恶少年”及其家属，这些人被强制地从中原一带移出以后，于是存留在中原一带的，当然就全是有田有土，有钱有势的“君子”及其驯良守法的佃户了。

西汉屯田的具体组织如何，史籍所记极简，仅谓有田官，有田卒而已。自汉简发现，西汉屯田之实况，始可得而想象，据汉简所示，当时屯田的田卒，皆适用军队的编制，每一屯田区的田官，皆有簿籍，记录其所辖的田卒之姓名、籍贯、年龄、面貌衣服等[1]，以便平时考察其行动，战时召集其入伍，逃亡时向原籍追捕。[2]田卒皆携带眷属，由政府给以土地、田宅、犁牛，[3]使其开垦耕种，而收其租赋，以为边防军之给养。[4]每一田卒，当其耕种既毕，皆须向其所在田官报告，田官接得报告，亦须为之记录曰："某某田卒田事已。"[5]此其大

---

[1]《居延汉简考释》名籍类关于田卒之登记有云："田卒大河郡瑕丘会成里王胜，年三十八。"又云："田卒淮阳高平常昌里上造柳道，年二十三。"又云"田卒昌邑国邵灵里公士朱广，年二十四。"此田卒登记之例也。同书书檄类亦云："马长史即有吏卒民屯士亡者，具署郡、县、里、名、姓、年长、物色、房、衣服，赍操，初亡年月日，人数，白报具病已。谨案属丞始元二年戍田卒千五百人为骍马田官写泾渠，乃正月己酉淮阳部。"此亦田卒登记之一例也。

[2] 同上书檄类："□选家中书到遣都吏与县令逐捕搜索部界中，听亡人所隐匿，以必得为最，诏所名捕。"此追捕之例也。

[3] 同上书名籍类载一田卒及其家眷人数与其所领田宅犁牛云："妻一人，子男二人，子女二人，男同产二人，女同产二人（领）宅一区，直三千，田五十亩，直五千，用牛二，值五千。"此政府发给田宅犁牛之例也。由此吾人尚知当时居延一带之田价，每亩仅值百钱，牛则每头值二千五百文，而当时政府对每一田卒，须费一万三千也。

[4] 同上戍役类云："右第二长官二处田六十五亩，租二十六石。"此收租之例也。吾人由此并知屯田之租每亩为二石五斗。

[5] 同上书檄类云："延寿乃太初三年中，又以负马田敦煌，延寿与父俱来，田事已。"此"田事已"必书之例也。

概也。

自宣帝以后，西汉政府的兵威，渐渐不足以保卫边疆的屯田。跟着边防军的撤退，于是大部分的田卒，也陆续回到中原。与田卒之回到中原同时，那些在边疆地区发了洋财的将军、商人，也因为边防不稳，都纷纷回到中原。同时，跟着西汉政权的衰微，贵族和官僚，日益贪污，他们都变成了巨富。于是一方面，是大量的失业人口拥进窄狭的中原；另一方面，是商人、贵族、官僚，展开土地兼并的竞赛。土地问题，又严重起来了。

为了缓和土地问题的严重性，元帝即位之初，便诏令农民开垦中原的荒地。同时并开放皇家花园以外的闲地，租给农民耕种。但是农民的开垦，总赶不上地主的兼并。《文献通考》云："成帝时，张禹占郑、白之渠四百余顷，他人兼并者类此，而人弥困。"到哀帝时，贵族的魔手，便伸入了农民的垦地乃至政府的公田。[1] 而哀帝本人又最善于慷他人之慨，他一次就把农民的土地

[1]《汉书·孙宝传》云："上复拜宝为冀州刺史，迁丞相司直。时帝舅红阳侯立使客因南郡太守李尚占垦草田数百顷，颇有民所假少府陂泽，略皆开发。上书愿以入县官。有诏郡平田予直，钱有贵一万万以上。（师古曰，增于时价。）宝闻之，遣丞相史按验发其奸，劾奏立、尚怀奸罔上。"

赏给他的男宠董贤二十万亩以上。荀悦《汉纪》有言曰："（西汉之世）豪强之暴，酷于亡秦，……今豪民占田，或至数百千顷，富过王侯。"我们由此，便可以想见当时土地兼并之盛。

垦荒与开放公田，既不足以补救兼并之弊，于是哀帝时有师丹者，又再提"限田"之议。他说："孝文皇帝承亡周乱秦兵革之后，天下空虚，故务劝农桑，帅以节俭，民始充实，未有兼并之害，故不为民田及奴婢为限。今累世承平，豪富吏民，訾数巨万，而贫弱愈困。盖君子为政，贵因循而重改作，然所以有改者，将以救急也。亦未可详，宜略为限。"

为了"救急"，哀帝根据师丹的建议，下了一道诏令。诏曰："制节谨度，以防奢淫，为政所先，百王不易之道也。诸侯王、列侯、公主、吏二千石及豪富民多畜奴婢，田宅亡限，与民争利，百姓失职，重困不足，其议限制。"

这个诏令发布以后，丞相孔光和大司空何武，照例上了一个复奏。奏曰："诸侯王、列侯得名田国中（在自己封区内占田），列侯在长安及公主名田县道，关内侯、吏民名田，皆无得过三十顷。诸侯王奴婢二百人，列侯、公主百人，关内侯、吏民三十人。年六十以上，十岁以下，不在数中。贾人皆不得名田为吏，犯者以律论。诸名田畜奴婢过品，皆没入县官。……官奴婢五十以上，免为庶人。”[1]这种办法，当然为贵族官僚所反对，特别是那位拥有“膏腴美田二千余顷”的美少年董贤所反对。结果，在“且须后”的诏令之下取消了。

到平帝时，土地问题更严重化了，农民叛乱，大有一触即发之势。为了缓和农民叛乱，于是而有王莽的王田制度之出现。所谓王田制度者，就是把全国所有的土地没收为国家所有，再由政府计口授田（以后再详论之）。这种办法，当然更为当时的土地所有者所反对，所以王莽的王田制度，不能顺利推行。接着王田制度的失败而出现的，便是赤眉、铜马的大叛乱。

四　赋税、徭役与农民的赤贫化

如上所述，自西汉初农村秩序恢复以后，农业生产的技术，随着社会生产力之向上而相应地提高。但是农业生产技术提高的结果，并不是农民生活的改善；反之，

[1]《汉书·食货志》

而是农民从其自己所有的小块土地上被排除出来，成为一群贫无立锥之地者。

这些贫无立锥之地者的大群农民，其中大半在远征中，已肝脑涂地于绝域，或投诸四裔，从事于边塞的开垦。其少数残留于中原者，则被迫以“见税什五”的条件“耕种豪民之田”。[1]

所谓“见税什五”，即农民以缴纳土地收获物之一半，作为租佃豪民土地的地租，换言之，即农民为了取得土地的使用权，在一年之中，必须替土地所有者作半年的无偿劳动。这样，土地遂不复成为一般人民生活的手段，一变而为土地所有者用以榨取地租的工具了。

当时一般农民佃耕的土地面积，大概是五口之家，种百亩之地。百亩之收，不过百石。[2]百石之中，须以五十石作为地租缴于地主。所余者仅五十石，五人平均分配，每人十石。但是这每人十石，尚不能算为农民之所有，因为这十石谷物中，还要支出一切的苛捐杂税。

[1]《汉书·食货志》云：“（秦时）或耕豪民之田，见税什五……汉兴，循而未改。”

[2] 同上《食货志》记晁错之言曰：“今农夫五口之家，其服役者不下二人，其能耕者，不过百亩，百亩之收，不过百石。”

封建社会最主要的赋税是田赋。田赋是政府对土地所有者所课的土地税。西汉的田赋，是采取均一的税率，即不论土地的好坏，完全课以同一的田赋。但西汉一代，田赋的赋率，也常有变更。据史载，高帝时，田赋的征收，是十五分之一。[1]惠帝时，什五税一之法中途间废。文帝十二年，有诏减天下田赋之半；十三年，又诏天下，废除田赋。[2]景帝时，田赋率曾一度减为三十分之一。[3]到武帝时，以征伐连年，战费浩大，史称当时“赋敛繁重”，但按诸事实，当时亦并未增加土地税，而是向没有土地可税的农民“律外而取”。[4]总之，西汉的田赋，最高不过十五分之一，最低则为三十分之一，有时，甚

[1]《汉书·食货志》云：汉兴“天下既定，……上（高祖）约法省禁，轻田租，什伍而税一。”

[2] 同上书云：“（文帝）乃下诏，赐民十二年租税之半；明年，遂除民田之租税。”《文帝纪》免田赋之诏曰：“农，天下之本，务莫大焉，今廑身从事而有税租之赋，是谓本末者，无以异也。其于劝农之道未备，其除田之租税。”

[3]《汉书·食货志》及《西汉会要·田租篇》皆云：“孝景二年，令民半出田租，三十而税一也。”

[4]《通志》云：“武帝时，赋敛繁多，律外而取。孝昭始元六年，……令民得以律占租。”

至完全免除。这样看来，西汉的田赋，可谓最轻了。

但是西汉的轻赋政策，只是对一般坐食地租之大土地所有者的一种恩惠，因为他减轻的是土地税，土地税的减轻，受其利者当然是土地所有者。至于那些“无土可税”、“无田可赋”的农民，在这种政策之下，不但毫无利益，反而因此而加重了他们的困厄。这一方面是由于对土地所有者的轻赋，培养了土地所有者的财力，使他们更有力量，继续进行土地的兼并。另一方面，因为对土地所有者的轻税，减少了政府的财政收入，为了弥补财政上的赤字，于是因薄敛于土地所有者而感到的缺乏，遂不得不以苛取于没有土地的人民者以补足之。因此，西汉的轻赋制度，其目的，虽系出发于劝农务本，而其结果，则无异奖励地主的土地兼并和增加农民的额外负担。然而这种轻赋政策，却是中国历史家歌颂的“仁政”。

现在我们看，跟着这种仁政的后面，各种苛捐杂税，便层出不穷，压到农民身上来了。

首先就是人头税。西汉的人头税分为两种：其一系课于未成人者，谓之口赋。其一系课于成年人者，谓之算赋。无论口赋或算赋，皆系以人身为征税之单位，只要是人，不论男女，不分贫富，一旦达到法定的纳税年龄，即须缴纳法定的税金，故赤贫亦不能免。而且一视同仁，自王侯下至饿殍，税金相同，故贫无立锥之地者与田连阡陌者等赋。

据《西汉会要》所载，在西汉时“民年七岁至十四岁，出口赋钱。人二十三，二十钱以供天子；其三钱者，武帝加口钱以补车骑马费”。又据《汉书·贡禹传》云：“武帝征伐四夷，重赋于民，民产子三岁，则出口钱，故民困重，至于生子辄杀，甚可悲痛。宜令儿七岁去齿，乃出口钱。年二十乃算。”因贡禹之议，以后仍改为七岁乃出口钱。这样看来，西汉的人民，几乎一生下地来，便要出人头税，即以七岁至十四岁计算，则每人一生，亦须出口钱一八四钱。这在贵族豪民，当然不关痛痒；而对于一般贫苦的农民，则为苦重的负担，所以他们不能不堕胎杀婴，以救活自己的性命。

紧接着口赋的，便是算赋。口赋至十四岁止，而算赋则自十五岁起。据《西汉会要》云：“汉（高祖）四年，初为算赋。”“民年十五以上至五十六，出赋钱，人百二十为一算，为治库兵车马。”惠帝时，又规定“女子十五以上至三十不嫁，五算”。“贾人与奴婢，倍算。”[1]文帝时，虽曾一时减算赋为四十，[2]但到武帝时，则变本加厉，将缴纳算赋之法定年龄，延长至八十，而且年八十者倍算。[3]这样，在奖励孝悌力田的政治之下，恐怕又要发生弑父的惨案了。到宣帝时，曾减算赋三十钱[4]。元帝时，贡禹为民请命，并请改十五而算为“年二十乃算”。降至成帝时，因为贫民实在出不起算赋了，所以不得不把算赋减为八十。[5]总之西汉的算赋，虽有时亦曾减为九十、八十乃至四十，但大概皆为一百二十；起算的年龄，虽亦曾由年十五，缩为年二十，截止的年龄，虽亦曾由五十六延长至八十，但一般则皆为年十五

[1]《汉书·惠帝纪》云：六年“令女子年十五以上至三十不嫁，五算。”由此足见当时女子不嫁者甚多，女子之不嫁，实由男子之不娶，男子之不娶非无男女之欲也，而实因不敢生子，避逃口赋。然而西汉政府却能从未嫁之女，榨取她四个儿女的人头税，可谓巧取矣。又同《纪》注云：“汉律，人出一算，……贾人与奴婢倍算。”这大概含有一点重赋富人的意思。

[2] 见《汉书·贾捐之传》

[3] 见《汉书·武帝纪》及《西汉会要》

[4]《汉书·宣帝纪》：“一算减钱三十。”

[5]《汉书·成帝纪》：“减天下赋钱，算四十。”

至五十六。由年十五至五十六，为四十一年，以年百二十计之，则每人一生应出算赋为四九二〇钱。合七岁至十四岁的口赋计之，则每人一生应纳的人头税为五一〇四钱。假如老而不死，那就只有加倍出钱。

其次是户籍税，西汉称曰户赋，户赋是以家庭为单位，实即人头税的重复，盖必须有人而后有户，既分赋其人，又总赋其户，故曰重复。户籍税也和人头税一样，不分贫富，每户年率二百。所以常时千户的封君，每年即可收户税二十万钱，若万户侯则二百万。此种户赋，大抵皆为列侯封君所有，而用以为私人之奉养及所谓朝觐聘享之费。[1]为了增加户赋的收入，故自秦以来，即有限制大家庭组织的规定。所谓“民有二男以上不分异者倍其赋”的法令，正是为了户赋。此种法令，颁布于秦代，但西汉“循而未改”。据平帝时户口统计，当时口五千九百余万而户则有一千二百余万，是每户平均不过五口。由此足以证明当时家庭单位之小，与户赋收入之大。

[1]《史记·货殖列传》云：“秦汉之制，列侯封君食租税，岁率户二百，千户之君则二十万，朝觐聘享出其中。”

此外，盐铁有税[1]，酤酒有税，[2]车船有税，[3]海有税[4]，山川园池市肆有税，[5]乃至六畜[6]、禾藁[7]皆有税，此外还有孝敬皇帝的献费[8]，由官吏转嫁

[1]《汉书·食货志》云："(秦时)盐铁之利，二十倍于古，……汉兴，循而未改。"

[2] 同上书谓西汉的酒税，是"计其利而什分之，以其七入官，其三给醴截灰炭及工器薪樵之费。"据此，则当时的酒税率为值百抽七十。又《西汉会要·榷酤篇》谓昭帝时罢酤酒之榷，改为官卖，酒升四钱。

[3] 同上书云："(武帝元光六年)公卿言："异时，算轺车有差，请算如故。……非吏比者、三老、北边骑士，轺车一算；商贾人轺车二算。船五丈以上，一算。匿不自占，占不悉，戍边一岁。……有能告者，以其半畀之。"

[4] 同上书云："宣帝时……大司农中丞耿寿昌……增海税三倍，天子皆从其计。"《平帝纪》颜师古注云："海丞主海税。"按海租与海税，同为渔税之别称，而海丞者，则为管理滨海渔税之专官。

[5]《史记·平准书》谓西汉有"山川园池市井租税之入"。《汉旧仪》亦谓西汉时，"山泽鱼盐市税以给私用"。

[6] 武帝时，租及六畜，租六畜者，即税牲畜。《汉书·昭帝纪》云："元凤六年，其令郡国毋敛今年马口钱。"如淳曰："所谓租及六畜也。"又《汉书·翟方进传》谓其后翟方进请算马牛羊，其税率，张晏曰："马牛羊头数出税，算千输二十也。"换言之，即百分之二的税率。余居巴县歇马乡，见乡长向农民征收鸡税，不论农民养鸡与否，每半年征鸡税百二十元，可谓有先王之遗风矣。

[7]《汉书·贡禹传》云："已奉谷租，又出藁税。"师古曰："藁，禾秆也。"是西汉时草亦有税也。

[8]《汉书·高帝纪》记高帝十一年诏曰："今献未有程(章程)，吏或多赋以为献，而诸侯王尤多，民疾之。令诸侯王通侯，常以十月朝献，及郡各以其口数率，人岁六十三钱，以给献费。"

而来的军事捐[1]，由商人豪富转嫁而来的财产税[2]，以及贪官污吏的额外索取[3]等，层出不穷的敲榨，即使农民交出他们所有的一切，也不能清偿他们的义务。

除赋税外，西汉的徭役，也非常繁重。据史载，西汉的人民，凡年二十三以上，五十六以下者，每年须提供一月间之无偿劳动，三天的戍边兵役。凡不服徭役劳动者，则课以免役税。对一月之劳动服役，须纳免役费二千，谓之“践更”；对三天的兵役，须纳免役费三百，谓之“过更”。

[1]《汉书·惠帝纪》云：“（惠帝即位），今吏六百石以上父母妻子与同居，及故吏尝佩将军都尉印、将兵及佩二千石官印者，家惟给军赋，他无有所与。”由此看来，则当时农民除缴纳自己的一份军赋，又须间接负担一份“官出于民”的军赋。

[2]《汉书·食货志》云：“时（武帝元狩四年）公卿言：异时算轺车贾人缗钱皆有差，请算如故。诸贾人末作贳贷卖买居邑贮积诸物及商以取利者，虽无市籍，各以其物自占，率缗钱二千而算一，诸作有租及铸，率缗钱四千算一。……匿不自占，占不悉，戍边一岁，没入缗钱。有能告者，以其半畀之。”按所谓算缗钱即税财产也。此种财产税之直接负担者虽为商人及富豪，但他们又必然要将此种负担，转嫁于农民。

[3]《汉书·陈威传》云：威为南阳太守，“所居调发属县所出食物，以自奉养，奢侈玉食。”《汉书·薛宣传》云：“会邛成太后崩，丧事仓卒，吏赋敛以趋办。”《汉书·王嘉传》云：“（董）贤家有宾婚……使者护视，发取市物，百贾震动，道路欢譁。”以上所举不过略示其概。

此种免役费，统称之曰“更赋”。更赋者，替代金之谓也。[1]

西汉最繁重的徭役是兵役，当武、昭、宣之世，对外征伐，继续进行近一百年，史载当时戍边、屯田之卒，动辄七八十万，而攻战之士，尚不在内，拱卫京师及镇守地方之郡国材官等亦不在内，若合而计之，其数当可骇人。

西汉的兵役，据《汉书·食货志》云：“月为更卒，已复为正一岁，屯戍一岁，力役三十倍于古。”此汉初因秦法而行之也。又《汉旧仪》云：“民年二十三为正（卒），一岁为卫士，一岁为材官、骑士。”按以上《食货志》及《汉旧仪》所载，颇有出入，但皆谓先为正卒，后为屯戍之骑士，据此，则正卒与屯戍的骑士，系有严格之年龄的区别。但据汉简所示，则殊不然，不但正卒

[1]《汉书·昭帝纪》记昭帝元凤四年诏曰：“以前逋更赋未入者，皆勿收。”注云：“如淳曰：更有三品：有‘卒更’，有‘践更’，有‘过更’。古者正卒无常，人皆当迭为之。一月一更，是谓‘卒更’也。贫者欲得‘顾（雇也）更钱’（代人服役之钱）者，‘次直（值也）者’（第二次的轮役者）出钱顾之，一月二千，是谓‘践更’也。天下人皆直戍边……之调，不可人人自行三日戍，又‘行者’（往服役者）当自戍三日，不可往便还，因便请一岁一更，诸‘不行者’，皆出钱三百入官，官以给戍者，是谓‘过更’也。”

与戍卒并无严格之年龄限制，而且兵役年龄亦不如《汉书》所云，自二十三至五十六为止。实际上，当时有不及二十岁之戍卒，亦有超过五十六岁之戍卒。[1]是知汉代兵役并无严格之年龄规定，正卒与戍卒之间，更无年龄之区别，而古诗中所谓“十五从军征，八十始得归”之语，又至为可信。

其次，是运输的劳役。运输劳役，是兵役的附产物。因为当时远征绝域，无粮可运，远征军必须要组织自己的运输队，交通不便的条件之下，常以十人之力，馈一卒之粮。据《食货志》云，当时“中国缮道馈粮，远者三千里，近者千余里。”又云：“转漕甚远，自山东咸被其劳。”由此可以想见一般。

再次为修城筑塞。其中最浩大的徭役，是修筑长城以及西北沿边的要塞。如武帝时“兴十余万人筑卫朔

[1]《居延汉简考释》名籍篇关于不及二十岁之戍卒有如次之记载：“□年十二。”“□昌里虞武疆年十三。”“显美骑士并延里辅宪年十四。”“葆鸾鸟大昌里不更李恽年十六。”“居延西道里张图年十七。”“□公乘孙辅年十八，长七尺一寸、黑色。”关于超过五十六岁者有云：“□□年五十七。”“□五十九。”“□□□□上造王福年六十，长七尺二寸、黑色。”“觻得武安里黄寿年六十五。”

方”，“又数万人度河筑令居”。其次为筑城邑，如惠帝三年及五年两度“发长安六百里内男女十四万六千人城长安”，皆“三十日罢”。文帝时，又“发内史卒万五千人，藏郭穿复土。”昭帝元凤六年，又“募郡国徙筑辽东玄菟城”，此亦不过略示其例而已。

此外如凿山通道，治河穿渠，修筑宫殿、陵墓等，动辄十数万人，无一不是徭役劳动。当时人民负担的徭役，若以货币计算，其价值，或者较之赋税，更为庞大。而其所感受的痛苦，则诚如《盐铁论》所云：“今中国为一统，而方内不安，徭役远而外内烦也。古者无过年之徭，无逾时之役。今近者数千里，远者过万里，历二期而长子不还，父母愁忧，妻子咏叹。愤懑之恨，发动于心，慕思之积，痛于骨髓。”

《汉书·食货志》，述当时农民之生活状况曰：“今一夫挟五口，治田百亩。岁收亩一石半，为粟百五十石，除什一之税十五石，余百三十五石。食，人月一石半，五人终岁为粟九十石，余有四十五石。石三十，为钱千三百五十，除社闾尝新、春秋之祠，用钱三百，余千五十。衣，人率用钱三百，五人终岁用千五百，不足四百五十。不幸疾病死丧之费，及上赋敛，又未与此。此农夫所以常困，有不劝耕之心，而令籴至于甚贵者也。”

第二节　西汉的手工业

一　盐铁事业国营及其发展

西汉的手工业生产，比之秦代，更为发展了。这从西汉政府组织中，有各种工业管理机构之存在，可以看得出来。

据《汉书 · 百官公卿表》所示，西汉政府组织中，有“少府”、“水衡”及“大司农”三个机关。在这三个机关之中，都有各种工官的设置。如在“少府”属下，有考工室、左右司空、东织室、西织室、东园匠。“将作大匠”属下，有石库令、主章令、左右前后中校。“水衡”属下，有技巧官、钟官令、衡官、辨铜令。“大司农”属下，有铁官、盐官，及“作为田器”之“工巧奴”与“从事”。此外,《汉书·地理志》中又谓西汉另有“服官”二,“工官”十,“船司空”一,“楼船官”一,“木官”一,“铜官”一，“金官”一，这些工官，并未言明属于那个机关，但以例推之，当属于“少府”或“水衡”。

由此可知在西汉时，对于盐、铁、金、铜、木、石、钟、衡、造船、纺织、钩盾、田器等手工业，都有国营工场，由政府设置各种工官，分别管理。这些各种类别的工官之出现，不仅说明了西汉时有各种国营手工业工场的存在，而且也说明了当时手工业分工之发展。因为国营手工业，是建筑在一般手工业生产的基础之上，所以国营手工业的发展，就是一般手工业发展的表征。

首先说到冶铁煮盐的工业。因为冶铁业的发展，是一般手工业发展的指标，而盐则为一般人民日用生活必需之品，这两种工业，对于社会的关系，极为重大。

中国的盐铁事业，自春秋末叶起，历战国以至秦汉之际，已经大大地发展了。当时以铁冶起家而致富数千百万者，颇不乏人；而以煮盐致富者，亦实繁有徒。即因盐铁为致富之途，所以自战国以至秦代，政府皆设专官，征收盐铁税。据史籍所载，秦代盐铁之利，二十倍于古，足见当时的盐铁税率甚高，从而又反映当时盐铁工业的利润甚大。

汉兴，承秦之旧，盐铁事业继续发展。当时“豪强之家”，占有矿山和海滩，或采矿冶铁，或煮海制盐，一家矿场、冶铁场或煮盐场使用的工人，多至千余名。西汉初，最大的冶铁大王，是鲁人曹邴，而吴王濞则兼营盐铁之业，并有山海之利，所谓“布衣有朐邴，人君有吴王”，正是指以上两人而言。[1]到文帝时，政府对于盐铁事业乃至铸钱，采取放任政策，于是中原豪富，相率东徙吴国，煮盐冶铁；而邓通则专有汉中四川的矿山，鼓铸私钱。所以当文帝之世，吴、邓之钱布天下。[2]

即因文帝的放任政策，于是私营的盐铁事业，更为发达。当时从事盐铁工业者，无不暴富。《史记·平准书》云：“冶铸煮盐，财或累万金，而不佐国家之急，黎民重困。”惟其“不佐国家之急”，所以到武帝时，断然实行盐铁专卖。《盐铁论》云：武帝时，“边防用度不足，故兴盐铁”，“以佐助边费”。但武帝要实行盐铁独占的

[1]《盐铁论·复古篇》云：“往者豪强大家，得管山海之利，采铁石鼓铸、煮盐，一家聚众或至千余人——大抵尽放流人民也。远去乡里，弃坟墓，依倚大家，聚深山穷泽之中，成奸伪之业。”又《禁耕篇》云：“异时盐铁未笼，布衣有朐邴，人君有吴王，专山泽之饶，薄赋其民，赈赡穷小，以成私威，私威积而逆节之心作。”

[2]同上书《错币篇》云：“文帝之时，纵民得铸钱、冶铁、煮盐，吴王擅障海泽，邓通专西山，山东奸猾咸积吴国，秦雍汉蜀因邓氏，吴邓钱布天下。”

政策，仍然不能不与当时盐铁大王孔仅及东郭咸阳等取得协调，并且还要借重他们来做大农丞或盐铁丞，主办盐铁国营之事。当时孔仅、咸阳向武帝建议实施盐铁国营的办法，主张由国家给予盐铁生产者以生产手段与生活资料，使制盐冶铁的事业，完全属于国家。如国营之后，尚有敢于私自铸铁煮盐者，则没收其生产工具，并予以钛左"趾"之处罚。至国营盐铁的行政机构，则除中央设置大农丞或盐铁丞以外，于出铁的地方，皆置小铁官，以管理铁器制造及买卖的事务。[1]这样的建议，被武帝采纳了，于是孔仅与东郭咸阳即乘着驿站的官车，到那些产盐铁的地方视察，在那些地方，设立盐铁专卖署，并且任命那些大盐厂和大铁厂的老板为盐官与铁官。[2]自是以后，盐铁工业，遂完全隶属于国家。

---

[1]《汉书·食货志》云："(孔仅、咸阳上书曰'山海天地之藏，宜属少府，陛下弗私，以属大农佐赋。愿募民自给费，因官器作鬻盐，官与牢盆。浮食奇民，欲擅山海之货，以致富羡，役利细民，其沮事之议，不可胜听。敢私铸铁器鬻盐者钛左趾，没入其器物。郡不出铁者，置小铁官，使属在所县。"

[2]同上书云："使(孔)仅、咸阳乘传，举行天下盐铁，作官府，除'故盐铁家富者'为吏。"

据史载，西汉自武帝时起，即分置盐官于二十八郡，分置铁官于四十郡，自是以后，盐铁之官，布满天下。盐官设置的地方，史无明文；但铁官设置之郡，则《文献通考·征榷考》，列举其名。而且据《文献通考》所考，西汉置铁官之郡，不仅四十，而有五十。[1] 其所在地，若以今日之地理按之，则遍布于陕西、四川、河南、山西、河北、山东、安徽、江苏，乃至甘肃、湖南、辽东一带。从这些铁官之普遍的分布看来，当时冶铁事业

[1]《文献通考·征榷考》谓置铁官之郡凡四十，其中有一郡置铁官两员乃至四员者。(一)京兆——郑,(二)左冯翊——夏阳,(三)右扶风——雍、漆,(四)弘农郡——宜阳、渑池,(五)河东郡——安邑、绛、皮氏、平阳,(六)太原郡——大陵,(七)河内郡——隆虑,(八)河南郡——河南,(九)颍川郡——阳城,(一〇)汝南郡——西平,(一一)南阳郡——宛,(一二)庐江郡——皖,(一三)山阳郡——山阳,(一四)沛郡——沛,(一五)魏郡——武安,(一六)常山郡——都乡,(一七)千乘郡——千乘,(一八)济南郡——东平陵、历城,(一九)太山郡——嬴,(二〇)齐郡——临淄,(二一)东莱郡——东牟,(二二)东海郡——下邳、朐,(二三)临淮郡——盐渎、堂邑,(二四)柱阳郡——桂阳,(二五)汉中郡——沔阳,(二六)犍为郡——武陵、南安,(二七)蜀郡——临邛,(二八)琅邪郡——琅邪,(二九)渔阳郡——渔阳,(三〇)右北平郡——夕阳,(三一)辽东郡——平郭,(三二)陇西郡——陇西,(三三)胶东郡——郁秩,(三四)鲁国——鲁,(三五)楚国——彭城,(三五)广陵国——广陵,(三七)城阳国——莒,(三八)中山国——北平,(三九)东平国——东平,(四〇)涿郡——涿。

的发达，即可概见。

当时总理全国盐铁事业的机关为大司农，在大司农的隶属之下，于全国各产盐铁之地，置铁官或小铁官和盐官。在盐铁官之下，又于其所辖各场坊置监督员，谓之吏。吏之下，又置工头若干，谓之卒。卒之下为工人，谓之徒。当时矿场、铁场和盐场，大者一家聚众或至千余人，小者亦有工人数百。[1]全国矿工铁工的人数，已达十万人以上[2]，而煮盐的工人尚不在内。由此又足见当时矿冶事业的管理组织之严密，与其规模之相当的宏大。

当时的冶铁炉，还是用人工鼓风。《汉书·五行志》云："（成帝）河平二年（前二八年）正月，沛郡铁官铸铁，铁不下，隆隆如雷声，又如鼓音，工十三人，惊走，音

[1]《汉书·成帝纪》云：成帝阳朔三年（前二二年）"夏六月，颍川铁官徒申屠圣等百八十人，杀长吏。"又云：永始三年（前一四年）"山阳铁官徒苏令等二百二十八人，攻杀长吏。"以上铁官徒的数字，当然不是颍川或山阳冶铁工人的总数，但由此亦可以看出使用二百三百人的冶铁工场，在当时是很平常的事情。

[2]《汉书·贡禹传》云："诸铁官皆置吏卒徒，攻山取铜铁，一岁功十万人已上。"

止，还视地，地陷数尺，炉分为十，一炉中销铁散如流星，皆上去。”由此而知当时沛县的冶铁炉所使用之鼓风工人，是十三名轮班更替。按沛县并不是产铁最多的地方，故冶铁炉较小，若在四川一带，其规模必更大。

西汉的冶铁业之所以如此发展，一方面是由于战争的刺激，兵器的需要量增大；但主要地还是由于一般社会对于铁制生产工具的需要量之增大，特别是田器的制造。所以当时田器的制造，特别从一般的铁器制造中分离出来，成为一个独立的部门，而置于大司农属下，并专设工巧奴与从事，主管田器的制造。《汉书·食货志》“工巧奴与从事作为田器”，正是指明这一事实。

兵器的制造，大半属于将作少府。将作少府设总工程师一人，谓之“将作大匠”。大匠之下，置左右校尉，掌左右工徒。此外又有专管制造弓弩矢镞的发弩官。又据《汉书·游侠传》中有“箭张回”一语，服虔注云：“作箭者姓张名回”，由此可知当时民间亦有制造兵器之自由。

手工业工具的制造，当时似亦有精细之分工。如《史记·梁孝王世家》褚先生谓长安有“削厉工”。又《汉书·王尊传》有“剪张禁”，这当然是作剪者姓张名禁。由此可知西汉时的制铁业，已有各种部门的分工。

万事一经官办，就要糟糕，这大概是古今一律的。西汉的盐铁工业，自从改为官办以后，也许对于兵器的制造，比较容易统制，但对于一般生产工具，特别是农器，则品质不良。《盐铁论·水旱篇》云：“县官鼓铸铁器，大抵多为大器，务应员程，不给民用，民用钝弊，割草不痛，是以农夫作剧，得获者少，百姓苦之矣。”

不仅品质不良，而且价值极昂，购买不易。同书云：“今县官作铁器多苦恶，用费不省，卒徒烦而力作不尽……器多坚𥗋，善恶无所择，吏数不在，器难得。家人不能多储，多储则锈生。弃膏腴之田，远市田器，则后良时。盐铁价贵，百姓不便，贫民或木耕手耨，土耰啖食，铁官卖器不售，或颇赋于民。”

不仅如此，而且常常征发当地的人民，从事于无偿劳动，同时又以高价强制人民购买。《盐铁论·禁耕篇》云：“盐冶之处，大校皆依山川，近铁炭，其势咸远而作剧，郡中卒践更者多不勘，责取庸代，县邑或以户口赋铁，而贱平其准。良家以道次发僦运盐铁，烦费，百姓病苦之。”

以上的各种弊端，在武帝时就已经发生。《史记·平准书》云：“卜式为御史大夫，既在位，见郡国多不便县官作盐铁，铁器苦恶，贾贵，或强令民卖买之。”延及昭帝之世，流弊更多，因而盐铁应否专卖，遂掀起种种议论。以上所引桓宽《盐铁论》中的文字，就是这时的产物。到元帝时曾一度罢免盐铁官，但不久又重行恢复。总之，汉自武帝以迄于末叶，盐铁事业，皆系采取国营制。

二　铸铜及其他金属工业

据《汉书·地理志》所云，西汉不仅有盐铁之官，同时又有“铜官”、“金官”及“采金银珠宝之官”。由此，又知当时铸铜的手工业以及其他金属手工业亦有相当之发展，且亦有国营工场之存在。

铜官设置之地，史籍不详，《汉书·地理志》仅载丹阳郡有铜官。此外桂阳郡铁官注引“宋祁云：‘铁官，邵本作金官。’”是桂阳郡亦有铜官？但据《博古图录》所搜集之西汉铜器，其有款刻可以证实者，尚有平阳、河东及安邑三地的铜官制造之铜器。[1]则上述诸地，或亦有铜官之设置？

按铸铜的手工业之发展，早在冶铁业之前，虽自冶铁业发展以后，铜制生产工具，在社会生产领域内，已退于次要或完全不重要的地位，但民间的日用器皿，皇家及贵族宫廷中所使用的奢侈品、装饰品和他们在宗庙中所使用的祭器，特别是钱币，还是用铜铸造。这些器物和钱币的铸造，仍然要以发展了的铸铜工业之存在为前提。

首先说到钱币的铸造。西汉的钱币，大概都是用铜铸造的。最初铸钱的特权，是属于国家，到文帝时政府采取放任政策，令人民得自由铸钱[2]，从此以后，人民"农事弃捐，而采铜者日蕃；释其耒耨，冶镕炊炭，奸

[1]《博古图录》卷五，汉汾阳宫鼎铭中有云："平阳一斗鼎，重十斤。"同书卷九，甘泉上林宫行镫铭云："河东为甘泉上林宫造行镫，重六斤十两，五凤二年（宣帝年号，前五六年），王回夫山工谊作。"同书同卷，甘泉内者镫铭云："内者，（宣帝）元康二年三月（前六四年）河东安邑守者宣王轩造，重二十五斤十一两。"

[2]《汉书·文帝纪》云：孝文五年，"除盗铸钱令"，应劭注曰："听民放铸也"。

钱日多”。[1]到武帝时，国家又收回铸币的特权，“县官往往即多铜山铸钱，（但）民亦盗铸，不可胜数。”[2]以后虽曾发布“盗铸诸金钱罪皆死”的严厉禁令，但是“吏民之坐盗铸金钱死者数十万人，其不发觉相杀者，不可胜计，赦自出者百余万人，然不能半自出，天下大抵无虑皆铸金钱矣。犯法者众，吏不能诛。”[3]当时“细民人操造币之势，各隐屏而铸作，因欲禁其厚利微奸，虽黥罪日报，其势不止，乃者，民人抵罪，多者一县数百，及吏之所疑，榜笞奔走者甚众。”[4]这些史实，说明了一个事实，即西汉时代铸造钱币，已成为普遍民间之工业，而这就指示出当时铸铜工业的发展。

从西汉的钱币的数量之大，又可以证明当时铜的产量之多。据《汉书·食货志》云：“自孝武元狩五年，三官初铸五铢钱，至平帝元始中，成钱二百八十亿万余。”又《汉书·王嘉传》云：“孝元皇帝，奉承大业，温恭少欲，都内钱四十万万，永衡钱二十五万万，少府

[1] 见《汉书·食货志》篇。

[2] 同上。

[3] 同上。

[4] 同上。

钱十八万万。”合计八十三万万，与平帝以前之钱数总计，当近四百亿。以上元帝时钱币数字，尚系仅指国库所藏者而言，其流通于民间者，并不在内。如此庞大之铸币数量，当然要以大规模之采铜事业为前提。所以当世之人，以钱币紊乱，而归咎于铜之存在。《食货志》曰：“奸数不胜，而法禁数溃，铜使之然也。故铜布于天下，其祸博矣。”因而主张国家统制生铜，并使“采铜铸作者反于耕田”。

铜的用途，是日用品的铸造。例如西汉遗物中之盉、卣、壶、钘、钟、钫、鐎斗、熨斗、渠斜、盘、勺、锅、洗、盆、

插图二一　西汉时的铜器

匜、镫、镜、量、杯、熏炉及染揞之属，都是用铜制的（插图二一）。此外，西汉的宗庙，多至二百所以上[1]，而诸侯王的宗庙，尚不在内。这些宗庙所用的祭器，如钟、鼎、鬲、甗之属，也都是用铜铸造的。这些器物，都需要很高的铸铜技术，才能创造出来。

再次，铜的用途是打制兵器。《汉书·食货志》载贾谊向文帝的建议，他主张"上收铜，勿令布"，使"铜毕归于上"，"以作兵器"，"制吾'弃财'，以与匈奴逐争其民，则敌必怀。"这种建议，就指明了西汉时代，铜制的兵器，还在使用。

西汉使用铜兵器的事，近来已经在考古学的发现中获得了证明。斯坦因曾在玉门附近的古长城遗址及烽燧附近发现许多青铜箭镞。在这些青铜箭镞的附近，同时

[1]《汉书·韦贤传》云："初高祖时，令诸侯王都皆立太上皇庙。至惠帝，尊高帝庙为太祖庙，景帝尊孝文庙为太宗庙，行所尝幸郡国，各立太祖、太宗庙。至宣帝本始二年，复尊孝武庙为世宗庙，行所巡狩亦立焉。凡祖宗庙在郡国六十八，合百六十七所。而京师自高祖下至宣帝，与太上皇、悼皇考，各自居陵傍立庙，并为百七十六。又园中各有寝，便殿……昭灵后、武哀王、昭哀后、孝文太后、孝昭太后、卫思后、戾太子、戾后，各有寝园，与诸帝合，凡三十所。"合共二百〇六所。

并发现许多汉简，“上书元康三年（前六三年）、神爵三年（前五九年）、五凤元年（前五七年）诸年的美丽的历书，以及一段有名的小学书（按即《急就草》）。”[1]因此，证明了这些青铜箭镞乃是武帝以至宣帝之世，西汉的军队用以进攻匈奴的武器。

论者或谓此种青铜箭镞，安知非匈奴人之所遗留？但是据斯坦因云，他在长城废址中，又发现“一些木印盒，上有小槽，排列的形式，可以用绳缚住，……还有以前附于盒子或袋子上的一片木简，上面写明盒内装有‘玉门显明燧蛮兵铜镞百完’字样。”[2]证明了这些箭镞是西汉政府颁发出来的。同时“又发现一个束扎住的小盒，中置带破干残羽的铜箭镞一枚，用和近代军事术语相合的当时公文语气来说是‘（破）箭一支归库，另易新者’。古长城所得文书中记及换发新弓新弩，归还敝损者甚多甚多。”[3]此外《居延汉简》中关于

[1] 见斯坦因《西域考古记》一二八页。

[2] 见上书一二九页。

[3] 见上书一三四页。

铜镞之记载亦多[1]，这又证明了这些铜镞是西汉的军队所使用的。

西汉时代，还使用铜镞，并不足奇。因为铜器之与铁器，正如石器之与铜器，前者虽是退于不重要的地位，但不是立即消灭而是慢慢消灭的。所以即使在冶铁事业发达的西汉时代，而铜兵器还是以残余的形态与铁兵器平行地存在。

如上所述，当时因私铸钱币而犯罪者，多至百余万人，则当时小规模的铸钱厂之多，可以想见。皇家与贵族的御用之多，以及宗庙数目多至二百所以上，则当时为活贵族铸造日用器皿，为死贵族铸造祭器的铸铜场，其数亦当不少。此外适应于军事上的大量矢镞之需要，打制兵器的铜兵场，其规模，也必然宏大。即因有这样发展的铸铜工业之存在，所以西汉政府，才专设铜官以管理全国的铸铜事业。此外对于各国营铜场，则更有严密的管理组织，这种组织，我们至今还能从西汉铜

[1]《居延汉简考释》器物类，关于铜镞之记载有云："出稾矢，铜镞二百完"，"二月余陷坚稾矢铜镞四百六十一"。"十二月漆雕稾矢铜镞六十四"，"稾矢铜镞三百"，"稾矢铜镞三百"，"盲矢铜镞箭五十枚"，……

器上的款识中，可以看得出来。[1]大概当时每一国营铜场，皆置场长一人，名曰“令”。“令”之下有类似科长之“丞”、“掾”。“丞”、“掾”之下，有类似总工头之“啬夫”。“啬夫”之下，有类似工头之“护工”。以下则为工人。从这种庞大的工场管理组织，我们便可以想象当时国营铜场的规模了。

除铸铜的工业以外，采炼黄金的工业，在西汉时，也甚为发达。从史籍上我们可以看出，西汉时，黄金已被当作一般货币商品，不过尚未铸成钱币，而仅以其现实的重量，作为交易的媒介或赐赠的礼物。我们试一翻阅西汉的历史，到处都可以看到皇帝赏赐臣下以黄金的记载，多者数万斤（汉高帝一次赏给陈平就是四万斤），少者亦数千百十斤不等。其用于彼此馈赠者，亦动辄千

[1]《独笑斋金石文考》一集卷五载汉五凤镳斗款云：“（宣帝）五凤元年（前五七年）考工贤友缮作府啬夫赵良，平阳府首长吴安光□□□福并省，重三斤十三两。”又《金石萃编》卷五汉雁足镫款云：“（元帝）建昭三年（前三六年）考工工辅为内省造铜雁足镫，重三斤八两，护建，佐博，啬夫福，掾光主，右丞宫令相省。”又《博古图录》卷十二载《汉绥和壶款》云：“（成帝）绥和元年（前八年）供王昌为汤官造三十炼铜黄涂壶，容二斗，重十二斤八两，涂工乳，护级，掾临主，守右丞同守令宝省。”

金（如韩信赠漂母千斤）数百十斤不等。又如梁孝文王死后，“藏府余黄金尚四十余万金”。[1]又吴王濞造反时，悬赏格曰：“能斩捕大将者，赐金五千斤，列将三千金，裨将二千金，二千石千斤。”[2]又史称王莽末年“省中(即国库中）黄金万斤者为一匮，尚有六十匮。黄门、钩盾、藏府、中尚方处处各有数匮”。[3]这些数字，就说明了西汉时代有巨额黄金储藏量之存在。这些巨量的黄金，当然不会自己从地球的内部钻出来，跑到皇帝贵族与富豪的钱匮，而必然有着采金事业之存在。同时采出来的黄金，也决不会是生成的一斤一块，又必然有着炼金工业之存在。

据史籍所载，当时山西的首山[4]，山东的泰山[5]，陕西的南山[6]以及今日江西，当时的豫章[7]和湖南的桂

[1] 见《汉书 · 梁孝王传》

[2] 见《汉书 · 吴王刘濞传》，“吴王遗诸侯书”。

[3] 见《汉书 · 王莽传》。

[4]《汉书 · 武帝纪》云：“朕礼首山，昆田出珍物，化或为黄金。”

[5] 同上纪云：“泰山见黄金。”

[6]《汉书 · 东方朔传》云：“夫南山，天下之阻也。……其山出玉石，金、银、铜、铁……不可胜原。”

[7]《史记 · 货殖列传》云：“豫章出黄金。”

阳[1]大概都有采金的工场。在文帝时，随同“盗铸钱币令”的废止，采金也是自由的；到景帝时，又才禁止人民自由采金。《汉书·景帝纪》记景帝后三年诏曰：“吏发民若取庸采黄金珠玉者，坐赃为盗。”由此可以证明。随着这个禁令的发布，于是国家便设置了“金官”及“采金银珠宝之官”，以专司采金炼金及管理其他贵金属及宝货的采集之事。

西汉的黄金，虽以其现实的重量，作为一种交换的媒介物，但亦曾铸为一定的形象。在汉初，铸成何种形象，不得而知，但在武帝以后，则用为货币的黄金，皆改铸为麟足及马蹄之形。[2]

西汉采金之官，亦兼采银矿。银的用途，亦系铸造货币及制造装饰品。据史载，西汉时有银币，其时银币

---

[1]《汉书·地理志》谓桂阳有金官。

[2]《汉书·武帝纪》太始二年诏曰：“渥洼水出天马，泰山见黄金，宜改故名。今更黄金为麟趾袅蹄以协瑞焉。”颜师古注曰：“既云宜改故名，又曰更黄金为麟趾袅蹄，是则旧金虽以斤两为名，而官有常形制，亦由今时‘吉字金挺’之类矣。武帝欲表祥瑞，故普改铸为麟足马蹄之形，以易旧法耳。今人往往于地中得马蹄金，金甚精好而形制巧妙。”

分三种，铸造精巧，皆有镂纹。[1]

又当时在四川广汉有一大规模的国营的金银器制造场，每年用费达五百万。[2]这个制造场所制的金银器物，完全是供给皇家和贵族的宫廷之用。据史载，汉自文帝以后，皇家御用的器物，都有金银之饰，以后贵族官僚，亦相仿效，于是衣服、履绔、刀剑无不饰以金银珠宝[3]，乃至杯案亦有金银之饰。[4]此外，如铜器上，亦多涂以黄金，谓之“涂黄”。由此可以想见当时金银制作的手工业发展之一般。

除此以外，铅、锡之冶铸，亦甚普遍。这从当时铸官钱者掺锡、盗铸私钱者，皆杂以铅、铁可以证明。[5]

---

[1]《汉书 · 食货志四》云：“白金（即银）三品：其一曰重八两，圜之，其文龙，名曰撰，直三千；其二曰以重差小，方之，其文马，直五百；三曰复小，椭之，其文龟，直三百。”

[2]《汉书 · 贡禹传》云：“蜀、广汉主金银器，岁各用五百万。”

[3] 同上书云：“孝文皇帝，衣绨履革，器亡琱文金银之饰。后世争为奢侈，转转益甚，臣下亦相仿效，衣服履绔刀剑，乱于主上，主上临朝入庙，众人不能别异，甚非其宜。”

[4] 同上书云：“臣禹尝从之东宫，见赐杯案，尽文画金银饰，非当所以赐食臣下也。”

[5]《汉书 · 食货志》述贾谊之言曰：“铸铜锡为钱，敢杂以铅、铁为他巧者，其罪黥。”

总之，在西汉时代，金、银、铜、铁、锡、铅各种金属工业，皆已达到相当的发展程度了。

三　纺织及与之有关的服物工业

纺织业，是西汉最发达的一种手工业。关于这一点，从西汉布帛的使用量之大，可以看出。

据《汉书》所载，西汉政府有着无数赐帛的事实。从文帝时起[1]，历武帝[2]、昭帝[3]、宣帝[4]、元帝[5]、成

[1]《汉书·文帝纪》：元年“赐年九十以上帛人二匹，絮三斤”。十二年“赐三老孝者帛人五匹，悌者、力田二匹，廉吏二百石以上，率百石者三匹”。

[2]《汉书·武帝纪》：元狩元年“赐县三老、孝者帛人五匹”。又“赐乡三老、悌者、力田帛人三匹，年九十以上鳏寡孤独帛人二匹，絮三斤”。六年，“赐千石以下至乘从者帛、蛮夷锦各有差。”元封六年“赐天下贫民布帛人一匹”。

[3]《汉书·昭帝纪》：元凤元年“赐郡国所选有行义者……帛人五十匹。”二年“吏民献牛酒者赐帛人一匹。”

[4]《汉书·宣帝纪》：地节三年及元康三年皆“赐鳏寡孤独高年帛”。元康四年“赐三老、孝悌、力田帛人二匹，鳏寡孤独各一匹”。神爵元年、四年先后“赐鳏寡孤独高年帛”。五凤元年“皇太后赐丞相、将军、列侯中二千石帛人百匹，大夫人八十匹，夫人六十匹”。甘露二年“赐鳏寡孤独高年帛”。三年“赐汝南太守帛百匹，新蔡长吏、三老、孝悌、力田，鳏寡孤独各有差”。

[5]《汉书·元帝纪》：初元元年“赐三老、孝者帛五匹，悌者、力田帛三匹，鳏寡孤独二匹”。四年“赐鳏寡孤独高年帛”。五年“赐三老、孝者、帛人五匹，悌者、力田三匹，鳏寡孤独二匹”。永光元年“赐鳏寡孤独高年帛”。二年“赐鳏寡孤独高年、三老、孝悌力田帛”。建昭五年“赐三老、孝悌、力田帛”。

帝[1]以及平帝[2]，每一个皇帝都有赏赐布帛的事，而且每一个皇帝都不止赏赐一次。据赐帛的记载看来，当时的赐帛，并不是赏赐一人两人，而是一种对全国的驯良百姓如三老、孝悌、力田者，鳏寡孤独及年高者之普遍的赏赐。这些人在社会上虽系少数，但以全国数量计之，则大有可观。据史载，汉武帝一次就赏赐百余万匹，一年之中，收天下帛五百万匹[3]，由此可以想见一般。

除对国内的赏赐以外，对于外国的贡纳和赐赠，亦须使用巨量的纺织物。如在西汉初，汉代政府对匈奴每年皆有一定的贡纳，而贡纳品中，首为“絮缯”。[4]又如武帝时，张骞使西域，也带了大量的丝绸，作为外交

[1]《汉书·成帝纪》：建始元年“赐宗室诸官吏千石以下至二百石、及宗室子有属籍者、三老，孝悌力田鳏寡孤独钱帛各有差”。鸿嘉元年“赐鳏寡孤独高年帛”。

[2]《汉书·平帝纪》：元始五年“赐宗师帛”。

[3] 同上《食货志》云：“于是天子（武帝）北至朔方，东封泰山，巡海上，旁北边以归，所过赏赐，用帛百余万匹，……一岁之中……诸均输帛五百万匹。”

[4]《汉书·匈奴传》云：“刘敬奉宗室女翁主为单于阏氏，岁奉匈奴絮缯酒食物各有数，约为兄弟以和亲。”

的馈赠。[1]唐蒙通夜郎，亦以缯帛为先锋。[2]

此外，西汉的纺织物，并以商品的性质而输出于国外。当张骞至大夏时，在大夏市场上，曾见蜀布。据说这种蜀布是经由印度商人之手，运到中亚的。及汉通西域，中国的丝绸，大量地运到中亚乃至地中海沿岸一带，成为国际市场上最著名的商品。中国的商人，并因此而有“丝绸人”之称。

由上所述，可知当西汉之世，中国纺织物的生产，已经不仅是自足自给的生产，而是大规模的商品生产了。单就汉武帝于一年之中，征集五百万匹布帛而言，这如果没有普遍发展的纺织业之存在，是不能实现的。

据史籍所载，当时纺织业最进步的地方，是今日的四川和山东。《盐铁论·本议篇》云：“非独齐陶之缣，蜀汉之布也。”正是说明这一事实。从“一女不织，或受之寒”的谚语看来，则在当时已无不知纺织的妇女了。

民间的纺织业，大概都是为了家庭自给的一种农村

[1]《汉书·张骞传》谓武帝遣骞使西域“赍金币帛直数千巨万”。

[2]《汉书·西南夷传》云：“乃拜蒙为中郎将……从巴莋关入，遂见夜郎侯多同，厚赐，谕以威德……夜郎旁小邑，皆贪汉缯帛。”

副业，但亦有以商品生产为目的之大规模的工场。例如张安世夫妇纺织场，使用了七百个工人，因此获利而与当时的丞相霍光比富[1]，即其一例。

除民间的纺织场以外，当时在长安有两个很大的国营织布场：其一曰东织室，其二是西织室。这两个国营织布场，每年用费达五千万[2]，可以想见其规模之宏大。

这两个国营织布场，专门制造皇家御用的缯帛[3]，主要的出品，多系丝织物。当时丝织物织机的构造，已经非常复杂。关于这种织机，有一个故事。传说谓："霍光妻遗淳于衍蒲桃锦二十四匹，散花绫二十五匹，绫出巨鹿陈宝光家，宝光妻传其法，霍显召入其第，使作之。机用一百二十镊，六十日成一匹，匹值万钱。"（《西京杂记》）这个故事，告诉我们当时已有使用一百二十镊的织机，我们虽仍不能详知当时织机的构造，但可以想

[1]《汉书·张汤传》："张安世……夫人自纺绩，家僮七百人，皆有手技，作事，内治产业，累积纤微，是以能殖其货，富于大将军光。"

[2]《汉书·贡禹传》云："三工官官费五千万，东西织室亦然。"

[3]《汉书·惠帝纪》云："四年七月丙子，织室灾。"师古注云："主织作缯帛之处。"又《宣帝纪》四年诏云："乃者东织室……"应劭注云："旧时有东、西织室，织作文绣郊庙之服。"

插图二二　西汉时的织布机

见其精巧。像这样的织机，当时国营织布场，不会不采用的（插图二二）

即因织机的进步，当时的织物，已能织成各种复杂图案的花纹。关于这一点，也有一个故事。传说谓：有一次，赵飞燕之妹送给赵飞燕三十几件珍贵的礼物，其中丝织物有：金华紫轮帽，金华紫轮面披，织成上襦，织成下襦，五色文绶，鸳鸯襦，鸳鸯被，鸳鸯褥，金错绣裆，七宝綦履等五彩织花的绫锦（《西京杂记》）。这个故事的真假，当然大有问题，但是问题只在赵飞燕之妹，曾否送过赵飞燕这些东西没有？而这些东西在当时之已经存在，则已为近来考古学的发现证实了。

据安特生于《西域考古记》中报告，一九一四年他

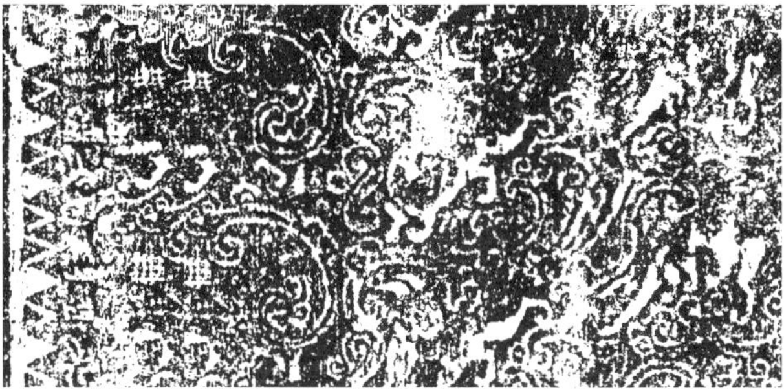

插图二三　西汉时之彩绢及毛织物（楼兰墓中发见之十锦彩色花丝织物）

插图二四　楼兰墓中发见之中国、希腊混合风格的毛织品

在罗布泊一带考古时，曾于距古楼兰遗址四哩左右，位于离风蚀地面约高三十五呎的一座孤立的土台之侧面的

汉墓中，发现了“各种殉葬的器物，如死者个人用的有花的铜镜，木制兵器模型、家具，写在木版同纸上的中国文书，最了不起的，是眩耀在我眼前的光怪陆离的织物。其中有美丽的彩绢，很美的地毡，同绣品残片，堆绒地毡，此外，还有粗制的毛织物同毡子。我当时明白各种衣饰残片，原来是用在这里缠裹尸体的。”[1]（插图二三）

“这里所得许多五彩和红色美丽的花绢，（插图二四）据后来的证明，十足可以表现贸易仍采取此道，经过楼兰以向西方的中国丝织物美术方面的风格以及技术上的完美。”[2]

以上的织物，据安特生的研究，其所属的“时期是在汉代，其时中国的贸易同国力，第一次向中亚扩展，约在西纪前二世纪的终了”。即正当西汉武帝、昭帝的时代。从这些被发现的古织物的残片之织作技巧看来，它们比之《西京杂记》所载各物，实在只有过之而无不及。

关于毛织物的织作，西汉时也很发达，特别在西北

[1]《西域考古记》一〇八页。

[2] 同上书同页。

插图二五　西汉时希腊罗马式图案的地毡

诸游牧种族中，已经是一种极普遍的手工业。如汶山郡的羌人最善于织作旄毯和班罽，匈奴和乌孙等皆以穹庐为室、旃为墙。同时《汉书·王吉传》亦谓西汉的皇帝和他的大臣常在“广夏之下，细旃之上”坐而论道。由此就可以想见一般。据斯坦因报告，当时希腊罗马式的毛织物或织作毛织物的技巧，已经传入，此种具有希腊罗马式图案的毛织物，已在塔里木盆地的汉墓中发见。斯氏说：“装饰的织物中，精制的地毡残片所显示的风格，丝毫不错是‘希腊式’的。无论是本地制造，或是从极西的中亚输入，我们可以看出一种文化力量显著的说明（即希腊文化之东渐）。”因为在这地毡上，“有十足‘希腊罗马式’图案的‘赫密士’（Hermes）的头部。另外一块地毡残片，很奇异地反映出中国同西方美术混合的影响，显然是中亚出品。在这块地毡上，边缘部分的装饰风格，很明白地是希腊罗马式的；但花纹中有着附翼的马的图案，这又是中国汉代雕刻中所常见的。”（插图二五）[1]

西汉时又有国营的服物制作工场。《汉书·贡禹传》云：“方今齐三服官作工各数千人，一岁费数巨万。”此所谓“齐三服官”，即指管理山东服物制造场官吏。此种服物制造场，其制作服物，大概皆系供给宫廷的御用品。《汉书·元帝纪》云：“罢齐三服官。”注引李斐曰：“齐国旧有三服之官，奉献冠帻縰，为首服，纨素为冬服，轻绡为夏服，凡三。”这个注文，正是三服官的说明，从这个注文，我们又知道这个工场的主要出品，是冠帻（头巾）縰、纨素及轻绡之类的冠服。

[1]《西域考古记》一〇八至一〇九页。关于这些织物标本技术材料以及图案研究的详细情形俱见《亚洲腹部考古记》。

此外据《汉书·地理志》云：“襄邑有服官。”但据师古云：“襄邑自出文绣，非齐三服也。”《南齐书·舆服志》亦云：“衮衣，汉世出陈留，襄邑所织。”据此则当时襄邑服官所管理之工场，其主要的任务，乃系刺绣的工作。惟据《汉书·地理志》引胡公语曰：“服官主作文绣，以给衮龙之用。”则刺绣又实为一般服官之共同任务。《论衡·程材篇》云：“齐郡世刺绣，恒女无不能；襄邑俗织锦，纯妇无不巧。”则是齐郡亦刺绣，而襄邑亦兼织锦。

又据《哀帝纪》云，哀帝即位，“诏齐三服官、诸官织绮绣，难成，害女工之物，皆止，无作输。”更证以《论衡》所云齐郡之女无不能刺绣，襄邑之妇无不能织锦之语，又可知西汉的纺织及刺绣工业多用女工，故薄姬被虏，即输织室。

四　漆器、砖瓦、造船及其他手工业

除上述的各种手工业以外，西汉政府，又于手工业发达的地方，设置工官，以管理或经营一般的手工业。《汉书·地理志》曾指出当时设置工官之地有十处，如河南郡的荥阳，南阳郡的宛县，济南郡的东平陵，泰山

郡的奉高，颍川郡的颍川，河内郡的怀县，广汉郡的广汉，蜀郡的成都，都有工官的设置。这种史实，就指明了以上各地，是西汉时代手工业最发达的城市。

据《后汉书·百官志》云:“凡郡县有工多者置工官，主工税物。”则工官之设，似乎专主抽税。但是据《汉书·贡禹传》所示，则西汉的工官，不仅主管抽税，而且主管设场制造。《贡禹传》云:“蜀、广汉（的工官）主金银器，岁各用五百万，三工官官费五千万。”我们从蜀与广汉的工官及三工官的生产费用的数字，就可以想见各地所设的各种官工场的规模之宏大。

西汉十工官的制造物，其有款识可以确证者，惟有日人于平壤发现的成都和广汉二郡工官所制之漆器、扣器（扣器者以金银缘边之器也）。此外，二郡工官漆器，著录于《骨董续记》者有四器，计成帝永始元年（前一六年），平帝元始三年（西纪三年），四年（西纪四年）及新莽居摄三年（西纪十一年）之器各一，皆系“蜀郡西工”制造品。

据《骨董续记》所录永始元年之汉漆署款云:“永始元年蜀郡西工造乘舆髹泊画纻黄扣饷盘　容一升　髹

工黄　上工广　铜扣黄涂工政　画工聿　泊工威　清工东　造工林　造护工卒史安　长孝丞㬐　掾谭　守令史通主。”由此可知当时漆器制作的分工之精细。

又晚近发现之汉瓦，其上多有签署，如右钮，右军，右梦，右宜，右衣，左秦，左纪，右官，卒最，左官徒实，右官徙犁，嘉姚左官，右官，傂典，左三，高蹏及右九、污、梦、官、屏、衣等等的字样，这些字样，大概都是主持制造者的工官之自署。这样看来，当时也应有国营砖瓦场之存在（插图二六）。

《汉书·地理志》谓庐江有楼船官。又西汉武帝时

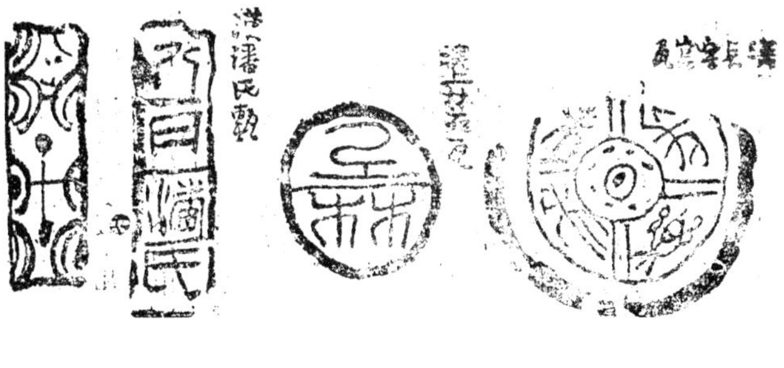

插图二六　西汉时的砖瓦

插图二七　西汉时的船

征伐东南沿海及朝鲜，皆系海陆并进，故当时有楼船将军、弋船将军。这种水军，需要大量的战舰，而所谓楼船者，就是战舰。西汉有楼船官之设，则当然也有国营的造船场（插图二七）。

西汉的酿造工业，亦甚发达，如酿酒制酱，大概已经是普遍民间的工业了。当时四川所制之枸酱，已运销于广东。

此外还有许多地方专长的小工艺品，如四川的邛竹杖，会稽的流黄簟[1]，以及衣衾棺木等送死的物件，似

[1]《西京杂记》卷二云："会稽岁时献竹簟，供御，世号为流黄簟。"

乎都有专门的作坊。[1]乃至儿童玩具，亦有专业制造者。《后汉书·王符传》曰："或作泥车瓦狗诸戏弄之具，以巧诈小儿，此皆无益也。"

第三节　西汉的商业都市与国际贸易

一　商业发展之一般的倾向

商业的发达，主要地是要依靠于手工业的发展，但同时也要依靠于广大的市场和安定的社会。中国当秦汉之际，农民叛乱，豪杰并起，攻战杀伐，烽火连天，死伤流离，哀鸿遍野。当此之时，社会秩序，纷然大乱。一方面，农村残破，田野荒芜；另一方面，城市毁灭，手工业破产。富者堡聚山谷，苟全性命；贫者或自卖为奴婢，或饿死沟壑，社会购买力，已经降低到零点。直至汉初，"天子不能具钧驷，而将相或乘牛车，齐民无藏盖"，由此可以想见秦汉之际社会的凋零。当此之时，

[1]《汉书·游侠传》云："如原涉所，知母病死，涉往候，削牍为疏，具记衣被棺木，下至饭含之物，分付诸客，诸客奔走市买，至日昳皆会。"又同书《韩延寿传》：韩延寿令"百姓遵用其教，卖偶车马下里伪物者，弃之市道"。

虽有奇货，谁能买之？而况战争阻绝，商路不通，劫夺代替了交易，征发代替了买卖，虽有奇货，又谁能私之？在这样的情形之下，商业自然要遭受严重的打击。

虽然，商人总是最能冒险的人物，为了追逐利润，他们往往能冒天下之大乱，而且还能利用天下之大乱，从血泊中去淘取黄金。这样的事实，自古如此，如今为甚。在秦汉之际的大丧乱中，即有不少的逐臭之夫，利用社会经济秩序的紊乱，趁火打劫，大发横财。例如宣曲任氏，即系在楚汉战争中，以屯聚粮食而致富的一个商人。[1]又如陈豨部下的将领，没有一个不兼营走私匈奴的买卖。[2]这还不过是见于史籍的一二例证而已。此外，利用战争的灾难而囤积居奇、冒险走私以致暴富者，当大有其人。

[1]《史记·货殖列传》云："宣曲任氏之先，为督道仓吏。秦之败也，豪杰皆争取金玉，而任氏独窖仓粟。楚汉相拒荥阳也，民不得耕种，米石至万，而豪杰金玉，尽归任氏，任氏以此起富。"这样看来，任氏者乃系一个囤积居奇的官僚商人。

[2]《汉书·高帝纪》谓陈豨反，高帝讨之，"问豨将，皆故贾人（故贾人者秦时贾人）。上曰：'吾知与之矣。'乃多以金购豨将，豨将多降。"按陈豨为代相，代在山西北部，地接匈奴，这里的贾人，当然是以奇缯物贾匈奴的商人。高帝深知商人的心理，是黄金第一，所以黄金一到，豨将皆降。

汉定天下，海内为一，战时关卡，多半撤废，社会秩序，渐趋安定，于是商业又从畸形的发展，回复了正常的状态。《史记·货殖列传》曰："汉兴，海内为一，开关梁，弛山泽之禁，是以富商大贾，周流天下，交易之物，莫不通得其所欲。"同书《淮南衡山列传》亦云："重装富贾，周流天下，道无不通，故交易之道行。"由此可知，当楚汉战争结束以后，商业不久又活跃起来。

到文景之世，下迄武帝初年，跟着农业和手工业的发展，社会生产力的向上和消费力的提高，商业遂以一日千里之势，展开了超越前古的发展。当此之时，一般"用贫求富"者，皆以为"农不如工，工不如商，刺绣文不如倚市门"，所以当时舍本趋末的现象，日甚一日，以致影响农业的生产。[1]

[1]《汉书·文帝纪》，二年诏曰："农，天下之大本也，民所恃以生也，而民或不务本而事末。"又后元年诏曰："间者数年比不登，……夫度田非益寡而计民未加益，以口量地，其于古犹有余，而食之甚不足者……无乃百姓之从事于末以害农者蕃？"《汉书·景帝纪》三年诏曰："农，天下之本也……间岁或不登，意为末者众，农民寡也。"《武帝纪》元狩六年诏曰："日者有司以币轻多奸，农伤而末众。"此外《东方朔传》云："时天下侈靡趋末，百姓多离农亩。"《魏相传》亦云："民多背本趋末，为陛下（宣帝）之忧。"

西汉时，舍本趋末之风，何以如此其甚？其理由至为明显，盖当时农民的土地被收夺，虽欲不舍本，亦不可得。即因无本可守，故不得不趋末以求生存。如前所述，西汉时代之土地收夺者，不仅是贵族官僚，同时也有商人。因为西汉的商人，和他们的前辈一样，是商人，同时又是地主，所以他们不仅操其奇赢，贩贱鬻贵，同时又因其富厚，兼并土地。正如晁错所云："（他们）亡农夫之苦，有阡陌之得"，"此商人所以兼并农人，农人所以流亡者也"。

即因土地兼并的结果，于是失掉土地的农民，遂成群地拥进都市，因而扩大了城市的人口，从而发展了手工业生产和商业的活动。这样的情形，以日益加剧的程度，继续发展。到武帝时，城市手工业的商品生产量，即超过了供给国内人民的消费限度，为了倾销这些过剩的商品，向上发展中的社会生产力，便捶响了开辟国际商路的战鼓，催动了远征军向四方八面的出动。而这就是汉武帝"勤远略"的历史动力。

从武帝时代起，中国的商业资本，就在生产力向上发展中，开始武装的冲锋，终于冲破了国家的界线，打进了世界市场。自武帝以后，历一世纪，中国的商业资本，都带着全副武装，以压倒之势，昂扬西进，支配着天山南北的诸国乃至中亚诸国的市场，甚至乘风破浪，远征朝鲜日本乃至南洋。他们打破了中国有商业交换以来的历史纪录，开创了中国商业交换之新的纪元。

手工业的发展，唤起了商业交换的繁荣；反之，商业交换的繁荣，又转而刺激手工业的发展，二者互为因果，于是都市经济，一天天地走向兴旺。

可是手工业愈益发展，商品的生产，愈益过剩，因而愈益要求商路的保障与国外市场的开辟，从而大批的农民愈益要离开土地，走向国际战场，为手工业制造品开辟运销的道路。反过来说，商业交换愈益发展，则愈益要求商品的供给，因而愈益要求手工业生产之扩大进行，从而愈益要求农民离开土地，走进作坊，以为商人生产商品。这样一个正反相因的作用，就象魔术似地把大批的农民从农村中驱逐出来，走向作坊，走向战场。所以《汉书 · 贡禹传》曰：到元帝时，“民弃本逐末，耕者不能半，贫者虽赐之田，犹贱卖为贾，穷则起为盗贼（作坊不能容纳之过剩人口，则为盗贼），何者？末利深而惑于钱也”。

不仅如此，那些在国外或边疆发了洋财的商人，他们又在国内投资于土地的兼并，这样又加速了农民离开土地的过程。在商业资本的扫荡之中，少数残存于农村的人口，也被强迫地交出了他们的土地而逃入都市，所以到成帝时，“民弥惰怠，乡本者少，趋末者众”。

都市经济发展的反面，便是农村经济的破坏。在最初，都市的手工业作坊，尚能容纳从农村中排除出来的人口，到元、成时代，手工业生产已经达到不能再扩张的境地，因为在当时，由于农村经济的萧条，国内市场的购买力，已经大大的减低，同时，国外市场，也在开始动摇，这样就限制着手工业生产的扩张。在这样的情形之下，从农村中排除出来的人口，就只有走入山林，转为“盗贼”。

西汉时代的手工业生产，既发展为适应世界市场之需要的规模，所以到哀、平之际，随着国内社会矛盾之加深，西汉政府的国力不能保障世界市场的时候，各种手工业生产部门，便不能不由过分的扩大而转向紧缩或停闭。这样，大多数在业的工人，又相率从作坊中被排除出来，因而更扩大了“盗贼”的队伍。所以结果便爆发了西汉末年农民和手工业者的大“叛乱”。

以上所述，就是西汉商业发展之一般的倾向，这种倾向，并不是当时商人之主观的意欲所造成，而是当时社会生产力向上发展的结果。因为如果没有过剩的手工业生产品，也就不会触发商人寻求国外市场的动机；同时，没有比较进步的手工业生产品，也就不能征服世界市场。而这种过剩的同时又是较为进步的手工业生产品，正是当时社会生产力发展的产物。

二　都市的分布、内容及其行政管理

西汉的都市，当然首推长安，因为长安是西汉的首都。但除长安外，还有无数大都市。据《盐铁论·力耕篇》云：“自京师东西南北，历山川，经郡国，诸殷富大都，无非街衢五通，商贾之所臻，万物之所殖者。”由此足见当时都市之普遍勃兴与繁荣之一般。

据《史记·货殖列传》所述，西汉在武帝以前，商业最发达的区域，要算关中。当时的关中，即指今日陕西全境和四川、甘肃之一部而言。这个区域，特别是陕西中部渭水流域一带，是周秦以来，中国古代文明的摇篮之地。在这里，有着许多古代都市的存在。例如：在周代，“公刘适邠，大王、王季在岐，文王作丰，武王治镐。”在秦代，“秦文、德、缪居雍，隙陇蜀之货物而多贾，献公徙栎邑”，始皇、二世都咸阳。这些古代都市，并不因为政治中心的移转而堕废；反之，它们仍然跟着历史的推移而更新。所以到西汉时代，假若我们驾着小舟溯渭水而上，一定可以看到，在渭水的沿岸，有着无数大大小小的都市。这些都市，也许还保持着古香古色的面貌，但却洋溢着时代的精神。

汉中、四川一带，在秦代就是重工业的中心，在楚汉之际，又没有遭到重大的兵灾战祸，所以到西汉时代，这一带的重工业，如采取丹砂、冶炼铜铁的事业，还是继续发展。除此以外，贵金属的制造，以及竹木之器的生产，也非常发展。当时的临邛是重工业的中心城市，广汉和成都则是贵金属和其他手工业生产者聚居的城市。即因手工业生产的发达，所以在这些城市中便招来了大批的商人，他们南贾滇僰，西贾邛筰，与南蛮之人，进行不等价之交换。同时，又以其所得于南蛮之物，如筰马、旄牛、邛杖以及四川的土产，如蜀之枸酱，运至长安，运至今日的广州，当时的南越。所以当时“栈道千里，无所不通”，而褒斜则“绾毂其口”，为川陕之间交通的要道。

其在西北如天水、陇西、北地、上郡一带，这里是中国与匈奴及诸羌交错之地，所以《货殖列传》说：“（这里）西有羌中之利，北有戎翟之畜，畜牧为天下饶”。由此而知这一带最大的买卖，是皮毛和牲畜的交易。

关中的商业区域，虽如此广泛，但商业的中心还是长安。因为长安北却戎翟，西绾羌陇，南御巴蜀，东通中原，所以四方辐辏，并至而会。加以这里又是政治的中心，贵族官僚，豪富大贾，皆麇聚于此，皇家的赋税，贵族的奉养，官僚的俸给，地主的地租，商人的利润，大半都消费于此，因而长安的本身，就是一个极大的消费市场。据史籍所载，当时长安有东西二市[1]，《汉书·王尊传》云：“长安宿豪大猾，东市贾万城，西萬章……”。实际上，长安的宿豪大猾，并不只此，在武帝时，徙于

[1] 长安西市，辟于惠帝六年；东市始于何时，不可考。

长安及其附近之三百万以上的富翁，不知多少[1]。以后昭帝时又有大批富豪徙居长安，即以政府对豪富的赏赐而论，每户亦有十万。[2]宣帝时又徙百万以上的富翁若干于长安附近。[3]最骇人听闻的，是成帝鸿嘉元年一次徙来了五百万以上的富翁五千家。[4]从这些史实看来，自武帝时起，长安已经不仅是当时的政治中心，而且是当时全国财富集中之地。故《货殖列传》曰："关中之地，于天下三分之一，而人众不过什（分之）三，然量其富，（则）什居其六。"

次于关中者，为三河区域。所谓三河者，即河东、河内、河南之总称，以今日地理言之，河东即今之山西，而河内、河南并为今日之河南。这一带在秦汉之际，虽遭受战争的蹂躏，但也因为有着古代文明的基础，故容易恢复。《货殖列传》曰："唐人都河东，殷人都河内，周人都河南，夫三河在天下之中，若鼎足，王者所更居

[1]《汉书·武帝纪》：元朔二年"徙郡国豪杰及赀三百万以上于茂陵。"太始元年又"徙郡国吏民豪杰于茂陵、云陵"。

[2]《汉书·昭帝纪》：始元四年，"徙三辅富人云陵，赐钱户十万"。

[3]《汉书·宣帝纪》：本始元年"募郡国吏民赀百万以上徙平陵"。

[4]《汉书·成帝纪》：鸿嘉元年"夏，徙郡国豪杰赀五百万以上五千户于昌陵"。

也。建国各数百千岁，土地小狭，民人众，都国诸侯所聚会，故其俗纤俭习事。”即因这一带居天下之中，而又为都国诸侯所聚会，故能绾毂东西南北，成为中原商业之枢纽。

这一带最大的都市，其在山西者为杨、平阳、陈，这些都市，因为邻接陕西，迫近匈奴，所以这里的商人，大概“西贾秦、翟，北贾种、代”，特别在与匈奴的买卖中，“时有奇羡”。

其在河南北部者为温、轵。温、轵在黄河以北，故“西贾上党，北贾赵、中山”。其在河南西北者为洛阳。洛阳为关中与中原商业之要站，这里的商人，大概是转运关中的商品，“东贾齐、鲁，南贾梁、楚”。其在河南南部者为颍川、南阳、宛。颍川“夏人之居也”，是一个更新了的古代城市。南阳，在秦代也是重工业集中之地，而宛则为一新兴的都市。这些都市因为接近汉中和鄂北皖西，所以这里的商人，多半西入武关、郧关，与汉中的商人交易，而东南则与江淮的商人进行买卖。其在河南东部者有陈。陈在秦末曾为农民叛乱的中心。这里接近淮河流域，通鱼盐之货，故其民多贾。

再次为燕、赵区域。燕在今日河北北部，赵在今日河北南部。赵之最大都市为邯郸，邯郸在漳水之南，为故赵国的都城。这里“北通燕涿，南有郑卫”，西邻三晋，东近梁鲁，居于四通八达之地。在战国时代，即为富商大贾麇集之所，到西汉则更为发达。其在河北北部者为燕。“燕，亦渤、碣之间一都会也，南通齐、赵，东北边胡。”更北则为上谷与辽东。这两个都市，接近匈奴与东夷，而又滨于渤海，所以大概都是经营渔盐的买卖。这里的人民，性情“雕捍少虑”，不怕危险，他们往往北贾乌桓（在今热河南部）、夫余（今辽宁中部），东贾秽貉、朝鲜、真番（皆在今之朝鲜半岛）。

又次则为齐鲁区域。齐、鲁，即今日之山东，“泰山之阳则鲁，其阴则齐”。这一带，膏壤千里，宜桑麻，纺织刺绣，是这里的手工业之特色。同时又地滨渤海，有渔盐之利。自战国末以至秦代，芝罘即为海洋贸易的口岸，而齐之临淄，已有七万户人口。到西汉时，芝罘的发展如何，不得而考；但临淄，则已大有发展。《汉书·高五王传》引主父偃语曰：“临淄十万户，市租千金，人众殷富，巨于长安。”据此而知到武帝时，临淄市的人口，已增至十万户，以户三男子计之，当有三十万人。故当西汉之世，陕西之长安，山东之临淄，实为黄河流域两大都市。至于泰山之南、洙泗之滨的邹、鲁一带，这里的人民，也忘记了周公、孔子的教训，“好贾趋利，甚于周人”。

又次为梁、宋区域。《货殖列传》曰：“自鸿沟以东，芒砀以北，属巨野（巨野，徐广曰，今为临淮），此梁宋也。”以今日地理言之，即豫之东北，鲁之西南。这一带的都市，有陶、睢阳。《货殖列传》曰：“陶、睢阳亦一都会也。”

又次为淮河流域。这里较大的都市为彭城与寿春。彭城曾为项羽的都城，而寿春则在战国末年曾为楚国的都城。此外徐、僮、取虑，并为商业汇萃之地。

最后说到长江流域和东南沿海，即古楚越之地。据《史记·货殖列传》云：“楚越之地，地广人稀，饭稻羹鱼，或火耕而水耨，果隋蠃蛤（隋亦作蓏），不待贾而足。地势饶食，无饥馑之患，以故呰窳偷生，无积聚而多贫，是故江淮以南，无冻饿之人，亦无千金之家。”如此说来，则江淮以南，尚无富商大贾。但是此就一般而言则然，事实上亦有特殊。例如长江下游之吴，自阖庐以来，即为名都，至于西汉，吴王濞都居其地，吴都仍然是中国东南的政治中心。这里不但有海盐之饶，章山之铜，为铸金煮海者之所麇集；而且陆则资车，水则资舟，为大江南北商路之绾纽，因而又是三江五湖的商人之所交萃。所以当时的吴国富抗关中，力敌中央，成为七国叛变的根据地。自吴溯江而上，“豫章出黄金，长沙出连锡”，而江陵则为故郢都，“西通巫、巴，东有云梦之饶”。这些城市，都是长江流域商业繁荣之地。在这些地方，岂仅有千金之家，而且有万金之贾。

至于珠江流域，本为百越旧壤。自从秦代打通五岭以后，当时的番禺，今日的广州，遂成为汉族与越族贸易的中心地。所以《史记》说：“番禺亦一都会也。”到西汉初，中原的商人，遂络绎于五岭道中，牂牁江上，他们用牛群、铁器、枸酱之类的商品去交换越人的玑珠、犀、玳瑁、果、布。所以当时南越之王，竟能以财物役属夜郎及东越，以与西汉政府相抗。除番禺以外，其他如桂林、象郡、珠崖等处，都已形成都市，而与汉人有着贸易的关系。

由于城市的繁荣与商业的发展，于是在城市与城市间之重要的商路交叉地点，或大城市的附近，便发生了一种小的市聚。西汉时代，长安附近这种新兴的小市聚，大概不少。如长陵、高陵等皇室陵墓附近，都已聚成小市。[1]

此外，在军队驻扎的地方，为了供应军队日用品的需要，也往往成为商人逐利之场。在这些地方，最初大概是不定期的市易，以后发展为定期的市易，更后则形成一种小的市聚。这种市聚，谓之“军市”。“军市”在战国末年，即已发生，至西汉时，沿边一带，有军队驻屯的地方，大概都有“军市”了。[2]

由此看来，可以概见西汉初叶商业都市之蓬勃的兴起。一方面是古典都市之更新，另一方面是新型的都市之形成。自武帝时起，由于国际商路的开辟，都市更加发达。到宣帝时，则“燕之涿、蓟，赵之邯郸，魏之温、轵，韩之荥阳，齐之临淄，楚之宛丘，郑之阳翟，三川

---

[1]《汉书·外戚传》云：孝景“皇太后微时，所为金王孙生女俗，在民间……武帝始立……自往迎之，其家在长陵小市。”又同上《王尊传》云：“有诏左迁尊为高陵令。”

[2]《汉书·冯唐传》云：冯唐言，“臣大父言：李牧之为赵将，居边，军市之租皆自用飨士，……今臣窃闻魏尚为云中守，军市租，尽以给士卒。”

之二周，富冠海内，皆为天下名都。”(《盐铁论》)

如前所述，当时殷富大都，无非街衢五通，纵横交错。住宅区与商业区，好象是分开了的，因为在每个城市中，都有一个称为市的地方，如长安城中之东市西市。在这种市场区域内，有着各种各样的店铺，买卖各种各样的货物。《汉书·张敞传》云:“长安市偷盗尤多，百贾苦之。”从“百贾”二字看来足见当时长安市中商业种类之多。这些“商贾，大者积贮倍息，小者坐列贩卖”。用近代语说，即大商人则囤积居奇，小商人则开铺摆摊。

当时的商店，凡同类的都集合在一处。这种情形，在春秋时代就是如此。如《左传》襄三十年述郑伯有为驷带所破而死的一节有云:“伯有死于羊肆。”由此足见当时卖羊者，都集于羊肆，以此类推，则贩卖其他各物者，亦皆有其各自之市肆。西汉时的市肆组织，还是承袭前代的旧制，于城之中有市，市之中有肆，而各种商业，皆以类列肆。如长安有东西两个市场，而在这两个市场之内，又别为九市。[1]九市之名，今虽无从确考，

[1] 班固《西都赋》有“九市开场”一语，李善注引《汉宫阁疏》曰:“长安九市，其六在道西，三在道东。”据此则当时长安西市又分六市，东市又分三市。但余以为九市者言其市别之多也，实则当时长安，百贾列肆，何止九市!

但顾名思义，当系各种类别的市肆。史称汉时长安宿豪萬章在城西柳市，后王尊为京兆尹，杀章于酒市，则当时长安实有柳市与酒市。又称张敞为京兆尹，“无威仪，时罢朝会，过走马章台街，使御吏驱，自以便面（便面，扇也）拊马。”则当时卖淫的娼妓，亦有一定的区域。又称赵广汉为京兆尹时“为钩距（钩距即密探也）以得事情。钩距者，设欲知马贾（贾者卖价也）则先问狗，已问羊，又问牛，然后及马。参伍其贾，以类相准，则知马之贵贱不失实矣。”据此，则当时马、牛、羊、狗等牲畜的买卖，也是集合在一个地方。[1]

当时的都市，皆设有专官管理，领长安市者，谓之京兆尹，领普通市者，谓之令或吏。这种市尹、市令或市吏，正类似今日的市长。《汉书 · 食货志》谓王莽时，对于市政组织，曾有所改变，当时“于长安及五都立五

[1] 关于市以类分的遗迹，我们今日尚能于具有历史的城市之街道的名称可以看得出来。例如在北平有珠宝市、骡马市、花儿市、绒线胡同、琉璃厂、米市大街等街名。在成都有打金街、打铜街、金玉街、铜丝街、皮房街、棉花街、锅锣巷、珠市巷、鹅市巷等街名。这些街名，现在多半不能名符其实，但它们的得名，确系因为它们各自所卖的特定的商品，盖即古代货别隧分的遗迹。

均官，更名长安东、西市令，及洛阳、邯郸、临淄、宛、成都市长，皆为五均司市师，东市称京，西市称畿，洛阳称中，余四都各用东西南北为称，皆置交易丞五人，钱府丞一人。”

当时市令的任务，第一是征收商税，如主父偃言临淄市租千金，冯唐言军市之租。《食货志》言：“工商能采金、银、铜连锡，登龟取贝者，皆自占司市。”这些都是例证。

其次是主管市民注册。《晁错传》云：“秦时北攻胡貉，筑塞河上，南攻杨粤，置戍卒焉，……因以谪发之，名曰谪戍。先发吏有谪及赘婿、贾人，后以尝有市籍者，又后以大父母、父母尝有市籍者，后入闾取其左。”由此而知当时都市居民，皆须向市政府注册；但所谓市籍，则系专指商人之注册而言。因当时征收人头税，“贾人倍算”，所以必须令其注册，以便考查。其不注册而经商者，谓之私贾，私贾则犯法。《赵广汉传》云：“广汉客私酤酒长安市，丞相吏逐去。”即其一例。

再次则为搜捕盗贼，维持都市秩序。汉时长安的市长，如赵广汉、张敞等，均以搜捕盗贼著名。执行这种任务，除由市长指挥的官兵以外，又有一种密探。这种密探，汉时称之曰“钩距”。赵广汉为京兆尹，曾“为钩距，以得事情”，即其一例。

以上所述，就是西汉都市的分布、组织及其行政管理的大概情形，由此可知当时都市的发展，已经大大地超越了前代的规模。

三　商业资本家的出现及其活动

都市的繁荣，是商业发展的表征。这从西汉初出现了无数大大小小的商业资本家，可以证明。当时的商业资本家，有些是前代的宿豪，有些则是新兴的商人。

例如在秦代，即“富至僮千人”的蜀卓氏，和“富埒卓氏”的程郑，到西汉初，仍然冶铸临邛，“贾椎髻之民”，富倾滇蜀。

在秦代，即“连车骑，游诸侯”，有“游闲公子之赐与名”的宛孔氏，到西汉初，仍然“大鼓铸，规陂池”，“通商贾之利”，“雍容”于南阳。

在秦代，即“以铁冶起富至巨万”，致使“邹、鲁以其故多去文学而趋利者”的曹邴氏，到西汉初，仍然“父兄子孙约，俛有拾，仰有取，贳贷行遍郡国”。

在秦代，即以奴虏“逐渔盐商贾之利”，“起富数千万”的刁间，到西汉初，仍然是因奴虏之力，“连车骑，交守相”。

在秦代，即以“贫人学事富家”，而“致富七千万”的师史，到西汉初，仍然是“转毂以百数，贾郡国无所不至”，为洛阳巨贾。

这些都是前代的富商大贾，他们多以盐铁事业起家，拥有矿山炼炉和盐场，一面生产，一面贩卖，故能世世相承，屡代不衰。

西汉初新兴的商业资本家，当首推宣曲任氏。《史记·货殖列传》云：“宣曲任氏之先，为（秦）督道仓吏。秦之败也，豪杰皆争取金玉，而任氏独窖仓粟。楚、汉相拒荥阳也，民不得耕种，米石至万，而豪杰金玉尽归任氏，任氏以此起富。”由此看来，乘天下之乱，而囤积粮食者，固不仅今日之官僚。

其次为桥姚。同上书云：“塞之斥也，唯桥姚已致马千匹，牛倍之，羊万头，粟以万钟计。”

又次为无盐氏。同上书云：“吴楚七国兵起时，长安中列侯封君，行从军旅，赍贷子钱，子钱家以侯邑国在关东，关东成败未决，莫肯与。唯无盐氏出捐千金贷，其息什之。三月，吴楚平，一岁之中，则无盐氏之息什倍，用此富埒关中。”

这些新兴的商业资本家，大概都是利用国家的危急，战争的灾乱，囤积居奇、垄断物价，或高利倍息、权衡子母而起家的商人。他们并不生产，只是利用别人的生产物，或现存的货币，投机取巧，操奇乘急，以致暴富。象这一类商人，在中国后来的历史上，是屡见不鲜的。

此外，据《货殖列传》云："关中富商大贾，大抵尽诸田，——田啬、田兰。韦家，栗氏，安陵杜氏，亦巨万。"这些富商大贾，大概都是来自中原各地。

汉初的商业资本家，当然不仅上述诸人，上述诸人，不过是人中佼佼而已。故司马迁于记述上述诸人以后，又说："至若力农、畜、工、虞、商贾，为权利以成富，大者倾郡，中者倾县，下者倾乡里者，不可胜数。"

自武帝以后，由于国际贸易的展开，又出现了无数新的商业资本家。《汉书 · 货殖传》云：

"程（郑）、卓（氏）既衰，至成、哀间，成都罗裒赀至巨万。初，裒贾京师，随身数十百万，为平陵石氏持钱（持钱，即管理银钱）。其人强力，石氏赀次（于）如（氏）、苴（氏），亲信，厚资遣之，令往来巴蜀，数年间致千余万。裒举其半，赂遗曲阳、定陵侯，依其势力，赊贷郡国，人莫敢负。擅盐井之利，期年所得自倍，遂殖其货。”

“刁间既衰，至成、哀间，临淄姓伟（颜师古注云姓，伟名）赀五千万。”

“师史既衰，至成哀王莽时，洛阳张长叔，薛子仲赀亦十千万”。

此外，“自元、成迄王莽，京师富人杜陵樊嘉，茂陵挚纲，平陵如氏、苴氏，长安（卖）丹（的）王君房、（卖）豉（的）樊少翁、王孙大卿，（皆）为天下高赀。樊嘉五千万，其余皆巨万矣。”

此外，还有一些富商大贾为《汉书·货殖传》所不录者，如《张汤传》谓武帝时，长安有富贾田甲鱼、翁叔。《宁成传》谓武帝时，宁成“贳贷陂田千余顷，假贫民，役使数千家，数年，致产数千万。”《田延年传》谓昭帝时，“茂陵富人焦氏、贾氏以数千万阴积贮炭苇诸下里物，冀其疾用，欲以求利”。

从以上记载来看，武帝后的商业资本家，竟有积资达一万万者，足见当时商业资本蓄积之雄厚。

当时富商大贾，除经营盐铁事业外，还经营一些甚么买卖呢？据《史记 · 货殖列传》所示，当时商业种类之多与规模之大，已足惊人。

（一）酿酒业：“酤一岁千酿。”据《汉书·食货志》云：“一酿用粗米二斛，曲一斛，得成酒六斛六斗。”千酿则需用粗米二千斛，曲千斛，得成酒六千六百斛。

（二）酱园业：“醯酱千瓨，酱千甔。”

（三）屠宰行：“屠牛羊彘千皮。”

（四）粮食店：“贩谷粜千钟。”

（五）薪炭店：“薪藁千车。”

（六）造船场：“船长（共）千丈”，例如造五丈长的船，即有二百只。

（七）竹木店：“木千章，竹竿万个。”

（八）造车场：“轺车百乘，牛车千两。”

（九）油漆店：“木器髹者千枚。”

（一〇）铜器店：“铜器千钧。”

（一一）铁器店："素木铁器若卮茜千石。"

（一二）牲畜场："马蹄躈千，牛千足（各二百五十头）；羊、彘千双（各二千头）。"

（一三）筋角丹砂店："筋角丹砂千斤。"

（一四）布帛店："帛絮细布千钧。"

（一五）绸缎店："文采千匹。"

（一六）皮革店："榻布、皮革千石。"

（一七）生漆店："漆千斗。"

（一八）油盐店："蘖曲盐豉千答。"

（一九）鱼店："鲐鮆千斤，鲰千石，鲍千钧。"

（二〇）干果店："枣栗千石者三之（即三千石）。"

（二一）皮毛店："狐鼦裘千皮，羔羊裘千石。"

（二二）毡席店："旃席千具。"

（二三）蔬菜水果店："果菜千钟。"

（二四）高利贷者："子贷金钱千贯。"

（二五）节驵会：徐广曰"驵，马侩也。""贫贾三之，廉贾五之。"

以上的数字，皆指每一商店在一年中的买卖量而言，所以司马迁曰：这些商人，都可以"比千乘之家"。

在当时，只要善于经营，无论甚么买卖，都可以赚钱，甚至掘冢发墓，聚赌抽头，也可以致富。《史记·货殖列传》曰：

“田农，拙业，而秦阳以盖一州。”

“掘冢，奸事也，而曲叔以起。”

“博戏，恶业也，而桓发用之富。”

“行贾，丈夫贱行也，而雍乐成以饶。”

“贩脂，辱处也，而雍伯千金。”

“卖浆，小业也，而张氏千万。”

“洒削，薄技也，而郅氏鼎食。”

“胃脯，简微耳，浊氏连骑。”

“马医，浅方，张里击钟。”

“由是观之，富无经业，则货无常主，能者辐辏，不肖者瓦解。千金之家，比一都之君；巨万者乃与王者同乐，岂非所谓素封者邪？非也？”

这些发了财的商人，大半都投资于土地而为地主，故同时又为农产物及畜群之所有者。据《史记·货殖列传》云：“（这些商人地主）陆地（则有）牧马二百蹄，牛蹄角千，千足羊（二百五十头），泽中（则有）千足蕘。（近）水居（者则拥有）千石鱼陂;（依）山居（者，则拥有）千章之（木）材。（其居于）安邑（者，则有）千树枣;（居于）燕秦（者，则有）千树栗;（居于）蜀、汉、江陵（者，则有）千树橘;（居于）淮北、常山以南，河济之间（者，则有）千树萩;（居于）陈夏（者，则有）千亩漆，（居于）齐鲁（者，则有）千亩桑麻；（居于）渭川（者，则有）千亩竹；及名国万家之城，带郭千亩，亩钟之田，若千亩卮茜，千畦姜韭，此其人皆与千户侯等。"

即因商业是发财的捷径，所以当时一般贵族官僚，也以其超经济强制的榨取之所得，转而投于商业的经营，以从事于经济的再榨取。例如霍光的儿子博陆侯，便私营屠酤的商业。[1]京兆尹赵广汉的部下，也私营酤酒的商业。[2]宁成是二千石的官吏，同时又是千金之

[1]《汉书·赵广汉传》云:"大将军霍光秉政，广汉事光，及光薨，广汉心知微指（微指者，皇帝的暗示），发长安吏自将，与俱至光子博陆侯禹第，直突入其门，廋索私屠酤，椎破卢罂，斧斩其门关而去。时光女为皇后，闻之，对帝泣涕。"

[2] 同上传云:"广汉客私酤酒长安市。"

贾。[1]以上所举，不过一二例证而已，实则西汉自武帝时起以迄哀、平，所有皇帝的近臣，自诸曹侍中以上，无不利用政治的地位，人人私营商业，与民争利。[2]即因“诸官各自市相争，物故以腾跃”。[3]所以武帝时因桑弘羊的建议索性开设国营商店，于是天下货物，尽入大农诸官之手，美其名曰平准物价[4]，而实则以堂堂的官僚，坐于市列，贩物求利。[5]从“烹弘羊，天乃雨”的民谣，可以想见当时一般感受物价腾贵的人民对于官僚商人之痛恨。

由于商业资本之聚积与集中，于是造成社会之广大的贫困，因而当时的富商巨贾，又向贫困的社会中，伸出了高利贷的魔手。如前所述，无盐氏即以十分的利息，行贷关东。罗裒即曾赂遗贵族曲阳侯，依其权力，赊贷

[1]《汉书·宁成传》云：“成官不过二千石，贾不过千金。”

[2]《汉书·贡禹传》云：“（贡禹）又欲令近臣自诸曹侍中以上，家亡得私贩卖，与民争利，犯者辄免官削爵，不得仕宦。”

[3]《汉书·食货志》。

[4]同上云：“大农诸官尽笼天下之货物，贵则卖之，贱则买之。如此，富商大贾亡所牟大利则反本，而万物不得腾跃。故抑天下之物，名曰平准。”

[5]同上云：“今弘羊令吏坐市列，贩物求利，亨弘羊，天乃雨。”

郡国。又如武帝元狩四年，山东被水灾，政府亦曾募富豪人相假贷。这些高利贷者的富商大贾，他们“交通王侯，力过吏势”，凡所赊贷，人莫敢负，“于是有卖田宅，鬻子孙以偿债者矣”。

除富商大贾以外，当时的官僚也盗窃公款，私放高利。《汉书·韩延寿传》云：“延寿代望之为左冯翊，而望之迁御史大夫。侍谒者福为望之道，延寿在东郡时，放散官钱千余万。……延寿闻知，即部吏按校望之在冯翊时，廪牺官钱放散百余万，廪牺吏掠治急，自引与望之为奸。……上由是……各令穷竟所考，望之卒无实事。而望之迁御史按东郡，具得其事……及取官钱帛私假使吏，及治饰车甲三百万以上。……延寿竟坐弃市。”象韩延寿这一类以公款放私债的官僚，在当时，一定不少，而韩延寿者，不过是其中之一被暴露者而已。

此外，政府也在赈恤贫民的名义之下，往往以谷物或钱币假贷贫民而取其利息。例如武帝时，曾假贷徙于关以西的贫民以产业。元帝永光元年，“令各务农田，无田者皆假之，贷种食如贫民”。四年“诏所贷贫民勿收责”。王莽时“民或乏绝，欲贷以治产业者，均授之，除其费，计所得受息，毋过岁什一”。这些都是例证。

总上所述，我们可以由此想见西汉时代商业资本的蓄积与活动。

四　货币的铸造与种类

随着商业交换的发展，作为交换媒介物的货币，也就必然相应地发展起来。

我们已经说过秦代的货币，只有两种：黄金以镒（二十两）为主币，铜钱重半两为辅币，其他珠玉、龟、贝、银、锡之属，只用为器饰宝藏，不用为货币。西汉时，仍以黄金为主币，铜钱为辅币，但除此以外，西汉又有银币，而且在王莽时又曾一度使用龟币、贝币。

首先说到金币。如前所述，西汉时使用为货币的黄金，已铸为麟趾及马蹄之形，此种麟趾金或马蹄金，其单位皆以斤。这由当时赐金，皆曰金若干斤，可以证明。

当时黄金的价格，还没有我们今日这样的贵重，《食货志》云：“黄金一斤值钱万。”又《惠帝纪》云：“视作斥土者将军四十金。”颜师古注云：“诸赐言黄金者皆与之金，不言黄者，一金与万钱也。”又《王莽传》云：“有司奏，故事，聘皇后，黄金二万斤，为钱二万万。”由此可见黄金价格，通西汉一代，似无变更。

当时的黄金，除用于巨额的交易之清偿，大概多用于宝藏。如前所述，梁孝王死后，“府藏余黄金尚四十余万斤”。王莽时，“省中黄金万斤者为一匮，尚有六十匮”。即黄金用于宝藏的例证。

其次说到银币。《汉书·食货志》云：“（武帝时）又造银锡白金，以为天用莫如龙，地用莫如马，人用莫如龟，故白金三品，其一曰重八两，圜之，其文龙，名曰撰，直三千。二曰以重差小，方之，其文马，直五百。三曰复小，椭之，其文龟，直三百。”据此，则西汉时银币，共有三种，这三种银币，重量形制花纹，各不相同，所代表的价值，亦各不同（插图二八）。

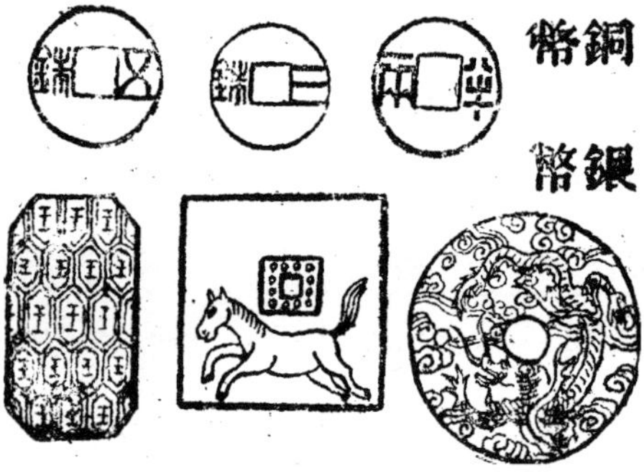

插图二八　西汉时的银币与铜币

汉武帝所铸银币，似乎流行不广，而且不久即行废止。以后王莽时代，又曾使用过银币，《食货志》云："（当时）朱提银重八两为一流，直一千五百八十；它银一流直千"。可是行之不久，也取消了。

按武帝时重八两的银币，其值三千，而王莽时重八两的朱提银，则仅值一千五百八十，其他成分较劣的银币，则仅值千。这如果不是武帝时的银币的名义价格超过银币实值一半或三分之二，就是在西汉末，银价跌了一半或三分之二了。

再次说到铜钱。西汉的铜币，时有改变，轻重不一。据史籍所载，汉初本用秦代的半两钱，高丽以秦钱重难用，更令民铸荚钱。所谓荚钱者，即钱薄如榆荚，其大半径五分，其重约一铢。当时的一铢，等于当时一两的二十四分之一，而当时之一两，又仅合现在的半两，故当时的荚钱，其重量仅及现在的一两的四十八分之一。这种劣币出现以后，自然物价腾贵，所以《食货志》说："（当时）不轨逐利之民，蓄积余赢，以稽市物，痛腾跃，米至石万钱，马至匹百金（百万钱）。"

实际上，高帝虽新铸荚钱，而秦代之半两钱并未销毁，历惠帝、吕后直至文帝时代，半两钱仍然流通于市场。《高后纪》云：二年秋七月，“行八铢钱。”又云：六年“行五分钱。”应劭注云：“八铢钱即半两钱。”“五分钱即荚钱。”足见吕后时，半两钱与荚钱还是同时并行。

文帝时，以“钱益多而轻，乃更铸四铢钱，其文为半两”。同时，又以当时商业交换关系，日益繁多，货币的需要量，日益增大，于是“除盗铸钱令，使民放铸”。但当时的法令，人民只许以铜、锡铸钱，敢杂以铅、铁为他巧者其罪黥。然而诚如贾谊所云：“铸（钱）之情，非殽杂为巧，则不可赢，而殽之甚微，为利甚厚。夫事有召祸，而法有起奸，今令细民人操造币之势，各隐屏而铸作，因欲禁其厚利微奸，虽黥罪日报，其势不止。”所以当时人民抵罪者，多者一县数百，而为官吏之所疑，榜笞奔走者更多，然而一般人民仍然“释其耒耨，冶镕炊炭”，虽有严法，不能禁止巧伪。而且刑法所及，只是细民，至若贵族达官，则又为法之所不及，故文帝时“吴（王濞）邓（通）钱布天下”，而钱法遂紊乱不堪。

文帝时，国内流行的铜币，大概有三种，即半两钱、四铢钱、荚钱。所有的私钱，大都皆依照这三种钱币而铸造，这三种铜币，重量不同，而名义价值皆值一文，所以当时“民用钱，郡县不同，或用轻钱，百加若干；或用重钱，平称不受”。所谓“用轻钱百加若干者”，即今所谓“贴水”；所谓“平称不受”者，即以一当一，不必贴水。由此而知当时钱虽有轻有重，而价亦有高有低。

到武帝时，国家收回了铸币权，禁止人民自由铸钱。建元元年，废文帝时的四铢钱，另铸三铢钱以代之。五年春，又罢三铢钱，行半两钱。五年之中，铜币经过两次的更易。以后对外的战争开始了，军费浩大，“大农陈藏钱经耗，赋税既竭，犹不足以奉战士”。加以当时水旱为灾，情形惨重。“天子遣使虚郡国仓廪以赈贫，犹不足，又募豪富人相假贷，尚不能相救，乃徙贫民于关以西，及充朔方以南新秦中，七十余万口，衣食皆仰给于县官……费以亿计，县官大空。”在财政这样困难的情形之下，对于货币的需要，自然非常急切，乃“令民得（以货币）买爵，及赎禁锢免减罪”。然而这种卖官赎罪的收入，仍不足以供应日益扩大的军费和灾民的赈济，于是乃又销毁半两钱，改铸三铢钱。除此以外，更新为皮币与银币。所谓皮币者，即以“白鹿皮方尺，缘以缋，为皮币，直四十万”。其银币三种，已于前述。但是所谓皮币者，不过是向诸侯王捐款的一张收条而已，它本身并不代表额面的价值。而银币则以吏民盗铸者多，又“（当时）白金稍贱，民弗宝用，县官以令禁之，无益，岁余终废不行”。结果还是要从铜币上想方法，以救济财政上的困难。

元狩五年春三月，有司以三铢钱轻，易作奸，乃令郡国更铸五铢钱。周郭其质，使奸猾吏民，无法磨取其镕。并重申禁令：“盗铸诸金钱罪皆死。”然而利之所在，人不畏死，而当时“天下大抵无虑皆铸金钱矣，犯法者众，吏不能尽诛”。当时虽曾“遣博士褚大徐偃等，分行郡国”，但是他们的报告，是“郡国铸钱，民多奸铸”。于是又“令京师铸官赤仄”，以“一当五”，并规定“赋官用非赤仄不得行”。所谓赤仄者，一曰“子绀钱”，据如淳云，乃是用赤铜为郭，而令钱的轮廓作赤色。但是不到两年，“赤仄钱贱，民巧法用之，不便，又废”。

变来变去，总是变不通，于是武帝决然下令：“悉禁郡国毋铸钱，专令上林三官铸。钱既多，而令天下非三官钱不得行，诸郡国前所铸，皆废销之，输入其铜三官。”铸币政策的这一改变，遂使吏民盗铸者“计其费，不能相当”，“而民之铸钱益少”。但“真工大奸”仍然盗铸如故。

所谓三官钱，就是五铢钱，因统于上林三官，故曰三官钱。三官钱既行，于是以前所有的各种铜币如半两钱、五分钱（即荚钱）、四铢钱、三铢钱、赤仄钱以及银币、皮币，一律废止，而铜币遂归划一。自此以后，历七八十年，直至平帝时，通行的铜币，都是五铢钱。在当时，此种五铢钱的铸造额，竟达“二百八十亿万余”。

到孺子婴时，王莽专政，曾造大钱，径一寸二分，重十二铢，文曰大钱五十。又造契刀，错刀。“契刀其环如大钱，身形如刀，长二寸，文曰契刀五百。错刀以黄金错其文，曰一刀直五千。”但是当时五铢钱并未废止，仍然同时并行。这种一当五十的大钱，一当五百的契刀，一当千的错刀之出现，并不是偶然的，而是当时物价高涨，筹码不足，不能不以一当五十，当五百，当五千。这在今日也是一样，每当物价高涨的时候，便会出现额面金极高的纸币。

恶劣的货币驱逐良好的货币，这是一定不移的道理。自从王莽所铸的大钱、契刀、错刀，这些名义价值与实际价值不符的恶币出现以后，于是黄金、白银及过去的五铢钱，都纷纷从流通过程中被驱逐出去，攒进贵族官僚富商大贾的钱匮之中，再也不肯出来。这样一来，筹码更感不足，所以王莽即位之后，索性把大钱、契刀、错刀和五铢钱，一齐废止，而另外发行铜、银、龟、贝、布五种新币，凡二十八种，谓之曰“宝货”。其中计铜币六品[1]，银币二品[2]，龟币四品[3]，贝币五品[4]，布币十

[1] 铜货六品：（一）小钱——径六分，重一铢，文曰小钱，直一。（二）幺钱——径七分，重三铢，文曰幺钱，直一十。（三）幼钱——径八分，重五铢，文曰幼钱，直二十。（四）中钱——径九分，重七铢，文曰中钱，直三十。（五）壮钱——径十分，重九铢，文曰壮钱，直四十。（六）大钱——径十二分，重十二铢，文曰大钱，直五十。

[2] 银货二品，已如前述。

[3] 龟宝四品：（一）大贝十朋——元龟岠冉，长尺二寸，直二千一百六十。（二）壮贝十朋——公龟，长九寸，直五百。（三）幺贝十朋——侯龟，长七寸以上，直三百。（四）小贝十朋——子龟，长五寸以上，直百。

[4] 贝货五品：（一）大贝——长四寸八分以上，二枚为一朋，直二百一十六。（二）壮贝——长三寸六分以上，二枚为一朋，直五十。（三）幺贝——长二寸四分以上，二枚为一朋，直三十。（四）小贝——长一寸二分以上，二枚为一朋，直十。

品[1]。把龟贝当作货币，这就可以想见当时贵金属已经完全封存在富人的库藏中了。

王莽所行的新币，种类实在太繁杂了，对于买卖换算，极感不便。而且当时政府的用意，显然是企图用一些不值钱的龟甲和贝壳吸收人民的金银和铜币。所以史称“每一易钱，民用破业”。而政府的国库，却因此而换来了黄金六十余万斤。但是人民对于龟贝与黄金的价值之差别，分得很清楚，他们当然不愿意用他们光彩夺目的黄金，去换那些一钱不值的龟甲和贝壳。所以史称当时“百姓愦乱，其货不行，民私以五铢钱市买”。在这样的情形之下，王莽又不得不翻然变计，“但行小钱，直一，与大钱五十，二品并行，龟、贝、布属且寝”。但是到天凤元年，又下令金、银、龟、贝之货，颇增减其贾值而罢大、小钱，并作直一的货泉[2]，与直货泉二十五的货

[1] 布货十品——大布，次布，弟布，壮布，中布，差布，厚布，幼布，幺布，小布。小布长寸五分，重十五铢，文曰小布一百。自小布以上，各相长一分，相重一铢，文各为其布名，直各加百。上至大布长一寸四分，重一两，而直千钱矣。是为布货十品。

[2] 货泉，径一寸，重五铢，文右曰货，左曰泉，枚直一，与货布二品并行。

布[1]同时并行。此后不久，王莽的政权也就覆亡了。

总上所述，我们可以看出，西汉时代是以黄金为主币，铜币为辅币。贯通西汉的全时代，黄金的价格，没有甚么涨跌，大概都是黄金一斤，值钱一万。至于铜币，则经历了不少的变更。如高帝时铸荚钱；文帝时铸四铢钱，但自高帝至文帝时，秦代的半两钱还是同时并行。武帝初先后铸三铢钱、半两钱，以后又作银币、皮币，更后又铸五铢钱、官赤仄，最后则废除一切以前的铜币，而专行三官所铸的五铢钱，谓之三官钱。由武帝历昭、宣、元、成、哀、平之世均行五铢钱。到王莽时始新铸大钱、契刀、错刀，又为宝货六种二十八品，以及货布、货泉之类的货币。但直至西汉之亡，而五铢钱仍然是最通行的货币。这种货币制度的改变，就恰恰反映出西汉社会经济由繁荣走向衰落的过程。

五　国际贸易的发展

随着汉武帝征战之胜利推进，中国的商业资本，便

[1] 货布，长二寸五分，广一寸，首长八分有奇，广八分。其圜好，径二分半，足枝长八分，间广二分。其文右曰货，左曰布，重二十五铢，直货泉二十五。”

走进了世界市场。当此之时，以长安为中心，西至塔里木盆地和中亚，西南至川、黔、滇和印度，东南至闽、粤和安南、南洋，东北至辽东和朝鲜、日本，都有中国商队的活动。同时，东南西北各国的商人，也纷纷来到中国。

张骞之奉使西域，是西汉时代中国商业资本向世界市场出动的前奏曲。由于张骞回国以后的报告，中国的商人，才正确地知道当时西方世界的具体情况，以及通达西方世界的道路。据张骞的报告，中亚诸国，如大宛、大夏、安息之属，皆大国，多奇物而兵弱，贵汉财物。其北大月氏、康居之属，兵虽强，可以赂遗设利，使之入朝进贡；诚得以义属之，则地广万里，重九译，致殊俗，威德遍于四海。惟通达中亚，只有一条捷径，即必须经天山北麓，而这里有匈奴人遮断道路，甚为危险。此外尚有一条通路，即从四川、贵州、云南经缅甸、印度以达中亚。因为在大夏，曾见邛竹杖和蜀布，据大夏国人云此等竹杖和蜀布是从身毒买来的，身毒在大夏东南几千里，其国临大海。身毒既有蜀物，其地必去蜀不远，而且必有商路可通。因此照张骞的意见，如欲通中亚，只有两个办法，第一，是征伐匈奴，打通天山北麓的天然走廊；第二，是通西南夷，打通西南的国际通路。

这位探险家的海外奇谈，把好大喜功的汉武帝说得心花怒放。为了打通到中亚的商路，他决定从西北和西南两方面同时并进。讨伐匈奴的远征军，不久就继续不断地出动了；同时，派赴西南的政治使节，也“四道并出，出駹，出莋，出徙，出邛，出僰，皆各行一二千里”。结果，西南的国际商路，被阻于南蛮，始终没有打通，只能通过南蛮的仲介，与印度商人，进行间接的贸易。而在西北方面，则不久便打通了天山北麓的走廊，与西域诸国畅通无阻了。

南山北麓一带，在过去本来是一片荒凉的溪谷（插图二九），在这里，只是稀稀落落有些匈奴人的帐幕和畜群，但是自从被西汉占领以后，这里便筑起了四个大城市，即武威、张掖、酒泉、敦煌，所谓河西四郡者是也。当时为甚么要选定这几个地方设立郡治呢？其原因即因这几个地方，都有沙漠田，足以为屯戍军队的给养之补

插图二九　天山山谷间的森林

充。[1]自武帝时起，迄于西汉之末，河西四郡，日趋繁荣，这些城市，不仅是大汉帝国远征军的补给站，也是

[1] 陈正祥氏《河西走廊》“沃野与都市”一篇中，谓“河西沃野之分布方式，东西两部，显然不同，嘉峪关以东，沃野大致互相连接，可称为‘连续沃野’；嘉峪关以西，沃野零星分布，孤悬于荒漠之中，可称为‘孤立沃野’”。陈氏于《河西走廊》一书中，曾列举沃野十处，而以张掖、酒泉、敦煌、武威为大。据云：“张掖沃野，自东南之古城子以迄西北之黄家堡，延长六十五公里，南起祁连山北麓，北迄合黎山南麓，南北宽度在一五——三〇公里之间，全部面积约达一五〇〇方公里。”“酒泉沃野东西宽约三十二公里，南北长约四十公里，全部面积九三〇方公里。”“敦煌沃野，东西宽约二十四公里，南北长约二十七公里，全部面积达三五〇方公里”。“武威沃野之面积，约为一二〇〇方公里。”

国际贸易的商人寄顿之所。

当时国际贸易的商人，由长安出发前往西域，他们都必须经过河西四郡，由武威、张掖、酒泉而至敦煌。敦煌是河西走廊极西的一个都市，过此而西，则为西域的境界。这里在当时是大汉西征军极西的根据地，驻屯着雄厚的边防军，屯集着如山的粮草，有巍然雄峙的堡垒（插图三〇），有大将军的行营，有太守和田官的官署，有各种商店。李广利两次远征大宛，都是以敦煌为根据地而出发的。

因为敦煌是中国极西的一个都市，外国商人，到了

插图三〇　敦煌西之汉代古垒

这里，就算是蹈入了中国的国境，他们如果要再向东进，必须于此办理一切入境手续，而且在经过了盐泽沙漠之艰苦的旅行以后亦必须于此略事休息。同时中国商人由内地到达敦煌以后，亦必须于此办理出境手续。而且为了开始横断盐泽沙漠的旅程，亦必须于此作缜密而充分之准备，如雇赁骆驼，购备粮食，装载饮水等，亦需要相当的时间。由此我们可以想到当时的敦煌市上，一定到处可以看到军队、田卒、商人和一群一群的骆驼队。

自敦煌而西，中国的商人，便西向玉门。玉门关是当时中国极西的大门，过此而西，则为荒旷的盐泽。足足有一百二十英里的沙漠旅程（插图三一），才能达到

插图三一　商队通过盐泽的情景

塔里木盆地极东的一个城市，即所谓楼兰者是也。

盐泽在今日已干涸为一望无涯的罗布泊沙漠，除了北风以外，没有其他的东西。但据斯坦因报告，这里在汉代库鲁克河尚挟其水量流贯楼兰，曲折以入于盐泽。直至今日，在干涸了的库鲁克河之窄狭低槽的两岸，尚倒卧着成列的白杨和红柳的死干，指出汉代盐泽中的风光（插图三二）。

在汉代，横断盐泽，都有延续相望的堡垒，驻屯着守卫商道的戍兵。这些汉代戍兵留下来的铜箭镞、铁匕首、铁勒及建筑物上的木雕和器具，现在都已发现了。

插图三二　盐泽南岸所见之冰块和芦苇

由此又知西汉时的商人通过盐泽时，沿途都有休息的驿站。

又据斯坦因氏报告，在罗布泊沙漠中一个较小的堡垒之北，发现了许多用树枝构成的房屋，在这里，发见了用古佉卢文、婆罗门文、窣利文及汉文等字体所写的木简。此外还有许多遗物，如美丽的漆盒，有画的丝织物，毛织物残片及木制农具等。在盐泽沙漠中的另一地方，又发现汉代古钱、金属零件及陶器碎片。又在距古楼兰遗址四哩左右之一突出的土台上，发现一葬地，其中除人骨棺木残片之外，尚发现各种殉葬物，如镂刻花纹的铜镜，木制兵器模型，家具，汉简，美丽的彩绢，地毡，绣品残片，堆绒毛织物及粗毛织物等。据斯氏说："此等遗物，可以指定的时期，是在汉代，其时中国的贸易和国力第一次向中亚扩展，约在西元前第二世纪的终了。"又据斯氏报告，在盐泽的古道中，"沿途都可以找到中国的古钱，小件金属器物珠子之类的东西"。在某一个地方："明明白白散布二百枚左右的中国古钱，距离相隔约三十码左右，……这些方孔钱，都是汉代形式，似乎是新铸的一般，显然是护路人员（或商人）

带的钱，绳子松了以后，从钱袋或箱子孔中逐渐漏了出来”。

以上考古学上的诸发现，不仅指明西汉商人穿过盐泽的一条古道的痕迹，并且具体地指明了他们携带的甚么商品，以及往来盐泽中的商人，不仅是中国人，也有中亚各国的商人。

过了盐泽，便到达楼兰。楼兰在纪元前二世纪的终末，正是汉朝商人西入塔里木盆地之第一站，亦即盐泽沙漠之西边的桥头。汉朝的商人，经过了长途沙漠旅行之后，到了楼兰，必须休息几天；同时，由此东行的商人，亦须于此做过度盐泽之一切必须的准备。因此汉代的楼兰，也是欧亚国际商路上的一个重要站口。

楼兰古城，早已埋没于沙漠中了，晚近西欧考古学者于罗布泊北发现一座古城，最初发现者为俄人希亭，彼于此处颇获古书，后德人喀尔亨利及孔拉第二氏，据其所得古书，定此城为古楼兰之墟。沙畹氏考证斯坦因氏所得遗物，亦从其说。但王国维氏根据汉简及史籍遗文考证此罗布泊北之古城，决非楼兰废墟，而谓系古之龙城（参看王氏《流沙坠简 · 序言》）。不论此古城为古龙城抑或古楼兰，在西汉时，罗布泊之北有一城市，为当时商人寄顿之所，则已为考古学的发现证实了。

据斯坦因氏报告，在这座被认为古楼兰的废址中，发现用红柳条和泥土相间筑成的城墙，以及排成行列的枯死的树干，足见这里在西汉时代是一座白杨红柳掩映的城市。汉朝的商人，到此以后，可以一洗盐泽中的风尘之苦（插图三三）。

“在遗址的西南部，发现一所大建筑物，一部分是用土砖造的，虽已十分残破，尚能看出是一座衙门的遗址。其中有一小室，原来或系用作监牢的。”其旁有粗陋的小屋，“大约是供非中国人之本地官吏所住的”。（《西

插图三三　骆驼经过塔什马干沙漠之情景

域考古记》九八页）在这里，除发现金属、玻璃、石质小件、金属扣、石印、镂刻花纹的汉镜及汉代的方孔钱以外，还发现中国文、佉卢文和窣利文的简牍。在中国文书中，“有从西域长史发出或呈长史的文书，及显然不属于当地军事行动的记录之残简。但其中有一大部分文书，却是关于当时中国一个小屯田区的一切统治事项的记录，如种植、存贮及运输粮食之类的记录。对于官吏及士兵，常有减少口粮的命令，当地不能自给的困难，由此可以显示出来了。”（同上书九九页）

“又在遗址东南八哩左右，发现了一个大住宅区，这里有一所环以篱笆的果园，其中还残存着死去的古代果树，这是这个遗址中所见的古代种植遗迹之唯一的证明。在这大住宅区遗址中，还发现了许多有趣的遗物，其中有雕刻华美而又加了漆的家具的残片，装饰用的织物，以及饰以西方式地毡图案之拖鞋。”（同上书一〇一页）

从以上考古学的报告，我们可以想见，这座古城在西汉时代，有着壮丽的衙门，鳞比的市肆，阔人的住宅，青葱的果园，还有东来西往的国际商队，这是何等的繁荣啊！

到了楼兰，汉朝的商人如果要深入塔里木盆地的西部，有两条道路可通。其一经塔什马干沙漠之南，沿昆仑山北坂而西；其二，经沙漠之北沿天山南坂而西。前者谓之南道，后者谓之北道，由南北两道而西的商人，最后皆会于疏勒。因为疏勒是塔里木盆地极西的一个大都市，从此再往西，便是高入云霄的帕米尔高原的大雪山了。

从南道而西的商人，离开楼兰以后，即西向婼羌。婼羌只有三十方公里的沙漠田（沙漠田面积的数字，皆系根据陈正祥氏塔里木盆地之记载，后不另注）可以耕种，自古以来，出产即不丰富，但自西汉迄于隋唐，这里都是东西商人往来必由之地。据《汉书·西域传》载，这里在西汉时，只有四百五十户居民，计一千七百五十人，多系羌族，除铁以外，别无出产。

第二站是且末。且末也只有沙漠田三十八方公里，在沙漠田之四周，皆系流沙。这里在西汉时只有二百三十户居民，一千六百一十人，他们就依靠这小小的沙漠田，种植谷物、果树和葡萄。斯坦因氏已经在这里发现了古代葡萄园和果树园的遗址，但这恐怕是东汉之物。

第三站是小宛。这里在西汉时代，只有一百五十户居民，计一千零五十人。因为这里可耕的沙漠田，更为狭小，而南边的昆仑山北坂，又都是草木不生的石山，不能养活更多的人口。

第四站是精绝。精绝在小宛西北，只有四百八十户居民，计三千三百二十六人。

第五站是戎卢。戎卢在精绝西南，是一个较大的城市，有居民三千三百四十户，二万零四十人。

第六站是扜弥。杅弥是卢戎与于阗之间的一个城市，有居民三千二百四十户，二万零四十人。到扜弥后，当时的商人也许绕道渠勒以达于阗。渠勒在扜弥西南，是一个小城，只有居民二百一十户，二千一百七十人。

第七站是于阗。于阗是南道最大的一个都市，位于于阗河的西岸。当时的于阗河，还是挟着昆仑山的水源，由南而北，纵贯沙漠，因之当时的商人，可以由于阗河的水路，通达北道诸国。于阗之所以成为一个大城市，主要地是因为这里有很宽广的沙漠田（插图三四），其面积约达一千六百方公里。在西汉时，这里即有居民三

插图三四　和阗沙漠中的沃土

千八百五十二户，一万九千三百人。当地的居民，大抵以农业为生，而城市手工业，则以雕琢玉器闻名于当世。往来南道的商人，大都以购买于阗的玉器为主要的经商目标。

第八站是莎车。莎车已经进到塔里木盆地西端大沃野之东头，这里有沙漠田二千六百方公里，是盆地中第二大沃野。在西汉时，这里有居民四千七百四十六户，一万六千三百七十三人。

第九站是疏勒。疏勒在塔里木盆地之极西，是南北两道商人总汇之所。这里的沙漠田东西长约一百公里，南北宽约五十公里，其面积达二千六百五十方公里，为盆地中第一大沃野。在东汉时，班超之能征服西域，即因据有这疏勒大沃野。这里在西汉时，有居民一千五百一十户，一万八千六百四十七人。但在这里，往来的商队，其人数，或许超过土著人口。因为这里是南北两道商人汇合之地，亦为东西商人必须寄顿之所。一方面，由中亚东来的商人，越过了帕米尔高原之后，必须于此休息；另一方面，由此往西的商人，亦须于此作逾越帕米尔高原之必要的准备。所以疏勒在当时，是一个五方杂处的国际城市。

现在，我们再折回楼兰，去追踪北道商人的旅程。从楼兰采取北道西进的商人，他们经过艰苦的沙漠旅程之后，才能到达尉犁。尉犁在焉耆河谷附近，有小小的沙漠田，在西汉时，有土著居民三百户，一千二百人。当时汉朝政府在这里驻有戍兵，并派有田官田卒，在这里进行垦殖，以巩固这个军事据点。从这里北向焉耆的途中，沿途都有堡垒，以保障这条商路的安全。

第二站是焉耆。焉耆是北道的一个大城，在博斯腾湖的北边，当时有居民四千户，三万二千一百人。在博斯腾湖的西南岸，有一百余方里的沙漠田，出产谷物。这里在西汉时，无论在政治或经济上，都占重要的地位。

第三站是乌垒。乌垒是焉耆与龟兹之间的一个小城，只有居民一百一十户，一千二百人。据斯坦因氏推测，这里附近的布古尔沙漠田，就是西汉时西域都护所在的轮台，可是并没有找到甚么古代的遗迹，只是在从此西向龟兹去的土质沙漠中，沿路发见一群庞大的碉堡遗迹而已。

第四站是龟兹。这里分布的沙漠田，其面积达一千一百七十方公里，想见当时有着繁盛的农业。当时这里向北逾过天山，可以通达富庶的山北诸国，向南沿于阗河，可以横断塔什马干沙漠，直抵于阗。地理的地位，既适宜于贸易，又想见当时有着繁盛的商业。据《西域传》云，这里在西汉时有居民六千九百七十户，八万一千人。人民从事田畜，亦能冶铸。

第五站是姑墨。姑墨在今拜城县西南一个小小的盆地之中，这里有沙漠田二百二十方公里。当时有居民三千五百户，二万四千五百人。

第六站是温宿。温宿位于今日阿克苏沃野之中，阿克苏沃野中的沙漠田，面积达一千六百五十方公里，为盆地中第三大沃野。这里在西汉时，有居民二千二百户，八千四百人。

第七站是尉头。尉头是温宿以西的一个小城，在当时只有居民三百户，二千三百人。过此而西南，则为疏勒。

从疏勒而西，中国的商人，便开始越过帕米尔高原之艰苦的行程。关于西汉时代中国通达中亚的古道必须经过的山地，斯坦因氏曾作几度冒险的探索。斯氏以为当时西行的商人，离开疏勒以后，即向着今日乌鲁克恰提关口和那一方面的帕米尔高原前进。第二天便要越过高达一万六千尺的险峻隘口，陡然下降。在这险峻的高山上，如果纵目一望，“只见横越摩吉大山谷以达今日苏联所属之帕米尔东端的坚垒，白云弥漫，有若大海，真是汪洋大观”。当此之时，中国的商人，假若再读“登东山而小鲁，登泰山而小天下”之句，恐怕要发笑了（插图三五）。

据斯氏报告，从这个隘口往下看，可以看到从南方冰峰上流下来的一条冰河的中段和下段，长约十里，这

插图三五　帕米尔高原之大雪山

种壮大的伟观，真是人间稀有的奇景。过了这个隘口，山势陡然下降，当“下降时，要经过一连串险峻的山峰，附近是一些小冰河穿插其间；全程甚是困难，有些地方驮东西的牲口，真是无法通过”。过了这些险峻的山路以后，便到达了摩吉下面大山谷，这里在当时，大概有些塞种人放牧，来往的商人，大概可以在这些塞种人的帐篷里，得到休息的机会。

从此往西，沿着帕米尔的极北边，上到今日喀什噶尔河西源的峡谷，经过五六天的路程，于是又要横越高达一万三千八百呎的克什贝尔山。在这个山口，可以看见横亘东西高峰在二万呎以上的外阿拉山，再向前进，便升到流向疏勒的玛尔堪苏河的河床，这里的温度，常在零点上下。

从这里往下去，商人们便走到了称为红水河的肥沃的克则勒河谷，这就是大阿拉山谷。古代从中原及塔里木盆地来的丝商，即沿这条山谷而下，以达中亚。从阿拉山谷一直下到大宛，塞种人的村落，足足有七十哩之多，在这一路是塞种人夏季的大牧场。沿路上，南面大雪岭的山脉以及高近二万三千呎的高夫曼峰，远远看去，如在画中。

在这一带，斯坦因发现了一些古代垦殖和形制草率的石屋遗迹；同样，在疏勒方面伊尔克什坦木和上面高度相同的处所，也找到垦殖的遗迹。因而可以想见古代商人在这条横越世界屋脊的大路上，除去阿拉山最高部分七十哩长的那一段以外，沿途一定可以找到给养和安身之所。为了篇幅所限，我不能再描写古代中国商人爬过帕米尔的情形。总之，他们必须经过最大的艰苦，才能越过这作为东西两个世界之障壁的帕米尔，而达到有阡陌井然的麦田和果树林的今日的费尔干，古代的大宛。

从敦煌到大宛，还有一条道路可通，这就是取道天山以北的准噶尔高原。采取这条道路的商人离开敦煌以后，必须经过楼兰东北之荒凉的盐泽以达到今日吐鲁番盆地。据斯坦因考察，这一带的盐泽，自古以来，就是地球上一个最低陷之处，最低陷的地方，低去海面一千尺以下。因之，在夏天，来往的商人，往往在这里碰到奇热的天气。而且在这一段沙漠的旅程中，商人们不能看到一点有生命的东西。一直到库鲁克塔格山麓，才能偶尔看见一些胆小的野骆驼。再向前进，走到库鲁克塔格山中，便可以看到疏疏落落有四百五十户人家散居山谷之中，这就是《西域传》上所谓山国。这里大约有五千左右的土人，大都以狩猎与畜牧为生，无城郭，随畜转徙，来往的商人，可以在这些土人的帐篷中，获得一次喘息。

这一段沙漠的旅程，不但荒凉不毛，而且经常有匈奴小组骑兵队袭来的危险。因为这里正当天山东麓的缺口，而这个缺口是匈奴人进出塔里木盆地的孔道。历史上记载匈奴人从这里袭入塔里木盆地的史实，不只一次。但是西汉政府沿着库鲁克塔格山麓，却建筑了成列的堡垒，用以保障这条商路的安全。

向天山北路行进的商人，到了山国以后，大概还是经过焉耆，然后北向车师。车师在今日吐鲁番盆地迪化附近，土地肥美，农产丰富，在西汉时代，为汉与匈奴必争之地，因为匈奴人既不能南入黄河流域，就必须占领这个盆地，然后才能养活他们的畜群，并进而向沙漠田中定居的人民征收贡赋。而中国方面，如欲巩固塔里木盆地的统治，以及保障欧亚商路的安全，也必须占领这个盆地。所以这个盆地，自古以来，就是汉朝与蒙古游牧种族角逐之场。西汉政府把这个盆地占领以后，汉朝的商人，才能经由天山北路进入中亚。

由车师而西，汉朝的商人，沿着天山北坂，便走进了准噶尔高原，通过卑陆、且弥的境界，以入乌孙。在准噶尔斜坂的高处，自古以来，就有很大的松林，稍为下去，则为广阔的牧场。这里的人民，大概居住在帐幕之中，以游牧为生。由此而西南，则进入大宛与天山南路的商人相会。所以大宛是汉朝商人进入中亚以后第一个站头。西汉的政府不惜劳师动众，两度远征大宛，就是为了要在中亚建立一个军事的据点，以保障在中亚的贸易。

大宛在今日苏联所属的费尔干，这里是希腊人极东的一个殖民地。有人口四千零三十户，六万人。在这里，布满了葡萄园和各种果树，有广大的牧场，出产名马，汉朝称之曰天马。汉朝的商人，有不少从大宛买了葡萄和天马就回国了，但有少数，则由此再向前进，或北入康居，或南入大月氏，而尤以南入大月氏者为最多。因为到了大月氏，就可以碰到安息、条支、印度乃至罗马的商人。

当时汉朝商人，在中亚究竟到了一些甚么地方呢？据《汉书·张骞传》云："（张骞第二次使西域）既至乌孙，……即分遣副使，使大宛、康居、月氏、大夏……于是西北国始通于汉矣。"同《传》又云："汉始筑令居以西初置酒泉郡，以通西北国，因益发使抵安息、奄蔡、牦轩、条支、身毒国。"由此而知当时中国的政治使节，已远至于里海之北、波斯、阿拉伯与印度了。

在任何时代，特别在封建主义时代，国际贸易的进行，必须以政治力量做先锋。强国对弱国，则表现于军事的掠夺和政治的榨取。弱国对强国，则表现为朝贡的形式。因之西汉时代的所谓政治使节，实际上就是商队的领导人。关于这一点，我们从史籍上可以看出在这些外交使节的后面，跟随着大群的商人。《张骞传》谓自骞以后，前赴西域的“使者，相望于道，一辈大者数百，少者百余人”，以后虽渐减少，但一年之中，“使者多者（仍）十余（辈），少者五六辈”。这些打着汉帜做买卖的商队，他们赍操的货物与资本，“大放博望侯时”，而博望侯时的赍操，则为“牛羊以万数，赍金币帛直数千巨万”。这些商队依照各人买卖的目的，走向不同的地方，“远者八九岁，近者数岁而反”。

又据《张骞传》云：“自骞开外国，道以尊贵，其吏士争上书，言外国奇怪利害，求使，天子为其绝远，非人所乐，听其言，予节，募吏民，无问所从来，为具备人众遣之，以广其道。来还，不能无侵盗币物，及使失指（失指者，不至指定之地也），天子为其习之，辄复按致重罪，以激怒令赎。复求使，使端无穷而犯轻法，其吏卒亦辄复盛推外国所有，言大者予节，言小者为副，故妄言无行之徒，皆争相效，其使皆私县官赍物，欲贱市以私其利。”由此而知当时派赴西域的成群结队的外交使节，并非朝廷的正式官吏，皆系一些妄言无行的冒险商人，他们利用政府的资本、货物，而贱卖以饱私囊。这些重装的外交使节，所以往往在路上遭到劫掠。

关于西南的国际贸易，史书所载，极为简略，而又无考古学的发现足以印证，故无从详考。惟西汉时大夏市上有邛竹杖与蜀布，而此等货物又系自印度商人转贩而来，则当时四川与印度间之有直接或间接的贸易，又为确切之事。

汉武帝为了打通这条商路，曾派出许多使节，但据《张骞传》云："其北方闭氐、莋，南方闭嶲、昆明，昆明之属无君长，善寇盗，辄杀略汉使，终莫得通。"

虽然如此，汉卒因此而通滇国。《张骞传》云："然闻其西可千余里有乘象国，名滇越，而蜀贾间出物者或至焉。"滇国在今日之昆明，与分布于今日滇、缅边界，当时的哀牢夷，有着贸易的关系，当系可能之事。故以今日之地理度之，当时西南的国际商路，必系以蜀为中心，经犍为、越嶲、昆明以至于滇，通过西南夷的仲介，由缅甸、印度以达于中亚之大夏。

现在，我们说到西汉时代的海洋贸易。《汉书·地理志》云："自日南障塞、徐闻、合浦，船行可五月，有都元国；又船行可四月，有邑卢没国，又船行可二十余日，有谌离国；步行可十余日，有夫甘都卢国。自夫甘都卢国船行可二月余，有黄支国，民俗略与珠崖相类。其州广大，户口多，多异物，自武帝以来，皆献见。有译长，属黄门，与应募者俱入海，市明珠、璧、琉璃、奇石、异物，赍黄金杂缯而往。所至国皆禀食为耦，蛮夷贾船，转送致之。亦利交易，剽杀人。又苦逢风波溺死，不者数年来还。大珠至围二寸以下。平帝元始中，王莽辅政，欲耀威德，厚遗黄支王，令遣使献生犀牛。自黄支船行可八月，到皮宗，船行可八月，到日南、象林界云。黄支之南，有已程不国，汉之译使，自此还矣。”以上所记的地名，我们虽不能确证其为今日何地，但以航行的时间计之，已在一年以上，以每日航行六十里计之，自合浦出发至其终点已程不国，当有二三万里的海程。

据晚近学者推测，谓黄支国即《大唐西域记》中西印度印境之建志补罗国（Kanchipura），如此，则黄支之南的已程不国，当即当时之狮子国，今日之锡兰岛。而介于合浦与黄支之间的诸国，则当在今日婆罗洲、新嘉坡及苏门答腊一带。究竟如何，这还要有待于将来考古学的发现之证明。惟东汉时夫甘都卢国人与中国有着往来，则为文献所证明。张衡《西京赋》有云："乌获扛鼎，都卢寻橦。"又云，"非都卢之轻趫，孰能超而究升也。"这里所谓"都卢"，就是"夫甘都卢"的简称。

现在，再说到东北方面的国际贸易。所谓东北方面，即指辽东半岛，朝鲜半岛及日本而言。中原与辽东半岛及朝鲜半岛的诸种族，自古以来，即有着交易的关系，这已经从考古学的发见上获得证明。至于日本，在秦代亦以蓬莱三岛之名而出现于中国的史籍。徐福等所领导的海洋商队，或者已经到达了这里。惟史籍记载不明，无从确证而已。

东北方面的国际贸易之畅通，当始于汉武帝征服朝鲜以后。史载武帝于元封二年（前一〇九年）以海军与陆军两道并发，陆军出辽东，海军浮渤海，两军会于朝鲜之首都王险城。因夷灭朝鲜，置真番、临屯、乐浪、玄菟四郡，于是朝鲜遂沦为大汉帝国的属国。我们从武帝征朝鲜之水陆并进，又知当时通达朝鲜，有水陆两道。而其贸易之中心地，则为当时之乐浪郡。这从乐浪已经发见许多汉代的漆器，可以证明。

当时从陆路出发的商人，大都以今日的北平，当时的燕市为根据，《史记·货殖列传》谓当时的燕市，“北邻乌桓、夫余，东绾秽貉朝鲜真番之利”。由此可以想见。这些商人从燕市出发，或北入今日热河，与乌桓交易；或东入辽东辽西，与夫余交易；或由辽东更进而南行，进入朝鲜半岛，与朝鲜、秽貉、三韩贸易。其由海道赴朝鲜者，则大半由山东之罘出发，因为之罘在秦代即为海洋探险的商人麇集之地，到汉初，当然更加发展了。

除朝鲜以外，当时中国与日本，也发生了繁盛的贸易关系。《后汉书·东夷传》云：自武帝灭朝鲜，“倭使驿通于汉者三十许国”。又《汉书·地理志》云：“乐浪海中有倭人，分为百余国，以岁时来献见云。”从这种简略的记载，我们已经可以想见当时中日之间的贸易关系。可惜东入倭国的商人之中，没有一个象张骞那样的人物，把这百余国的风土人情出产，详细记载出来，因而我们至今无从确考。但这些诸国，必系今日日本西北的诸部落，则可想见，因为只有这一带最接近于西方的大陆。当时日本的商人之入中国，大都先浮海至朝鲜之乐浪,《汉书·地理志》谓“乐浪海中有倭人”, 即其明证。到乐浪后，舍舟陆行，经辽东半岛而入中国，故《文献通考 · 四裔考》云:“倭人初通中国也，实自辽东而来。”

西汉时代，中日之间，确有贸易关系之存在，近来已有考古学发现的证明。日人木宫泰彦《中日交通史》，谓在日本博多罗湾沿岸，发见中国古代的铜剑、铜铧；在筑前国筑紫郡春日村大字须玖，并系岛郡怡土村大字三云发见瓮棺，内多中国古镜、璧玉之属；又由系岛郡小富士村之海岸遗址，发见王莽时的货泉。这些器物和货币，在日本沿岸之发现，即足以确证当时日本沿海岸，

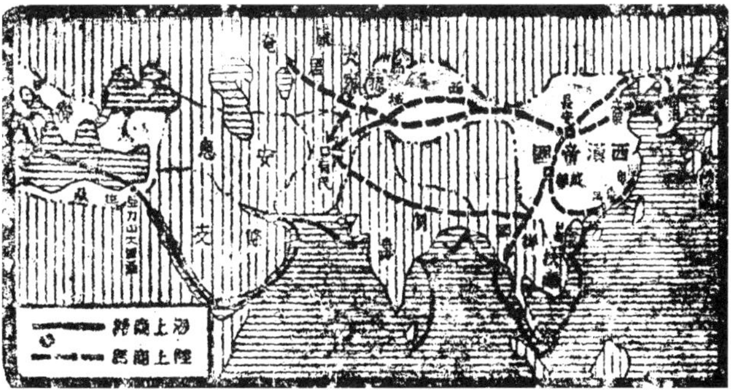

插图三六　西汉时代海陆商路图

已有中国商人的活动。

总上所述，我们可以了然于西汉时代国际贸易的概况。当时中国已有三条商路通达中亚，其一由今日之甘肃、新疆越帕米尔高原而入中亚；其二，由今日之四川、云南经缅甸、印度以入中亚；其三，由今日广东之合浦沿安南海岸经南洋以达印度，再由印度登陆以入中亚。此外，则由水、陆两道通于朝鲜并远至于日本。当此之时汉朝的商人，翻山越岭，乘风破浪，海浮陆行，遍于世界，真可谓盛极一时（插图三六）。

同时，外国的商人，也由四方八面来到中国。如《张骞传》谓："其所遣副使，通大夏之属者，皆颇与其人俱来。"《地理志》亦谓倭人百余国"以岁时来献"。又谓南洋诸国，"武帝以来，皆献见"。所以当武帝出外游历的时候，到处都可以碰到外国商人。《汉书·张骞传》云："是时上方数巡狩海上，乃悉从外国客。大都多人则过之，散财帛赏赐，厚具饶给之，以览视汉富厚焉。大角氐出奇戏诸怪物，多聚观者。行赏赐，酒池肉林，令外国客遍观各仓库府藏之积，欲以见汉广大，倾骇之。及加其眩者之工，而角觝奇戏岁增变，其益兴自此始。而外国使更来更去……”这段史实，一方面指明了当时来到中国的外国商人之多，同时也指明了中国的统治者，往往在人民贫困之时，而惯于向外国人表现一种虚伪的阔绰。从古以来，就是如此。

第三章　西汉政权的性质、组织、发展及其崩溃

第一节　西汉政权的性质及其组织

一　西汉政权的性质与汉初的“贱商政策”

秦末的农民“叛乱”，颠覆了秦代商人地主的政权，但并没有改变这个政权依以建立的社会经济基础，因而从农民“叛乱”的血泊中生长出来的西汉政权，仍然是商人地主的政权。

汉高祖本是一个小土豪出身，小土豪的社会属性，与其说是接近于农民，毋宁说是接近于商人地主；因为他们同样是以榨取农民为生活。即因如此，所以就决定了他们之必然走向商人地主的方面。

果然，当旧贵族与秦代商人地主的主力军血战于河

北之时，汉高祖却打着除秦苛法的旗帜，骗到了一部分农民的武装，与赵高里应外合，西入武关。一入武关，便宣布了约法三章，倒在商人地主的怀抱之中，因而获得巴、蜀、汉中一带大商人地主之财政的支持，得以完成其军队之武装的装备与粮秣的补充，从而得以展开后来楚汉相峙的局面。

楚汉的斗争，实际上，就是残余的旧贵族与商人地主的斗争。在这个斗争中，汉高祖公开的站在商人地主的方面，替他们执行讨伐旧贵族的反动之历史任务。历史发展的倾向，决定了这个斗争的胜利，属于商人地主，因而汉高祖才能胜利地消灭了旧贵族的势力，使天下归于一统，从而汉高祖才能去掉竹皮冠，带上皇帝的冕旒。

这样看来，汉高祖之成帝业，并不因为他是赤帝之子，也不因为他是陶唐氏之后，更不因为他“左股有七十二黑子”，而是因为在他的后面，有着一个庞大的商人地主集团作他的后台老板。即因如此，所以西汉的皇帝，虽然姓刘，而西汉的太上皇却是商人地主集团。

为了巩固商人地主的政权，汉高祖和秦始皇一样，一开始，便展开了两条战线的斗争。所谓两条战线的斗争，即一方面肃清残余的旧贵族，一方面镇压农民。

旧贵族在战国末叶已经失掉了他们的社会基础，以后经过秦代政府的坑杀抑压，死的死，降的降，逃的逃，更零落得不成一个阶层。在秦末旧贵族之所以尚能掀起一个倒转历史的运动，这并不是由于他们本身还具有这样的历史活动，完全是凭借农民“叛乱”的力量。他们把盲动的农民“叛乱”，引导到自己的政治方向，以实现自己的政治目的。这正如传奇中所说的借尸还魂一样，旧贵族在秦末，已经变为一个没有肉体的游魂，因此他们的反动，也就正象昙花一现，顷刻之间便归于消灭了。

楚汉战争可以说是商人地主对旧贵族之最后的清算，而且旧贵族也确实被清算了。项羽的集团，在乌江之役，作了最后的结束，田横的脑袋，由二客捧呈于汉高祖的御前，韩王信也逃亡于匈奴，剩下一个替高祖“运筹于帷幄之中，决胜于千里之外”的张子房，看见风头不好，也逃入深山，饥饿而死，这就是张良辟谷的历史内容。此外如叔孙通及鲁国一部分旧贵族中的文人，则已投降新朝，替新皇帝制礼作乐。旧贵族中的不屈之士，只有田横的五百壮士，但他们都已自刎于孤岛；还有鲁两生，虽不投降，但决造不起反来。由此看来，旧贵族到汉初，已经最终地从中国历史上退去了。

但是汉高祖却因为亲自领略过旧贵族的教训，鸿门之宴，彭城之败，荥阳之围，使他永远不能忘记。所以当他即位以后，便听从刘敬的建议[1]，把齐、楚、燕、赵、韩、魏的后裔，都强制地移徙于关中加以软禁。[2]这样一来，所有残余的旧贵族，都一网打尽了。这些强制移徙于关中的残余旧贵族，到后来都转化为商人地主了。

农民在楚汉战争结束以后，都已放下武器，解甲归田，他们正象一群羔羊在新朝的郡守、县令、三老的层叠统治之下，重新负起繁苛的租税和苦重的徭役。在大

[1]《汉书·刘敬传》云："夫诸侯初起时，非齐诸田，楚昭、屈、景莫与。今陛下虽都关中，实少人。北近胡寇，东有六国强族，一旦有变，陛下亦未得安枕而卧也。臣愿陛下徙齐诸田，楚昭、屈、景、燕、赵、韩、魏后，及豪杰名家，且实关中。无事可以备胡，诸侯有变，亦足率以东伐，此强本弱末之术也。"

[2]《汉书·高帝纪》云："九年十一月，徙齐、楚大族昭氏、屈氏、景氏、怀氏、田氏五姓关中，与利田宅。"据《刘敬传》所记，此次所徙，共为十万余口，这五姓，真可谓大族了。又据《汉书·地理志》云："汉兴立都长安，徙齐诸田，楚昭、屈、景及诸功臣家于长陵。……盖亦以强干弱支，非独为奉山园也。"

动乱之后，农民需要安息，无论如何，他们不会马上又来一个暴动。但是汉代的高皇帝曾经亲眼看见这些羔羊变成狮子，因此，不能不对这些农民加以严密的防范，以警戒可能的意外。

为了镇压农民，西汉政府不惜对匈奴采取和亲的政策，而把武装分布于国内。当时的地方军队，有轻车、骑士、材官、楼船。平地则用车骑，山阻则用材官，水泉则用楼船。[1]据《文献通考·兵考》云:“大抵巴、蜀、三河、颍川诸处，止有材官；上郡、北地、陇西诸处，止有车骑；而庐江、浔阳、会稽诸处，止有楼船。三者之兵，各随其地之所宜。”这样一来，商人地主的武装，便布满郡国，所有的刀剑，都指向农民。

与武装的镇压平头并进，是刑法的威吓。如前所述，高祖入关，只有“约法三章”：杀人者死，伤人及盗抵罪，余悉废除。但据《通典 · 刑典》所述，其后不久，以三章之法，不足以御奸，于是萧何捃摭秦法，取其宜于时者作律九章。以后“叔孙通益律所不及，傍章十八篇，张汤越宫律二十七篇，赵禹朝律六篇，合六十篇。

[1] 见《后汉书 · 光武帝纪》注引《汉官仪》。

又汉时决事，集为令甲以下三百余篇”。所谓令甲以下者，即令甲、令乙、令丙、令丁……之谓，此皆由皇帝之诏令而著为法律者。因诏令有先后，故次为甲、乙、丙、丁三百余篇。由此而知三章之法，不久便变成三百余章了。

又据《汉书·刑法志》云：“武帝即位……征发烦数，百姓贫耗，穷民犯法，酷吏系断，奸轨不胜。于是招进张汤、赵禹之属，条定法令，作见知故纵、监临部主之法，缓深故之罪，急纵出之诛。其后奸猾巧法，转相比况，禁网寖密，律令凡三百五十九章，大辟四百九条，千八百八十二事，死罪决事比万三千四百七十二事。文书盈于几阁，典者不能遍睹。是以郡国承用者驳，或罪同而论异，奸吏因缘为市。所欲活，则傅生议；所欲陷，则予死比，议者咸冤伤之。”

这样的严刑峻法，愈演愈烈，到宣帝时，廷尉史路温舒上疏言曰：“秦有十失，其一尚存，治狱之吏是也。”到成帝时，法令更繁，成帝曾有诏曰：“《甫刑》云：‘五刑之属三千，大辟之罚，其属二百。’今大辟之刑，千有余条，律令繁多，百有余万言。奇请它比，日以益滋，自明习者不知所由，欲以晓谕众庶，不亦难乎！”

据史籍所载，西汉的刑法，有夷三族[1]、要斩[2]、磔[3]、弃市[4]、腐刑[5]、髡钳[6]、完[7]、城旦舂[8]、鬼薪、白粲[9]、耐[10]、罚作[11]、笞[12]等，而这就是“除秦苛法”的西

[1]《汉书·高祖纪》云：九年“捕赵王敖下狱，诏敢有随王，罪三族。”三族者，父族，母族，妻族也。

[2]《汉书·隽不疑传》云：张延年自称卫太子，“坐诬罔不道，要斩东市。”要斩者，即腰斩也。

[3]《汉书·景帝纪》云：中元二年，“改磔曰弃市。”磔刑者，张其尸也。

[4] 同上纪注“师古曰（弃市者）取刑人于市，与众弃之也。”

[5] 同上纪云：中元四年，死罪“欲腐者许之”。腐刑亦曰宫刑，又曰下蚕室。谓之腐者，以丈夫割势，不能生子，如腐木不生实也。

[6]《汉书·高帝纪》云：九年，“郎中田叔、孟舒等十人，自髡钳为王家奴。”髡者，割发也；钳者，以铁束头也。

[7]《汉书·惠帝纪》云：九年，“民年七十以上，若不满十岁，有罪当刑者，皆完之。”完者，不加肉刑，髡鬄之也。

[8] 同上纪云：“有罪当刑及当为城旦舂者。”城旦者，旦起行治城；舂者，妇人不豫外徭，但舂作米；皆四年徒刑也。

[9] 同上纪云：“皆耐为鬼薪、白粲。”鬼薪者，取薪给宗庙；白粲者，坐择米使正白；皆三年徒刑也。

[10]《汉书·高祖纪》云：七年，“令郎中有罪耐以上，请之。”耐者，凡罪不至于髡，完其耏鬓，一岁为罚作，二岁耐，以上为耐也。

[11] 见上书，罚作，一年徒刑也。

[12]《汉书·刑法志》云：“当斩左止者，笞五百；当劓者，笞三百。”又云：“景帝元年下诏曰：加笞与重罪无异，幸而不死，不可为人。”

汉政府之“仁政”。

或曰，这些刑法，乃为一般人民而设，非专为农民而设。但封建时代的刑法，是以“不及大夫”为原则，西汉政府仍然没有破坏这个原则。《汉书·高帝纪》有云：“郎中有罪，耐以上请之。”《贾谊传》亦云：“是后（文帝以后）大臣有罪，皆自杀不受刑。”由此而知刑法是为谁而设了。

不仅如此，西汉有赎罪之法，令犯罪者得以纳钱或入粟赎罪。[1]这诚如萧望之所云：“今欲令民量粟以赎罪，如此则富者得生，贫者独死，是贫富异刑而法不一也。”

这样看来，西汉时代的刑法，不仅贵贱异科，而且贫富异刑，它完全是对农民执行超经济之强制剥削的一种工具。

西汉政府对农民，一面威之以武装压迫，一面又绳之以严刑峻法，于是校尉则白昼行劫，狱吏则黑夜杀人，

[1]《汉书·惠帝纪》云：惠帝元年，“民有罪，得买爵三十级，以免死罪”。应劭注曰，“一级直钱二千，凡为六万。”《文献通考·刑考》云：“孝文时，纳晁错之说，募民入粟塞下，得以除罪。”《汉书·食货志》云：“孝景时，上郡以西旱，复修卖爵令……得输粟于县官以除罪。”同书《武帝纪》云：武帝天汉四年，“令死罪入赎钱五十万，减死一等。”

郡守县令，则苛征急敛，商人地主，则巧取豪夺。而农民则饥不敢啼，寒不敢号，冤不敢诉，死不敢哭，否则投入黑狱，弃诸市曹。

现在我们看西汉政府对商人地主是怎样一副和蔼可亲的面容。如前所述，汉高祖即位之初，就颁布了一道命令，令那些因秦末农民叛乱而失掉土地管理权之商人地主，仍得占有其原来的土地。如有官爵者，并得恢复其官爵。这对于商人地主可以说是既富之而又贵之也。

同时，西汉自高祖下逮文、景之世，代有减轻或捐免田赋之令。高祖时“轻田赋，什五而税一”。文帝十二年“赐农民今年租税之半”，明年“除田之租税”。至景帝二年，又“令田半租”，三十而税一。其间共有一十二年，没有收过一文田租，这是中国史上仅有的事实，也是中国历史家称颂不绝的文景之德政。但是可惜这种德政，并不能普及于万民，而只能及于有田有土的豪强。因为政府所减免的，是地主应缴的土地税，与无田无土的农民，不但毫无利益，而且反有损害。一方面，农民不能因此减免对地主应缴的地租，并且还要增加许多因为填补减免田赋的损失而带来之苛捐杂税的负担；另一方面，地主以减免田赋之所得，益发肆行土地的兼并，更加速了农民离开土地的过程。所以荀悦慨乎其言之曰：西汉时“官家之惠，优于三代；(而)豪强(对农民)之暴，酷于亡秦”。

西汉政府，一面执行左右开弓的政策，另一面，对于商人地主之惠，又优于三代，这个政权的性质，已经非常明白了。但是还有一个问题，即西汉初曾有抑压商人的事实。如“高祖令贾人不得衣丝乘车，重租税以困辱之”。孝惠、吕后之世，虽弛商贾之律，“然市井子孙，亦不得宦为吏”。这种事实，看起来，似乎与商人地主的政权是一种矛盾。但是假若我们从具体的史实考察就会明白，这种矛盾，乃是商人地主集团内部的矛盾，它并不影响西汉政权的性质。

在这里我们必须指出，西汉初的地主有两个来历不同的集团：一个是由先秦发展而来的旧的商人地主集团，另一个是由秦末农民叛乱中生长起来的新的贵族地主集团。这两个地主集团，在对付农民一点上，他们的利害是一致的；但在其相互之间，却仍然有着利害的冲突。

具体的史实指示出来，旧的商人地主，他们自从在新政府的恩诏之下，获得了土地所有权的恢复与政治地位的承认以后，不久遂发挥其历史的蓄积，展开大规模的商业活动，又以商业的奇赢，转而从事于土地之收夺。晁错曾述此种情形曰：“（当时）商贾大者积贮倍息，小者坐列贩卖，操其奇赢，日游都市，乘上之急，所卖必倍。故其男不耕耘，女不蚕织，衣必文采，食必梁肉。……因其富厚，交通王侯，力过吏势，以利相倾。千里游敖，冠盖相望，乘坚策肥，履丝曳缟。此商人所以兼并农人，农人所以流亡者也。”司马迁也说：“（当时）富商大贾，或蹛财役贫，转毂百数，废居居邑，封君皆低首仰给。”这样看来，当时旧的商人地主，不仅“积贮倍息”，兼并农人，而且“乘上之急”，剥削政府；不仅“操其奇赢”，“蹛财役贫”，而且“因其富厚，交通王侯”；甚至使“封君低首仰给”。这就表明了他们已经掌握着当时社会经济的命脉，并进而支配着当时的政治。

在另一方面西汉的贵族地主，大半出身于流氓，他们本来是一群穷光蛋，虽然因为抓着了政治权力，得以拿着刀剑进行超经济的强制收夺，而变为一个新的地主集团，但总是一群暴发户。所以当旧的商人地主“乘坚策肥”的时候，而贵族地主，则“自天子不能具鞯驷，而将相或乘牛车”。当旧的商人地主“墙屋被文绣”的时候，而帝之身“身衣皂绨”。当旧的商人地主的“嬖妾”，用丝织物缘其履的时候，而“天子之后以缘其领”。从这里，我们就可以看出西汉初新旧两个地主集团之力量的对比。

但是矛盾的发生，还不是因为贵族地主在商人地主之前相形见绌，而是因为在利害上发生了冲突。这就是因为旧的商人地主兼并农民，使农民疾速地失掉土地，成群地走进都市，变成末技游食之民，妨害了农村经济的发展，因而影响到贵族地主的租税收入，从而使社会秩序的安宁，发生了问题。为了稳定并巩固新的统治，贵族地主站在统治者的立场上，就必须以安定社会秩序、培养租税泉源为当务之急。而这又非使末技游食之民回到农村，以繁荣农村经济不可。因此就必须制止旧的商人地主之兼并农民，这就是西汉政府抑压商人的原因。

关于这一点，贾谊曾有言曰：“汉之为汉，几四十年矣，公私之积，犹可哀痛……即不幸有方二三千里之旱，国胡以相恤？卒然边境有急，数十百万之众，国胡以馈之？兵旱相乘，天下大屈，有勇力者，聚徒而衡击，……远方之能疑者，并举而争起矣，乃骇而图之，岂将有及乎！”所以，他主张“驱民而归之农，皆著于本，使天下各食其力，末技游食之民，转而缘南亩，则畜积足，而人乐其所矣。”

晁错也曾说过：“今海内为一，土地人民之众，不避汤、禹，加以亡天灾数年之水旱，而畜积未及者，何也？地有遗利，民有余力，生谷之土未尽垦，山泽之利未尽出也；游食之民，未尽归农也。民贫则奸邪生，贫生于不足，不足生于不农，不农则不地著，不地著则离乡轻家，民如鸟兽，虽有高城深池，严法重刑，犹不能禁也。夫寒之于衣，不待轻暖；饥之于食，不待甘旨；饥寒至身，不顾廉耻。人情，一日不再食则饥，终岁不制衣则寒，夫腹饥不得食，肤寒不得衣，虽慈母不能保其子，君安能以有其民哉！”所以他的结论也是：“方今之务，莫若使民务农而已矣。”

由此可知当时商人地主之兼并农人这件事，已经卷起了一个很大的社会危机，为了挽救这种危机，所以才有抑商之令。但是这种抑商的政策，并没有收到甚么实效。诚如晁错所云：“今法律贱商人，商人已富贵矣；尊农夫，农夫已贫贱矣。故俗之所贵，主之所贱也；吏之所卑，法之所尊也。上下相反，好恶乖忤，而欲国富法立，不可得也。”

旧的商人地主与新的贵族地主两个集团，直至汉武帝时，才渐渐融混。这一方面，是由于贵族地主之商人化；另一方面，是由于商人地主之贵族化。关于贵族地主之商人化，已如前述，现在我们单说商人地主的贵族化

据史籍所载，西汉至武帝时，从董仲舒之议，设立太学。太学主要的目的，在教育贵族地主的子弟，但商人地主的子弟，亦得受业太学为弟子。武帝时有博士弟子若干，不得而详，但昭帝时已满百人，宣帝末，增至千人，成帝末，竟达三千人。除太学外，又有郡国学，这是专为商人地主的子弟而设的，但郡国贵族官僚的子弟，亦得为学官弟子。即因有太学与郡国学之设，于是

大多数商人地主的子弟，都得到了接受政治教育的机会，成为官僚的候补人。这些官僚候补人，不久便从各种的门道，走上了政治舞台。

据史载，西汉至武帝时，政府选官，除封建关系的援引以外，尚有选举、征用、荐举、考试各种方式，乃至上书言事，亦能得官。这当然是向商人地主大开政治之门。

当时由选举进身者，有博士弟子[1]、明经[2]、明法[3]

[1]《汉书·儒林传》云："（博士弟子）能通一艺以上，补文学掌故缺，其高第可以为郎中。……以治礼掌故，以文学礼义为官，迁留滞。请选择，其秩比二百石以上及吏百石，通一艺以上，补左右内史、大行卒史，比百石以下补郡太守卒史，皆各二人，边郡一人。先用诵多者，不足，择掌故以补中二千石属。文学掌故补郡属备员。"又云："平帝时，王莽秉政，增元士之子，得受业如弟子，勿以为员。岁课甲科四十人为郎中，乙科二十人为太子舍人，丙科四十人补文学掌故。"

[2]《汉书·龚遂传》："（龚遂）以明经为官。"《汉书·召信臣传》："（召信臣）以明经甲科为郎。"又《文献通考·选举考》云："孝平元始五年，召天下通知逸经、古记、天文、历算、钟律、小学、史篇、方术、本草及以五经、《论语》、《孝经》、《尔雅》教授者，在所为驾一封轺，传遣诣京师，至者数千人。"

[3]《汉书·郑崇传》："（郑）崇父宾，明法令以为御史。"《汉书·薛宣传》："（薛宣）以明习文法，诏补御史中丞。"

及学童[1]四科。由廉能征用者，有征起[2]、孝廉[3]及贤良方正[4]三科。由郡国荐举者有茂材异等[5]、孝悌力田[6]两科。由考试进身者，有对策[7]、射策[8]两科。以上各种考选举荐，皆系经常举行，大批录用。至于上书言事者，

[1]《汉书·艺文志》云：汉兴，萧何草律……曰，太史试学童，能讽书九千字以上，乃得为史。又以六体试之，课最者为尚书御史史书令史。"

[2]《文献通考·选举考》云："汉制凡郡国之官，非傅、相，其他既自署置。又调僚属及部人之贤者，举为秀才、廉吏，而贡于王庭。多拜为郎，居三署，无常员，或至千人，属光禄勋。故卿、校、牧、守居闲待诏，或郡国贡送，公车征起悉在焉。光禄勋复于三署中，铨第郎中，岁举秀才、廉吏，出为他官，以补阙员。"

[3]《汉书·武帝纪》云：元光元年冬，"初令郡国举孝廉各一人。"《汉书·董仲舒传》："董仲舒曰：臣愚以为使诸列侯、郡守、二千石，各择其吏民之贤者，岁贡各二人。……州郡举茂材孝廉，皆自仲舒发之。"

[4]《汉书·昭帝纪》：始元元年，"遣故廷尉……持节行郡国，举贤良。"《汉书·宣帝纪》：本始四年，"诏令三辅、太常、内郡国，举贤良方正各一人。"

[5]《汉书·武帝纪》："元封五年……其令州郡察吏民有茂材异等，可为将相及使绝国者。"又宣帝及元帝之世，均有举茂材异伦或茂材特立之事。

[6] 惠帝四年、高后元年、文帝十二年及宣帝地节三年均有举孝悌力田之事。

[7]《文献通考·选举考》云："武帝即位，举贤良文学之士，前后百数，而董仲舒以贤良对策，天子览其对而异焉，乃复策之，对毕复策之，遂以为江都相。《汉书·杜钦传》云："上尽召直言之士，诣白虎殿对策。"

[8]《汉书·儒林传》赞云："武帝立五经博士，开弟子员，设科射策，劝以官禄。"

武帝时往往多至数千人，[1]如终军[2]、枚皋[3]皆以上书而得官。

此外武帝时又开卖官之例，人民缴纳财物，即可补官，"入奴婢"乃至"入羊"者，皆可为郎。据《食货志》云："（当时）置赏官，名曰武功爵（十一级），级十七方，凡直三十余万金。诸买武功爵官首者，试补吏，先除，千夫如五大夫，其有罪，又减二等，爵得至乐卿。……（又）除故盐铁家富者为吏，吏益多贾人矣。"

由于政府之考选、举荐与卖官鬻爵，于是商人地主中之优秀分子及豪富者，遂弹冠相庆，或致身庙堂，或分布州郡。他们现在不但可以凭借政治力量，仍旧继续其商业活动与土地收夺的事业，而且还可以参加租税的

[1]《汉书·东方朔传》："武帝初即位，征天下举方正贤良文学材力之士，待以不次之位。四方士多上书言得失，自衒鬻者以千数。其不足采者，辄报闻罢。"又云："朔初入长安，至公车，上书凡用三千奏牍，公车令两人共持举其书，仅然能胜之。人主从上方读之，止辄乙其处，读之二月乃尽，诏拜以为郎。"

[2]《汉书·终军传》云："（终军）至长安上书言事，武帝异其文，拜军为谒者给事中。"

[3]《汉书·枚皋传》云："（枚皋）上书北阙，自陈枚乘之子，上得之大喜，召入见待诏。"

分配与一切超经济强制的榨取。在另一方面，由于贵族和官僚地主之商人化，因而这些贵族官僚，他们不仅掌握着全国的租税及一切超经济强制的榨取之所得，而且同时也参加商业资本的利润之分配。即因如此，汉初的两个地主集团，到武帝时，便融化混合为一个新的商人地主集团了。

虽然如此，但这并不能解决由“商人兼并农人”所引致之社会的危机；反之，由于两个地主集团之利害的统一与步趋的一致，更加强了这种危机。所以到武帝时，商人地主便刻不容缓地要发动对外战争，而这种社会内在的轧轹，也就在向外的扩张中，获得暂时的缓和了。但是等到西汉末叶，中国的商业资本，随着国势之衰微而退回本土以后，商人地主与贵族地主又发生了冲突。当时商人地主以更雄厚的商业资本，扫荡贫困的农村，以致动摇了西汉政权的基础，所以王莽便站在贵族地主的立场上，施行经济的改良政策，以打击商人地主的横行，企图以此抢救西汉的政权，而这就是王莽变法的历史内容。王莽的变法，终于因为商人地主之反抗，没有能顺利地进行，所以结果地主集团内部的冲突转化为与农民之间的冲突，爆发为新市、平林、赤眉、铜马等农民叛乱，西汉的政权，也就在农民叛乱中被颠覆了。

由此看来，商人地主与贵族地主的冲突，几乎贯通西汉王朝的全时代，但是不论他们之间怎样的不协调，而在对付农民一点上，则是统一的。同时，在西汉时虽然有商人地主与贵族地主的对立，但实际上，贵族地主的本身也是商人地主，所以我说，西汉的政权，是商人地主的政权。

二　西汉的政治组织与诸侯王的封建

西汉的政权既为商人地主的政权，因而这个政权，就是秦代政权之直接继续，从而相应于这种性质的政权之政治的组织，也就大半承袭着秦代商人地主政府的旧制。虽然在后来亦曾略有改变，但这只是适应于社会经济的向前发展之局部的修改。[1]从全盘的政治构造看来，西汉的政府，比之秦代政府，只是一个换汤不换药的政府。

在楚汉战争结束以后，商人地主削平了农民的叛

[1]《汉书·百官公卿表》云："秦兼天下，建皇帝号，立百官之职。汉因循而不革，明简易，随时宜也。其后颇有所改。"

乱，消灭了旧贵族的反动，重新树立起自己的政权。当时汉之同盟军领袖，即所谓诸侯王，共推汉王刘邦为皇帝。汉王之欲皇帝自为者已久，早在几年以前，他就把“先入关者王之”的口号，高叫入云，并且在入关的当时，就想在阿房宫中，“止宫休舍”，爬上宝座。现在经过诸侯王的推戴，自然正中孤意，但也不能不假意推让曰：“寡人闻：帝者，贤者有也，虚言亡实之名，非所取也。今诸侯王皆推高寡人，将何以处之哉？”但是接着又说：“诸侯王幸以为便于天下之民则可矣。”“于是诸侯王及太尉，长安侯臣绾等三百人与博士稷嗣君叔孙通，谨择良日。二月甲午，上尊号，汉王即帝位于汜水之阳。”

暴风雨过去了，雨过天晴，在长安的城楼上，又飘扬着大汉王朝的旗帜。当此之时，一方面是死者未葬，伤者未起，满天下都是白骨蔽野，残废载道，孤儿寡妇，啼饥号寒；而另一方面，商人地主已经用农民的鲜血，刷红了未央宫殿，“皆称万岁，大笑为乐”。

新皇帝在未央宫中开始了授勋的大典，除了同盟军的诸领袖因为握有重兵，盘据郡国，不能不一律封王以外，其余功臣皆论功行赏，各有封爵。至于刘家子弟，亲戚，则无不鸡犬登天。只有那些执干戈、以身蒙矢石的退伍兵士，则久立吏前，一无所得。

现在，胜利的商人地主集团，开始组织他们自己的政府。和秦代一样，西汉有一个发号施令的中央政府，在中央政府之下，有各级地方政府。西汉王朝即以中央政府与各级地方政府之层叠式的政治机构，行使其对中国之全面的统治。

西汉的皇帝，不仅是行政的元首，而且掌有军事、立法、司法的大权。《史记·孝文本纪》云："《汉旧仪》：铜虎符发兵。"是西汉时调兵，必须有皇帝之符节。《汉书·杜周传》云："前主所是著为律，后主所是疏为令，当时为是，何古之法乎？"在西汉时，皇帝之诏令即为法律。至于皇帝之操有生杀予夺的大权，则不仅在西汉时代为然，古今中外的封建皇帝，都是如此。

西汉的中央政府，其组织甚为庞大，内分三公、九卿、列卿、宫官四大部门，其中三公最尊，九卿次之，列卿又次之，宫官为皇帝御用的家奴。中央政府本为最高的行政机关，但在汉初，因前有异姓诸王，后有同姓诸王之割据，中央政府的权力，并不甚大。直至武帝时，由于集权政治之树立，才成为最高的权力机关。

所谓三公者，即总理庶政的丞相（又称大司徒）[1]，总理军政的太尉（又称大司马）[2]；主司纠察弹劾的御史大夫（又称大司空）[3]。在三公之中，丞相的地位最高，他是天子的副贰。太尉虽总理军政，但不能问民事，惟自武帝以大司马为大将军兼官以后，太尉之权，遂凌驾于三公之上。至于御史大夫，对于国家行政之得失，虽可以面折廷争，但封建时代的言官，其发言权有一定的限度。

所谓九卿者，即掌管宗庙祭祀的奉常（又称太常）。[4]掌管宫廷掖门的郎中令（又称光禄勋）。[5]掌管

[1]《汉书·百官公卿表》云："高帝即位，置一丞相，十一年，更名相国，绿绶孝惠、高后置左、右丞相。文帝二年，复置一丞相。有两长史，秩千石。哀帝元寿二年，更名大司徒。"

[2] 同上书云："武帝建元二年，省；元狩四年，初置大司马，以冠将军之号。"

[3] 同上书云："成帝绥和元年，更名大司空。……哀帝建平二年，复为御史大夫。元寿二年，复为大司空。"

[4] 同上书云："景帝中六年，更名太常。"

[5] 同上书云："武帝太初元年，更名光禄勋。"

宫廷警卫的卫尉（又称中大夫令）。[1]掌管皇帝舆服车马的太仆。掌管全国司法的廷尉（又称大理）。[2]掌管朝觐外交的典客（又称大行令或大鸿胪）。[3]掌管皇族家事的宗正（又称宗伯）。[4]掌管全国农业谷物的治粟内史（又称大农令或大司农）。[5]掌管皇家私产（如山林川泽之类的收益）的少府。由此看来，所谓九卿者，除廷尉掌司法、典客掌外交、治粟内史掌农政以外，其余都是替皇帝私人服务的大员，而这也就是封建政治公私不分的表现。

所谓列卿，即诸卿之谓，其地位次于九卿，而官额则无一定。如掌管京师警察的中尉或执金吾[6]，掌管建筑制造的将作少府或将作大匠[7]，掌管皇家苑囿的水衡

[1]《汉书·百官公卿表》云："景帝初，更名中大夫令。后元年，复为卫尉。"

[2] 同上书云："景帝中六年，更名大理。武帝建元四年，复为廷尉。宣帝地节三年，初置左右平。哀帝元寿二年，复为大理。"

[3] 同上书云："景帝中六年，更名大行令。武帝太初元年，更名大鸿胪。"

[4] 同上书云："平帝元始四年，更名宗伯。"

[5] 同上书云："景帝后元年，更名大农令。武帝太初元年，更名大司农。"

[6]《汉书·百官公卿表》云："武帝太初元年，更名执金吾。"师古曰："金吾，鸟名也，主辟不祥。天子出行，职主先导，以御非常，故执此鸟之象，因以名官。"执金吾，等于今日之警察厅长。

[7] 同上书云："景帝中六年，更名将作大匠。"

都尉[1]，以及掌管边疆事务的典属国[2]等，均属于列卿之官。

所谓宫官，即服务于宫廷的官吏，就是宦官的头领。此等宫官，或曰詹事[3]，或曰少府[4]，或曰将行，或曰大长秋。[5]此外如教育皇家子孙的太傅、少傅，本来也是行走宫廷的官吏，但因其具有学术的素养，而又接近皇帝，以后遂渐渐由皇家的私人教授，一变而为政治顾问，位在三公之上，而称之曰上公。[6]

此外西汉的军官，以太尉或大司马为最尊，以下则皆称将军。将军之中，以大将军为冠，武帝时起，大将军多兼任大司马，出则为将，入则为相。此外骠骑将军，

---

[1]《汉书·百官公卿表》云："武帝元鼎二年初置。"

[2] 同上书云："成帝河平元年省，并大鸿胪。"因当时边疆属地已渐渐脱离汉代政府的羁管，故并入大鸿胪，大鸿者，即汉之外交部地。

[3]《汉书·百官公卿表》云："成帝鸿嘉三年，省詹事官，并属大长秋。"

[4] 同上书云："景帝中六年，更名长信（宫）少府。平帝元始四年，更名长乐（宫）少府。"

[5] 同上书云："景帝中六年，更名大长秋，或用中人，或用士人。"

[6] 同上书云："太傅，古官，高后元年初置……后省。八年复置，后省。哀帝元寿二年复置，位在三公上。"同书又谓平帝元始元年，初置太师、太保。太师、太傅、太保，是谓上公。此等上公，在西汉末，位在三公之上。

亦与大将军等，故亦得兼大司马。[1]除大将军及骠骑将军外，尚有前后左右将军[2]，及列将军等。其水军将领，则称伏波将军、楼船将军、戈船将军。将军之下有校尉，如骠骑校尉[3]、戊己校尉[4]、越骑校尉、胡骑校尉，[5]此外有郡将[6]，有千人司马[7]等。这些将校尉的军官，都是以次相属而直隶于中央。

西汉的地方行政机构，亦沿秦制，采取郡县制度。惟西汉时除郡县外，诸侯王的封地则称国，皇太后、公主及贵族所食邑曰邑，县有蛮夷曰道，这与秦代略有不同，以下当辩论之。

---

[1]《汉书·霍去病传》云："（武帝元狩四年）乃置大司马位，大将军、骠骑将军皆为大司马。定令，令骠骑将军秩禄与大将军等。"

[2]《汉书·百官公卿表》云："皆周末官，秦因之，位上卿，……汉不常置，或有前后，或有左右，皆掌兵及四夷。"

[3]《汉书·霍去病传》。

[4]《汉书·百官公卿表》，有戊校尉、己校尉。

[5] 同上书，"越骑校尉，掌越骑。"如淳曰："越人内附，以为骑也。"师古曰："《宣纪》言：佽飞射士、胡越骑，又此有胡骑校尉。"掌胡骑，与越骑校尉俱在八校尉数。"

[6]《汉书·严延年传》师古曰："郡守为郡将者，以其兼领武事也。"

[7]《汉书·冯奉世传》师古注引如淳曰："《汉注》：边郡置都尉及千人司马，皆不治民也。"

又西汉的郡县之数，较之秦代，已大为增多。[1]这一方面，固然由于武、昭、宣三世之开疆拓土，扩大了领土；另一方面，也由于西汉政府缩小了郡、县的区划。

西汉时郡置郡守，亦称太守。[2]郡守或太守的任务，“掌治民，进贤，劝功，决讼，检奸”[3]，及所治郡内之一切地方行政。郡守之下，置郡丞或长史以为佐理。[4]其在诸侯王的封国，则以内史或相为郡守。[5]其在边境，则以都尉为郡守，其在屯田区，则置农都尉[6]，其在边防地，则置属国都尉。[7]

县置县令或县长。万户以上之县曰令，万户以下之

[1]《汉书 · 地理志》云：“秦京师为内史，分天下作三十六郡。汉兴，以其郡太大，稍复开置，又立诸侯王国。武帝开广三边。故自高祖增二十六。文、景各六，武帝二十八，昭帝一，讫于孝平，凡郡国一百三，县邑千三百一十四，道三十二，侯国二百四十一。”

[2]《汉书 · 百官公卿表》云：“郡守，秦官，……景帝中二年，更名太守。”

[3] 见《通典 · 职官典》。

[4] 同上书云：“郡为诸侯王国者置内史，以掌太守之任。……成帝绥和元年，省内史，以相治民，则相职为太守。”

[5] 同上书云：“郡守……有丞，边郡又有长史，掌兵马。”

[6]《后汉书 · 百官志》云：“（武帝）边郡置农都尉。”

[7] 同上书云：“（武帝）又置属国都尉。”《汉书 · 武帝纪》云：“元狩二年，置五属国。”师古曰：“凡言属国者，存其国号而属汉朝。”

县曰长。县令或县长之下，置县尉与县丞。[1]县尉主缉捕盗匪，县丞主刑狱囚徒。[2]此外，尚有佐史之类的少吏。

县以下之最低级的行政机构，亦承秦制。《通典·职官典》云："汉乡、亭及官，皆依秦制也。县大率方百里，其人稠则减，稀则旷，乡、亭亦如之。"亭有亭长，乡有三老，此外，平帝时又置闾师官（闾师官，类似今日的保甲长或街长、坊长）。

以上所述，就是西汉时代中央政府和地方政府组织的大概情形。除此以外，还有一种临时派往郡国视察地方行政的官吏。其视察京畿所属地方者，称曰司隶校尉[3]；其视察其他州郡者，则称刺史，或称牧。[4]

---

[1]《汉书·百官公卿表》云："县令、长，皆秦官，掌治其县。万户以上为令，秩千石至六百石。减（不及）万户为长，秩五百石至三百石。皆有丞尉，秩四百石至二百石，是为长吏。百石以下，有斗食佐史之秩，是为少吏。"

[2]《史记·淮南王安传》云："淮南相怒寿春丞留太子逮不遣。"如淳曰："丞主刑狱囚徒。"

[3]《汉书·百官公卿表》云："武帝征和四年初置。持节，从中都官徒千二百人，捕巫蛊，督大奸猾。后罢其兵，察三辅、三河、弘农。……成帝元延四年省。绥和二年，哀帝复置，但为司隶……属大司空。"

[4] 同上书云："监御史，秦官，掌监郡，汉省。丞相遣史分刺州，不常置。武帝元封五年，初置部刺史，掌奉诏条察州，秩六百石，员十三人。成帝绥和元年，更名牧，秩二千石。哀帝建平二年，复为刺史。元寿二年，复为牧。"

由于以上中央地方大大小小的官吏，就构成了西汉时代的一个庞大的官僚层。这些官僚，在汉初，大半多系行伍出身，在后来，则系由商人地主的子弟中拔擢而来。因而他们和秦代的官僚，具有同样的社会属性，即同为商人地主的政府之政治的使用人。

西汉官吏的俸给是禄米制，所谓禄米制，即俸以米计。所以西汉的官名，常曰若干石。这种禄米的俸给制度，是农业国家的特征，因为他们从农民收来的赋税，大半都是农产物，所以即以取之于农民的农产物，转而作为统治农民的行政费。当时的禄米，以官阶的大小为等差而多少不同。据《汉书·百官公卿表》颜师古注云：

> 汉制，三公号称万石，其俸月各三百五十斛谷。其称中二千石者（九卿）月各百八十斛。二千石者（列卿、宫官、郡守）百二十斛。比二千石者（都尉、司隶校尉）百斛。千石者（县令，但县令亦有六百石者）九十斛。比千石者八十斛。六百石者（县令）七十斛。比六百石者六十斛。四百石者（县长）五十斛。比四百石者四十五斛。

三百石者(县长)四十斛。比三百石者三十七斛。二百石者(县丞尉)三十斛。比二百石者,二十七斛。一百石者(佐史之秩)十六斛。

我们由此而知当时最高俸禄为谷三百五十斛,最低者为十六斛。由二百石以上始得称长吏。百石以下之斗食者,则为佐吏之秩,是为少吏。这样一个庞大的官僚层之存在,于是大部分的赋税,遂在禄米的名称之下,转化为官僚的俸给。自然这种俸给,不过是名义的俸给,实则当时的官僚,完全依靠"侵渔百姓,聚敛为奸"。

西汉除庞大的官僚群以外,又曾封建王侯。汉初高祖定天下,曾封其同盟军领袖诸人为王,史称异姓诸王。[1] 以后诛灭异姓诸王,并宣布"非刘氏而王者,天下共诛之",于是又封其自己的子弟为王,史称同姓诸王。[2] 此外,高帝时,宗室功臣封侯者一百四十三

[1] 所谓异姓诸王者,即齐王韩信,梁王彭越,赵王张耳,韩王信,淮南王英布,燕王臧荼,长沙王吴芮。

[2] 以后异姓诸王除长沙王吴芮以外,皆被诛灭。高帝乃封其从父弟刘贾为荆王,同父弟刘交为楚王,仲兄子刘濞为吴王,子肥为齐王,子喜为代王,子如意为赵王,子长为淮南王,子恢为梁王,子友为淮阳王,子建为燕王,是为同姓诸王。

人。[1]此为封建王侯之始。

自是以后，以为定制。《通典·职官典》曰："汉兴，设爵二等，曰王曰侯。皇子而封为王者，其实古诸侯也，故谓之诸侯王。王子封为侯者谓之诸侯。群臣异姓以功封者，谓之彻侯。……列侯有功德，天子命为诸侯者，谓之朝侯。……其称侍祠侯者，但侍祠而无朝位。其非朝侯、侍祠，而以下土小国，或以肺腑宿亲，若公主子孙，或奉先侯坟墓在京师者，亦随时朝见，谓之猥诸侯。"此等王侯，屡代以来，封建迁除，时有增减。直至西汉末，尚有王国二十，侯国二百四十一，而这就构成了西汉时代一个庞大的贵族群。

西汉地方行政的区划，一面普遍地实行郡县制；另一面，又于郡县之上有诸侯王国的封建；因此，有些历史家以为西汉的政治体制，与秦代不同，而是周代政治体制的复归。诚然，西汉初的诸侯王，"大者夸州兼郡，连城数千"，"小者亦五六百户"；他们君国子民，自置

[1]《汉书·高惠高后文功臣表》序云："（高帝）八载而天下乃平，始论功而定封，……侯者百四十有三人。"

官属[1]，招兵买马，截留国赋；甚至“淫荒越法”，“睽孤横逆”，终至酿成七国之变。其割据一方，依土地之名义上的所有而对农民行使剥削，对中央俨然敌国，实与周代诸侯无甚差异。但是这样的时代并不很长，到景帝时，由于中央政府的权力之增长，诸侯王的行政权，即被剥夺。诸侯王国的一切行政，均由中央政府派遣官吏治理，以前诸侯王自行任命之御史大夫、廷尉、少府、宗正、博士等官，统予裁撤。到武帝时，诸侯王所属之一切官吏，皆限制不得自置。至于成帝，诸侯王国的内史，亦被裁去，而以相治民，所谓相者，与郡守无异[2]，至是，诸侯王遂无君国子民之实，只是衣食租税

[1]《汉书·百官公卿表》云:“诸侯王……掌治其国。有太傅辅王，内史治国民，中尉掌武职，丞相统众官，群卿大夫都官如汉朝。”《通典·职官典》亦云:“凡诸侯王……掌治其国……凡诸侯王官，其傅为太傅，相为丞相。又有御史大夫，诸卿，皆秩二千石。百官皆如汉朝。汉朝唯为置丞相，其御史大夫以下，皆自置之。”

[2]同上书云:“景帝中五年，令诸侯王不得复治国，天子为置吏。改丞相曰相，省御史大夫，廷尉、少府、宗正、博士官、大夫、谒者、郎，诸官长丞，皆损其员。武帝改汉内史为京兆尹，中尉为执金吾，郎中令为光禄勋，故王国如故。损其郎中令秩千石，改太仆曰仆，秩亦千石。成帝绥和元年，省内史，更令相治民，如郡太守，中尉如都尉。”

于其封国之内而已。我们由此而知西汉政府对于诸侯王，并不象周代一样，把土地人民颁赐诸侯以后，就不管了，而是要保留在诸侯王国之内的行政监督权乃至行政之直接行使权。因之，西汉的诸侯王国政府，实不过中央政府的派出所，而其最初的命意，则是为巩固新的军事占领。自七国之变以后，中央政府遂令列侯皆勿就国，留居京师，由是诸侯王，都变成一种空头的爵位了。

仅就上述的事实，已足以把西汉的诸侯王从周代的诸侯区别出来。但他们最大的区别，还不在此，而是在这两者的历史基础不同。周代的封建是以奴隶和氏族制为基础而建立起来的，它的作用，是以地方关系融铸各氏族的血缘关系。西汉的封建，则是建基于郡县制之上，其作用，只是以此作为中央与地方行政机构之连结的纽带而已。所以同样的封建，前者在历史的发展中，演着主要的任务，后者，则变成了历史的赘疣。因而在商业资本向前发展的当中，西汉的诸侯王在实际上，已被扫除，剩下来的，还是郡县制

三　西汉的奴婢与奴隶制度

在西汉的历史中，曾有若干关于奴婢的记载，于是

有些历史家，遂杯弓蛇影，断然宣告西汉的社会，仍然是奴隶制度社会；西汉的政权，仍然是奴隶所有者的政权。这当然是历史家的神经过敏。

西汉之有奴婢的存在，确系事实，但我们不能一看见有奴婢的存在，便说这是奴隶制度。因为奴隶而称曰制度，是指他当作一种独特的社会构成而言，西汉虽仍有奴婢存在，但当时的奴婢，只是中国古典奴隶制之历史的残滓，所以虽有奴婢，并不能称为奴隶制度。

首先我们从奴隶的来源上说，当作一种奴隶制度，则奴隶的主要来源是被俘虏或被征服的异族人，但在西汉时代，这个来源，并不重要。西汉的对外战争，最主要的对象是匈奴，但我们从《汉书·匈奴传》中所看到的，汉兵对匈奴，多半都是杀戮的记载。虽然也有“俘虏”若干的记载，但对于这些被俘虏的匈奴人，不但不降为奴隶，而且还给以良好的待遇。例如在武帝时，有一次匈奴浑邪王率其族类数万人来降，西汉政府，不但不以为奴隶，而且派了三万辆车子去迎接他们，又加以厚赏，并由政府供给他们的衣食。政府经费不足，甚至天子为之节食，把自己拖车的马也让出来，去迎接匈奴降人，并把自己御府的私藏，也用为安抚匈奴降人的经费。[1]而这在奴隶社会时代，是决没有的事情。不仅如此，浑邪王至，中国商人，因为与匈奴降人贸易不公平而被杀者五百余人。[2]为了此事，当时汲黯曾向武帝说："夫匈奴攻当路塞，绝和亲，中国举兵诛之，死伤不可胜计，而费以巨万百数。臣愚以为陛下得胡人（匈奴）皆（应）以为奴婢，赐从军死者家，卤获因与之，以谢天下，塞百姓之心。今纵不能……又以微文杀无知者五百余人，臣窃为陛下弗取也。"[3]汲黯的这番话，正是西汉不以俘虏为奴隶之最好的反证。

除匈奴外，对于被征服的西域诸国，亦无掠取俘虏为奴隶之事。惟《汉书·地理志》曾有"巴、蜀、广汉……南贾滇、僰僮"的记载，师古注云："言滇、僰之地，多出僮隶也。"但我以为"南贾滇、僰僮"的解释，不是买卖滇僮、僰僮，而是与滇僮、僰僮互为买卖，正

[1]《汉书·食货志》云："（武帝时）浑邪王率众数万来降，于是汉发车三万辆迎之……胡降者数万人，皆得厚赏，衣食仰给县官，县官不给，天子乃损膳，解乘舆驷，出御府禁臧以赡之。"

[2]《汉书·汲黯传》云："浑邪王至，贾人与市者，坐当死五百余人。"

[3] 见同上传。

如“贾椎髻之民”，是同样的意义，并非取滇、僰之人为奴隶。

又《匈奴传》亦云：“西羌保塞，与汉人交通，吏民贪利，侵盗其畜产妻子。”于是论者又疑西汉曾以羌人为奴隶，实则这里所谓侵盗其妻子，乃指对边疆属地人民之人格的侮辱，亦非谓使其整族为奴隶。

又《汉书·扬雄传》有云：“命右扶风发民入南山，西自褒斜，东至弘农，南驱汉中，张罗罔置罘，捕熊罴豪猪虎豹狖玃狐菟麋鹿，……以罔为周阹，纵禽兽其中，令胡人子搏之，自取其获，上亲临观焉。”于是又或以为这正是罗马奴隶时代奴隶与猛兽格斗的情形，但是我以为这种手搏猛兽的胡人，和其他被征发而入南山的人民，同样只是封建皇帝的猎士，与奴隶丝毫不相干。

又有人引据金日䃅的故事，谓《汉书》中曾记载“日䃅以父不降见杀，与母阏氏、弟伦，俱没入官，输黄门养马。”日䃅为胡人而没入官养马，这当然是以外族为奴隶之证。但是我以为日䃅与其母、弟之没入官，并不因为他们是外族，而是因为他的父亲不降，不降有罪，而有罪者没入官，乃是西汉一般的通律，并非对日䃅为然。因而这唯一的例证，也不能成立。

具体的史实指示出来，西汉奴婢的主要来源，只有五种。第一种是农民因贫困饥饿而自卖为奴隶。例如《汉书·食货志》云："凡米石五千，人相食，死者过半，高祖乃令民得卖子，就食蜀汉。"由此足见当时，如果没有政府的特许，卖子是不允许的。又如《高祖纪》云："民以饥饿自卖为人奴婢者，皆免为庶人。"《汉书补注》何焯注云："据此，则不独以罪没身，始为官奴婢，今卖身券契，必云口食不周，其来远矣。"又如《食货志》云："当具有者，半贾而卖。亡者取倍称之息，于是有卖田宅，鬻子孙以偿责者矣。"由此足见西汉的奴婢，原来都是有田有宅的小农，后来因为年岁饥馑而又加之以租税的榨取，高利的盘剥，因而才变卖田宅，陷于饥饿，从而才卖儿卖女，卖子卖孙以致自卖为奴。象这样的情形而来的奴婢，与古代由氏族成员转化而来的奴隶，其性质已截然不同，前者是跟着私有关系的成立而带来的社会阶层之历史的转化，而后者则是由封建地主过分榨取所带来的历史附产物。

第二种，是农民为豪家所掠卖的。例如《汉书·栾布传》云:“布为人所略卖，为奴于燕。”又《季布传》云:“布许之，乃髡钳布，衣褐，置广柳车中，并与其家僮数十人，之鲁朱家所卖之。”这不过是一、二见诸史籍的例子，在当时，象栾布、季布一样被豪家所掠卖的贫苦无力的农民，一定很多。但这种事实也不能证明西汉是奴隶制度，只是指明西汉时的土豪势家对农民具有高度之人身的隶属，而这正是封建社会关系中应有之事。

第三种是由“赘子”转化而来。《汉书·贾谊传》云:“民贫子壮则出赘。”《严助传》亦云:“民待卖爵赘婿以接衣食。”师古注:“如淳曰:‘淮南俗卖子与人作奴婢，名为赘子。三年不能赎，遂为奴婢。’”由此而知西汉的赘婿，就是贫民用自己的儿子向富人抵押借款的“人质”。因而由赘婿而转化而来的奴隶，其本质，也是破产的农民。

第四种是罪犯。罪犯之降为奴隶，由来已久。《周礼·秋官司寇》疏有云:“中国之隶言罪隶。古者身有大罪，身既从戮，男女缘坐，男子入于罪隶，女子入于舂藁。”这种习惯，西汉仍然沿用。例如吴楚七国叛变者的家属，都没为奴隶。又如《汉书·刑法志》谓：缇萦为其父赎罪，上书皇帝，“（愿）没入为官婢，以赎父刑罪”。又如《王莽传》云：“关东大饥……民犯铸钱，伍人相坐，没入为官奴婢，以十万数。”又云：“敢盗铸钱及偏行布货，伍人知不发举，皆没入为官奴婢。”由此而知，因罪而没为奴婢者，乃系对于缘坐者所设之刑，换言之，即对于犯罪者的亲属所设之刑，而这在西汉时，就是所谓“收孥相坐”之令。按此种收孥相坐之法，大半用于重大的罪犯，其因此而没入为奴婢者，不仅平民，而且有贵族官僚之家属。故更不能与奴隶制时代的奴隶，视同一律，因为在奴隶制时代，决没有贵族的家属以任何原因而降为奴隶的事实。

第五种是奴产子，即奴之子复为奴。例如卫青的母亲是奴婢，卫青就是一个奴产子。因为他是奴产子，所以他的异母兄弟都贱视他，“奴畜之，不以为兄弟数”。卫青自己也说：“人奴之子，得无笞骂足矣。”但是“卫青奋于奴仆”，后来竟官至大将军，并且居然娶了阳信长公主，做了汉武帝的姐夫。又如卫青之姊，一名子夫，一名少儿，和卫青同母，都是奴产子，但子夫在后来却做了汉武帝的皇后；而少儿也做了霍去病的父亲霍中孺的夫人。又如赵飞燕本是阳阿公主家中的歌婢，但后来却做了成帝的皇后。象这样以奴人子一跃而为头等贵族之事，在奴隶制度时代，也是没有的。

其次，从奴隶的用途上说，当作一种奴隶制度，则奴隶在社会生产领域中，占有最重要的地位。换言之，即在奴隶制的社会中，奴隶是社会生产的主要担当者。但在西汉时，无论官私奴婢，在社会生产领域中都不占重要地位，他们主要的职务，是服务于贵族官僚和地主的家庭。因而这样的奴婢，已经不是当作一种制度看的奴隶，而只是中国封建社会中之一种历史的奢侈品而已。

西汉的奴婢有官、私之别：官奴婢，多系因罪犯而没入官者，亦有政府向人民征募而来者[1]；私奴婢，则

[1] 关于政府征募奴隶的记载，《汉书》中常见。例如《食货志》云："府库并虚，乃募民能入奴婢，得以终身复。""终身复"者，即免其终身之徭役也。同《志》又云："匈奴侵寇急，莽大募天下囚徒人奴，名曰猪突豨勇。"猪突豨勇者，即奴兵之意，言奴之卑贱如猪也。又《晁错传》云："不足，募以丁奴婢赎罪，及输奴婢，欲以拜爵者。"此种征募奴婢之权，只属于天子。"列侯、太夫人、夫人、诸侯王子及吏二千石，无得擅征捕。"（《文帝纪》）但据《王莽传》云："今则不然，各为权势，恐猲良民，妄封人颈，得钱者去。"由此可以想见当时豪家之猲。

大半系贫民自卖为奴者，或贫民之被豪家所略卖者。但官奴婢亦往往因政府之赏赐贵族官僚而变为私奴婢[1]，私奴婢亦往往因人民之献纳于政府而为官奴婢。惟不论官奴婢与私奴婢，大抵皆未用于主要的生产事业。

西汉的官奴婢，其用途大半为宫廷侍役及分发各苑囿豢养狗马禽兽。《汉书·景帝纪》注："如淳曰：'《汉仪注》：太仆牧师诸苑三十六所，分布北边、西边，以郎为苑监，官奴婢三万人，养马三十万匹。'"师古曰："养鸟兽者通名曰苑，故谓牧马处为苑。"又《文献通考》云："其没入奴婢分诸苑养狗马禽兽及与诸官，官益杂置，多徙奴婢众而下河漕。"是则当时官奴婢亦用以转运漕粮。此外，亦有于紧急时编为军队者，如王莽时之猪突豨勇（见前注）。一般地说来，当时的官奴婢，并没有参加社会主要的生产，反而成为国家的重负。《贡禹传》记贡禹之言曰："官奴婢十余万，戏游亡事，税

[1]《汉书·陆贾传》云："乃以奴婢百人……遗贾为食饮费。"又《汉书·郊祀志》云："赐列侯甲第，僮千人。"此外如《外戚传》谓武帝曾赐其大姊奴婢三百人。《霍光传》谓宣帝曾赐霍光奴婢一百七十人。《史丹传》谓史丹从皇家所得的赏品中，有"僮奴以百数"。由此因知当时的官奴婢多由这样的赏赐而转化为私奴婢。

良民以给之。”这句话，已经很明白地指出当时的官奴婢，是不生产的奴婢。

至于私奴婢，则大半服役于贵族官僚豪家大贾的家庭，故私奴婢又称曰家奴或家僮。当时贵族官僚豪家大贾，不仅收夺了农民的土地家宅，并且也收夺了他们的身体，据《汉书·食货志》所记，哀帝时曾有限制私人使用奴婢的数目之拟议云：“诸侯王奴婢二百人，列侯、公主百人，关内侯、吏民三十人，期尽三年，犯者没入官。”是则哀帝时，私人使用奴婢之数，实不止此。《元帝纪》谓豪人之室奴婢千群，即其明证。这些私奴婢，也不从事于社会主要的生产，仅为家庭的贱役。据王褒《僮约》所云：当时私奴婢的服役，不过“晨起洒扫，食了洗涤，居当穿臼，缚帚裁盂”。“舍中有客，提壶行酤，汲水作餔，涤杯整桉，园中拔蒜，斫苏切脯”以及“关门塞窦，餧猪纵犬”而已。

论者又或引据刀间以桀黠奴“逐渔盐贾商之利”，及张安世的夫人以家僮七百从事纺织的史实，遂武断西汉时一般的奴婢，皆是生产的奴隶，但在西汉官、私工业中，都没有看到引用奴隶的史实，因此，我以为即使西汉的奴婢有从事生产事业者，也是极少数，而主要的生产担当者，还是自由的农民与手工业者。即因西汉的奴婢，不是生产的奴隶，因而西汉的社会，不是奴隶社会。

再次，从奴隶的数目上说，当作一种奴隶制度，则奴隶是社会构成中一个最主要的阶层，在这种社会构成中，除了极少数的奴隶所有者与自由民以外，其余都是奴隶。例如在古代雅典，当奴隶制度全盛时代，其所有的自由民连女子及儿童在内，总数为九万人，男女奴隶为三十六万五千人，还有保护民——外国人及被解放的奴隶四万五千人。故一个成年的男自由民，至少有十八个奴隶与两个以上的保护民。自然，象古代雅典的奴隶制，是人类史上最典型的奴隶制，因而我们也不应以雅典的奴隶制为标准，而衡论一切其他国家的奴隶制。惟既称奴隶制，则当作社会生产之主要的担当者的奴隶，决不应少于依靠奴隶劳动为生的奴隶所有者和自由民，这是非常明白的。

现在我们看西汉奴婢的数目有多少？贡禹说，西汉的官奴婢十余万人，这是史籍上最多的数字记载。至于私奴婢的数目，史无明记，但《汉书》中常有关于私奴婢之零碎记载，如陆贾有奴婢百人，张良有家僮三百人，张安世有家僮七百人，卓王孙有僮客八百人，程郑亦有奴婢数百人。然而这在当时人民的眼中，已经是很大的数目，故书之史册，传为盛事。至若王氏五侯的僮奴以千百数，王商的私奴以千数，则已大遭社会的诟骂，视为不应有的现象。象以上所指的诸人，都是西汉时代的达官显宦、豪富和贵族，等而下之，则所占有的奴婢，当然不能有如此庞大的数目。达官显宦豪富贵族的人数，在整个人口总数的比例上，当然是最小的，因而即使这最少的人拥有成百成千的奴婢，奴婢的总数也不会很多的。惟论者或有引据汉武帝有一次派遣官吏到郡国查访富人逃避缗钱（财产税）之时，一次没收的奴婢即“以千万数”，因而以为西汉的奴婢有几千万。但是我以为所谓“以千万数”，与“以千百数”是同样的意义，因之，武帝时从全国没收的奴婢，不是几千万，而是几千几万。从这里，我们就可以看出，当时私奴婢的总数，也不过和官奴婢相当，至多不过十余万人。官私奴婢合计，不过三十万人左右。即使再加一倍，也不过六十万人，而西汉的人口总数则为五九五九四九七八人，故当时奴婢占人口总数不过百分之一。换言之，在西汉时平均每百人才有一个奴隶。照奴隶社会的规矩，这一百个人，都是不劳动的贵族和自由民，他们都是倚靠奴隶劳动为生活。但是照《汉书·食货志》所载，西汉时的生产力，每人只能生产粮食三十石，每人每年要吃十八石，如此看来，则一个人除养活自己以外，不能再养活另外一个人，如果要一个奴隶养活一百个主人，那就把这个奴隶日夜开工，粉身碎骨，也是枉然。从这一点上，又可以看出西汉虽有奴婢，而不是奴隶制度。

最后，从奴隶的身份上说，当作一种奴隶制度，奴隶和牛马一样，只是一种会说话的畜生，他们完全没有人格，丝毫不受法律的保障。诚然，《王莽传》曾有西汉“置奴隶之市，与牛马同栏”之语，这看起来，西汉时奴婢的身份，也是和牛马一样。但是实际上，西汉的奴婢，在法律上，是相当有保障的。这从当时贵族官僚如果私杀奴婢，便要受到法律的处分，可以看得出来。例如缪王元遗令以奴婢从死，被迫自杀者十六人，而当时大鸿胪王禹，即奏其“贼杀奴婢”之罪，因此而予以

“不宜立嗣”之处分。又如武帝时邵侯顺，因杀人及奴十六人，亦因此而丧失了侯爵。宣帝时丞相魏相，其家有婢自绞死，而京兆尹赵广汉便率吏到丞相府查勘，将丞相夫人叫去，令其跪于庭下，问其杀婢之罪。又如王莽之子王获，因为杀了一个奴婢，王莽遂令王获自杀抵罪。这些具体的史实，都足以证明当时奴婢的生命，还是有着相当的法律保障，而这在奴隶制度时代，是绝对没有的。

当作一种奴隶制度，奴隶要脱去奴籍，几乎是不可能的。但在西汉时奴隶却可以由“特赦”、由“自赎”而获得解放。前者如高祖五年诏以饥饿自卖为奴婢者得免为庶人。文帝后四年赦天下，免官奴婢为庶人。武帝建元元年，赦因吴楚七国叛变而缘坐的奴婢，复为庶人。哀帝即位，诏官奴婢五十以上者，免为庶人。后者则大半进行于私人之间，如成帝鸿嘉三年，蒲侯苏昌之后夷吾，曾有一婢自赎为民，后夷吾复以为婢，因此而褫夺了侯爵。西汉的奴婢之所以能由特赦和自赎而获得身体的自由，这主要的是因为他们大半都是由罪犯与自卖而来。由罪犯而来者赦而免，由自卖而来者赎而还。但是如果是奴隶所有者的政府，决不会以命令免奴隶为自由民；同样，如果是奴隶制度之下的奴隶，也决不会有私蓄用以赎回自己的身体。

总上所述，我们可以断言，西汉虽有奴婢，但并不是奴隶制度。西汉的奴婢，不是从氏族社会解体而来的奴隶，而是在残酷的封建压榨之下的破产的农民，这些农民被剥夺了一切，最后把自己的身体，也献给了地主，是为西汉的奴婢。

第二节　西汉政权的发展

一　地方割据与中央集权的斗争——从吕后称制、文景削藩到七国叛变

西汉政权的发展，和秦代不同，在秦代，一开始便是中央集权制，在西汉，则经过与地方分权的斗争，才达到中央集权制的建立。

西汉自高祖诛灭了他的同盟军诸领袖以后，本来天下已归一统，大权集于中央，由此而建立一个中央集权的政府，正如水到渠成，是一种自然的趋势。可是高

祖“以海内新定，同姓寡少，惩戒亡秦孤立之败，于是割裂疆土，立二等之爵，功臣侯者，百有余邑，尊王子弟，大启九国。自雁门、太原以东，尽辽阳，为燕、代；常山以南，太行左转，度河、济，渐于海，为齐、赵；穀、泗以往，奄有龟、蒙，为梁、楚；东带江、湖，薄会稽，为荆吴；北界淮濒，略庐、衡，为淮南；波、汉之阳，亘九嶷，为长沙。诸侯比境，周匝三垂，外接胡越”。由是自关以东，藩封错列，诸侯王国，“大者夸州兼郡，连城数十”。

在另一方面，中央直辖的领土，则只“有三河、东郡、颍川、南阳。自江陵以西至巴蜀，北自云中至陇西，与京师内史，凡十五郡”而已。而且在此十五郡中，列侯公主之食邑，亦在其中。从这里，我们就可以看出汉初中央与地方力量的对比了。

高祖之“尊王子弟，大启九国”，当然不是为了削弱中央，而是为了巩固中央，所以他刑马而盟曰：“非刘氏而王者，天下共诛之。”他以为刘家的子弟，决不会背叛刘家的政府，而不知权力的冲突，虽在骨肉至亲之间，亦所难免。所以当高祖死去不久，这些用以巩固中央的诸侯王国，便一天天发展成为中央政府的威胁。尾大不掉，势必所然。因而自惠帝、吕后，历文、景之世，迄于武帝初年，都是中央集权与地方割据斗争的时代。这种斗争，表现为一系列的相续的政治形态，最初是吕后称制，其次是文景削藩，而最后则归结为吴楚七国的叛变。这些政治斗争，正是西汉政权由地方割据走向中央集权之具体的过程，亦即西汉初政治发展的主要骨干与前进的方向。换言之，在西汉初的政治，一切都从属于这个斗争，一切的斗争，都是为了中央集权制的建立。

西汉初的政治斗争，在主观上，当然是刘家的骨肉亲戚因为分赃不清而发生内哄。但在客观上，这些政治斗争，毋宁说是旧的商人地主与新兴的贵族地主之斗争。因为在当时，站在中央政府方面的，是新贵族地主集团；而站在诸侯王背后的，则是旧商人地主集团。

或有人说，商人地主一贯的历史斗争，都是为了要建立一个中央集权的统一政府，何以又支持诸侯的割据呢？诚然，商人地主帮助汉高祖削平了农民叛乱，削平了旧贵族的反动，并且削平了汉之同盟军的诸领袖，为的是建立一个统一全国的中央集权的政府，但是商人地主所希冀的中央集权的政府，是拥护商人利益的政府，而不是反商人利益的政府。西汉的中央政府，当其组成之初，曾经归还商人地主的土地，并复其爵位，当然不是反商人利益的政府。但是商人地主的愿望，尚不仅此，而是进一步要求参加政治，换言之，参加租税的分配。然而这一点，西汉的中央政府，却没有答应。具体的史实，指示出来，当西汉之初，新兴的贵族地主，因为自己的社会基础，从而他们的政权尚未巩固，他们不但抑压旧贵族，抑压农民，展开左右开弓的政策，并且也抑压自己的前辈，执行所谓贱商政策。在贱商政策之下，当时旧的商人地主，不但不能为官吏，参加租税的分配，并且又为重税以困辱之，甚至禁止商人衣丝乘车。象这样的中央政府，当然不是旧的商人地主愿意拥护的中央政府。

封建时代的商业资本，本来就带着地方性，为了打击西汉政府之贱商政策，旧的商人地主，便倒向诸侯王的方面，所谓“因其富厚，交通王侯”者，正是指明这一事实。同时，诸侯王也想利用旧的商人地主的财政资助，招兵买马，以巩固其封建割据。例如《史记》谓吴王濞招致天下喜游子弟，经营海盐之利、章山之铜、三江五湖之利，即其一例。不仅吴王如此，其他诸侯王对于废居于其都邑之旧商人地主，无不“低首仰给”。即因旧的商人地主与诸侯王相互结合，故诸侯王的实力，一天天雄厚，以致到后来，发展为吴楚七国之叛。因此，七国之叛，可以说是旧的商人地主向贵族地主之贱商政策的武装抗议。

在另一方面，当时的中央政府，也似乎知道旧的商人地主与诸侯王结合的秘密，所以到文帝时，便下令弛商贾之禁，企图缓和旧的商人地主的反感。但市井子弟不得为官吏的禁令，仍然保留，因而仍然不能得到旧的商人地主的谅解。此外，在汉初屡有徙郡国豪杰及富人于关中的事实，其用意诚如《汉书·地理志》所云：“盖亦以强干弱支，非独为奉山园也”。

西汉的中央政府，一面向旧的商人地主让步，一面用强制的移徙，拆散旧的商人地主与诸侯王的联合，但终不能免于七国之变。七国之变，虽然以中央之胜利而结束，但消灭的，只是旧的商人地主所支持的武装力量，不是他们的经济势力，因此，问题仍然没有得到根本解决。这个问题之最终的解决，还是由于武帝时新的贵族地主向旧的商人地主开放了政权，使旧的商人地主亦得为官吏，从而参加租税的分配。从此以后，这两个地主集团，才因利害一致的原因，混而为一，西汉的政权，也才发展为中央集权的政治。

这样看来，西汉初的政治，实际上就是商业资本的反动，而所谓诸侯王者，不过是商业资本的一群傀儡而已。明乎此，然后才能理解汉初的历史。

西汉中央政府与地方诸王的斗争，自高祖一死，就开始了。据史载，高祖死，惠帝立。惠帝即位之年，才十七岁，且为人仁弱，高祖以其不类己，常欲废之，而另立其所宠幸戚姬之子如意为太子，后以其母吕后及大臣力争，始得不废。

但是惠帝从他父亲所接受的天下，却是一个外重内轻的天下。一方面，关东诸王，夸州兼郡，比境周市，而这些诸王，非其伯叔，即其兄弟[1]，他们都窥伺着皇

[1]《史记·吕后本纪》云："是时（惠帝即位时），高祖八子，长男肥，孝惠兄也，异母，肥为齐王。余皆孝惠弟。戚姬子如意为赵王，薄夫人子恒为代王，诸姬子恢为梁王，子友为淮阳王，子长为淮南王，子建为燕王，高祖弟交为楚王，兄子濞为吴王，非刘氏功臣番君吴芮子臣为长沙王。"

帝的宝座。另一方面，功臣宿将多手握重兵[1]，他们与高祖皆同为编户之民，臣事高祖，尚且心常怏怏，今乃事少主，难保不反叛。[2]象这样一种局势，当然不是幼弱的惠帝所能统摄，因此惠帝虽继承大统，而一切国家大政，则皆操之吕后，于是而有吕后的专政。

吕后者，名雉，小字娥姁，高祖结发之妻。高祖微时，吕后尝居田中耨。高祖亡命芒砀山为盗时，吕后常往相从。以后高祖东征西讨，吕后常在军中。彭城之役，吕后与太公同为项羽所掳，楚汉议和，始得释归。以后高祖即帝位，吕后遂为皇后。即因吕后起于贫贱，多历事故，所以她的生活经验非常丰富。同时对于高祖左右的诸将领，因为相处既久，尤有深刻的认识。惟性情刚毅，多疑好杀。据司马迁云："（高祖）所诛大臣，多吕后力。"由此可以想见吕后是一个果敢刻毒的妇人。

吕后最大的敌人是戚姬，因为高祖自得戚姬后，宠幸无比，而吕后遂失爱，并且几使其子惠帝不能承继

[1]《史记·高祖本纪》云："（是时）陈平、灌婴将十万守荥阳，樊哙、周勃将二十万定燕、代。"

[2]《高祖本纪》记吕后语。

大统。因此，惠帝即位以后，吕后第一件事，便是幽戚夫人于永巷，并召其子赵王如意入京，先以鸩毒死，又“遂断戚夫人手足，去眼煇耳，饮喑药，使居厕中，命曰‘人彘’。”由此可以想见吕后又是一个阴鸷残忍的妇人。

吕后不是完全把心思用于对付情敌，同时她并没有忘记中央政府所遭受的威胁。她在高祖死后，就想尽族诸将、然后发丧，后来因为估计实力不够，又才暂时中止。在惠帝君国的八年中，她无日不在计划巩固中央与削弱诸王的方策。所以虽然匈奴冒顿单于写信来调戏他，她始终忍受，这为的是要留下力量，以应付国内可能发生之变乱。但在惠帝时，因为准备尚未完成，她对诸侯王并没有采取攻势，仅仅积极修筑长安城[1]，以巩固京师的防卫而已。

惠帝死，无子，吕后乃取宫人幼子，谓为惠帝子，杀其母而立为帝。但同时又布告天下，谓：“皇帝病久

[1]《史记·吕后本纪》云：“(惠帝)三年，方筑长安城，四年就半，五年六年城就。”《汉书·惠帝纪》云：“三年春，发长安六百里内男女十四万六千人城长安，三十日罢。”“五年……复发长安六百里内男女十四万五千人城长安，三十日罢。”

不已，乃失惑惛乱，不能继嗣奉宗庙祭祀，不可属天下。”因幽之永巷而杀之，自是吕后遂临朝称制，改元大赦，自为皇帝。

吕后——中国历史上第一次出现的女皇——执政凡八年，在这八年中，她的政治方向，完全集中于对诸侯王之打击，企图以此而使西汉的政权走向中央集权制。为了执行这一艰难的政治任务，她首先就罢免中央政府中的反对派如王陵等[1]，而以大权委之于其情人审食其。[2]然后布置党羽，培养干部，大封诸吕[3]，及其所爱后宫美人之子[4]若干人为侯。在这样一种措施之后，乃开始向诸侯王进攻。如前所述，在惠帝时，她已杀赵

[1]《史记·吕后本纪》云：“太后称制，议欲立诸吕为王，问右丞相王陵。王陵曰：‘高帝刑白马盟曰：非刘氏而王，天下共击之。今王吕氏，非约也。’太后不说……十一月，太后欲废王陵，乃拜为帝太傅，夺之相权，王陵遂病免归。”

[2] 同上纪云：“（吕后）以辟阳侯审食其为左丞相，左丞相不治事，令监宫中如郎中令。食其故得幸太后，常用事，公卿皆因而决事。”

[3] 诸吕受封爵者，如吕禄为胡陵侯，吕种为沛侯，吕平为扶柳侯，吕忿为吕城侯，吕更始为赘其侯，吕他为俞侯，吕嬃（吕氏娣）为临光侯。

[4] 诸宫中美人子受封者，如强为淮阳王，不疑为常山王，山为襄城侯，朝为轵侯，武为壶关侯。

王如意，如意杀后，即徙淮阳王友为赵王，现在又再杀赵王友，而徙梁王恢为赵王，不久又杀赵王恢，废其嗣，而以吕禄为赵王。梁王恢徙赵后，即以吕产为梁王。燕王建死，杀其嗣而除其国，另以吕通为燕王。此外，又分齐为四，以削弱之。这样一来，燕、赵、梁遂完全转移到中央的手中，而齐国也四分五裂，易于控制了。

吕后并没有完成她的政治计划，便死去了。吕后死而袒刘之军兴。齐王发难于外，陈平、周勃响应于内，刘氏诸王，遂群起而诛诸吕。吕后八年的经营，不到几天，全被摧毁，天下大势，仍然回到外重内轻的局面。

诸刘既诛诸吕，于是陈平、周勃密迎代王恒为皇帝，是为文帝。文帝为高祖中子，惠帝之异母弟，即位之年，才二十四岁。他虽然是一个青年，但有足够的机警与慎重，以应付他所处的环境。

文帝即位之初，正当一个新的政变之后，诸吕虽诛，而中央政府，则已解体，文帝虽欲整饬纪纲，但他以藩王，入承帝统，威信未立，羽翼不丰。反之，刘氏诸王则以屡代藩封，基础已固，又以新诛诸吕，气焰万丈。因此文帝即位之后，不得不采取优容政策，如吴王濞称病不朝而仍赐以几杖，淮南王长击杀审食其而仍赦其无罪。由此可以想见当时中央政府之衰微。

即因中央政府之优容政策，而使诸王愈益骄纵。他们擅改法令，自置官属，各据一方，目无天子。同时，当时商人地主，日益富厚，他们或转毂百数，周行郡国，或拥资百万，废居都邑。这些商人地主，既不能得志于中央，遂与诸侯王相勾结，因而当时的商人地主“力过吏势”，而诸侯王则“富可敌国”。商人地主的资本与诸侯王的武装，现在紧紧地拥抱着了。而这到后来，便爆发了淮南王和济北王的叛乱。

淮南王的叛乱系发觉于事前。据说淮南王“令男子但等七十人，与棘蒲侯柴武太子奇谋，以辇车四十乘，反谷口。令人使闽越、匈奴”。这就是他的反状。但我以为这并不是谋反，而是淮南王与商人地主合伙经营国际贸易。当时文帝以诸王骄横过度，故将淮南王罗织成罪，因而杀之，欲以警戒其余。因为淮南王死得冤枉，所以当时的人民为之歌曰：“一尺布，尚且缝，一斗米，尚可舂，兄弟二人不相容。”

在另一方面，当时匈奴愈益强大，老上、军臣两单于，先后发动大规模的南侵。胡骑屡寇云中上郡，烽火通于甘泉。送以公主，不能缓和，奉以金絮彩缯，亦不能缓和。

当时有一位洛阳少年贾谊，看到这种内外的形势，曾向文帝上了一个《治安策》，尽情极致地指陈当时的危机。例如他指出诸侯王的专横曰："今或亲弟谋为东帝，亲兄之子，西向而击，今吴又见告矣。天子春秋鼎盛，行义未过，德泽有加焉，犹尚如是，况莫大诸侯，权力且十此者乎！然而天下少安，何也？大国之王，幼弱未壮，汉之所置傅相，方握其事，数年之后，诸侯之王，大抵皆冠，血气方刚，汉之傅相，称病而赐罢，彼自丞尉以上，偏置私人，如此，有异淮南、济北之为邪？"

又如他指出匈奴的侵略曰："今匈奴嫚侮侵掠，至不敬也；为天下患，至无已也；而汉岁致金絮彩缯以奉之。夷狄征令，是主上之操也；天子共贡，是臣下之礼也；足反居上，首顾居下，倒县如此，莫之能解，犹为国有人乎？"

又如他指出商人地主的奢侈曰："帝之身自衣皂绨，而富民墙屋被文绣，天子之后以缘其领，庶人孽妾缘其履，此臣所谓舛也。夫百人作之，不能衣一人，欲天下亡寒，胡可得也？一人耕之，十人聚而食之，欲天下亡饥，不可得也。饥寒切于民之饥肤，欲其亡为奸邪，不可得也。国已屈矣，盗贼直须时耳。”

贾谊最后的结论，是主张削弱诸王，集权中央。他说：“欲天下之治安，莫若众建诸侯而少其力，力少则易使以义，国小则亡邪心。令海内之势，如身之使臂，臂之使指，莫不制从。诸侯之君，不敢有异心，辐辏并进，而归命天子。……割地定制，令齐、赵、楚各为若干国，使悼惠王、幽王、元王之子孙，毕以次各受祖之分地，地尽而止，及燕、梁他国皆然。其分地众而子孙少者，建以为国，空而置之，须其子孙生者，举使君之。诸侯之地，其削颇入汉者，为徙其侯国，及封其子孙也，所以数偿之，一寸之地，一人之众，天子亡所利焉。”

贾谊的治安策，真是一篇最有见解的政治论文，简单明了而又扼要地指出了当时社会经济的病态和政治的危机，并且，提出了具体的解决方案。我们从贾谊的《治安策》，就知道文帝时的社会，是怎样一个社会。但是贾谊所指陈的各节，当时中央负责的官僚，又何尝不知道，不过他们为了要粉饰太平，蒙蔽皇帝，所以“进言者皆曰天下已安已治矣”。他们不知竟然有一位不知天高地厚的洛阳少年，把他们所要蒙蔽皇帝的一切，赤裸裸地暴露出来，并且说：“曰安且治者，非愚则谀，皆非事实知治乱之体者也。”这虽然是一句老实话，但却骂尽了当时粉饰太平的官僚。所以史载当时“天子议以谊任公卿之位，绛、灌、东阳侯、冯敬之属尽害之，乃毁谊曰：‘洛阳之人，年少初学，专欲擅权，纷乱诸事。’于是天子后亦疏之，不用其议，以谊为长沙王太傅”。后又拜为梁怀王太傅，始终不令参与朝政。不久梁王坠马死，贾谊自伤为傅无状，常哭泣，后岁余亦死。班固曰：“刘向称贾谊言三代与秦治乱之篇，其论甚美，通达国体，虽古之伊、管，未能远过也。使见时用，功化必盛，为庸臣所害，甚可悼痛。”

贾谊虽怀才不遇而死，但他的《治安策》，毕竟使文帝受到影响。比如文帝后分代为两国，立皇子武为代王，参为太原王，小子胜为梁王。后又徙代王武为淮阳王，而以太原王参为代王，不但尽有其故地，而且扩展其势力于中原。更后又分齐为六国，尽立悼惠王六子为王。又迁淮南王喜于城阳，而分淮南为三国，尽立厉王三子以王之。这些，都是贾谊“众建诸侯而少其力”的政治方案之实现。

文帝并没有等到中央集权制的建立就死了，其子继立，是为景帝。据《汉书·晁错传》云：“（景帝）材智高奇，驭射技艺，过人绝远。”他在做太子的时候，就痛恨诸王的专横，吴王的太子入朝，他曾引博具击杀吴太子，因此与吴王的仇恨最深。

景帝即位，诸王愈益骄横，渐至目无法纪。当时御史大夫晁错，屡建削藩之议，诸侯王每当微罪而遭削地。如楚王戊因在薄太后服内私奸服舍而削东海郡；胶西王卬因卖爵事有奸，因削其六县；赵王遂亦因罪而削其常山郡。景帝三年，晁错又建议削吴。晁错之言曰：“昔高祖初定天下，昆弟少，诸子弱，大封同姓。故孽子悼惠王王齐七十二城；庶弟元王王楚四十城，兄子王吴五十余城。封三庶孽，分天下半。今吴王前有太子之隙，诈称病不朝，于古法当诛，文帝不忍，因赐几杖，德至厚也。不改过自新，乃益骄恣。公即山铸钱，煮海为盐，诱天下亡人，谋作乱逆。今削之亦反，不削亦反。削之，其反亟，祸小；不削，其反迟，祸大。”即因有削吴之议，于是吴王遂反，胶西王卬，楚王戊，赵王遂，济南王辟光，淄川王贤，胶东王雄渠，都起兵响应吴王的叛变，是为吴楚七国之变。

七国之变，首乱者为吴国，这主要地因为吴国在当时是东南商业资本集中之地。据《汉书·吴王刘濞传》云:“然其居国以铜盐故，百姓无赋，卒践更，辄予平贾。岁时存问茂材，赏赐闾里。他郡国吏欲来扑亡人者，颂共禁不与，如此者三十余年，以故能使其众。”由此看来，吴国当时的主要收入，全赖盐铜事业，因而可以想见其盐铜事业之盛。同时从其他郡国亡人之逃入吴国一点看来，又可以想见吴国的手工业及农业生产中，吸收了不少中原失业的农民。又如存问茂材，则指明在当时吴国的旧商人地主，业已参加政治。即因商业资本在吴国之突出发展，所以吴国特别富裕。吴王致诸王书中有云:“寡人金钱在天下者，往往而有，非必取于吴，诸王日夜用之，不能尽，有当赐者，告寡人，寡人且往遗之。”从这几句语看来，因知当时吴王之敢于首乱，实有商人地主作后台，否则何以他的金钱非必取于吴，而

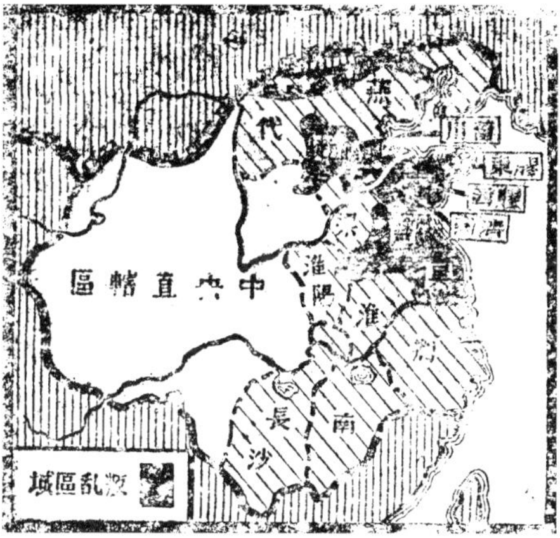

插图三七　七国叛变图

遍于天下？这显然是一个社会阶层的行动。

七国叛变以后，西汉政府遂失掉了半壁江山，江苏、安徽、山东、河北，广大的地域，完全转入叛乱之中（插图三七）。当时叛变的诸侯，以诛晁错为名，连兵西犯，问罪中央。中央政府迫于威胁，遂诛晁错以谢七国。但七国之叛，其志在推翻中央，是以晁错虽诛，而七国之兵不解。于是中央派太尉周亚夫，大将军窦婴，将兵击之。战争以中央军的胜利而结束，追斩吴王濞于丹徒，其余六王，都自杀了。

七国之叛既平，西汉的中央政府乃下令，“诸侯王不得复治国，天子为置吏”。从此以后，地方割据的局面，遂告结束，中央政权日益高涨，而西汉的政权，也就走向新的发展阶段了。

中国历史家往往盛称文景之治，甚至比之三代。其实所谓文帝之治，正如贾谊所云：“夫抱火厝之积薪之下，而寝其上，火未及燃，因谓之安，方今之势，何以异此。”果然，到景帝时，诸侯合纵，连兵而叛，自关以东，烽火遍地。诚然，文帝持身节俭，身衣皂绨，所幸慎夫人，衣不曳地，帷幄无文绣，治霸陵皆瓦器，不得以金银铜锡为饰，尝欲筑露台，因需百金而罢，以示敦朴，为天下先，因此，史家称之。但文帝的娈童邓通，大夫也，而钱布天下；其代王府的亲信如张武等，大肆贪污，公行贿赂，文帝知而不罚，且更加赏赐，而曰“以愧其心”。这些，都不免是他的盛德之累。至于景帝之治，则诚如他自己的诏令所云：“今吏或不奉法令，以货赂为市，朋党比周，以苛为察，以刻为明，今亡罪者失职，朕甚怜之；有罪者不伏罪，奸法为暴，甚亡谓也。”然而班固却为之颂曰：“周云成、康，汉言文、景，美矣！”

二　中央集权政治的形成与大汉帝国之世界扩张

西汉的政治，到武帝时，便走进了一个新的阶段，这就是完成了中央集权政治体制的建立。从此以后，直至昭、宣之世，西汉的政权，正如丽日经天，照射着中国，乃至中国以外的世界。

西汉的政权之走向中央集权的道路，固然与自吕后、文、景以来半个世纪的主观斗争，不无关系，但主要地还是客观形势推移的结果，换言之，即自汉初以来，几十年间社会经济的发展所引导出来的必然的结论。

具体的史实，指示出来，在汉初的几十年间，旧的商人地主，固然因其历史的蓄积，获得了长足的发展，但新兴的贵族官僚地主，也同时挟其政治的权力，从事于强烈的超经济的收夺。《汉书·景帝纪》载景帝之诏曰："今岁或不登，民食颇寡，其咎安在？或诈伪为吏，吏以货赂为市，渔夺百姓，侵牟万民，县丞，长吏也，奸法与盗盗，甚无谓也。"由此可以想见一般。

即因强烈的超经济收夺，于是这一个新兴的贵族官僚地主集团，上自皇家，下至小吏，无不变成巨富。《汉书·食货志》曰："（自汉兴）至武帝之初，七十年间，国家亡事，非遇水旱，则民人给家足，都鄙廪庾尽满，而府库余财。京师之钱，累百巨万，贯朽而不可校；太仓之粟，陈陈相因，充溢露积于外，腐败不可食。（从何而来？）众庶街巷有马，阡陌之间成群，乘牸牝者，摈而不得会聚。守闾阎者食粱肉，为吏者长子孙，居官者以为姓号。人人自爱而重犯法，先行谊而黜愧辱焉。于是罔疏而民富，役财骄溢，或至并兼豪党之徒，以武断于乡曲。宗室有土，公卿大夫以下，争于奢侈，室庐车服，僭上亡限，物盛而衰，固其变也。”

即因新兴的贵族官僚地主亦变豪党之徒，所以他们亦多舍本逐末，兼营商业，因而由贵族官僚地主一变而为商人地主。同时，直至文景之世，虽仍有市井子弟，不得为官吏之禁，但这是指那些坐列贩卖的小商人，至于那些积储倍息，废居都邑的大商人地主，则早已交通王侯，甚至使王侯低首仰给。由此看来，当时的商人地主，不但已经参加政治，而且已经支配政治了。

即因贵族官僚地主之商人化，与商人地主之贵族官僚化，于是封建的政治收夺与商业盘剥合流，因而这两个地主集团的利害，遂趋一致，以前为了各自集团的利益而引起的政治冲突，到现在已没有必要。这样，诸侯王便失了经济的支持，反之，中央政府对商人的政策，遂由贱商一变而与商人地主合作了。

具体的史实指示出来，武帝即位之元年，即“诏丞相、御史、列侯、中二千石、二千石、诸侯相，举贤良、方正、直言、极谏之士”。这里所谓“士”，当然不是新兴的贵族、官僚，因为这些人，早已做了大官或小官；也不是农民，因为农民根本就不够“士”的资格；毫无疑问，是那些有钱读书，而又不许做官的商人地主。过了六年，又亲自考选商人地主的子弟。《武帝纪》元光元年诏贤良曰：“贤良明于古今王事之体，受策察问，咸以书对，著之于篇，朕亲览焉。”以后于元朔元年，又下诏曰：“夫本仁祖义，褒德禄贤，劝善刑暴，五帝三王所由昌也。朕夙兴夜寐，嘉与宇内之士，臻于斯路，故旅耆老，复孝敬，选豪杰，讲文学，稽参政事，祈进民心，深诏执事，兴廉举孝，庶几成风，绍修圣绪。夫十室之邑，必有忠信；三人并行，厥有我师；今或至阖郡而不荐一人，是化不下究，而积行之君子，雍于上闻也。二千石官长，纪纲人伦，将何以佐朕烛幽隐，劝元元，厉蒸庶，崇乡党之训哉！且进贤受上赏，蔽贤蒙显戮，古之道也。其与中二千石、礼官、博士议，不举者罪有司。”这里所谓耆老、豪杰、孝廉、君子，也当然不是新官僚或穷苦的农民，而是商人地主。自是以后，“不举孝，不奉诏，当以不敬论。不察廉，不胜任也，当免。”这些文献，就很明显地指出了西汉的中央政府到武帝时，已大开政治之门，欢迎商人地主参加政治。

跟着政府对商人地主的政策之改变，商人地主便在继续不断的考选推荐之中，走上了政治舞台。例如在武帝时号称文学之士的董仲舒、公孙弘[1]，司马相如[2]，东方朔[3]，枚皋[4]，严助[5]，朱买臣[6]，吾丘

[1]《汉书·武帝纪》：元光元年，武帝亲策贤良，“于是董仲舒、公孙弘等出焉。”

[2]《汉书·司马相如传》云：“蜀人杨得意为狗监，侍上，上读《子虚赋》而善之，曰：‘朕独不得与此人同时哉！’得意曰：‘臣邑人司马相如，自言为此赋。’上惊，乃召问相如。”后拜为中郎将，建节使西南夷。

[3]《汉书·东方朔传》云：“朔初来。上书……文辞不逊，高自称誉，上伟之，令待诏公车。”

[4]《汉书·枚乘传》云：“皋亡至长安，会赦，上书北阙，自陈枚乘之子，上得之，大喜。召入见待诏。皋因赋殿中，诏使赋平乐馆，善之，拜为郎。”

[5]《汉书·严助传》云：“严助，会稽吴人，严夫子子也，或言族家子也，郡举贤良，对策百余人，武帝善助对，由是独擢助为中大夫。”

[6]《汉书·朱买臣传》云：“朱买臣，字翁子，吴人也。家贫，好读书，不治产业……会邑子严助贵幸，荐买臣，召见，说《春秋》，言楚词，帝甚说之，拜买臣为中大夫，与严助俱侍中。”

寿王[1]，主父偃[2]，倪宽[3]，终军[4]等，都是由考选推荐或上书而获得其官职，并且成为皇帝左右的亲信。以上所举，不过是人中皎皎，此外名不见史籍者，尚大有人在。《董仲舒传》云："武帝时，举贤良文学之士，前后数百。"《东方朔传》亦云："武帝初即位，征天下举贤良方正文学材力之士，待以不次之位，四方士多上书言得失，自衒鬻者以千数。"由此可以想见那些以前不得为官吏的市井子弟，现在就象潮水一般，涌进了西汉政府的大门。

同时，政府又卖官鬻爵，人民可以以缴纳一定额的货币、谷物、奴婢、畜群，而获得一定等级的官职。这些有货币、谷物、奴婢、畜群可以缴纳的人们，当然也不是一般的农民，而是有钱的商人。即因如此，所以许

[1]《汉书·吾丘寿王传》云："吾丘寿王，字子赣，赵人也，年少，以善格五（博戏之类）召待诏，诏使从中大夫董仲舒受《春秋》。高材通明，迁侍中中郎。"

[2]《汉书·主父偃传》云："主父偃，齐国临淄人也……以诸侯莫足游者，元光元年，乃西入关……上书阙下，朝奏，暮召入见。"

[3]《汉书·倪宽传》云："倪宽，千乘人也，治《尚书》，事欧阳生，以郡国选诣博士，受业孔安国……以射策为掌故。功次，补廷尉文学卒史。"

[4]《汉书·终军传》云："终军，字子云，济南人也。少好学，以辩博能属文闻于郡……至长安，上书言事，武帝异其文，拜军为谒者给事中。"

多富商大贾，现在都一跃而为政府中的要人。《汉书·食货志》曰：“于是以东郭咸阳、孔谨为大农丞，领盐铁事，而桑弘羊贵幸。咸阳，齐之大鬻盐；孔谨，南阳大冶；皆致产累千金，故郑当时进言之。弘羊，洛阳贾人之子，以心计，年十三侍中。故三人言利事析秋毫矣。”此外，如卜式，河南人也，以田畜为业，羊数千头，买田宅，输家财半助边，因得爵至关内侯。自从这些盐铁大贾，掌握了国家政权以后，他们便执行经济统制政策，以集中经济力量于中央政府，这主要地，就是盐铁的国营。他们于郡国置铁官或小铁官，而“除故盐铁家富者为吏，吏益多贾人矣”。

自从西汉政府开放政权以后，新旧土地所有者因而合流，西汉的政权，也就变成了执行土地所有者之共同利益的政权。在政治形势转换以后，旧的商人地主自然又要拥护中央的统一，反对诸侯王的割据。于是董仲舒便高唱大一统主义，而主父偃则再进削藩之议。董仲舒的大一统主义，引经据典，主张尊王。主父偃的削藩之奏，更表现得积极。其言曰：“古者诸侯地不过百里，强弱之形易制，今诸侯或连城数十，地方千里，缓则骄奢，易为淫乱，急则逞其强易合从，以逆京师。今以法割削，则逆节萌起，前日晁错是也。今诸侯子弟或十数，而适嗣代立，余虽骨肉，无尺地之封，则仁孝之道不宜。愿陛下令诸侯得推恩分子弟，以地侯之，彼人人喜得所愿，上以德施，实分其国，必稍自销弱矣。”这个建议，被武帝采纳了，从此以后，诸侯王国一分再分，就等于郡县了。

现在西汉的政治，已经集权中央了。在中央集权的政治之下，政令统一，关梁无阻，商业资本获得更疾速的发展，不久，他们便不能以国内市场为满足，而积极地要求世界市场之开辟。于是汉武帝遂不能不在商人地主的鞭策之下，开始其“勤远略”的历史任务了。

商业资本，不久就发动了开辟国际商路的战争，据《汉书 · 食货志》云：“（武帝）即位数年，严助、朱买臣等，招徕东瓯，事两粤，江淮之间萧然烦费矣。唐蒙司马相如始开西南夷，凿山通道千余里，以广巴蜀，巴蜀之民罢焉。彭吴穿秽貊、朝鲜，置沧海郡，则燕、齐之间，靡然发动。及王恢谋马邑，匈奴绝和亲，侵扰北边，兵连而不解，天下共其劳。”当此之时，羽檄飞驰，急如星火，号角之声，遍于全国，到处都可以看到绑赴郡、国的壮丁，到处都可以看到开上前线的军队。“行者赍，居者送”，所有从土地上被排除出来的农民、奴婢、囚徒、赘婿、亡命、恶少年，都被集合起来，武装起来，压迫他们去为着商人地主的利益而粉身碎骨于异域。

战争以日益扩大之规模而展开，于是王恢、韩安国、唐蒙、路博德、郭昌、魏广、杨仆、荀彘、李广、卫青、霍去病、李广利等将军，遂先后或同时出现为开疆辟土的英雄。西汉的远征军，就在这些英雄的统率之下，走向东南西北的战场。他们开赴今日之辽东朝鲜去打朝鲜，开赴今日之浙江、福建去打东瓯、闽粤，开赴今日之广东、广西去打南粤，开赴今日之贵州、云南去打西南夷，开赴今日之陕甘边境、内外蒙古去打匈奴。这些远征军或楼船浮海，或栈道梯山，或轻骑出塞，或重装屯田，前仆后继，接踵而死者，不知几百万人。此外凿山通道，转粮馈饷，人徒车马，万里相望，其转死于道路者，又不知几百万人。

除匈奴以外，其他的战事，都在短期内胜利地结束了。但是击败匈奴，是西汉商人地主最迫切的要求。因为当时的匈奴，正盘据着天山北麓一带，而这一带，正是中国通达塔里木盆地及中亚唯一的走廊。为了打通到达塔里木盆地及中亚的商路，首先就要把匈奴从天山北麓驱逐出去。因此汉武帝以全力进行对匈奴的战争。战争终于获得了报酬，纪元前一二一年，西汉的军队，完全占领了天山北麓的天然走廊，打通了到塔里木盆地的通路。

西汉的势力很快就支配着塔里木盆地诸国，但匈奴的小股骑兵，仍然出没于天山南北，遮击西汉的外交使节和商人。西汉的势力，一天天地西展，到纪元前一〇二年，西汉的将军李广利，竟征服了大宛，把大汉帝国的旗帜，插在中央亚细亚的原野。

西汉政府在奠定我国疆域的事业中，在中国历史上创造了一页空前的辉煌的纪录。两千年来，中国历史家，都把这种辉煌的伟业，归功于汉武帝之个人的英雄主义的成就，所谓“雄才大略”者是也。一直到现在，汉武帝这个名字，还是胜利的征服者的代名词，成为中国传奇中的英雄之典型。诚然汉武帝能够组织这个大远征，领导这个大远征，并且能够把这个大远征支持到底，这种主观的创造作用，是不可否认的。但是如果没有推动这个大远征的客观形势和要求，则汉武帝即使有雄才大略，结果也只能停止在愿望的阶段。具体的史实指示出来，西汉的大远征之所以能够疯狂地发动，胜利地进军，这决不仅依于汉武帝个人之英雄主义的发挥，而是当时中国商业资本的活力之历史的要求。换言之，不是汉武帝的“勤远略”的意图，推动了当时的大远征，而是商业资本要发动这个大远征，汉武帝不过是当时商业资本家开路的先锋而已。

说到汉武帝，也会令人想到他是生长得怎样一幅严肃的面孔，实际上汉武帝是一位最活泼、最天真、最情感的人物。他除了欢喜穷兵黩武以外，还喜欢游历，喜欢音乐，喜欢文学，喜欢神仙，喜欢女人。汉武帝，是军队最英明的统帅，又是海上最经常的游客，皇家乐队最初的创立人，文学家最亲切的朋友，方士们最忠实的信徒，特别是他的李夫人最好的丈夫。他决不是除了好战以外，一无所知的一个莽汉。

随着战争的胜利，中原地区的商人地主便蹈着士兵的血迹，走进了世界市场，特别是塔里木盆地和中亚诸国。在当时，我们可以看到络绎于西北国际大道上的，都是大汉的将军、校尉、骑士、田卒，和成群结队的商人。他们从长安出发，带着中国的丝织物和其他的手工业制品，经由金城、武威、张掖、酒泉而至敦煌，然后西出玉门，横断罗布泊沙漠，贸易于塔里木盆地诸国。甚至越过帕米尔高原，周行中亚，与罗马印度的商人进行交易。这些商人从他们所知道的世界，吸收了庞大的财源，先后回到长安再运货物，这样来来去去，一个个都变成巨富。同时，那些远征军的将军们和出使绝国的无数外交使节，一个个也都在从事商业，发了横财。这样一来，于是长安遂不仅是西汉的首都，同时也是国际贸易的中心。这里是全国租税集中之地，也是庞大的商业利润总汇之所。因而长安城中，除了原有的贵族官僚地主以外，又挤满了中外的商人。现在，汉朝的皇帝，一跃而为百蛮的共主了。

现在，在长安城的天空中，耸立着无数高入云霄的建筑物，这些建筑物或名曰台[1]，或名曰阙[2]，或名曰观[3]，都非常雄伟壮丽。据说当时有一通天台，或曰神明台，高百余丈，云雨在其下。在台顶上，有一铜铸的仙人，手捧铜盘玉杯，作承露之状。[4]又有两凤凰阙，各高七十丈五尺，上各立一铜凤凰。[5]又有一飞廉观，高四十丈，上立一飞廉神，鹿头如雀，蛇尾而豹文。[6]这些崇高的建筑物，就象征着大汉帝国的庄严和伟大。

在长安城的市内及其近郊，到处都是金碧辉煌的宫

[1]《三辅黄图》谓长安西北八里有灵台，高十五仞，上有相风铜乌，风来则乌动，盖即天文台也。又有渐台，在未央宫太液池中，高十丈，王莽死于此。又有凉风台，在长安城西。又长乐宫中有鱼池台、酒池台、著室台、斗鸡台、走狗台、坛台；未央宫中有果台、东山台、西山台、钩弋台、通灵台、望鹄台、眺蟾台、桂台、商台、避风台。

[2]《汉书》谓高祖七年，萧何造未央宫，立东阙、北阙。《三辅黄图》引《汉宫殿疏》曰："未央宫有……玄武、苍龙二阙。"

[3]《三辅黄图》谓武帝在昆明池中造观，曰昆明观，又于长杨宫造射熊观。

[4]《三辅黄图》引《庙记》曰："神明台，武帝造，祭仙人处，上有承露盘，有仙人舒掌捧铜盘玉杯，以承云表之露。"《长安记》谓："仙人掌大七围，以铜为之。"

[5] 同上书云："建章北阙门也，又有凤凰阙，汉武帝造，高七十丈五尺……古歌云：'长安城西有双阙，上有双铜雀，一鸣五谷成，再鸣五谷熟。'"

[6]《三辅黄图》云："飞廉观，在上林，武帝元封二年作……高四十丈。于甘泉作延寿观，亦如之。"

殿。据说当时京兆所辖的境内，共有宫殿一百四十五所。班固《西京赋》中有云：“前乘秦岭，后越九嵕，东薄河、华，西涉岐、雍，宫馆所历，百有余区。”这样看来，秦代的离宫三百，到武帝时，又重新装修起来了。在这些宫殿中，最为宏大的，是长乐、未央、建章、甘泉四宫。长乐、未央，皆在长安市内，建章在西郊，而甘泉则在长安西二百里之外。这几座宫殿，都非常壮丽而奢侈。诚如萧何所云：“天子以四海为家，非令壮丽，亡以重威，且亡令后世有以加也。”

长乐宫是汉初所建，比较朴素，但规模亦极宏大。《三辅旧事》及《宫殿疏》两书都说，这座宫殿，“周回二十里，前殿东西四十九丈七尺，两杼中三十五丈，深十二丈。长乐宫有鸿台，有临华殿，有温室殿，信宫、长秋、永寿、永宁四殿”。

未央宫的规模就更大了。据《三辅黄图》云：“未央宫周回二十八里，前殿东西五十丈，深十五丈，高三十五丈。”又云“至孝武，以木栏为棼橑，文杏为梁柱，金铺玉户，华榱璧，雕楹玉碣，重轩镂槛，青琐丹墀，左墄右平，黄金为璧带，间以和氏珍玉，风至，其声玲

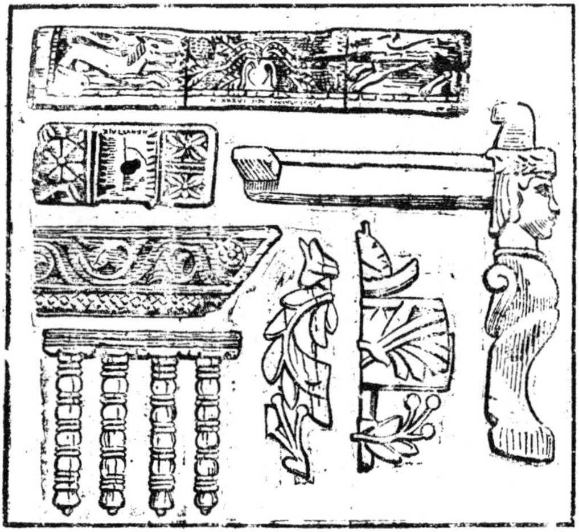

插图三八　汉代装饰房屋之木雕

珑然也。”（插图三八）在这个宫殿里，有楼台殿阁无数，都极尽华丽之能事。[1] 其中最富丽者为掖庭宫，这是汉武的妃嫔所居之地，所谓禁闼者是也。据《三辅黄图》云：

[1]《三辅黄图》云：“未央宫有宣室、麒麟、金华、承明、武台、钩弋等殿，又有殿阁三十有二，有寿成、万岁、广明、椒房、清凉、永延、玉堂、寿安、平就、宣德、东明、飞雨、凤凰、通光、曲台、白虎等殿。《庙记》云：‘未央宫有增成、昭阳殿。’《汉宫殿疏》曰：‘未央宫有麒麟阁、天禄阁，有金马门，青琐门、玄武苍龙二阙，朱鸟堂、画堂、甲观、非常室，又有钩盾署，弄田。’《三辅决录》曰：‘未央宫有延年殿、合欢殿、四车殿。’又《汉宫阙记》云：‘未央宫有宣明、长年、温室、昆德四殿，又有玉堂、增盘阁、宣室阁。’《三辅旧事》云：‘武帝于未央宫起高门、武台殿。’”

“武帝时后宫八区，有昭阳、飞翔、增成、合欢、蘭林、披香、凤皇、鸳鸯等殿。后有增修安处、常宁、茝若、椒风、发越、惠草等殿，为十四位。”这里可以说是“美人窝”，也可以说是“怨女馆”。此外，在这个宫殿里还有织室（纺织厂），有凌室（储冰厂），有暴室（染洗坊），有弄田（藉田），不胜枚举。

建章宫，《水经注》云：“建章宫……周二十余里，千门万户。其东，凤阙，高七丈五尺，……中作神明台、并干楼，咸高五十余丈。……北有太液池，池中有渐台三十丈，……南有璧门三层，高三十余丈。中殿十二间，阶陛以玉为之，铸铜凤五丈，饰以黄金。楼屋上椽首，薄以玉璧，因曰璧玉门也。”在这座宫殿里，也有无数的别殿[1]，其中有一桂宫，最为华丽。《三辅黄图》引《三秦记》云：“桂宫中有明光殿，皆金玉珠玑为帘箔，处处明月珠，金陛玉阶，昼夜光明。”《西京杂记》云：“武帝为七宝床、杂宝桉、厕宝屏风、列宝帐，设于桂宫，时人谓为四宝宫。”

[1]《三辅黄图》云：“建章有骀荡、驭娑、枍栺、天梁、奇宝、鼓簧等宫。又有玉堂、神明堂、疏圃、鸣銮、奇华、铜柱、函德二十六殿。”

甘泉宫周围十九里，本秦代旧宫，武帝时再建，这算是一座最大的离宫。其中有紫殿，雕文刻镂，饰以玉璧。这里树木最多，风景极佳。扬雄《甘泉宫赋》中，曾赞赏这里的“玉树青葱”之美。所以这里别殿多以树木为名，如林光宫、棠梨宫等。

在长安西南几百里之内，布满了皇家的苑囿，及贵族、官僚、商人地主的花园和别墅。当时皇家的苑囿，共有三十六个，每苑皆设有苑监，喂养鸟兽马匹的官婢，共有三万人。其中最大者，有上林苑、甘泉苑、西郊苑、思贤苑、博望苑、宜春下苑及梨园等。

上林苑，据《汉书》云：“武帝建元三年，开上林苑，东南至蓝田宜春、鼎湖、御宿、昆吾，旁南山而西，至长杨、五柞，北绕黄山，濒渭水而东，周袤三百里，离宫七十所，皆容千乘万骑。”《汉旧仪》云：“上林苑方三百里，苑中养百兽，天子秋冬射猎取之。帝初修上林苑，群臣远方各献名果异卉三千余种植其中。”

甘泉苑，据《三辅黄图》云：“武帝置，缘山谷行，至云阳三百八十一里，西入扶风，凡周回五百四十里。苑中起宫殿台阁百余所。”同书又云：“西郊苑，汉西郊有苑囿，林麓薮泽连亘，缭以周垣四百余里，离宫别馆三百余所。”此外思贤苑、博望苑皆系大苑，而梨园则专种梨树，乃系皇家的果园。

现在我们再看商人地主的花园。《三辅黄图》云：“茂陵富民袁广汉，藏镪巨万，家僮八九百人，于北山下筑园，东西四里，南北五里，激流水注其中，构石为山，高十余丈，连延数里，养白鹦鹉、紫鸳鸯、牦牛、青兕、奇兽珍禽，委积其间。积沙为洲屿，激水为波涛，致江鸥海鹤，孕雏产鷇，延漫林池。奇树异草，靡不培植。屋皆徘徊连属，重阁修廊，行之移晷，不能遍也。”这不过是一个例子而已，当时茂陵及其他诸陵的富人共有几十万家，象这样规模的花园，当然不知有若干。

现在，我们再看长安的市区。长安城的规模，本来就很宏大，据说周围有六十五里，有十二个城门。其中有纵横交错的街道，有十二条大街，无数的小巷。大街平正宽敞，两车可以并行，大街旁植有两行荫树。小巷曰里，为市民的住宅。[1]市场与住宅区是分开的，长安

[1]《汉书》谓万石君奋徙家长安戚里。宣帝在民间时，常在尚冠里。刘向《列女传》谓节女，长安大昌里人也。

城内一共有九个市场，在这里有无数的店铺，陈列着各种商品。市场中有市楼，又曰旗亭，这就是征收商税的官署。武帝以前，长安并不很热闹，到武帝时，便大大地繁荣起来了。班固《西京赋》追述当时的盛况曰："建金城其万雉，呀周池而成渊，披三条之广路，立十二之通门。内则街衢洞达，闾阎且千，九市开场，货别隧分。人不得顾，车不得旋，阗城溢郭，旁流百廛，红尘四合，烟云相连。"

以上所述，可以说是西汉武帝时及其以后的长安之缩写。这些雄伟的宫殿、台阙、苑囿，正是当时全国租税和庞大的商业利润之具体的体现。在超经济强制力量的高涨中，在商业资本的辉煌发展中，西汉的商人地主们在胜利中昏迷了。

不消说，当时的汉武帝，他掌有四海的图籍，膺受万国的贡献，因而不但京师之钱，累千百万，太仓之粟，陈陈相因；而且天马、葡萄，来自西域；明珠、象齿，贡自南越。于是离宫别馆，遍于山谷；妃嫔美女，充乎宫庭；珍禽怪兽，布满苑囿；黻黼文锦，施之狗马。于是沙漠陈兵，犁庭扫穴；泰山封禅，望海求仙；长扬射猎，飞鹰走犬；甘泉祷祠，祀灶候神。出则千乘万骑，车马错列；入则男宠女色，歌舞纵横。他是农民的上帝，也是商业资本的守护神。

当时的贵族，如田蚡“治宅甲诸第，田园极膏腴，市买郡县器物，相属于道。堂前罗钟鼓，立曲旃，后房妇女以百数。诸奏珍物狗马玩好，不可胜数”。

当时的官僚，如灌夫，“喜任侠，已然诺，诸所与交通，无非豪杰大猾。家累数千万，食客日数十百人。波池田园，宗室宾客为权利，横颍川。颍川儿歌之曰：‘颍水清，灌氏宁；颍水浊，灌氏族。’”

当时的商人地主“卖僮者为之绣衣丝履，偏诸缘，内之闲中，是古天子之后服，所以庙而不宴者也，而庶人（商人）得以衣婢妾。白縠之表，薄纨之里，緁以偏诸，美者黼绣，是古天子之服，今富人大贾嘉会招客者以被墙。古者以奉一帝一后而节适，今庶人（商人）屋壁，得为帝服；倡优下贱，得为后饰，然而天下不屈者，殆未有也”。

现在，我们再看这个时代的反面，农民的生活。《汉书·食货志》记晁错之言曰：“今农夫五口之家，其服役者不下二人，其能耕者不过百亩，百亩之收，不过百石。春耕，夏耘，秋获，冬藏，伐薪樵，治官府，给徭役。春不得避风尘，夏不得避暑热，秋不得避阴雨，冬不得避寒冻，四时之间，亡日休息。又私自送往迎来，吊死问疾，养孤长幼在其中。勤苦如此，尚复被水旱之灾，急政暴虐，赋敛不时，朝令而暮改，当具有者半贾而卖，亡者取倍称之息，于是有卖田宅鬻子孙以偿责者矣。”于是有“家贫子壮则出赘”者矣，于是有身被文绣“与牛马同栏”而被卖者矣，于是有“罢夫羸老易子而齩其骨”者矣，于是有因“穷则起为盗贼”而身为囚徒者矣。

一方面是骄奢淫逸，一方面是饥饿死亡，这就是西汉全盛时代的社会内容。

汉武帝带着世界帝国的光荣死去了，其子昭帝继承大统。昭帝即位之年，只有八岁，这样一个幼主，而又生长在深宫之中，当然负不起统治世界帝国的任务。于是霍光与金日磾受遗诏辅政。金日磾是匈奴的降人之子，曾没入官输黄门养马，后得贵幸为侍中驸马都尉。霍光为武帝皇后姊子，以裙带关系，为大司马大将军。因此金霍二人虽同时受遗诏辅政，而大权则掌握于霍光。当昭帝时，霍光实际上就是皇帝。

昭帝在位十三年，在这十三年中，西汉的向外扩张，仍然继续进行。傅介子以壮士二人即可刺杀楼兰王，而西域诸国，帖然无异动，即可想见当时西汉在塔里木盆地之声威。

昭帝死，宣帝立。宣帝即位之初，即发动了肃清匈奴残余的战争，他于本始二年派遣五路大军，与乌孙联合，夹击匈奴于天山之北。从此以后，匈奴益衰。当时的匈奴，丁零迫其北，乌桓迫其东，乌孙迫其西，大汉迫其南，已处于四面楚歌之中。因为地盘缩小，生活穷蹙，于是五部单于，自相争乱。以后分为南北，南匈奴降于汉，北匈奴则西走。即因匈奴或降或走，于是帕米尔高原以东，天山南北，遂完全内附。为了统治西域三十六国，西汉政府在塔里木盆地之乌垒城，设立了堂堂的西域都护府。常惠、冯奉世、郑吉、陈汤，都是耀武扬威于西域的英雄。

在宣帝时西羌的诸部落，渐渐北徙，屡次截断通达西域的商路，于是又大发兵征西羌。在赵充国剿抚兼施的政策之下，西羌终于降服了，于是置金城属国，以处降羌。因此，终宣帝之世，西北的国际商路，仍然畅通无阻，而大汉帝国在西域的声威，仍然能够支撑于不坠。

宣帝死，元帝立。“元帝即位，天下大水，关东郡十一尤甚。二年，齐地饥，谷石三百余，民多饿死。琅邪郡人相食。”这样严重的天灾，当然要影响西汉政府之世界统治。同时，当时北匈奴郅支单于盘据康居，屡侵乌孙，企图卷土东来，而陇西诸羌，也屡犯甘肃。当此之时，西汉政府的力量，已不能发动远征中亚的军事行动，但是当时汉朝镇守西域的校尉陈汤，仍然能征发西域诸国之兵与西域都护甘延寿远征康居，斩郅支单于，传其首于京师。同时，冯奉世也击平了西羌。因而直至元帝之世，大汉的边疆官吏所谓戊己校尉，还是西域诸国的统治者，同时，大汉的商人也还是在国旗的保护之下，进出于世界市场。

自昭宣以至元帝之世这半个世纪的时期中，仍然是西汉商业资本昂扬发展的时代。经过这半个世纪的蓄积，西汉的商人地主就更加富厚了。现在我们再看这一时代商人地主集团的生活。

这一时代的皇帝，据说昭帝"于宫馆囿池弋猎之乐，未有所幸"，这大概是因为他死得太早，当他死的时候，还不过二十二岁。至于宣帝，则"颇修武帝故事，宫室车服，盛于昭帝"。到元帝时，则皇家之奢侈，便达到惊人的程度。《汉书 · 贡禹传》曰："方今齐三服官，作工各数千人，一岁费数巨万。蜀、广汉主金银器，岁各用五百万。三工官，官费五千万，东西织室亦然。厩马食粟将万匹。臣禹尝从之东宫，见赐怀案，尽文画金银饰，非当所以赐食臣下也。东宫之费，亦不可胜计，此天下之民所为大饥饿死者是也。"（插图三九）

不但如此，他们死了之后，又以大量的财宝埋藏坟

插图三九　汉代之错金奁

墓之中，并且用无数的青年女子去陪伴一个骷髅。同上传曰：“武帝时，又多取好女至数千人以填后宫，及弃天下，昭帝幼弱，霍光专事，不知礼正，妄多藏金钱、财物、鸟兽、鱼鳖、牛马、虎豹、生禽，凡百九十物，尽瘗藏之。又皆以后宫女置于园陵。……昭帝晏驾，光复行之。至孝宣皇帝时……亦随故事，甚可痛也。”

不仅如此，葬后又大修宗庙，岁时祭祀。据《汉书·韦贤传》云，汉至宣帝本始二年，宗庙之数，合百六十七所，再加陵傍之庙并为百七十六，而陵园寝殿尚不在内。当时汉代的皇帝，几乎每天都在为祖宗举行祭日。据同上传云：“（他们）日祭于寝，月祭于庙，时祭于便殿。寝，日四上食；庙，岁二十五祠；便殿，岁四祠。又，月一游衣冠。”于是大量的活人粮食，用作死人的牺牲。据同上传云：“一岁祠，上食二万四千四百五十五，用卫士四万五千一百二十九人，祝、宰、乐人万二千一百四十七人，养牺牲卒，不在数内。”每当“衣冠出游，有车骑之众，风雨之气”。然而死贵族不能复生，而活穷人却因此饿死。

当时的贵族官僚竞为奢侈，转转益甚。据《贡禹传》

云："诸侯妻妾或至数百人。"而一般官僚，"衣服履绔刀剑，乱于主上，主上时临朝入庙，众人不能别异。"所以贡禹慨然叹曰："令大夫僭诸侯，诸侯僭天子，天子过天道，其日久矣。"当时的官僚何以如此阔绰呢？因为当时的官僚大概很少不做买卖。所以贡禹上书："又欲令近臣自诸曹、侍中以上，家亡得私贩卖，与民争利，犯者辄免官削爵，不得仕宦。"但是当时的官僚，却宁肯免官削爵，还是要私贩卖与民争利。他们"贪财诛利，不畏死亡"，何况"不得仕宦"？

当时的一般商人地主，已经发饱了洋财，但仍然货殖不已。据贡禹云："今富人积钱满室，犹无厌足，商贾求利，东西南北，各用智巧，好衣美食，岁有十二之利，而不出租税。"

不但不出租税，而且当时地主大半身兼官吏，参加租税的分配。所以贡禹曰："奸轨不胜则取勇猛能操切百姓者，以苛暴威服下者，使居大位。故亡义而有财者显于世，欺漫而善书者尊于朝，悖逆而勇猛者贵于官。故俗皆曰：'何以孝悌为，财多而光荣；何以礼义为，史书而仕宦；何以谨慎为，勇猛而临官。'故黥、劓而髡钳者，犹复攘臂为政于世，行虽犬彘，家富势足，目指气使，是为贤耳。故谓居官而置富者为雄桀，处奸而得利者为壮士，兄劝其弟，父勉其子，俗之败坏，乃至如是。”

即因当时的商人地主，既有十二之利，又不出租税，复参加政治的收夺，所以他们的生活，便能僭于王侯。《盐铁论·刺权篇》述当时商人地主之生活曰：“贵人之家，云行于途，毂击于道，……威重于六卿，富累于陶、卫，舆服僭于王公，宫室溢于制度。并兼列宅，隔绝闾巷。阁道错连，足以游观；凿池曲道，足以骋骛。临渊钓鱼，放犬走兔；隆财鼎力，蹋鞠斗鸡。中山素女，抚流征于堂上；鸣鼓巴俞，作于堂下。奴女被罗纨，婢妾曳絺纻；子孙连车列骑，田猎出入。”（插图四〇）

插图四〇　鸣鼓巴渝画像（南阳出土）

现在，我们再看当时的农民，他们过的甚么日子。《贡禹传》曰："农夫父子暴露中野，不避寒暑，捽屮耙土，手足胼胝。已奉谷租，又出藁税，乡部私求，不可胜供。"在这样强烈的榨取之下，而又益之以天灾，于是农民多半饿死。贡禹一方面看到皇家的穷奢极欲，另一面又看到农民饥饿死亡，于是慨然而叹曰："今民大饥而死，死又不葬，为犬猪（所）食。人至相食，而厩马食粟，苦其大肥，气盛怒至，乃日步作之。王者受命于天，为民父母，固当若此乎？"

当时农民的生活之恶化，决不是偶然的，而是自武帝以来历昭、宣以迄于元帝之世，一个世纪以上中国商业资本发展的结果。因为在这一百年中，中国的商业资本继续支配着世界市场。到元帝时，中国的商人，从当时的世界市场中，不知搬运了若干财富，回到中国。这些财富，一部分已尽浪费于奢侈的生活之中，但大部分则仍被蓄积起来。当时财富的蓄积，一部分是投资于手工业的生产，而大部分则通过高利贷的过程，用于土地的收夺。据《贡禹传》云，到元帝时，"攻山取铜铁，一岁功十万人以上"。此外齐三服官，东、西织室，蜀及广汉两金银器厂的规模之大，资本之多，都足以说明当时手工业生产中，有新的资本之投入。同传又谓元帝时“民弃本逐末，耕者不能半”。又说明了当时的农民，有多半数已经被剥夺了土地，不得不流亡都市，追逐末利以为生。

自然，农民之失掉土地，政治的收夺，也是一个主要的原因。自武帝以来，一个世纪以上，对外的战争，未尝休息。为了支持这个战争，出钱出力，都是农民。在武帝时就有农民卖儿鬻女的，在更后的时代中，这样的情形当然更加发展，所以官私奴婢之数，日益增加。一个农民到了出卖自己的身体，当然是除身体以外，一无所有了。但是政治的收夺，主要的是为了对外战争，而对外战争之进行，又是为了商业资本开辟出路，所以归结起来，还是经济发展所引起的结果。

即因一个世纪以来的政治收夺与经济榨取，双管齐下，于是农民只有被迫而交出他们小块的土地，赤条条地走进商人地主的手工业工场。当时的手工业虽然发达，但亦不能把从农村中逃亡出来的人口，尽数容纳，因而这些逃亡的农民大半流浪都市，成为流浪之群。这些流浪者，大半都以窃盗和劫人为生。据《汉书·赵广汉传》云：广汉为京兆尹时，“长安少年数人会穷里空舍，谋共劫人。”又云：“富人苏回为郎，二人劫之。”又据《张敞传》，张敞不仅善于画眉，而且也善于捕盗。当其做京兆尹时，“京师寖废，长安市偷盗尤多，百贾苦之。……敞既视事，求问长安父老，偷盗酋长数人，居皆温厚，出从童骑，闾里以为长者。敞皆招见责问，因贳其罪，把其宿负，令致诸偷以自赎。偷长曰：‘今一旦召诣府，恐诸偷惊骇，愿一切受署。’敞皆以为吏，遣归休，置酒，小偷悉来贺，且饮醉，偷长以赭污其衣服，吏坐里闾阅出者，污赭辄收缚之，一日捕得数百人。穷治所犯，或一人百余发。”以上不过两个例子而已。《汉书》中此类记载，触目皆是。长安如此，其他都市当亦无不如此。

至于当时由农村中逃亡出来的女子，一部分则自卖于贵族为婢妾，另一部分则设形容为娼妓，当时长安有走马章台街，《张敞传》谓张敞过走马章台街，“使御吏驱，自以便面（便面者，扇也）拊马。”长安既有大批娼妓的存在，其他各都市，当亦无不有娼妓。

由此看来，当时的社会，竟是这样一幅色彩不调和的画面。但是封建的政权是建筑在农村经济之上，而农村的经济的繁荣，又是以耕者有其田为前提。今农民从土地上被排除出来，当然要使得农村经济衰落，因而影响租税的收入，从而影响到对外战争的继续执行。所以到元帝末年，代替远征军的使是“王嫱出塞”了。

第三节　西汉政权的崩溃

一　西汉政权的腐化与王莽改制

西汉的政权，从成帝时起，即开始走上崩溃的过程，迄于哀平，崩溃决裂，遂不可收拾。为了抢救西汉的政权，王莽才挺身出来，站在贵族地主的立场上，进行政治的改良，是为王莽改制。王莽的政治改良，因为商人地主的反对，没有成功，于是西汉的农民，便在赤眉、铜马等旗帜之下，暴动起来，颠覆了西汉的政权。

西汉的政权，为甚么到成帝时便开始崩溃的过程，论者多归咎于成帝个人之腐化，甚至把这个罪案，写在一个可怜的女子赵飞燕的账上，我以为这未免过于滑稽。诚然，成帝个人，的确足够腐化，比如他常微行，

“出入市里郊野，远至旁县，……斗鸡走马，自称富平侯家人。富平侯者，张安世四世孙放也，……放为侍中、中郎将……，宠幸无比，故假称之”。成帝又嗜酒，据说，有一天他看见屏风上画着一幅“商纣醉拥妲己”的画像，他自己觉得是对他的一个讽刺，因顾谓其幸臣张放曰：“纣为无道，至于是乎！”

成帝不仅好游嗜酒，而且更好色。他有一次微行到阳阿主家，见歌舞者赵飞燕，爱之，召入宫，大幸。闻飞燕有女弟，复召入。姊妹俱为婕妤，贵倾后宫。后废皇后许氏，立飞燕为后。[1]

飞燕既立为后，宠少衰，而其女弟绝幸，为昭仪，居昭仪宫，据说这座宫殿，是用黄金白玉明珠翠羽来装饰的。飞燕既稍失宠爱，因“多通侍郎、宫奴多子者”，

[1]《赵飞燕外传》谓：飞燕“丰若有余，柔若无骨”，“纤便轻细，举止翩然，”所以有飞燕之名。又“习乐声，亡章曲，任为繁手哀声，自号凡靡之乐。”又善舞蹈，因体态轻盈，故说她能作掌上之舞。据同书说，飞燕有妹名合德，更为美丽，亦善歌舞。当她被召入宫之时“为卷发，号新髻，为薄眉，号远山黛；施小朱，号慵来妆。衣故短，绣裙小袖，李文袜。”所以当时披香博士淖方成看见这一对姊妹花，唾曰：“此祸水也，灭火必矣。”按《赵飞燕外传》为伪书，但亦可作为传说看。

冀生一子，承继大统，但结果并未如愿。为了这些宫庭秽事，有位迂腐学者刘向，费尽心血，作了一部《列女传》，想用古来贤女的故事，来感化这一对秽乱宫闱的姊妹，结果，等于对牛弹琴。

赵飞燕姊妹的登台，这当然是西汉政权崩溃的一个标志，因为赵飞燕姊妹所迷住的，不是一个普通的个人，而是掌握着全国大权的皇帝。她们用了她们的媚态就可以左右皇帝，从而左右政治，最低的限度，也可以使得皇帝变得更荒淫，因而不问政治，以致大权旁落。但赵飞燕姊妹，究竟政治水准太低，她们只是使成帝变得更荒淫，而并没有干涉当时的政治。因此，我以为赵飞燕姊妹之登台，乃至成帝个人生活的腐化，是西汉政权没落的结果，而不是原因。

成帝时，政治的腐化，也表现于外戚的登台，当时外戚五人，同日封侯，如封其舅王谭为平阿侯，王商为成都侯，王立为红阳侯，王根为曲阳侯，王逢时为高平侯，世谓之五侯。但这也是西汉政权腐败的结果，而不是原因。因为只有当这个政权腐败的时候，这些裙带之下的角色，才能变为政治上的要人，不是因为他们变成了要人之后，政治才开始腐败。自然有了这些吃裙带饭的上了台，政权的腐败，就更加疾速了。

正确地说来，西汉政权之所以从成帝时走向崩溃的过程，最主要的原因，还是农民离开土地，因而使农村经济，趋于凋零，从而涸竭了租税的泉源，动摇了这个政权的基础。

具体的史实指示出来，在成帝即位以后的二十六年中，严重的天灾，继续不断地袭击当时农村。[1]在继续不断的天灾中，当然大大的摧毁了当时的农村经济，致使农民生者“困乏不能自存”，死者“不能自葬”。诚如成帝自己所云：“朕承鸿业十有余年，数遭水旱疾疫之灾，黎民屡困于饥寒，而望礼义之兴，岂不难哉？！”

除天灾以外，又加以政治腐败，贪污横行，急政暴敛，以供奢侈。《汉书·鲍宣传》记鲍宣之言曰：“窃见孝成皇帝时，外戚持权，人人牵引所私，以充塞朝廷，妨贤人路，浊乱天下，奢泰无度，穷困百姓。”又《元

[1]《汉书·成帝纪》云：“建始元年，……大风，……郡国被灾什四以上。”三年，“关内大水”，“郡国被水灾，流杀人民，多至千数”。四年，“河决东郡金堤，流漂二州”。河平三年，“犍为地震、山崩，雍江水，水逆流”。四年，山阳火山爆发，“火生石中”。阳朔二年，“关东大水”。

后传》云：“（当时）五将秉政，天下辐辏自效，（王）根行贪邪，藏累巨万，纵横姿意。”这些辐辏自效的礼物，当然羊毛还是出在羊身上。这诚如《成帝纪》所云：“殆苛暴深刻之吏未息，元元冤失职者众。”

当时贵族、官僚以其剥削之民脂民膏，大半用于土地之收夺。据《汉书·孙宝传》所述，当时“红阳侯立使客因南郡太守李尚占垦草田数百顷，颇有民所假少府陂泽，略皆开发。上书愿以入县官，有诏郡平田予直，钱有贵一万万以上”。不仅贵族如此，官僚地主亦然，《汉书·张禹传》谓：孝成帝时，张禹占郑、白之渠四百余顷，他人兼并者类此。这样一来，农民当然更要离开土地。

不仅急征暴敛，而且徭役繁重。成帝永始二年诏曰：“前将作大匠陈万年，知昌陵卑下，不可为万岁居，奏请营作，建置郭邑，妄为巧诈，积土增高，多赋敛徭役。兴卒暴之作，卒徒蒙辜，死者连属，百姓罢极，天下匮竭。”不仅皇帝大兴徭役，贵族亦然。《汉书·元后传》云：曲阳侯王根发民治道，“发民治道，百姓苦其役”。

人民如稍有怨望，即举家投入牢狱。《成帝纪》鸿嘉四年诏曰：“数敕有司，务行宽大，而禁苛暴，讫今不改。一人有辜，举宗拘系，农民失业，怨恨者众。”

上述的情形，已大足以破坏农村经济而有余，但是正当此时，又来了一支扫荡农村的有力的生力军，这就是商业资本。如前所述，在元帝末年，西汉政府对边疆的维系，已经用小姐代替了将军。到成帝时，由于农村经济更加凋零，西汉政府，更无力派遣远征军支持边疆的统治了。这样就使得帝国在边疆的声威日益衰落，因而留在国外的商人便失掉了政治力量的保障。随着成帝建始四年“典属国”的衙门之撤销，中国的商人，因相率从世界市场回到本土，而庞大的商业资本，遂向国内倒灌。当时国内的工商业虽然发达，但并不能完全消纳这些退回国内的资本，于是这些过剩的资本，一部分囤积居奇，垄断人民的生活资料；另一部分则转化为高利贷资本，象潮水一样涌进农村，而且即刻就抓住了贫苦农民的头发，压迫他们把自己的土地房屋以及一切有价物都当作利息交付出来，最后把他们自己的子女和自己的身体也当作奴婢提供出来，作为债务的清算。

跟着土地之最后集中与高利贷之残酷的盘剥，贵族官僚的生活，更加骄侈淫逸了。不消说成帝已经昏迷于赵飞燕姊妹的裙下，即五侯的骄奢，亦足以骇人。《汉书·元后传》云："五侯诸弟，争为奢侈，赂遗珍宝，四面而至。后庭姬妾各数十人，僮奴以千百数。罗钟磬，舞郑女，作倡优，狗马驰逐。"又"大治第室，起土山渐台，洞门、高廊、阁道，连属弥望。"第中"立两市，殿上赤墀，户青琐；游观射猎，使奴从者披甲持弓弩，陈为步兵；止宿离宫，水衡共张。""又穿长安城，引内沣水注第中大坂以行船。立羽盖，张周帷，辑濯越歌。"当时百姓为之歌曰："五侯初起，曲阳最怒；坏决高都，连竟外杜；土山渐台，西曰白虎。"

当时的官僚，据《成帝纪》云："或乃奢侈逸豫，务广第宅，治园池，多畜奴婢，被服绮縠，设钟鼓，备女乐，车服嫁娶葬埋过制，吏民慕效，寖以成俗。"这诚如成帝自己所云："如此，而欲望百姓俭节，家给人足，岂不难哉？"

至于当时的农民，则如《汉书·鲍宣传》所云："今贫民菜食不厌，衣又穿空。父子夫妇，不能相保，诚可为酸鼻。"

人民在西汉王朝的"德政"之下，安分守己，已经一百多年了，他们忍受一切压抑和榨取，而略无反抗。但是到现在，实已忍无可忍，于是叛乱又开始了。据《成帝纪》所载，民以饥饿起为盗贼者，接踵而起，农民又撞响了西汉帝国的丧钟。

叛乱首先从颍川的一个铁工场爆发。《成帝纪》云：阳朔三年“夏六月，颍川铁官徒申屠圣等百八十人，杀长吏，盗库兵，自称将军，经历九郡。”以后在鸿嘉三年十一月，又有“广汉男子郑躬等六十余人，攻官寺，篡囚徒，盗库兵，自称山君”。他们“犯历四县，众且万人”。更后，永始三年十一月又有“尉氏男子樊并等十三人谋反，杀陈留太守，劫掠吏民，自称将军。同年十二月，“山阳铁官徒苏令等二百二十八人，攻杀长吏，盗库兵，自称将军。经历郡国十九，杀东郡太守，汝南都尉”。

以上四次叛乱，有两次都是铁官徒发动的，铁官徒即铁场工人，故这两次的叛乱，都是工人发动。至于广汉的叛乱，亦与工人有关，因为广汉也是西汉的工业中心，这里有大规模的金银制造场。自然这些叛乱，在其后来的发展中，都与农民打成一片，但由此就可以想见当时商业资本，不仅盘剥农民，也盘剥手工业工人，当时官僚，不仅进行政治的收夺，也进行经济的榨取。所以逼得手工业工人与农民同时叛乱起来了。

成帝在荒淫中死去了，哀帝继立。哀帝较之成帝更为荒淫。他宠爱一个娈童董贤[1]，替他在皇宫之前，筑起一座堂皇壮丽的邸宅，把国库中所有钱财珍宝，都赐送董贤。[2]又替他修造一座祖茔，类似皇陵。[3]当为董贤建祖茔时，使者护作，赏赐吏卒，甚于替自己的祖宗治宗庙。修造董贤的第宅和祖茔所“费以万万计，国家为空虚”。他一手赏赐董贤的钱，合计有“四十三万万”。

[1]《汉书·董贤传》云：“贤宠爱日甚……出则参乘，入御左右，旬月间，赏赐累巨万，贵震朝廷。常与上卧起，尝昼寝偏藉上袖，上欲起，贤未觉，不欲动贤，乃断袖而起，其恩爱至此。……上以贤难归，诏令贤妻得通引籍殿中，止贤庐。……又召贤女弟以为昭仪，位次皇后，……昭仪及贤与妻旦夕上下，并侍左右。赏赐昭仪及贤妻亦各千万数。迁贤父为少府，赐爵关内侯食邑，复徙为卫尉。又以贤妻父为将作大匠，弟为执金吾。”

[2] 同上传云：“诏将作大匠为贤起大第北阙下，重殿洞门，木土之功，穷极技巧，柱槛衣以绨锦。下至贤家僮皆受上赐。及武库禁兵，上方珍宝，其选物上弟，尽在董氏，而乘舆所服，乃其副也。及至东园秘器，珠襦玉柙，豫以赐贤，无不具备。”

[3] 同上传云：“又令将作为贤起冢茔义陵旁，内为便房，刚柏题凑，外为徼道，周垣数里，门阙罘罳甚盛。”

他封董贤的官，高至大司马卫将军，甚至向董贤说："吾欲法尧禅舜，何如？"[1]这个皇帝，真可以说昏到了极点。

哀帝在位六年，国家大事，皆由董贤与外戚把持。当时谏议大夫鲍宣上书谏曰："陛下……奈何独私养外亲，与幸臣董贤，多赏赐以大万数，使奴从宾客，浆酒霍肉，苍头庐儿，皆用致富，非天意也。及汝昌侯傅商亡功而封。夫官爵非陛下之官爵，乃天下之官爵，陛下取非其官，官非其人，而望天悦民服，岂不难哉！"

即因皇帝昏庸，外戚窃权，群小日进，贤者不用，于是贪污腐化，日甚一日。贵族幸臣，则偷窃国库；郡守县令，则搜刮地方。政治暴力与高利贷资本，象洪水一样，扫荡农村，土地日益集中，贫困日益扩大。当时鲍宣曾慨乎其言之曰：

> 夫阴阳不和，水旱为灾，一亡也；县官重责，更赋租税，二亡也；贪吏并公，受取不已，三亡也；豪强大姓，蚕食亡厌，四亡也；苛吏

[1]《汉书·董贤传》云："上有酒所，从容视贤笑曰：'吾欲法尧禅舜，何如？'"

徭役，失农桑时，五亡也；部落鼓鸣，男女遮迣，六亡也；盗贼劫略，取民财物，七亡也。七亡尚可，又有七死：酷吏殴杀，一死也；治狱深刻，二死也；冤陷亡辜，三死也；盗贼横发，四死也；怨仇相残，五死也；岁恶饥饿，六死也；时气疾疫，七死也。民有七亡而无一得，欲望国安诚难；民有七死而无一生，欲望刑措诚难。此非公卿守相贪残成化之所致耶？

当时的农民，既“有七亡而无一得”，又“有七死而无一生”，当然要“部落鼓鸣”、“盗贼横发”。哀帝的大臣师丹，看到这种危机，曾极力建议，主张限制地主占领土地及奴婢的数目，但结果也只是一个建议而已。

师丹之议不行，农民遂大大地骚动起来了。据《哀帝纪》所载：“建平四年春，大旱，关东民传行西王母筹，经历郡国，西入关。至京师，民又会聚祠西王母，或夜持火上屋，击鼓号呼相惊恐。”在堂堂的首都，而饥饿之群，却行筹会聚，持火上屋，击鼓号呼，这是何等骇人的阵势！当时的农民为甚么要传行西王母筹？显然是关东的贫民，用宗迷教信，相互煽惑，发动革命。

哀帝在满街满巷的贫民击鼓号呼中死了，平帝以一个九岁的孩子，继立为皇帝，于是王莽，以大司马辅政。

“王莽，字巨君，孝元皇后之弟子也。”因为孝元皇后的裙带关系，王莽的诸父，九人封侯，惟莽父以早死不侯。是以王莽的兄弟辈，皆袭爵显耀，乘时奢侈，而莽独孤贫。王莽因为少运不佳，所以他拉下贵族的架子，折节从沛县学者陈参学《礼》，勤身博学，饱读圣贤之书，并且被服如儒生，装出一个穷读书人的样子。王莽即以此而获得他姑母的欢心，在哀帝永始元年，晋封为新都侯。王莽虽封侯，而态度愈益恭谨，以邀取名誉，所以平帝即位，他的姑母，遂任为大司马辅政。

王莽在圣经贤传中最感兴趣的，是周公辅成王而后来却自己即于王位的故事。在他受命辅平帝以后，他常以周公自命，他总想把周公即于王位的故事，在他身上重演一次。同时他看到汉家的天下，正在土崩瓦解，渐至不可救药，而孝元皇后与平帝，又是孤儿寡妇，可以欺侮，于是大有取汉家天下而有之的野心。

为了要实现篡窃的阴谋，在平帝在位的五年中，王莽即以各种的方法进行权力的集中。在元始元年，王莽便晋封为安汉公。王莽之封安汉公，也是为了要符合周公的故事，因为周公以周命其爵，王莽也必须以汉命其爵。还有一个笑话，传说中谓周公摄政时，曾有越裳氏献白雉，王莽也遣人示意益州檄外蛮夷，自称越裳氏，重译来汉廷，献白雉一，黑雉二，以符合于周公的故事。这样一来，王莽几乎是周公复生了。

不久，王莽又示意他的姑母，赐他以召陵、新息二万户之赋以益其封，并封其三世为三公，王莽受爵而辞封，于是“四辅之职，三公之任，王莽干之；群僚众位，王莽宰之”。而过去垂帘听政之孝元皇后，遂“巍巍乎，舜、禹之有天下而不与焉”。

为了控制宫闱，王莽又发动爪牙，假借民意，请立其女为平帝后。据说为了此事，守阙请愿的民众，每天千余人，他们说“愿得莽女为天下母”，否则“天下安所归命”？孝元皇后迫于“民意”，只好答应，于是“黄金二万斤，为钱二万万”，抬到安汉公府邸，是为皇后的聘礼。

照古礼，后父应有百里之封，王莽之女既为后，于是又有人请以新野田二万五千六百顷益莽封满百里。朝廷照办，但王莽故辞。王莽之故辞新野田，实以其志不在百里，欲以辞百里之封邀取名誉而以易天下。王莽既不受新野田，于是扩大宣传，据说“是时吏民，以莽不受新野田而上书者，前后四十八万七千五百七十二人，及诸侯、王公、列侯、宗室见者皆叩头言，宜亟加赏于安汉公”。最有名的是大司徒司直陈崇的颂圣书，他把圣经贤传上最好听的话都引完了，用以恭维这位“篡窃的圣人”。不仅如此，而且据说王莽辞田之事，竟感动了蜀郡男子路建等撤销了争田的诉讼，于是当时之阿谀者曰:“虽文王却虞、芮，何以加焉？”

王莽既辞新野田，又授意王舜，请朝廷加封王莽为宰衡。跟着王舜的建议之后，又有八千余人在皇宫前请愿，他们说:“伊尹为阿衡，周公为太宰”，莽兼二人之德，宜封为宰衡。朝廷照准。自是王莽爵为新都侯，号为安汉公，官为宰衡、太傅、大司马，爵贵号尊官重，一身蒙大宠者五，“三公言事，皆称‘敢言之’。群吏毋得与公同名。”

王莽又善于以小恩小惠收买人心。例如他曾“出钱百万，献田三十顷，付大司农助给贫民”。又如他曾以得之于皇家的聘钱分与九族贫者，而且“每有水旱，莽辄素食”，都是例子。

王莽知道以阴谋篡窃他人的天下，为舆论所不许，而舆论的根据是圣经贤传。于是他和他的策士刘歆开始依照自己的要求，纂改圣经贤传，以辩护自己的篡窃事业，是为“古文经”。为了宣传古文经，王莽“为学者筑舍万区”，“网罗天下异能之士”，这些异能之士，到后来都变成了王莽的号筒。

打击真舆论最有效的办法，莫若先制造假舆论以混淆黑白。王莽深明此理，他派遣八个大员，分巡天下，名为观风俗、采歌谣，实则就是命令他们假造歌谣，称颂他的功德。据说当时使者假造的颂圣歌，凡三万余言。当时的老百姓，敢于当天盟誓，他们是从来没有歌颂过这位“篡窃圣人”的。

按中国的规矩，做皇帝，一定先要有上帝的预示，而这就是所谓祥瑞，所以王莽也没有忘记假造祥瑞。据史载，王莽辅政的五年中，到处发现麟凤龟龙等众祥之瑞，一共有七百多件。其中真是无奇不有，或禾长丈余，或一粟三米，或禾不种而自生，或茧不蚕而自成。此外如甘露从天降，澧水自地出，凤凰来仪，神爵降集等祥瑞，不一而足，只有一样没有算上，这就是元始二年满天飞舞的蝗虫。

依传说所示，中国出了圣天子，四周的蛮夷，便被感动而来朝。王莽也想凑成一个四夷来王的盛事，于是，使节四出，诱致蛮夷。因而不久就有益州蛮夷献白雉，黄支国贡生犀，东夷王奉国珍，西羌献鲜水海、允谷盐池之地。

一切应该准备的都准备好了，就有公卿、大夫、博士、议郎、列侯九百零二人，奏请赐王莽九锡，而王莽也就从皇家领受了绿韨、衮冕、琫珌、句履、鸾路、龙旗、九旒、皮弁、彤弓、彤矢、朱钺、金戚、甲胄、秬鬯等这些装饰尊荣的东西。

王莽一天天走近了皇帝的宝座，于是平帝就不得不夭死了，于是“告安汉公莽为皇帝”的天书，就应时出现了，于是王莽就公然由安汉公而摄皇帝、假皇帝了。

周公即于王位，爆发了管、蔡的叛乱；王莽做了假皇帝，也爆发了刘崇、翟义的反叛。当翟义讨莽的檄文一旦发布，农民集于其旗下者，不日遂有十余万人。同时，长安附近槐里男子赵朋、霍鸿等，亦集合十万以上的农民，起义反莽，响应翟义的号召。但这些反莽的势力，都为王莽所消灭。自是王莽自谓威德日盛，获天人助，遂谋正式做真皇帝，因而不久便有铜符帛书的出现。其文曰："天告帝符，献者封侯，承天命，用神令。"这显然是天命攸归了

天命就象雨点，降到王莽的头上。不久又有一个广汉的下流文人哀章，作了两个铜匮。其一书曰"天帝行玺金匮图"，其二书曰"赤帝行玺某传予皇帝金策书"。这显然是上帝命令王莽去接受汉家的天下。王莽不敢逆天违命，只好到汉高祖神庙里去接受赤帝的禅让，即日昭告天下，正式即皇帝之位。

以上就是王莽从一个倒霉的外戚走到皇帝所经过的过程，而这也就是后来一切篡窃天下者的政治公式。从王莽篡汉的史实，我们可以看出，历史上的乱臣贼子，无不把仁义道德挂在口上，用圣经贤传作为自己犯上作乱的掩护，如果有人反对他，他便会说"古亦有之"，

只要“古亦有之”，即不妨“今亦有之”。所以历史上的乱臣贼子，猛然看去，俨然是圣人，这就是因为他们都知道“诵《六艺》以文奸言”。所谓“诵《六艺》以文奸言”者，即用仁义道德的空头口号，以掩饰其盗贼的行为。刘知几之言曰：“是以每发玺书，下纶言，申恻隐之渥恩，叙忧勤之至意，其君虽有反道败德，惟顽与暴，观其政令，则辛癸不如，读其诏诰，则勋华再出。”这真是针针见血的言语。

王莽的名字，现在，已经成了篡窃者的符号，两千年来，在道德的法庭之前，遭受了历史家之残酷的裁判。虽然如此，假如我们离开“袓刘”的立场，则王莽仍不失为中国史上最有胆识的一位政治家，这就从他大胆的执行改良政策表现出来。当王莽篡窃天下以后，他眼看他所接收的天下，已经陷于崩溃决裂的现象，而且他知道，这种现象是从社会经济最深刻的地方爆发出来的，即由于土地兼并而引致之农民流亡所致。他知道，为了要抢救土地所有者的政权，已经不是减租、免税、救灾、恤贫等小恩小惠所能奏效，而是要将当时矛盾百出的社会经济制度加以改良，于是而有王莽的改制。

王莽改制，从表面上看来，仿佛是一种复古运动。例如他在政治方面的改革，如官职、宗庙、社稷、封国、车服、刑罚等的改革，无一不依照《周礼》上的名称。但这些都是表面的文章，王莽改制之最主要的部分，是经济制度的改革。

王莽对经济制度的改革，最主要地是打击商人地主之土地兼并，物价垄断和高利盘剥，以期由此而缓和农民的叛乱，使土地所有者的政权转危为安。象这样一种违反商人地主利益的政策，当然要碰到商人地主的反抗，为了制止反抗，所以王莽不能不把《周礼》做他改良政策的旗帜。《周礼》是圣人定的制度，谁要反对新政就是反对《周礼》；反对《周礼》就是反对圣人；反对圣人，就是名教的罪人，就应投之四裔以御魑魅。所以我说王莽的复古，是执行改良主义的一种手段。

王莽的经济制度的改革，大体上，不外如次的几项：

第一，是没收商人地主的土地，并禁止奴婢买卖。

王莽看清了当时社会动乱最根本的症结，是商人地主之土地兼并。即因商人地主之兼并农人，失掉土地的农人，遂转化为奴婢。他说："（汉承秦敝）兼并起，贪鄙生，强者规田以千数，贫者曾无立锥之居。又置奴婢之市，与牛马同栏。制于民臣，专断其命。奸虐之人，因缘为利，至略卖人妻子，逆天心，悖人伦，谬于‘天地之性人为贵’之义。”他又看清因土地兼并而使农人负担加重。他说：“汉氏减轻田租，三十而税一，常有更赋，罢癃咸出；而豪民侵凌，分田劫假，厥名三十税一，实什税五也。父子夫妇耕耘，所得不足以自存。故富者犬马余菽粟，骄而为邪；贫者不厌糟糠，穷而为奸。”

为了稳定社会的秩序，王莽以为必须将兼并者之土地，收归国有，命之曰“王田”，再由国家分配于没有土地的农民。同时也必须禁止奴婢买卖，以杜绝奴婢的再产生，如此则农着于土，人安其命，天下才能安宁。所以他下令曰：

> 古者，设庐井八家，一夫一妇，田百亩，什一而税，则国给民富，而颂声作……秦为无道，厚赋税以自供奉，罢民力以极欲，坏圣制，废井田，是以兼并起，贫鄙生……予前

在大麓，始令天下公田口井，时则有嘉禾之祥，遭反虏逆贼且止。今更命天下田曰‘王田’，奴婢曰‘私属’，皆不得买卖。其男口不盈八，而田过一井者，分余田予九族邻里乡党，故(以前)无田，今当受田者，如制度。敢有非井田圣制，无法惑众者，投诸四裔，以御魑魅。

其次是实行六筦的政策。

《汉书·食货志》曰：

夫盐，食肴之将；酒，百药之长，嘉会之好；铁，(田)农之本；名山大泽，饶衍之藏；五均赊贷，百姓所取平，仰以给赡：铁布铜冶，通行有无，备民用也。此六者，非编户齐民所能家作，必仰于市，虽贵数倍，不得不买，豪民富贾，即要贫弱，先圣知其然也，故斡之。

由此看来，王莽所行的六筦政策，以今日之用语言之，即统制经济政策。他对于盐、酒、铁、铜等生活日用品，不许私人经营，由国家专卖，以打击商人的专利。

至于所谓五均，则“所以齐众庶、抑并兼也”。五均实施的办法，是：“于长安及五都立五均官。更名长安东、西市令及洛阳、邯郸、临淄、宛、成都市长皆为五均司市。东市称京，西市称畿，洛阳称中，余四都各用东西南北为称，皆置交易丞五人，钱府丞一人。”

这些诸司市的职务，据《汉书·食货志》云：“诸司市常以四时中月，实定所掌，为物上中下之贾；各自用其市平，毋拘它所，众民卖买五谷布帛丝绵之物，周于民而不仇（售）者，均官有以考检厥实，用其本贾取之，毋令折钱。万物仰贵，过平一钱，则以平贾卖与民。其贾氐贱减平者，听民自相与市，以防贵庾者。”这里所谓“平”，即指法定的标准价格而言，高于平者谓之上，低于平者谓之下。但高于平一钱者，则政府以平价强迫收买，而以平价卖于百姓。此种平价，亦非任意规定，而是根据各地市场情况，务以商人不折本为原则。因为物价有波动，所以每次议定的平价，只管三个月，三个月后，又依据新的情况，再行议定。象这样的平价办法，当然是打击商人之囤积居奇、垄断物价。

五均官除平准物价以外，还有一个对农民小本借贷的任务。《汉书·食货志》云：“民欲祭祀丧纪而无用者，钱府以所入工商之贡，但赊之。祭祀无过旬日，丧纪毋过三月。民或乏绝，欲贷以治产业者，均受之，除其费，计所得，受息毋过岁什一。”这种政策，显然是为了打击商人地主的高利贷。

再次，是货币的改革。关于王莽对货币之改革，已于前述，即废止汉代通用几百年的五铢钱，而更制金银龟贝钱布之品凡二十八种。王莽为甚么要这样改变币制呢？这显然是想用一些龟贝之属，去吸收商人地主的金钱。

王莽的经济改革，大概就是这几点，从当时社会经济所发生的病症看来，王莽的改革，正是对症下药。假使能顺利推进，则王莽的政权，也许可以持续下去。但是可惜用非其人，弊端百出，以致引起商人地主之激烈的反对，终于都失败了。

据《王莽传》载，当时为了推行国有土地及禁止奴婢买卖与盗铸货币，因而“坐卖买田宅奴婢、铸钱，自诸卿大夫至于庶民，抵罪者不可胜数”。于是商人地主的代言人区博公开反对。他说："井田虽圣王法，其废久矣。周道既衰，而民不从。秦知顺民之心，可以获大利也，故灭庐井而置阡陌，遂王诸夏，迄今海内未厌其敝。今欲违民心，追复千载绝迹，虽尧舜复起，而无百年之渐，弗能行也。天下初定，万民新附，诚未可施行。"即因商人地主之反对，于是王莽被迫不能不于始建国四年，下令取消。其诏令曰："诸名食王田，皆得卖之，勿拘以法，犯私买卖庶人者，且一切勿治。"

其次关于六筦政策，他反而用一些豪族富贾去推行，所以愈弄愈坏。《王莽传》曰："莽使中黄门王业领长安市买，贱取于民，民甚患之。"《食货志》亦曰："羲和置命士督五均六斡，郡有数人，皆用富贾。洛阳薛子仲、张长叔，临淄姓伟等，乘传求利，交错天下，因与郡县通奸，多张空簿，府藏不实，百姓愈病。"这样看来，当时用以抑制商人之垄断者，都是商人，这些商人再加以政府作后台，于是与地方官勾通，利用平价政策，贱买贵卖，因而愈平价，而价愈长，以致"米石二千"，"黄金一斤，易豆五升"。这样的平价政策，比不平价还要坏百倍千倍，当然引起人民的反对。所以地皇三年，王莽“遣风俗大夫司国宪等，分行天下，除井田、奴婢、山泽、六筦之禁，即位以来，诏令不便于民者，皆收还之”。于是六筦政策，也取消了。

关于货币改革，亦曾雷厉风行，以求收得效果。惟以金钱易龟、贝，以致“每一易钱，民用破业”。若拒绝新币，又大陷刑戮。而且种类复杂，单位太多，换算亦不容易，所以人民仍私用五铢钱，因而盗铸钱者仍多。据《汉书·食货志》云：“莽以私铸钱死，及非沮宝货投四裔，犯法者多，不可胜行。乃更轻其法，私铸作泉布者，与妻子没入为官奴婢。吏及比伍，知而不举告，与同罪。非沮宝货，民罚作一岁，吏免官，犯者逾众。及五人相坐，皆没入，郡国槛车铁锁，传送长安钟官（主钱币之官），愁苦死者什六七。”虽然如此，新币仍不能通行。

王莽经济制度的改革，没有一件顺利施行，大半都是半途而废。这样一个反复，不仅商人地主，大受损失，一般人民，亦无不在政策的摇摆中，遭其殃害。加之以匈奴入寇，因之以大旱、虫蝗，富者不得自保，贫者无以自存。于是天下萧萧然群起为盗矣。

二　赤眉、铜马的叛乱与西汉的灭亡

紧接着王莽之改良主义的失败，中国的历史，又走进了一个暴风雨的时代。一方面，是边疆各种族先后叛变；另一方面，是各处的农民，群起暴动。于是西汉王朝，就在外患内乱之中，最终地覆灭了。

如前所述，在成帝时，西汉政府，已经撤销了“典属国”的衙门，这就说明了当时的政府，已经没有属国可典了。但是王莽因为改良主义的失败，社会内部不协调的现象，日益高涨，于是企图以对外的扩张，提高其威望并从而转移人民的视线，因而大派外交使节，分赴东南西北，宣示新朝的威德。当时东出者，至玄菟、乐浪、高句丽、扶余；南出者逾檄外，历益州，至句町；西出者至西域；北出者至匈奴庭。这些使节分赴四表，当然是想招来一个“四夷来庭”的盛事；但是结果恰恰相反，四周诸种族却因此而知道汉朝已经在大政变之中，反而先后反叛。

首先叛变的是匈奴。在王莽始建国二年（西纪十年），匈奴的势力，即已侵入塔里木盆地，占领天山东麓之车师。当时西汉驻屯西域之戊己校尉的属吏陈良、终带，杀了校尉刁护，投降匈奴，自是西域诸国，遂又处于匈奴的威胁之下。匈奴既西入车师，又乘中国之敝，南侵山陕，分道入寇，掠杀吏民。

跟着匈奴之后，东北诸属国，如高句丽、秽貉等。[1]西南夷如句町、益州檄外诸蛮也叛变了。[2]西域诸国，焉耆首叛，杀都护但钦[3]。天凤三年（西纪十六年）又击杀莽将王骏，戊已校尉郭钦，侵入塞内，从此西域遂绝。

为了维持新朝的威信，王莽大发兵征四夷。他派了孙建等十二员大将，十道并出，征伐匈奴；派严尤[4]击高句丽、秽貉；派冯茂击句町及其他蛮夷；派王骏击西域，于是东南西北都发动了战争。

---

[1]《汉书·王莽传》云："先是莽发高句丽兵，当伐胡，不欲行，郡强迫之，皆亡出塞，因犯法为寇。辽西大尹田谭追击之，为所杀。……秽貉遂反，诏尤击之……于是貉人愈犯边，东北与西南夷皆乱云。"

[2] 同上传云："（始建国）四年（西纪十二年）……改句町王以为侯，……牂柯大尹周歆诈杀邯。邯弟承起兵攻杀歆。天凤元年（十四年）……益州蛮夷杀大尹程隆，三边尽反。"

[3] 同上传云："西域诸国，以莽积失恩信，焉耆先畔，杀都护但钦。"时始建国五年，西纪十三年也。

[4]《汉书·王莽传》："莽遣立国将军孙建等凡十二将，十道并出，共行皇天之威，罚于知之身。"

东征之军，算是以诱杀高句丽侯驺而结束。西征之军，以王骏死于焉耆之袭击而消灭。但北征匈奴、南征西南夷之军，则变成了长期战争。

为了支持征伐匈奴和西南夷的战争，王莽令郡国大捉壮丁，以实边塞；苛征暴敛，以给军食。《王莽传》曰："莽乃大募天下丁男及死罪囚、吏民奴，名曰'猪突''豨勇'，以为锐卒，一切税天下吏民，赀三十取一，缣帛皆输长安。令公卿以下至郡县黄绶，皆保养军马，多少各以秩为差。"又曰："（莽）募天下囚徒、丁男、甲卒三十万人，转众郡委输，五大夫衣裘、兵器、粮食，长吏送自负海江淮至北边，使者驰传督趋，以军兴法从事，天下骚动。"

当时征匈奴的将军吏士，"先出者屯边郡"，不敢与匈奴战，只是"货赂为市，侵渔百姓"。他们"各为权势，恐猲良民，妄封人颈，得钱者去，毒蠚并作，农民离散。"征西南之军，"自越嶲、遂久、仇牛、同亭、邪豆之属反畔以来，积且十年，郡县距击不已……费以亿计。吏士罹毒气死者十七"。王莽没有办法，于是异想天开，大募天下有奇技异能足以攻匈奴者，将待以不次之位，因而言便宜者以万数。有谓能渡水不用舟楫；有谓能制药物，使三军服之不饥；有谓能一日飞行千里，但这不过是对王莽讨伐四夷的讽刺而已。

对外战争，并无结束之望，每年运往西河、五原、朔方、渔阳一带的钱谷，每郡以百万数。又令郡国买马，发帛四十五万匹输长安，前后相续于道路。而贪官污吏，又假借战争之名，敲榨百姓。当此之时，“中郎将、绣衣执法在郡国者，并乘权势，传相举奏。又十一公士，分布劝农桑，班时令，案诸章，冠盖相望，交错道路，召会吏民，逮捕证左，郡县赋敛，递相赇赂，白黑纷然”。又利用新政，鱼肉人民，因盗铸钱币而犯法者，“伍入相坐，没入为官奴婢。其男子槛车，儿女子步（行），以铁锁琅铛其颈，传诣钟官，以十万数。到者易其夫妇，愁苦死者什六七”。长安城中已经变成了杀人犯的窠巢，“春夏斩人都市（古者行刑皆在秋天），百姓震惧，道路以目”。其贪污、搜刮、黑暗如此。

与战争同时，又大兴徭役。当时王莽在长安城南，划出了一万亩面积的地方，大修王家的九庙。因此“乃博征天下工匠、诸图画（匠），以望法度算，乃吏民以义入钱谷助作(九庙)者，骆绎道路。坏彻城西苑中建章、承光、包阳、大台、储元宫及平乐、当路、阳禄馆，凡十余所，取其材瓦，以起九庙。……殿皆重屋……为铜薄栌，饰以金银雕文，穷极百工之巧。带高增下，功费数百钜万。”当建筑之时，王莽亲自监工，几十个“将作”，日夜督工，“卒徒死者万数”。

王莽以古有“黄帝”，曾以百二十女致神仙，因遣中散大夫及谒者各四十五人，分行天下，博采乡里所富有淑女者上名，挑选一百二十名。于是一面和这些青年淑女，求所以为神仙之道；一面和公卿大夫制礼作乐，讲合六经，求所以为圣人之道；又发号施令，南征北伐，与诸将求所以为英雄之道；同时，贪财专制，刚戾自用，并没有忘记求所以为暴君之道。据《王莽传》云：“(莽)务自揽众事，有司受成苟免。诸宝物名、帑藏、钱谷(之)官，皆(用)宦者领之。吏民上封事书，(皆由)宦者左右开发，尚书不得知，其备臣下如此。又好变改制度，政令烦多，当奉行者，辄质问，乃以从事。前后相乘，愦眊不渫。莽常御灯火至明，犹不能胜。尚书因是为奸寝事，上书待报者，连年不得去。拘击郡县者，逢赦而后出，卫卒不交代者三岁矣。”“县宰缺者，数年（不派）守兼（任）。”又悭吝自私，储黄金六十余匮，每匮一万斤，而不发官吏的薪俸。诸如此类，不胜枚举。一个皇帝到亡国的时候，往往倒行逆施，不独王莽如此。

西汉的农民，在哀、平之际，已经只有七亡而无一得，七死而无一生，好容易等到了一个王莽改制，他们以为或者由此而得救，但是想不到王莽的改制，因为商人地主的反对而中途取消。并且因为新政的取消，而使王莽的政权，由温和的改良政策走向反动的暴力政策。农民的希望，适得其反了。

王莽政权的这一转向，较之哀、平之际，必然更加暴虐。因为王莽曾一度给农民以新的希望，现在既不能兑现，他知道农民必然由希望而失望，由失望而怨恨而叛乱。为了镇压这些失望的农民，就必须用更大的残酷，而这就是王莽走向暴力主义的原因。

当王莽推行暴力政策的时候，又恰巧平行着严重的天灾。当此之时，天下郡国，或则洪水漫野，或则蝗虫满天，或则淫雨连月，或则大旱经年，或则雪深盈丈，或则雹大如拳。这里是中郎将赋车籍马，那里是绣衣使驰驿乘传；这里是郡守县令拘押催租，那里是将军吏士绑票要钱；这里是大夫谒者选妃进贡，那里是三老亭长捉人实边。一队一队的壮丁，开赴前线，一车一车的囚犯，解到长安，一匮一匮的黄金运进宫廷，一群一群的百姓，饿死田间。这正是王莽推行暴力政策时候的景象。在这样的情形之下，农民的大“叛乱”爆发了。

“叛乱”最初从西北边境五原、代郡一带爆发。据《王莽传》云：“天凤二年（西纪十五年）……谷常贵，边兵二十余万人仰衣食，县官愁苦。五原、代郡尤被其毒，起为盗贼，数千人为辈，转入旁郡。”

接着在长江下游，也爆发了“叛乱”。《王莽传》云：“天凤四年（西纪十七年）……临淮（今凤阳）瓜田仪等为盗贼，依阻会稽长州”，发动“叛乱”。

同年，在山东也爆发了“叛乱”。琅邪女子吕母，起于海曲（今日照）。吕母本是海曲一个商人地主家中的妇女，因为县宰以小罪杀了她的儿子，所以倾其家产，招聚饥饿的农民，以图报复，后来亲率农民，攻陷海曲城，杀了海曲宰，以宰之头祭其子之墓，然后自称将军，入海为盗。[1]

与江苏、山东的“叛乱”同时，在今日鄂西一带，也爆发了“叛乱”。因为当时的鄂西，连年大旱，农民相率在野泽中采草根为食，而政府尚加以榨取[2]，于是成群的饥民，相与啸聚，推戴新市人（孝感）王匡、王凤为首领，在今日当阳境内的绿林山，揭起反叛的旗帜。一时诸亡命如马武、王常、成丹之徒，都投到绿林山中，出现为“叛乱”的首领。不到几月，绿林山中，集合了七八千以上的农民。这就是历史上所谓“绿林兵”。

绿林山的“叛逆”，一天天成为荆州的威胁，于是荆州郡守派了两万大军去围剿这群饥饿的农民。大军行

[1]《后汉书·刘盆子列传》云：“琅邪海曲有吕母者，子为县吏，犯小罪，宰论杀之。吕母怨宰，密聚客，规以报仇。母家素丰，赀产数百万，乃益酿醇酒，买刀剑衣服，少年来酤者，皆赊与之，视其乏者，辄假衣裳，不问多少。数年财用稍尽，少年欲相与偿之。吕母垂泣曰：‘所以厚诸君者，非欲求利，徒以县宰不道，枉杀吾子，欲为报怨耳，诸君宁肯哀之乎？’少年壮其意，又素受恩，因许诺。其中有勇士（徐次子）自号猛虎，遂相聚得数十百人，因与吕母入海中，招合亡命，众至数千。吕母自称将军，引兵还攻，破海曲，执县宰，诸吏叩头为宰请。母曰：‘吾子犯小罪，不当死而为宰所杀，杀人当死，又何请乎！’遂斩之，以其首祭子冢，复还海中。”

[2]《后汉书·刘玄列传》云：“王莽末，南方饥馑，人庶群入野泽，掘凫茈而食之，更相侵夺。”

进到云杜（今日沔阳西北）便遇到绿林兵的迎击，剿灭者被剿灭了。绿林兵从官军得了大量的军械和粮食，因而得以展开了一个更大的出击。他们攻拔竟陵，转击云杜、安陆，打开富人的谷仓，救活了不少的饥民。当他们回到绿林山的时候，有五万以上的农民，加入了他们的队伍。

地皇三年，大疠疫降临鄂西，绿林山的叛民，死了一半。为了求生，他们相率离开了荒野的森林，分作两队，转向他地。一队由王常、成丹领导，西入南郡（荆州），是为“下江兵”。当时秦丰已聚众万人起于南郡，再加上下江兵，南郡一带的社会秩序，遂被捣毁无余了。其另一队，由王匡、王凤、马武、朱鲔、张卬等领导，北入南阳，是为“新市兵”。当新市兵东攻随县的时候，平林（今随县东北）人陈牧、廖湛也聚合了数千农民，号“平林兵”，响应新市兵的进攻。由于新市兵与平林兵的结合，鄂北豫南一带，遂完全变成“叛乱”世界了。

在鄂西的“叛乱”发生之次年（天凤五年），山东、苏北也爆发了更大的“叛乱”。当时青、徐大饥，寇贼蜂起，山东的饥民，共推琅邪人樊崇为首领，尊之曰“三老”（三老者，即今日之乡长）。他们以泰山为根据地，不到一年，聚合于樊崇旗下者万余人。同时，东海（今海州）人徐宣、谢禄、杨音，也出现为农民“叛乱”的领导人物，他们各人都聚合了万余人，加入樊崇的集团。于是樊崇遂成了山东农民“叛乱”的总领袖，而泰山也就成为当时农民“叛乱”的中心。“叛乱”的群众，一天天加多，为了获得生活资料，他们进攻莒县，转掠姑墨。当时王莽派田况进剿，樊崇大败田况之军，遂乘胜北入青州，还至泰山，并以支队占据南城。

继樊崇之后，山东、河北饥饿的农民，四方蜂起，各推首领，侵略郡县。据《后汉书·光武帝纪》云：“（当时）别号诸贼：铜马、大肜、高湖、重连、铁胫、大抢、尤来、上江、青犊、五校、檀乡、五幡、五楼、富平、获索等，各领部曲，众合数百万人，所在寇掠。”又据《东观汉纪》所载，谓当时“诸贼或以山川土地为名，或以军容强盛为号，铜马贼帅东山荒秃、上淮况等，大肜渠帅樊重，尤来渠帅樊崇，五校贼帅高扈，檀乡贼帅董次仲，五楼贼帅张文，富平贼帅徐少，获索贼帅古师郎等”。其余贼，亦各有其渠帅。以上所述诸“叛乱”的首领，乃见之于史册者，当然是较大的“叛乱”集团，其余包括在“山东群盗”之中而不名者，尚不知有多少。由此可以想见当时叛乱者的声势之浩大与集团之繁多。

当时用以为组织“叛乱”的工具，是宗教迷信。在哀帝末年，中原一带的饥民，就相互传西王母筹以相结聚。到王莽末年，虽史无农民传西王母筹之记载，但此种信仰一定还存在于农民心中。《王莽传》谓地皇二年“平原女子迟昭平，能说经，博以八投，亦聚数千人在河阻中”。这里所谓“经”，史无明释，不知是何经，但决非当时地主子弟用以进取功名的“五经”，则可断言。至于“博以八投”，服虔曰“博弈经以八箭投之”，这显然是借说经以啸聚群众，集中武器。由此而知此所谓经，大概就是一种宗教仪式中的咒语。当时山东的农民，大概有不少都是在这一类宗教咒术的呼唤之中，投箭而起。

当时的“叛乱”集团，目的极其单纯，组织亦非常简单。《后汉书 · 刘盆子列传》云：“初，崇等以困穷为寇，无攻城徇地之计。众既寖盛，乃相与为约：杀人者死，伤人者抵偿创。以言词为约束，无文书、旌旗、部曲、号令。其中最尊者号‘三老’，次‘从事’，次‘卒吏’（史），泛相称曰‘臣（巨）人’。”不仅樊崇的集团如此，其他“叛乱”集团，亦无不如此。《汉书·王莽传》云：“初，四方皆以饥寒穷愁起为盗贼，稍稍群聚，常思岁熟，得归乡里。众虽万数，亶称巨人、从事、三老、祭酒，不敢略有城邑，转掠求食，日阕而已。诸长吏牧守，皆自乱斗中兵而死，贼非敢欲杀之也。”由此看来，当时“叛乱”的集团，既无攻城徇地之计，又不敢公然杀戮长吏守牧，更未尝树立旗帜，发布政治号召，他们只是转掠求食，日暮而已。这就说明了他们完全是迫于饥寒，起为盗贼，并没有丝毫政治的野心。同时从他们不准杀人伤人之相互约束看来，又知这些所谓“盗贼”，并不是穷凶极恶的匪徒，而是一群群驯良的百姓。他们与普通百姓不同的，只是因为他们没有饭吃。

关于上述的情形，曾有许多从“盗匪区域”逃出来的官吏，报告王莽。但是王莽却大加申斥。他说：“夫吏者理也，宣德明恩，以牧养民，仁之道也；抑强督奸，捕诛盗贼，义之节也。今则不然，盗发不辄得，至成群党，遮略乘传宰士。士得脱者，又妄自言：‘我责数贼，何故为是？’贼曰：‘以贫穷故耳，贼护出我。’今俗人议者，率多若此。惟贫困饥寒，犯法为非，大者群盗，小者偷穴，不过二科。今乃结谋连党以千百数，是逆乱之大者，岂饥寒之谓邪？”照王莽看来，当时的群盗，并不是为了饥寒，而是“天生的盗贼”。所以他下令要各地的守令，务予殄灭，以后而有“妄曰饥寒所为，辄捕系，请其罪”。自是以后，臣下“莫敢言贼情者，亦不得擅发兵，贼由是不制”。

为了要殄灭这些“天生的盗贼”，王莽便准备展开大规模的军事围剿。当时曾经亲身领略过“盗贼”教训的田况，他看见王莽要想玩火，实在太危险，于是大胆地向王莽建议，劝他不要发动大规模的军事围剿。田况说：“盗贼始发，其原甚微，非部吏、伍人所能禽也。咎在长吏不为意，县欺其郡，郡欺其朝廷，实百言十，实千言百，朝廷忽略，不辄督责，遂至延曼连州。乃遣将率，多发使者，传相监趋；郡县力事上官，应塞诘对；供酒食，具资用，以救断斩；不给，复忧盗贼治官事。将率又不能躬率吏士，战则为贼所破，吏气寖伤，徒费百姓。前幸蒙赦令，贼欲解散，或反遮击，恐入山谷转相告语，故郡县降贼，皆更惊骇，恐见诈灭。因饥馑易动，旬日之间，更十余万人，此盗贼所以多之故也。今洛阳以东，米石二千，窃见诏书，欲遣太师、更始将军二人，爪牙重臣，多从人众，道上空竭，少则亡以威视远方。宜急选牧、尹以下，明其赏罚，收合离乡。小国无城郭者，徙其老弱，置大城中。积藏谷食，并力固守，贼来攻城则不能下，所过无食，势不得群聚。如此，招之必降，击之则灭。今空复多出将率，郡县苦之，反甚于贼。宜尽征还乘传诸使者，以休息郡县，委任臣况以二州盗贼，必平定之。"

王莽不纳田况之言，十几万剿匪的大军，在太师王匡、更始将军廉丹的指挥之下出动了。这些官兵"所过放纵"。"东方为之语曰：'宁逢赤眉，不逢太师！太师犹可，更始杀我。'卒如田况之言。"当时的官军，"反甚于贼"。以残暴甚于"盗贼"的官军去剿"盗贼"，当然不会有胜利的希望，所以廉丹一走出马门，便被赤眉杀死，而王匡也被农民军杀得全军覆没，落荒而走。

以前不略城邑，不杀长吏的樊崇"叛乱"集团，现在真是变成了红眉毛绿眼睛的暴徒了。当莽军来剿的时候，樊崇“恐其众与莽兵乱，乃皆朱其眉以相识别，由是,(樊崇之部)号曰赤眉”。赤眉击败王莽的官军以后，追至无盐，转攻莒县。当时吕母已病死，吕母的部众，一部分加入铜马、青犊，而另一部分则加入赤眉。赤眉既败莽军，又加入生力军，声势更大。他们知道与王莽不能两立，于是展开了攻势，首先进攻东海（海州），由此转旗而西，掠楚、沛、汝南、颍川，还入陈留，攻拔鲁城，转至濮阳。从此以后，山东、苏北、皖北、河南、河北，都是赤眉的天下了。

正当赤眉的“叛乱”展开之时，新市、平林的叛乱也在日益扩大之中，南北遥遥若相呼应，王莽的宝座，已经发生动摇了。同时，商人地主，以刘縯为首领，在南阳的舂陵，也举起了叛旗，企图利用农民“叛乱”的力量，恢复自己的政权。

刘縯，字伯升，是南阳一个很大的土豪，好侠养士，横于南阳。他的胞弟刘秀，是南阳一个很大的谷商。他们兄弟既富有资财，又广结豪侠，目极天下大乱，大可以作一次政治的冒险。恰好新市、平林之兵，北入南阳，于是刘縯遂在舂陵发动叛乱，响应新市、平林的进攻，并进而与之合伙联军，企图把“叛乱”农民的力量，引导到自己的政治目的。

为了上述的目的，刘縯弟兄与新市、平林合伙，但是没有想到，早在他们之前，平林军中，已经钻进了一个野心家，这就是刘玄。[1]当时刘玄在平林兵中任安集掾，因为他具有高于农民的智识，所以他在平林兵中，多少可以起着操纵的作用。刘玄早已把平林、新市当作自己的政治资本，现在看到刘縯兄弟带着武装加入新市、平林，这当然要动摇他在新市、平林中既得的地位。因此刘玄就开始进行打击刘縯兄弟的工作，使新市、平林诸领袖，排斥刘縯兄弟而接近自己。农民头脑简单，他们相信了刘玄的话，于是二月辛巳，设坛于淯水上沙滩中，陈兵大会，拥立刘玄为天子，是为更始皇帝。

---

[1]《后汉书·刘玄传》云：“刘玄，字圣公，光武族兄也。弟为人所杀，圣公结客欲报之，客犯法，圣公避吏于平林，吏系圣公父子张，圣公诈死，使人持丧归春陵，吏乃出子张。圣公因自逃匿。王莽末……平林人陈牧、廖湛复聚众千余人，号平林兵……圣公因往从牧等，为其军安集掾。……四年正月，破王莽前队大夫甄阜、属正梁丘赐，斩之，号圣公为更始将军。众虽多而无所统一，诸将遂共议立更始为天子。”

刘玄既立为皇帝，于是组织政府，新市、平林的诸将领及刘缜，都变成了这个政府中的主要人物。新政府一面派刘缜、刘秀等出师北伐，一面发布复兴刘氏的政治号召。于是“海内豪杰，翕然响应，皆杀其牧守，自称将军，用汉年号，以待诏命，旬月之间，遍于天下”。

当此之时，旱灾更甚，蝗虫满天，“盗贼”遍地，黄金一斤易豆一升而不可得，中原一带，人相食，而剿匪的官军，乘传的钦差，贪污剥刮如故，于是流民入关者数十万人，整个的长安，变成了饥民收容所。而三辅的“盗贼”，亦相挺而起，捣毁了关中的秩序。同时，王莽政府的内部，也不断发现叛变的阴谋，如刘歆、王涉等的叛变，甚至王莽的儿子王临，也要谋杀他。再加以刘玄建号改元，声势浩大，现在，王莽骇昏了。

为了应付这样险恶的环境，首先必须安定京师秩序，于是王莽一面打开了皇家的谷仓，派“养赡官”发给饥民粮食。但那些经理放粮的“监领与小吏，共盗其廪，饥死者十七八”。另一面，“……乃置捕盗都尉官，令执法谒者追击长安中，建‘鸣鼓攻贼幡’，而使者随其后。”但巨鹿男子谋杀王莽如故也。

王莽在这样一个布置之后，自以为首都秩序可保无虞，因大发兵讨伐中原群盗。《王莽传》云："(莽)遣大司空王邑驰传之洛阳，与司徒王寻，发众郡兵百万，号曰'虎牙五威兵'，平定山东。得专封爵，政决于(王)邑。除用征诸明兵法六十三家术者，各持图书，受器械，备军吏，倾府库以遣邑。多赍(国库的)珍宝猛兽，欲视饶富，用怖山东。邑至洛阳，州郡各选精兵，牧守自将，定会者四十二万人，余在道不绝。车甲士马之盛，自古出师，未尝有也。"

当剿匪的大军出发以后，王莽以为群盗的殄灭，不过旦夕之间。于是抱着"符命威斗"[1]，坐着"华盖车"[2]鸣鼓开道，巡行长安，喜气洋洋，等待着前方的捷报。但是等到的消息，不是捷报，而是全军覆没。

当王莽的大军聚结洛阳之时，刘玄的北伐之师在刘

[1]《汉书·王莽传》云："莽亲之南郊，铸作威斗。威斗者，以五石铜为之，若北斗，长二尺五寸，欲以厌胜众兵。既成，令司命负之，莽出在前，入在御旁。铸斗日大寒，百官人马有冻死者。"

[2] 同上书云："或言黄帝时建华盖以登仙，莽乃造华盖九重，高八丈一尺，金瑵羽葆，载以秘机四轮车，驾六马，力士三百人，黄衣帻。车上人击鼓，挽者皆呼登仙。莽出，令在前。百官窃言：'此似软车，非仙物也。'"

秀、王匡、王凤等指挥之下，已经击溃了王莽的前锋严尤、陈茂之军，占领了昆阳（今叶县）、定陵（今舞阳县）及郾县（今郾城县）一带的地方，同时，刘缜以别军占领了苑城。这时刘玄的政府已奄有今日豫西大部分地方。所以王邑、王寻等，首先就指挥大军，进剿刘玄的集体。两军大战于昆阳。结果莽军大败，王寻诛死，王邑、严尤、陈茂轻骑而逃。

昆阳大捷以后，刘秀的威名大震。同时，刘缜占领苑城以后，把政府迁到苑城，放在他的控制之下，大有杀刘玄而自为皇帝之势。于是新市、平林诸将领遂与刘玄决议杀了刘缜。当时刘秀正在前线作战，虽知其兄被杀，迫于新市、平林的势力，亦不敢有所动作，只是装着笑脸引过谢罪而已。

刘玄既杀刘缜，把大权集中于自己手中，遂分兵两路，讨伐王莽。一路由王匡领导，北向洛阳；一路由申屠建、李松指挥，西向武关。军事的进展，非常顺利。当申屠建等进攻武关之时，析人邓晔、于匡起兵应汉，打开武关，欢迎汉兵。所过之处，农民无不迎降，于是刘玄西入武关之军，在毫无抵抗的情形之下，由华阴而进到长安的郊外。当此之时，痛恨新政之关中的商人地主，无不起兵响应。据《王莽传》云:“(汉将)王宪北至频阳，所过迎降。大姓栎阳申砀、下邽王大，皆率众随宪。属县斄严春、茂陵董喜、蓝田王孟、槐里汝臣、盩至王扶、阳陵严本、杜陵屠门少之属，众皆数千人，假号称汉将。”

当刘玄之军，西入武关之时，王莽已经急得手足无所措，当时其臣有崔发者告诉他说:《周礼》及《春秋左氏》皆谓国有大灾，则哭以厌之，故《易》称“先号咷而后笑”，宜呼嗟告天以求救。于是王莽乃率群臣至南郊，仰天而呼曰:“皇天既命授臣莽，何不殄灭众贼?即令臣莽非是，愿下雷霆诛臣莽。”因“搏心大哭”，至于气尽。不但自己哭，并且强迫诸生小民也帮助他哭。但是王莽愈哭，而盗贼愈近，不久长安便被“盗贼”包围得水泄不通。王莽虽欲到南郊举行“哭典”，也不可能了。这时他只有死死地用眼睛钉着六十几匮黄金，等待“盗贼”的裁判。

城外起了大火，王莽的九庙，一时化为灰烬。新市、平林打破了宣平门。王莽的官军守住北阙，就在北阙，展开激烈的巷战。

太阳快要偏西了，城中到处大火，许多官府邸第，都被焚毁了。第二天，城中的饥民在少年朱弟、张鱼等领导之下，也暴动起来，响应刘玄之军。这些饥民，他们放火烧了作室门，用斧头斩开了敬法闼，一路冲进宫廷。他们大呼："反虏王莽，何不出降！"

火势延烧得更大，已经烧进了掖廷宫。王莽的妃嫔和新选入宫的一百二十名淑女，东逃西窜，群呼："当奈何！"这时，王莽避火宣室前殿，穿着一件深青而发赤的衣服，带着皇帝的"玺韨"，手里拿着"虞帝匕首"，前面摆着一个"威斗"，旁边有一位天文郎替他转动斗柄，他就随着斗柄所指的方向而坐。为了替自己壮胆，他自言自语说："天生德于予，汉兵其如予何！"说话的时候，声音很微弱，因为他已经三日不食了。

第三天早晨，天将明，群臣扶莽自宣室前殿，南下阶台，出白虎门，乘车逃往渐台。渐台在池中，欲阻池水以拒"贼"。这时，王莽还是抱着他那用以镇压"盗贼"的"符命威斗"，从官还有一千多人。但是王莽的官兵已经在巷战中，死伤略尽。"贼兵"已经杀进了皇宫。他们大呼："反虏王莽安在？""有美人出房曰：'在渐台。'"于是"贼兵"追至渐台，围渐台数百重。台上亦有弓弩，互相对射。后台上矢尽，无以复射，于是短兵接，王莽的将官多死于肉搏中。

在下午一两点钟的时候，"贼兵"攻上渐台，商人杜吴杀王莽，校尉公宾就斩莽首。军人分裂莽身，支节肌骨脔分，争相杀者数十人。传莽首诣更始，悬苑市，百姓共提击之，或切食其舌。

班固曰："王莽始起外戚，折节力行，以要名誉，宗族称孝，师友归仁。及其居位辅政，成、哀之际，勤劳国家，直道而行，动见称述。……及其窃位南面，处非所据，颠覆之势，险于桀、纣，而莽晏然自以黄、虞复出也。乃复恣睢，奋其威诈，滔天虐民，穷凶极恶；流毒诸夏，乱延蛮貉，犹未足逞其欲焉。是以四海之内，嚣然丧其乐生之心，中外愤怨，远近俱发，城池不守，支体分裂，遂令天下城邑为虚，丘垅发掘，害遍生民，辜及朽骨，自书传所载，乱臣贼子，无道之人，考其祸败，未有如莽之甚者也。昔秦燔《诗》、《书》以立私议，莽诵《六艺》以文奸言，同归殊涂，俱用灭亡。"岂不可哀！

当西入武关之军攻陷长安的时候，刘玄的北伐之军，也攻陷了洛阳，这时刘玄的政府遂由苑县北迁洛阳。不久，申屠建、李松等从长安传送乘舆服御从官，奉迎迁都，刘玄遂入长安。当时长安“唯未央宫被焚而已，其余宫馆，一无所毁。宫女数千，备列后庭，自钟鼓、帷帐、舆辇、器服、太仓、武库、官府、市里，不改于旧”。刘玄就算做了现成的皇帝。

刘玄到了长安，大封宗室、功臣，因而新市、平林的将领乃至下级军官，起义的商人地主，一齐都衣冠登台。据《刘玄传》云：“其所授官爵者，皆群小贾竖，或有膳夫庖人，多着绣面衣，锦绔襜褕诸于，骂詈道中。长安为之语曰：‘灶下养，中郎将。烂羊胃，骑都尉。烂羊头，关内侯。”

因为长安没有经过很大的破坏，繁华与奢侈的环境，很快就使刘玄的集团趋于腐化。当时刘玄“日夜与妇人饮讌后庭，群臣欲言事，辄醉不能见。时不得已，乃令侍中坐帷内与语”。同时“李轶、朱鲔擅命山东；王匡、张印横暴三辅”。象这样一个新政权，当然使得天下大失所望。在实际上，也不能解决农民的饥饿问题。

当此之时，赤眉正散布于汝南、颍川、陈留一带，饥饿无以为食。当刘玄攻陷洛阳之时，樊崇等曾亲至洛阳，诣谒刘玄，要求他解决农民的饥饿问题，但是刘玄进了长安以后，对樊崇等提出的问题，并没有答复。于是樊崇由洛阳回到颍川，开始自由行动。他把赤眉之众分为两部，一部由他自己和逄安领导，另一部由徐宣、谢禄、杨音领导。樊崇所部，则南攻长社，进陷宛县，杀县令。徐宣等所部，则东拔阳翟，引之梁，击杀河南太守。但当时的河南，赤地千里，城无所夺，野无可掠，所以“赤眉众虽数战胜，而疲敝厌兵，皆日夜愁泣，思欲东归”。樊崇等知东归则群众必散，乃决计西向长安。

更始二年的冬天，赤眉分两道西进：樊崇等自武关，谢宣等自陆浑关。三年正月，两军俱至弘农，与刘玄诸将连战皆捷，众遂大集。乃重新编制，以万人为一营，凡三十营，每营置三老、从事各一人。进至华阴，有士人方阳者，怨刘玄杀其兄方望，乃逆说崇等曰：“更始荒乱，政令不行，故使将军得至于此。今将军拥百万之众，西向帝城，而无称号，名为群贼，不可以久，不如立宗室，挟义诛伐，以此号令，谁敢不服？”樊崇等以为然，因就军中求得景王之后七十余人，唯刘盆子[1]弟兄及刘孝最为近属，遂立刘盆子为皇帝。

赤眉继续西进，至高陵，刘玄将张印叛降赤眉，遂联兵共攻长安城东都门，城破。刘玄出走，为其部下所擒。赤眉下书曰：“圣公降者，封长沙王，过二十日勿受。”刘玄乃肉袒诣长乐宫，献玺绶于刘盆子。

现在西汉王朝，最终地灭亡了，在西汉皇帝的宝座上，坐的是一位农民军的领袖。

[1]《后汉书·刘盆子传》云：“刘盆子者，太山式人，城阳景王章之后也。祖父宪，平帝时，封为式侯。父萌嗣，王莽篡位，国除，因为式人焉。”